令和7年版

司法書士 合格ゾーン 記述式過去問題集

12 商業登記法

はしがき

本書は、司法書士試験の商業登記法記述式の平成27年度から令和6年度までの10年間の本試験での出題（過去問）集です。

この10年間には、商業登記法の記述式に関連する分野では改正が相次いでおり、本書では、本試験の出題を法改正に対応させ、現行法のもとでの出題として適切なものとなるよう改題を施しています。

商業登記法記述式の出題は、不動産登記法記述式と比べ、問題の形式にブレが少なく、本試験の現場で受験生は大きな緊張を強いられることは少ない問題と言えます。

しかし、そうであるがゆえに、商業登記法記述式は受験生の実力差が出やすいのであり、出題分野など、過去の本試験での出題を検討することが重要となります。本書をご活用いただき、商業登記法記述式の出題傾向を把握し、本試験を突破していただければ、これに勝る喜びはありません。

本書が、受講生の皆さんの司法書士試験合格への一助となりますよう。

2024年11月吉日

株式会社東京リーガルマインド
LEC総合研究所　司法書士試験部

法改正等に伴う問題の改題について

1．法令の基準時点

令和７年４月１日時点で施行が確実な法令に合わせて、過去の出題を改題しています。

全ての事実関係に関して、会社法の一部を改正する法律（令和元年法律第70号）、会社法の一部を改正する法律の施行に伴う関係法律の整備等に関する法律（令和元年法律第71号）、会社法施行規則等の一部を改正する省令（令和２年法務省令第52号）及び商業登記規則等の一部を改正する省令（令和３年法務省令第２号）が適用されるものとして解いてください。なお、経過措置については考慮しないものとします。

2．商業登記規則等の一部を改正する省令（平成28年法務省令第32号）による商業登記規則第61条第２項・３項の添付書面（株主リスト）について

本書では、平成28年度以前の問題については、添付書面の名称及び通数欄の解答において、商業登記規則第61条第２項及び第３項の書面（以下「株主リスト」という。）についての記載を要しないものとして出題していますが、各年度の解説に独立した株主リストの項目を設けましたので、本試験対策としてご活用ください。

掲載の順序について

1．出題年度

本書では、まず、近年の傾向を把握していただく意味で、出題年度順とは逆に問題を掲載しています。既に本試験を受験したことがある受験生の方は、本書掲載順に問題を検討していただくことにより、ご自身の実力を測ったうえで、近年とは異なる出題分野を検討することができます。一方、本試験受験経験のない受験生の方は、本書の掲載順序とは逆に、出題年度順に検討することで、本試験の出題の難化の傾向に沿って、記述式の実力のレベルアップを図ることも可能です。

2．解答例

本書では、解答例は各年度の末尾に掲載しています。

3．過去問題資料集

平成26年から平成18年までの問題と解答例を出題当時の法令に則った形式で掲載しています。

目　次

☆本書の効果的活用法☆

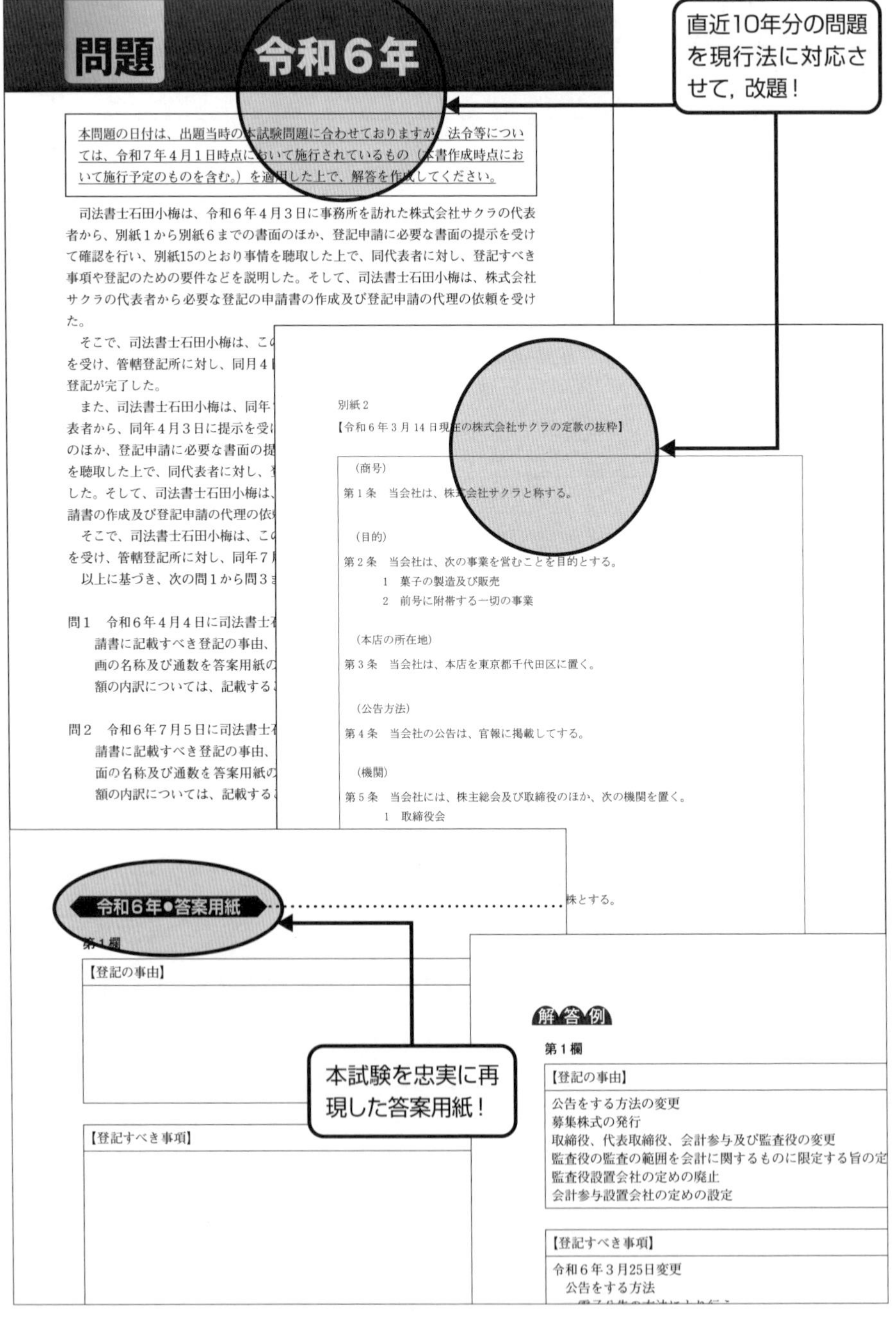

問題
令和６年
本問題の日付は、出題当時の本試験問題に合わせておりますが、法令等については、令和７年４月１日時点において施行されているもの（本書作成時点において施行予定のものを含む。）を適用した上で、解答を作成してください。
司法書士石田小梅は、令和６年４月３日に事務所を訪れた株式会社サクラの代表者から、別紙１から別紙６までの書面のほか、登記申請に必要な書面の提示を受けて確認を行い、別紙15のとおり事情を聴取した上で、同代表者に対し、登記すべき事項や登記のための要件などを説明した。そして、司法書士石田小梅は、株式会社サクラの代表者から必要な登記の申請書の作成及び登記申請の代理の依頼を受けた。
直近10年分の問題を現行法に対応させて，改題！
別紙２
【令和６年３月14日現在の株式会社サクラの定款の抜粋】
（商号）
第１条　当会社は、株式会社サクラと称する。
（目的）
第２条　当会社は、次の事業を営むことを目的とする。
１　菓子の製造及び販売
２　前号に附帯する一切の事業
（本店の所在地）
第３条　当会社は、本店を東京都千代田区に置く。
（公告方法）
第４条　当会社の公告は、官報に掲載してする。
（機関）
第５条　当会社には、株主総会及び取締役のほか、次の機関を置く。
１　取締役会
令和６年●答案用紙
第１欄
【登記の事由】
【登記すべき事項】
本試験を忠実に再現した答案用紙！
解答例
第１欄
【登記の事由】
公告をする方法の変更
募集株式の発行
取締役、代表取締役、会計参与及び監査役の変更
会計参与設置会社の定めの設定
【登記すべき事項】
令和６年３月25日変更
公告をする方法

解説　令和６年

[本問の重要論点一覧表]

出題範囲	重要論点	解説箇所
公告をする方法の変更	電子公告を公告方法とする場合には、その旨のほか、ウェブページのアドレスの登記を要する。また、事故その他やむを得ない事由によって電子公告をすることができない場合の予備的公告方法の定めがあるときは、その登記もしなければならない。	P31参照
監査役設置会社の定めの廃止	取締役会設置会社（監査等委員会設置会社及び指名委員会等設置会社を除く。）は、監査役を置かなければならない。ただし、公開会社でない会計参与設置会社については、この限りでない。	P33参照
会計参与設置会社の定めの設定	非公開会社である取締役会設置会社（監査等委員会設置会社及び指名委員会等設置会社を除く。）が監査役を置かない機関設計を選択した場合には、会計参与の設置が義務付けられる。	P35参照
監査役の監査の範囲を会計に関するものに限定する旨の定款の定めの廃止	監査役の監査の範囲を会計に関するものに限定する旨の定款の定めがある会社が監査役設置会社の定めを廃止した場合、監査の範囲を会計に関するものに限定する旨の定款の定… を要する。	P37参照
募集株式の発行等	非公開会社が株… う場合、定款に… 決定を取締役の… 取締役会の決議…	
取締役等の会社に対する責任の免除に関する規定の設定	取締役が２人以… 会設置会社又は… 取締役等の会社… 定款に定めるこ…	
非業務執行取締役等の会社に対する責任の制限に関する規定の設定	株式会社は、… る任務懈怠によ… つ重大な過失が… 旨の契約を非業… きる旨を定款で…	

３　株主の氏名又は名称、住所及び議決権数等を証する書面（株主リスト）の通数

3−1　株主の氏名又は名称、住所及び議決権数等を証する書面（株主リスト）の添付を要する場合等の検討

前提の知識

① **株主総会又は種類株主総会の決議を要する場合の株主の氏名又は名称、住所及び議決権数等を証する書面（株主リスト）**

登記すべき事項につき株主総会又は種類株主総会の決議を要する場合には、申請書に、総株主（種類株主総会の決議を要する場合にあっては、その種類の株式の総株主）の議決権（当該決議において、行使することができるものに限る。）の数に対するその有する議決権の数の割合が高いことにおいて上位となる株主であって、次に掲げる人数のうちいずれか少ない人数の株主の氏名又は名称及び住所、当該株主のそれぞれが有する株式の数（種類株主総会の決議を要する場合にあっては、その種類の株式の数）及び議決権の数並びに当該株主のそれぞれが有する議決権に係る当該割合を証する書面を添付しなければならない（商登規61Ⅲ）。

⑴　10名

⑵　その有する議決権の数の割合を当該割合の多い順に順次加算し、その加算した割合が３分の２に達するまでの人数

なお、当該決議には会社法319条１項の規定により決議があったものとみなされる場合が含まれる。

② **株主の氏名又は名称、住所及び議決権数等を証する書面（株主リスト）の通数**

株主の氏名又は名称、住所及び議決権数等を証する書面（株主リスト）は、一の登記申請で、株主総会の決議を要する複数の登記すべき事項について申請される場合には、当該登記すべき事項ごとに添付を要する（商登規61Ⅱ・Ⅲ）。

ただし、決議ごとに添付を要する当該書面に記載すべき内容が一致するときは、その旨の注記がされた当該書面が１通添付されていれば足りるとされている（平28.6.23民商98号第3.1⑵ア）。

なお、日本司法書士会連合会より、以下の見解も示されている（日司連発第790号）。

重要論点一覧表と前提の知識をリンクさせることにより，復習時の知識の習得を効率UP！

複雑な役員の任期を図表化することで一目瞭然！

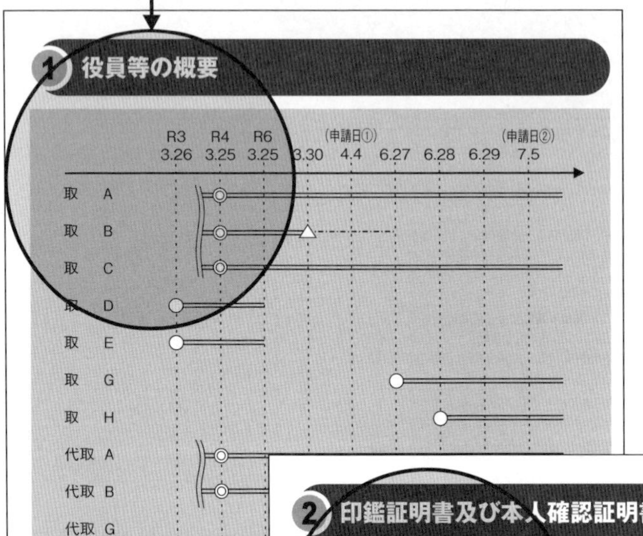

2 印鑑証明書及び本人確認証明書の通数

＜令和６年７月５日申請分＞

		印鑑証明書の添付を要する書面			本人確認証明書（商登規61条７項）
		就任承諾書（商登規61条４・５項）	選定証明書（商登規61条６項）	辞任届（商登規61条８項）	
取	A		○		
取	B				
取	C		○		
取	G		○		×（印）
取	H		○		×（印）
代取	A				
代取	G	○			
合計		４通 ※			０通

※　同一人のものについては、１通添付すれば足りる。

○…添付必要
×…添付不要
（届）…従前からの代表取締役の届出印で押印しているため
（再）…再任のため
（印）…商登規61条４項、５項又は６項の規定により印鑑証明書を添付するため

添付の要否・通数を図表で正確に把握！

基準点・合格点の推移

年度	基準点				合格点	合格点 ― 基準点
	択一午前の部	択一午後の部	記述式	合計		
令和6	78（26問）	72（24問）	83.0/140	233.0/350.0	267.0/350.0	34.0
	48.9	52.2	(59.3%)	(76.89%)	(76.1%)	
令和5	78（26問）	75（25問）	30.5/70	183.5/280.0	211.0/280.0	27.5
	49.3	52.0	(43.6%)	(65.5%)	(75.3%)	
令和4	81（27問）	75（25問）	35.0/70	191.0/280.0	216.5/280.0	25.5
	58.3	60.2	(50.0%)	(68.2%)	(77.3%)	
令和3	81（27問）	66（22問）	34.0/70	181.0/280.0	208.5/280.0	27.5
	49.8	51.5	(48.6%)	(64.6%)	(74.5%)	
令和2	75（25問）	72（24問）	32.0/70	179.0/280.0	205.5/280.0	26.5
	48.3	52.3	(45.7%)	(63.9%)	(73.4%)	
平成31	75（25問）	66（22問）	32.5/70	173.5/280.0	197.0/280.0	23.5
	51.6	52.4	(46.4%)	(62.0%)	(70.4%)	
平成30	78（26問）	72（24問）	37.0/70	187.0/280.0	212.5/280.0	25.5
	51.9	50.9	(52.9%)	(66.8%)	(75.9%)	
平成29	75（25問）	72（24問）	34.0/70	181.0/280.0	207.0/280.0	26.0
	51.9	51.5	(48.6%)	(64.6%)	(73.9%)	
平成28	75（25問）	72（24問）	30.5/70	177.5/280.0	200.5/280.0	23.0
	52.4	51.5	(43.6%)	(63.4%)	(71.6%)	
平成27	90（30問）	72（24問）	36.5/70	198.5/280.0	218.0/280.0	19.5
	53.9	53.0	(52.1%)	(70.8%)	(77.8%)	

※　択一午前の部・択一午後の部の下段は、偏差値を示しています。この偏差値は、例年実施している択一成績診断から算出しているＬＥＣ独自のものです。

略語

本書の解説では、以下の法規を略して表記しています。

会社 …… 会社法
会社整備 …… 会社法の施行に伴う関係法律の整備等に関する法律
会社施規 …… 会社法施行規則
会社計規 …… 会社計算規則
商登 …… 商業登記法
商登規 …… 商業登記規則
登録税 …… 登録免許税法
登録税施規 …… 登録免許税法施行規則
民 …… 民法
独禁 …… 私的独占の禁止及び公正取引の確保に関する法律

商業登記法

問題　令和６年

本問題の日付は、出題当時の本試験問題に合わせておりますが、法令等については、令和７年４月１日時点において施行されているもの（本書作成時点において施行予定のものを含む。）を適用した上で、解答を作成してください。

司法書士石田小梅は、令和６年４月３日に事務所を訪れた株式会社サクラの代表者から、別紙１から別紙６までの書面のほか、登記申請に必要な書面の提示を受けて確認を行い、別紙15のとおり事情を聴取した上で、同代表者に対し、登記すべき事項や登記のための要件などを説明した。そして、司法書士石田小梅は、株式会社サクラの代表者から必要な登記の申請書の作成及び登記申請の代理の依頼を受けた。

そこで、司法書士石田小梅は、この依頼に基づき、登記申請に必要な書面の交付を受け、管轄登記所に対し、同月４日に登記の申請をしたところ、同月11日に当該登記が完了した。

また、司法書士石田小梅は、同年７月３日に事務所を訪れた株式会社サクラの代表者から、同年４月３日に提示を受けた書面に加え、別紙７から別紙14までの書面のほか、登記申請に必要な書面の提示を受けて確認を行い、別紙16のとおり事情を聴取した上で、同代表者に対し、登記すべき事項や登記のための要件などを説明した。そして、司法書士石田小梅は、株式会社サクラの代表者から必要な登記の申請書の作成及び登記申請の代理の依頼を受けた。

そこで、司法書士石田小梅は、この依頼に基づき、登記申請に必要な書面の交付を受け、管轄登記所に対し、同年７月５日に登記の申請をした。

以上に基づき、次の問１から問３までに答えなさい。

問１　令和６年４月４日に司法書士石田小梅が申請した登記のうち、当該登記の申請書に記載すべき登記の事由、登記すべき事項、登録免許税額並びに添付書面の名称及び通数を答案用紙の第１欄に記載しなさい。ただし、登録免許税額の内訳については、記載することを要しない。

問２　令和６年７月５日に司法書士石田小梅が申請した登記のうち、当該登記の申請書に記載すべき登記の事由、登記すべき事項、登録免許税額並びに添付書面の名称及び通数を答案用紙の第２欄に記載しなさい。ただし、登録免許税額の内訳については、記載することを要しない。

問３　司法書士石田小梅が別紙７から別紙14までの書面及び別紙16のとおり事情を聴取した内容のうち、登記することができない事項（法令上登記すべき事項とされていない事項を除く。）がある場合には、当該事項及びその理由を答案用紙の第３欄に記載しなさい、登記することができない事項がない場合には、答案用紙の第３欄【登記することができない事項】部分に「なし」と記載しなさい。

（答案作成に当たっての注意事項）

1　登記申請書の添付書面については、全て適式に調えられており、別段の記載がない限り、所要の記名・押印がされているものとする。

2　登記申請書に会社法人等番号を記載することによる登記事項証明書の添付の省略は、しないものとする。

3　被選任者及び被選定者の就任承諾は、別紙13及び別紙14を除き、選任され、又は選定された日に適法に得られ、その旨の書面が調えられているものとする。

4　株式会社サクラ及びボタン株式会社を通じて、ＡからＫまでの記号で表示されている者は、いずれも自然人であって、同じ記号の者が各々同一人物であるものとする。

5　登記申請書の添付書面のうち、株主の氏名又は名称、住所及び議決権数等を証する書面（株主リスト）を記載する場合において、各議案を通じて株主リストに記載する各株主についての内容が変わらないときは、その通数は開催された株主総会ごとに１通を添付するものとする。

6　株式会社サクラの定款には、別紙１から別紙16までに現れている以外には、会社法の規定と異なる定めは、存しないものとする。

7　ボタン株式会社の定款には、別紙７から別紙14まで及び別紙16に現れている以外には、会社法の規定と異なる定めは、存しないものとする。

8　株式会社サクラは、設立以来、最終事業年度に係る貸借対照表の負債の部に計上した額の合計額が200億円以上となったことはないものとする。

9　別紙中、（略）又は（以下略）と記載されている部分及び記載が省略されている部分には、いずれも有効な記載があるものとする。

10　登記の申請に伴って必要となる印鑑の提出は、適式にされているものとし、株式会社サクラの代表取締役のうち、Ａのみが印鑑の提出をしているものとする。

11　租税特別措置法等の特例法による登録免許税の減免規定の適用はないものとする。

12　数字を記載する場合には、算用数字を使用すること。

13　登記申請の懈怠については、考慮しないものとする。

14　東京都千代田区は東京法務局、東京都渋谷区は東京法務局渋谷出張所の管轄である。

15　答案用紙の**各欄に記載する文字は字画を明確にし**、訂正、加入又は削除をするときは、訂正は訂正すべき字句に線を引き、近接箇所に訂正後の字句を記載し、加入は加入する部分を明示して行い、削除は削除すべき字句に線を引いて、訂正、加入又は削除をしたことが明確に分かるように記載すること。ただし、押印や字数を記載することは要しない。

別紙１

【令和６年４月３日現在の株式会社サクラの登記記録の抜粋】

商号	株式会社サクラ	
本店	東京都千代田区さくら町100番地	
公告をする方法	官報に掲載してする。	
会社成立の年月日	平成22年1月21日	
目的	1　菓子の製造及び販売 2　前号に附帯する一切の事業	
発行可能株式総数	4万株	
発行済株式の総数並びに種類及び数	発行済株式の総数 　1万2000株	
資本金の額	金1億5000万円	
株式の譲渡制限に関する規定	当会社の株式を譲渡により取得するには、取締役会の承認を受けなければならない。	
役員に関する事項	取締役　A	令和4年3月25日重任
	取締役　B	令和4年3月25日重任
	取締役　C	令和4年3月25日重任
	取締役　D	令和3年3月26日就任
	取締役　E	令和3年3月26日就任
	東京都千代田区あやめ1番地 代表取締役　A	令和4年3月25日重任
	東京都港区ばら町2番地 代表取締役　B	令和4年3月25日重任
	監査役　F	令和4年3月25日重任
	監査役の監査の範囲を会計に関するものに限定する旨の定款の定めがある。	
取締役会設置会社に関する事項	取締役会設置会社	
監査役設置会社に関する事項	監査役設置会社	

別紙2

【令和6年3月14日現在の株式会社サクラの定款の抜粋】

（商号）

第1条　当会社は、株式会社サクラと称する。

（目的）

第2条　当会社は、次の事業を営むことを目的とする。

1　菓子の製造及び販売

2　前号に附帯する一切の事業

（本店の所在地）

第3条　当会社は、本店を東京都千代田区に置く。

（公告方法）

第4条　当会社の公告は、官報に掲載してする。

（機関）

第5条　当会社には、株主総会及び取締役のほか、次の機関を置く。

1　取締役会

2　監査役

（発行可能株式総数）

第6条　当会社の発行可能株式総数は、4万株とする。

（株式の譲渡制限に関する規定）

第8条　当会社の株式を譲渡により取得するには、取締役会の承認を受けなければならない。

（招集）

第10条　当会社の定時株主総会は、毎事業年度終了後3か月以内に招集し、臨時株主総会は、随時必要に応じて招集する。

（基準日）

第13条　当会社は、毎年事業年度末日の最終の株主名簿に記載された議決権を有する株主をもって、その事業年度に関する定時株主総会において権利を行使することができる株主とする。

（募集株式の発行）

第15条　株主に株式の割当てを受ける権利を与える場合には、募集事項並びに株主に株式の割当てを受ける権利を与える旨及び募集株式の引受けの申込みの期日は、取締役会の決議により定めることができる。

（監査役の権限）

第27条　監査役は、会計に関する事項のみについて監査する権限を有し、業務について監査する権限を有しない。

（任期）

第29条　取締役の任期は、選任後３年以内に終了する事業年度のうち最終のものに関する定時株主総会の終結の時までとする。

2　監査役の任期は、選任後４年以内に終了する事業年度のうち最終のものに関する定時株主総会の終結の時までとする。

（事業年度）

第33条　当会社の事業年度は、毎年２月１日から翌年１月31日までとする。

（その他）

第36条　この定款に規定のない事項は、全て会社法その他の法令の定めるところによる。

別紙3

【令和6年3月14日開催の株式会社サクラの取締役会における議事の概要】

議案　募集株式発行の件

下記のとおり募集株式を発行する旨が諮られ、出席取締役全員の一致をもって可決承認された。

1．募集株式の種類及び数　普通株式　5,000株
　　このうち2,000株については、まず自己株式を交付する。

2．募集株式の発行方法　株主割当てとし、株主に対し、その有する普通株式2株につき普通株式1株の割合をもって割当てを受ける権利を与える。

3．払込金額　1株につき金10,000円

4．申込期日　令和6年3月29日

5．払込期日　令和6年4月1日

6．払込みを取り扱う金融機関及び取扱場所　（略）

7．募集株式の発行により増加する資本金の額
　資本金等増加限度額の2分の1の金額(計算の結果1円未満の端数が生じたときは、その端数を切り上げる)

8．募集株式の発行により増加する資本準備金の額
　資本金等増加限度額から増加する資本金の額を減じた額

別紙4

【令和６年３月25日開催の株式会社サクラの定時株主総会における議事の概要】

株主の総数	6名
議決権を行使することができる株主の総数	5名
発行済株式の総数	12,000株
議決権を行使することができる株主の議決権の総数	10,000個
出席株主の数	3名
出席株主の有する議決権の総数	9,000個

［決議事項］

第１号議案　計算書類承認の件

計算書類(令和５年２月１日から令和６年１月31日まで)の承認を求めたところ、満場一致をもって可決承認された。

第２号議案　定款一部変更の件

次のとおり、定款の一部を変更することが諮られ、満場一致をもって可決承認された(下線は変更部分)。

変更前	変更後
(公告の方法) 第４条　当会社の公告は、官報に掲載してする。	(公告の方法) 第４条　当会社の公告は、電子公告の方法により行う。ただし、事故その他やむを得ない事由によって電子公告による公告ができない場合には、官報に掲載してする。
(機関) 第５条　当会社には、株主総会及び取締役のほか、次の機関を置く。 1　取締役会 2　監査役	(機関) 第５条　当会社には、株主総会及び取締役のほか、次の機関を置く。 1　取締役会 2　会計参与

(監査役の権限) 第27条　監査役は、会計に関する事項のみについて監査する権限を有し、業務について監査する権限を有しない。	(削除)
(任期) 第29条　取締役の任期は、選任後3年以内に終了する事業年度のうち最終のものに関する定時株主総会の終結の時までとする。 2　監査役の任期は、選任後4年以内に終了する事業年度のうち最終のものに関する定時株主総会の終結の時までとする。	(任期) 第29条　取締役の任期は、選任後3年以内に終了する事業年度のうち最終のものに関する定時株主総会の終結の時までとする。 2　会計参与の任期は、選任後3年以内に終了する事業年度のうち最終のものに関する定時株主総会の終結の時までとする。
(略)	(略)

第3号議案　会計参与選任の件

会計参与を選任することが諮られ、出席株主の有する議決権の総数のうち6,000個の賛成をもって可決承認し、以下のとおり選任された。

会計参与　　　　税理士法人ハマナス
主たる事務所　　東京都渋谷区ハマナス3番地
書類等備置場所　東京都渋谷区ハマナス3番地

別紙5

【株式会社サクラの令和6年1月31日の最終の株主名簿の抜粋】

	氏名又は名称	株式の種類及び数
1	A	普通株式　5,000株
2	B	普通株式　3,000株
3	株式会社サクラ	普通株式　2,000株
4	C	普通株式　1,000株
5	H	普通株式　800株
6	I	普通株式　200株

株主の住所及び株式の取得年月日は省略。また、登録株式質権者は存在しない。

別紙6

辞任届

私は、このたび一身上の都合により、貴社の取締役を辞任いたしたく、お届けいたします。

令和6年3月30日

住所　東京都港区ばら町2番地

氏名　B　㊞

株式会社サクラ　御中

別紙7

【令和6年6月25日開催の株式会社サクラの臨時株主総会における議事の概要】

［決議事項］

第1号議案　株式交付計画承認の件

当社を株式交付親会社、ボタン株式会社を株式交付子会社とする株式交付に関し、令和6年5月15日付け株式交付計画について、満場一致で可決承認された。

第2号議案　取締役選任の件

以下のとおり取締役を2名選任することが諮られ、満場一致で可決承認された。

取締役　G　　　取締役　H

第3号議案　取締役等の会社に対する責任の免除に関する規定の設定の件

取締役等の会社に対する責任の免除に関する規定を設けるため、定款を一部変更し、以下の条文を新設することが諮られ、満場一致で可決承認された。

(取締役等の会社に対する責任の免除)

第30条の2　当会社は、会社法第426条の規定により、取締役会の決議をもって、同法第423条の行為に関する取締役及び会計参与の責任を法令の限度内において免除することができる。

第4号議案　非業務執行取締役等の会社に対する責任の制限に関する規定の設定の件

非業務執行取締役等の会社に対する責任の制限に関する規定を設けるため、定款を一部変更し、以下の条文を新設することが諮られ、満場一致で可決承認された。

(責任限定契約)

第30条の3　当会社は、会社法第427条の規定により、取締役(業務執行取締役等であるものを除く。)及び会計参与との間に、同法第423条の行為による賠償責任を限定する契約を締結することができる。ただし、当該契約に基づく賠償責任の限度額は、法令が規定する額とする。

別紙８
【令和６年５月15日付け株式交付計画の抜粋】

当社は、ボタン株式会社を当社の子会社とするためボタン株式会社の株式を譲り受け、当該株式の譲渡人に対して当該株式の対価として当社の株式を交付する株式交付に関し、以下のとおり株式交付計画(以下「本計画」という。)を作成する。

(株式交付)
第１条　当社は、本計画の定めるところに従い、当社を株式交付親会社、ボタン株式会社(以下「対象会社」という。)を株式交付子会社として、株式交付(以下「本株式交付」という。)をする。

(商号及び本店)
第２条　対象会社の商号及び本店は、以下のとおりである。
　商　号：ボタン株式会社
　本　店：東京都渋谷区ぼたん町５番地

(株式の数の下限)
第３条　当社が、本株式交付に際して譲り受ける対象会社の株式の数の下限は、普通株式1,000株とする。

(株式交付に際して交付する株式及びその割当てに関する事項)
第４条　当社は、本株式交付に際して、対象会社の株式の譲渡人に対し、当該株式の対価として、当社に譲り渡す対象会社の株式の合計数に２を乗じて得た数の当社の普通株式を交付する。
２　当社は、前項の株式を、対象会社の株式の各譲渡人に対して、その譲り渡す対象会社の株式１株につき、当社の普通株式２株の割合をもって割り当てる。

(資本金及び準備金の額に関する事項)
第５条　本株式交付により増加する当社の資本金及び準備金の額は、次のとおりとする。
　(1)　資本金の額：増加しない
　(2)　準備金の額：(略)

（譲渡しの申込みの期日）
第６条　対象会社の株式及び対象会社の新株予約権の譲渡しの申込みの期日は、令和６年６月 24 日とする。

（効力発生日）
第７条　本株式交付がその効力を生ずる日は、令和６年７月１日とする。

別紙９
【令和６年６月 20 日付け総数譲渡契約の抜粋】

Ｊ（以下「甲」という。）と株式会社サクラ（以下「乙」という。）は、乙を株式交付親会社、ボタン株式会社（以下「対象会社」という。）を株式交付子会社とする乙の令和６年５月 15 日付け株式交付計画に基づく株式交付（以下「本株式交付」という。）に関し、乙が本株式交付に際して譲り受ける対象会社の株式の総数の譲渡しを甲が行うことについて、以下のとおり、総数譲渡契約（以下「本契約」という。）を締結する。

（株式交付子会社の株式の総数譲渡し）
第１条　甲は、次の要領で、乙が本株式交付に際して譲り受ける対象会社の株式の総数を乙に譲渡し、乙は、これを譲り受ける。
(1)　甲が乙に譲り渡す対象会社の株式の数　普通株式 1,200 株

（以下略）

別紙 10

【令和 6 年 6 月 29 日開催の株式会社サクラの取締役会における議事の概要】

第 1 号議案　総数譲渡契約承認の件
当社と J との総数譲渡契約について、出席取締役全員の一致をもって原案のとおり可決承認された。

第 2 号議案　代表取締役選定の件
代表取締役を選定することが諮られ、出席取締役全員の一致をもって以下のとおり選定された。

東京都北区スイセン町 4 番地
代表取締役　G

別紙11

【令和 6 年 7 月 3 日現在のボタン株式会社の登記記録の抜粋】

商号	ボタン株式会社	
本店	東京都渋谷区ぼたん町 5 番地	
公告をする方法	官報に掲載してする。	
会社成立の年月日	平成 21 年 7 月 13 日	
目的	1　洋菓子の製造及び販売 2　前号に附帯する一切の事業	
発行可能株式総数	8000 株	
発行済株式の総数並びに種類及び数	発行済株式の総数 1500 株	
資本金の額	金 1000 万円	
株式の譲渡制限に関する規定	当会社の株式を譲渡により取得するには、当会社の承認を受けなければならない。	
役員に関する事項	取締役　J	令和 5 年 8 月 25 日重任
	取締役　K	令和 5 年 8 月 25 日重任
	東京都文京区ゆり町 6 番地 代表取締役　J	令和 5 年 8 月 25 日重任

別紙 12

【ボタン株式会社の令和 6 年 5 月 15 日の最終の株主名簿の抜粋】

	氏名又は名称	株式の種類及び数
1	J	普通株式　1,200 株
2	K	普通株式　300 株

株主の住所及び株式の取得年月日は省略。また、登録株式質権者は存在しない。

別紙 13

就任承諾書

私は、令和 6 年 6 月 25 日開催の貴社株主総会において、貴社の取締役に選任されたので、その就任を承諾します。

令和 6 年 6 月 27 日

住所　(略)

氏名　G　㊞

株式会社サクラ　御中

別紙 14

就任承諾書

私は、令和６年６月25日開催の貴社株主総会において、貴社の取締役に選任されたので、その就任を承諾します。

令和６年６月28日

住所　（略）
氏名　H　　　　　　　　　　㊞

株式会社サクラ　御中

別紙 15

【司法書士石田小梅の聴取記録(令和６年４月３日)】

1　別紙３の取締役会は、取締役の全員が出席して開催された。

2　別紙３の議案については、令和６年３月 14 日付けで株主全員に対して会社法上必要な通知を行っており、また、自己株式の１株当たりの帳簿価額は、１万円である。

3　別紙３の議案については、株式の割当てを受ける権利を与えられた株主のうち、H及びＩを除く全員から、申込期日までに適法な申込みがあり、払込期日までに申込みに係る払込金額の全額が払い込まれた。

4　別紙４の定時株主総会終結の後、株式会社サクラにおいて、株式会社サクラの電子公告を実施するウェブページアドレスにつき、「https://www.sakura.abc.jp/」と定められた。

5　別紙５は、株式会社サクラの令和６年１月 31 日の最終の株主名簿の抜粋であり、その後同年４月３日までの間に、別紙１から別紙６まで及び別紙 15 に現れている以外には、株主及びその有する株式数に変動はない。

6　別紙６の辞任届については、令和６年３月 30 日に株式会社サクラに提出された。

別紙16

【司法書士石田小梅の聴取記録(令和6年7月3日)】

1　株式会社サクラの株主及びその有する株式数は、令和6年4月3日から同年7月3日までの間に、別紙7から別紙14まで及び別紙16に現れている以外には、変動はない。また、株式会社サクラは、設立以来、別紙7から別紙14まで及び別紙16に現れている以外には、他の株式会社の株式を保有したことはない。

2　別紙7の令和6年6月25日開催の株式会社サクラの臨時株主総会には、当該株主総会の開催日において議決権を行使することができる株主全員が出席した。

3　別紙10の令和6年6月29日開催の株式会社サクラの取締役会には、当該取締役会の開催日における取締役全員が出席した。また、別紙10の取締役会の議事録に押されている印鑑は、全て市区町村に登録されている印鑑である。

4　別紙12は、ボタン株式会社の令和6年5月15日の最終の株主名簿の抜粋であり、その後同年7月3日までの間に、別紙7から別紙14まで及び別紙16に現れている以外には、株主及びその有する株式数に変動はない。

5　別紙8の株式交付計画に係る株式交付は、株式交付計画の記載のとおり効力が発生した。

6　ボタン株式会社において、株式交付の効力を生じさせるために必要な手続は、必要な時期までに適法に行われている。

7　別紙13及び別紙14の就任承諾書については、それぞれ就任承諾書に記載された日付である令和6年6月27日及び同月28日に株式会社サクラに提出された。

令和6年●答案用紙

第1欄

【登記の事由】

【登記すべき事項】

【登記すべき事項】(続き)

【登録免許税額】

【添付書面の名称及び通数】

第２欄

【登記の事由】

【登記すべき事項】

【登録免許税額】

【添付書面の名称及び通数】

第３欄

【登記することができない事項】

【理由】

[本問の重要論点一覧表]

出題範囲	重要論点	解説箇所
公告をする方法の変更	電子公告を公告方法とする場合には、その旨のほか、ウェブページのアドレスの登記を要する。また、事故その他やむを得ない事由によって電子公告をすることができない場合の予備的公告方法の定めがあるときは、その登記もしなければならない。	P31参照
監査役設置会社の定めの廃止	取締役会設置会社（監査等委員会設置会社及び指名委員会等設置会社を除く。）は、監査役を置かなければならない。ただし、公開会社でない会計参与設置会社については、この限りでない。	P33参照
会計参与設置会社の定めの設定	非公開会社である取締役会設置会社（監査等委員会設置会社及び指名委員会等設置会社を除く。）が監査役を置かない機関設計を選択した場合には、会計参与の設置が義務付けられる。	P35参照
監査役の監査の範囲を会計に関するものに限定する旨の定款の定めの廃止	監査役の監査の範囲を会計に関するものに限定する旨の定款の定めがある会社が監査役設置会社の定めを廃止した場合、監査の範囲を会計に関するものに限定する旨の定款の定めの廃止の登記も併せて申請することを要する。	P37参照
募集株式の発行等	非公開会社が株主割当てによる募集株式の発行を行う場合、定款に定めることによって、募集事項等の決定を取締役の決定（取締役会設置会社にあっては取締役会の決議）で行うことができる。	P39参照
取締役等の会社に対する責任の免除に関する規定の設定	取締役が２人以上ある監査役設置会社、監査等委員会設置会社又は指名委員会等設置会社でなければ、取締役等の会社に対する責任の免除に関する規定を定款に定めることはできない。	P44参照
非業務執行取締役等の会社に対する責任の制限に関する規定の設定	株式会社は、非業務執行取締役等の株式会社に対する任務懈怠による損害賠償責任について、善意でかつ重大な過失がないときは、一定の額を限度とする旨の契約を非業務執行取締役等と締結することができる旨を定款で定めることができる。	P45参照

出題範囲	重要論点	解説箇所
株式交付	株式交付親会社は、効力発生日の前日までに、原則として、株主総会の特別決議によって、株式交付計画の承認を受けなければならない。	P48 参照
役員の変更	法令又は定款で定めた役員の員数を欠く場合には、辞任又は任期満了により退任した役員は、新たに選任された者が就任するまで役員としての権利義務を有するため、退任登記をすることができない。	P58 参照
	株式会社と役員及び会計監査人との関係は、委任に関する規定に従うとされているため、株主総会で選任された者が就任の承諾をして初めて就任の効力が生ずる。	P60 参照

1 役員の概要

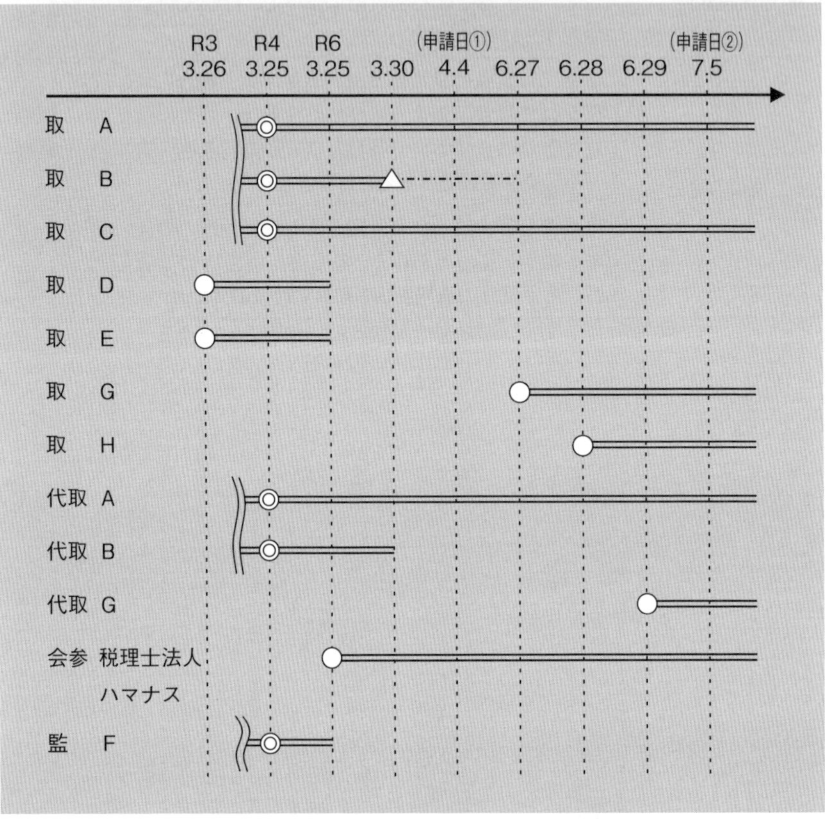

══	任 期 中	-·-·-·-·	権利義務
◎ 重任	○ 就任	△ 辞任	

2 印鑑証明書及び本人確認証明書の通数

＜令和６年７月５日申請分＞

	印鑑証明書の添付を要する書面			本人確認証明書（商登規61条７項）
	就任承諾書（商登規61条４・５項）	選定証明書（商登規61条６項）	辞任届（商登規61条８項）	
取　A		○		
取　B				
取　C		○		
取　G		○		×（印）
取　H		○		×（印）
代取　A				
代取　G	○			
合計	４通 ※			０通

※　同一人のものについては、１通添付すれば足りる。

○…添付必要
×…添付不要
（届）…従前からの代表取締役の届出印で押印しているため
（再）…再任のため
（印）…商登規61条４項、５項又は６項の規定により印鑑証明書を添付するため

3 株主の氏名又は名称、住所及び議決権数等を証する書面（株主リスト）の通数

3−1 株主の氏名又は名称、住所及び議決権数等を証する書面（株主リスト）の添付を要する場合等の検討

前提の知識

① **株主総会又は種類株主総会の決議を要する場合の株主の氏名又は名称、住所及び議決権数等を証する書面（株主リスト）**

登記すべき事項につき株主総会又は種類株主総会の決議を要する場合には、申請書に、総株主（種類株主総会の決議を要する場合にあっては、その種類の株式の総株主）の議決権（当該決議において、行使することができるものに限る。）の数に対するその有する議決権の数の割合が高いことにおいて上位となる株主であって、次に掲げる人数のうちいずれか少ない人数の株主の氏名又は名称及び住所、当該株主のそれぞれが有する株式の数（種類株主総会の決議を要する場合にあっては、その種類の株式の数）及び議決権の数並びに当該株主のそれぞれが有する議決権に係る当該割合を証する書面を添付しなければならない（商登規61Ⅲ）。

(1) 10名

(2) その有する議決権の数の割合を当該割合の多い順に順次加算し、その加算した割合が３分の２に達するまでの人数

なお、当該決議には会社法319条１項の規定により決議があったものとみなされる場合が含まれる。

② **株主の氏名又は名称、住所及び議決権数等を証する書面（株主リスト）の通数**

株主の氏名又は名称、住所及び議決権数等を証する書面（株主リスト）は、一の登記申請で、株主総会の決議を要する複数の登記すべき事項について申請される場合には、当該登記すべき事項ごとに添付を要する（商登規61Ⅱ・Ⅲ）。

ただし、決議ごとに添付を要する当該書面に記載すべき内容が一致するときは、その旨の注記がされた当該書面が１通添付されていれば足りるとされている（平28.6.23民商98号第3.1(2)ｱ）。

なお、日本司法書士会連合会より、以下の見解も示されている（日司連発第790号）。

Q：複数の株主総会により、複数の登記事項が発生し、これらを一括して登記申請する場合、それぞれの株主総会議事録ごとに株主リストが必要ですか。

A：「株主リスト」に記載すべき株主は、当該株主総会において議決権を行使することができるものをいうから、複数の株主総会により、複数の登記事項が発生し、これらを一括して登記申請する場合には、登記すべき事項ごとに当該株主総会において議決権を行使することができる「株主リスト」を添付しなければならない。

ただし、一の株主総会において、複数の登記すべき事項について決議された場合において、各事項に関して株主リストに記載すべき事項が同一である場合には、その旨注記して、一の株主リストを添付すれば足りるとされている。

3−1−1　株主の氏名又は名称、住所及び議決権数等を証する書面（株主リスト）の添付を要する事項

第１欄

株主の氏名又は名称、住所及び議決権数等を証する書面の添付を要する株主総会	通数
＜令和６年３月25日付け定時株主総会＞ 公告をする方法の変更の件 監査役設置会社の定めの廃止の件 会計参与設置会社の定めの設定の件 監査役の監査の範囲を会計に関するものに限定する旨の定款の定めの廃止の件 役員の変更の件	１通

第２欄

株主の氏名又は名称、住所及び議決権数等を証する書面の添付を要する株主総会	通数
＜令和６年６月25日付け臨時株主総会＞ 株式交付計画の承認の件 役員の変更の件 非業務執行取締役等の会社に対する責任の制限に関する規定の設定の件	１通

4 課税標準金額・登録免許税

＜令和６年４月４日申請分＞

課税標準金額	金1,250万円

登記事項		登録免許税	
募集株式の発行等による資本金の額の増加分		金1,250万円×７/1,000 ＝金８万7,500円　※1	登録税別表 1.24.(1)ニ
役員変更分 (監査役の監査の範囲を会計に関するものに限定する旨の定款の定めの廃止を含む)		金３万円　※２	登録税別表 1.24.(1)カ
他の変更分	公告をする方法の変更	金３万円	登録税別表 1.24.(1)ツ
	監査役設置会社の定めの廃止		
	会計参与設置会社の定めの設定		
合計		金14万7,500円　※３	

＜令和６年７月５日申請分＞

登記事項		登録免許税	
役員変更分		金３万円　※２	登録税別表 1.24.(1)カ
他の変更分	株式交付	金3万円	登録税別表 1.24.(1)ツ
	非業務執行取締役等の会社に対する責任の制限に関する規定の設定		
合計		金６万円　※３	

※１　課税標準金額のある登記と課税標準金額のない登記を一括申請する場合には、登録免許税額の内訳を記載する。

※２　役員変更の登録免許税額は金３万円であるが、資本金の額が１億円以下の会社の場合は金１万円である（登録税別表1.24.(1)カ）。

※３　異なる区分に属する数個の登記事項を同一の申請書で申請する場合には各登記の区分の税率を適用した計算金額の合計額となる（登録税18）。

5 公告をする方法の変更

結論

本問の場合、**令和６年３月25日**付けで、**公告をする方法**を**変更**する旨の登記を申請することができる。

＜申請書記載例＞

1．事　公告をする方法の変更
1．登　○年○月○日変更
　　公告をする方法
　　　電子公告の方法により行う。
　　　　https://www.○○○.jp/
　　　ただし、事故その他やむを得ない事由によって電子公告による公告ができない場合には、官報に掲載してする。
1．税　金３万円（登録税別表1.24.(1)ツ）
1．添　株主総会議事録　1通（商登46Ⅱ）
　　株主の氏名又は名称、住所及び
　　議決権数等を証する書面　1通（商登規61Ⅲ）
　　委任状　1通（商登18）

前提の知識

電子公告に関する登記手続

会社又は外国会社が電子公告を公告方法とする旨を定める場合には、株主総会の決議により、その旨を定めれば足り、「電子公告に係る情報の提供を受けるために必要な事項として法務省令で定めるもの（ウェブページのアドレス）」は、株主総会で定める必要はなく、会社の代表者による決定で足りる。また、この決議において、事故その他やむを得ない事由によって電子公告による公告をすることができない場合の公告方法として、官報に掲載する方法又は時事に関する事項を掲載する日刊新聞紙に掲載する方法のいずれかを定めることができる（会社939Ⅲ）。

株式会社が定款を変更して電子公告を公告方法としたときは、公告をする方法として「電子公告の方法により行う旨」及び「電子公告に係る情報の提供を受けるために必要な事項として法務省令で定めるもの（ウェブページのアドレス）」を登記しなければならない。また、事故等の場合における予備的な公告方法の定めがある場合には、予備的な公告方法についても登記しなければならない（会社911Ⅲ㉘）。

5−1 決議権限

別紙４より、株主総会において決議されているため、決議機関は適法である（会社466）。

5−2 決議形式

⑴ 招集手続

別紙４より、議決権を行使することができる株主全員が出席していないため、招集手続の瑕疵の有無の検討を要するが、特に招集手続に瑕疵がある旨の記載もないことから、招集手続は適法にされていると解する。

⑵ 決議要件

別紙４より、議決権を行使することができる株主の議決権（１万個）の過半数（5,001個以上）を有する株主が出席し（株主３名＝9,000個）、出席した当該株主の議決権の３分の２以上の賛成を得ているため（満場一致）、決議要件を満たしている（会社309Ⅱ⑪）。

5−3 決議及び決定内容

別紙４より、変更後の公告をする方法として、電子公告の方法を採用し、「ただし、事故その他やむを得ない事由によって電子公告による公告ができない場合には、官報に掲載してする。」旨の予備的公告方法を定めている。

また、別紙15より、電子公告を実施するウェブページアドレスを定めている。

5−4 効力発生日

別紙４より、決議された令和６年３月25日付けで公告をする方法の変更の効力が生ずる。

5−5 添付書面

公告をする方法の変更決議をしたことを証する書面として、令和６年３月25日付けの「(定時) 株主総会議事録」を添付する（商登46Ⅱ）。

登記すべき事項につき株主総会の決議を要するため、「株主の氏名又は名称、住所及び議決権数等を証する書面」を添付する（商登規61Ⅲ）。

6 監査役設置会社の定めの廃止

結論

本問の場合、**令和６年３月25日**付けで、**監査役設置会社の定め**を**廃止**する旨の登記を申請することができる。

<申請書記載例>

1．事	監査役設置会社の定めの廃止	
1．登	○年○月○日監査役設置会社の定め廃止	
1．税	金３万円（登録税別表1.24.(1)ツ）	
1．添	株主総会議事録	1通（商登46Ⅱ）
	株主の氏名又は名称、住所及び議決権数等を証する書面	1通（商登規61Ⅲ）
	委任状	1通（商登18）

前提の知識

① **監査役の設置義務**

取締役会設置会社（監査等委員会設置会社及び指名委員会等設置会社を除く。）は、監査役を置かなければならない。ただし、公開会社でない会計参与設置会社については、この限りでない（会社327Ⅱ）。監査等委員会設置会社及び指名委員会等設置会社は、監査役を置いてはならない（会社327Ⅳ）。会計監査人設置会社（監査等委員会設置会社及び指名委員会等設置会社を除く。）は、監査役を置かなければならない（会社327Ⅲ）。

② **監査役設置会社の定めを廃止した場合における登記すべき事項**

監査役設置会社の定めの廃止による変更の登記の登記すべき事項は、監査役設置会社の定めを廃止した旨、監査役が退任した旨及び変更年月日である（平18.3.31民商782号第2部第3.7⑵イ㈠）。

6－1 決議権限

別紙４より、株主総会において決議されているため、決議機関は適法である（会社466）。

6－2 決議形式

⑴ 招集手続

別紙４より、議決権を行使することができる株主全員が出席していないため、招集手続の瑕疵の有無の検討を要するが、特に招集手続に瑕疵がある旨の記載もないことから、招集手続は適法にされていると解する。

⑵ 決議要件

別紙４より、議決権を行使することができる株主の議決権（１万個）の過半数（5,001個以上）を有する株主が出席し（株主３名＝9,000個）、出席した当該株主の議決権の３分の２以上の賛成を得ているため（満場一致）、決議要件を満たしている（会社309Ⅱ⑪）。

6－3 決議内容

別紙４より、監査役設置会社の定めを廃止する旨の決議をしている。

この点、別紙１及び２より、申請会社は公開会社でない取締役会設置会社であり、会計監査人設置会社には該当しない。また、後述のとおり、同日付けで、会計参与設置会社の定めを設定する旨の決議をしている。

したがって、監査役設置会社の定めを廃止することができる。

6－4 効力発生日

別紙４より、決議された令和６年３月25日付けで監査役設置会社の定めの廃止の効力が生ずる。

6－5 添付書面

監査役設置会社の定めの廃止決議をしたことを証する書面として、令和６年３月25日付けの「（定時）株主総会議事録」を添付する（商登46Ⅱ）。

登記すべき事項につき株主総会の決議を要するため、「株主の氏名又は名称、住所及び議決権数等を証する書面」を添付する（商登規61Ⅲ）。

7 会計参与設置会社の定めの設定

結論

本問の場合、**令和６年３月25日**付けで、**会計参与設置会社の定め**を**設定**する旨の登記を申請することができる。

＜申請書記載例＞

１．事　会計参与設置会社の定めの設定
１．登　○年○月○日設定
　　　　会計参与設置会社
１．税　金３万円（登録税別表1.24.(1)ツ）
１．添　株主総会議事録　　　　　　　　　　　　１通（商登46Ⅱ）
　　　　株主の氏名又は名称、住所及び
　　　　議決権数等を証する書面　　　　　　　　１通（商登規61Ⅲ）
　　　　委任状　　　　　　　　　　　　　　　　１通（商登18）

前提の知識

① **会計参与の設置が義務付けられる場合**

株式会社は、定款の定めによって、会計参与を置くことができる（会社326Ⅱ）。会計参与は、株式会社の規模等にかかわらず、全ての株式会社において任意に設置することができる機関である。ただし、公開会社でない取締役会設置会社（監査等委員会設置会社及び指名委員会等設置会社を除く。）が監査役を置かない機関設計を選択した場合には、会計参与の設置が義務付けられる（会社327Ⅱ）。

② **会計参与設置会社である旨の登記**

株式会社が、会計参与設置会社である旨の登記をする場合は、会計参与の選任による登記を併せて申請しなければならない。そのため、会計参与設置会社である旨の登記のみを申請することはできず、会計参与設置会社の定めを設定する場合は、必ず会計参与を選任しなければならない。

7－1 決議権限

別紙４より、株主総会において決議されているため、決議機関は適法である（会社466）。

7－2 決議形式

⑴ 招集手続

別紙４より、議決権を行使することができる株主全員が出席していないため、招集手続の瑕疵の有無の検討を要するが、特に招集手続に瑕疵がある旨の記載もないことから、招集手続は適法にされていると解する。

⑵ 決議要件

別紙４より、議決権を行使することができる株主の議決権（１万個）の過半数（5,001個以上）を有する株主が出席し（株主３名＝9,000個）、出席した当該株主の議決権の３分の２以上の賛成を得ているため（満場一致）、決議要件を満たしている（会社309Ⅱ⑪）。

7－3 決議内容

別紙４より、会計参与設置会社の定めを設定する旨の決議をしている。

なお、後述のとおり、同日付けで、新たに会計参与を選任している。

7－4 効力発生日

別紙４より、決議された令和６年３月25日付けで会計参与設置会社の定めの設定の効力が生ずる。

7－5 添付書面

会計参与設置会社の定めの設定決議をしたことを証する書面として、令和６年３月25日付けの「(定時) 株主総会議事録」を添付する（商登46Ⅱ）。

登記すべき事項につき株主総会の決議を要するため、「株主の氏名又は名称、住所及び議決権数等を証する書面」を添付する（商登規61Ⅲ）。

8 監査役の監査の範囲を会計に関するものに限定する旨の定款の定めの廃止

結論

本問の場合、**令和６年３月25日**付けで、**監査役の監査の範囲を会計に関するものに限定する旨の定款の定め**を**廃止**する旨の登記を申請することができる。

＜申請書記載例＞

1．事　監査役の監査の範囲を会計に関するものに限定する旨の定款の定めの廃止
1．登　○年○月○日監査役の監査の範囲を会計に関するものに限定する旨の定款の定め廃止
1．税　金３万円（登録税別表1.24.(1)カ）
（但し、資本金の額が１億円以下の会社については、金１万円）
1．添　株主総会議事録　　１通（商登46Ⅱ）
株主の氏名又は名称、住所及び
議決権数等を証する書面　　１通（商登規61Ⅲ）
委任状　　１通（商登18）

前提の知識

① **定款の定めによる監査役の監査範囲の限定**
監査役は、取締役（会計参与設置会社にあっては、取締役及び会計参与）の職務の執行を監査する（会社381Ⅰ）。ただし、非公開会社（監査役会設置会社及び会計監査人設置会社を除く。）は会社法381条１項の規定にかかわらず、その監査役の監査の範囲を会計に関するものに限定する旨を定款で定めることができる（会社389Ⅰ）。

② **監査役の監査の範囲を会計に関するものに限定する旨の定款の定めがある会社が監査役設置会社の定めを廃止した場合の登記**
監査役の監査の範囲を会計に関するものに限定する旨の定款の定めがある会社が監査役設置会社の定めを廃止した場合、監査の範囲を会計に関するものに限定する旨の定款の定めの廃止の登記も併せて申請することを要する。

8−1　決議権限

別紙４より、株主総会において決議されているため、決議機関は適法である（会社466）。

8−2　決議形式

(1)　招集手続

別紙４より、議決権を行使することができる株主全員が出席していないため、招集手続の瑕疵の有無の検討を要するが、特に招集手続に瑕疵がある旨の記載

もないことから、招集手続は適法にされていると解する。

(2) 決議要件

別紙4より、議決権を行使することができる株主の議決権（1万個）の過半数(5,001個以上）を有する株主が出席し（株主3名＝9,000個)、出席した当該株主の議決権の3分の2以上の賛成を得ているため（満場一致)、決議要件を満たしている（会社309Ⅱ⑪)。

8−3 決議内容

別紙4より、監査役の監査の範囲を会計に関するものに限定する旨の定款の定めを廃止する旨の決議をしている。

8−4 効力発生日

別紙4より、決議された令和6年3月25日付けで監査役の監査の範囲を会計に関するものに限定する旨の定款の定めの廃止の効力が生ずる。

8−5 添付書面

監査役の監査の範囲を会計に関するものに限定する旨の定款の定めの廃止決議をしたことを証する書面として、令和6年3月25日付けの「(定時) 株主総会議事録」を添付する（商登46Ⅱ)。

登記すべき事項につき株主総会の決議を要するため、「株主の氏名又は名称、住所及び議決権数等を証する書面」を添付する（商登規61Ⅲ)。

9 募集株式の発行等

結論

本問の場合、令和6年4月1日付けで、**発行済株式の総数**を**1万4,500株**、**資本金の額**を**金1億6,250万円**とする募集株式の発行による**変更**の登記を申請することができる。

＜申請書記載例；株主割当て・非公開会社・取締役会設置会社・募集事項等の決定機関につき定款の別段の定めがある場合＞

１．事　募集株式の発行
１．登　○年○月○日次のとおり変更
　　　　発行済株式の総数　○株
　　　　資本金の額　　　　金○円
１．税　増加した資本金の額×７/1,000（登録税別表1.24.(1)ニ）
　　　　（計算額が金３万円に満たないときは、金３万円）
１．添　定款　　　　　　　　　　　　　　　　　　１通（商登規61Ⅰ）
　　　　取締役会議事録　　　　　　　　　　　　　１通（商登46Ⅱ）
　　　　募集株式の引受けの申込みを証する書面　　○通（商登56①）
　　　　払込みがあったことを証する書面　　　　　１通（商登56②）
　　　　資本金の額が会社法及び会社計算規則の
　　　　規定に従って計上されたことを証する書面　１通（商登規61Ⅸ）
　　　　委任状　　　　　　　　　　　　　　　　　１通（商登18）

前提の知識

①　株主割当ての募集株式の募集事項等の決定機関

株主割当ての募集株式の募集事項等の決定は、公開会社の場合、取締役会決議で行う（会社202Ⅲ③）。非公開会社の場合は、株主総会の特別決議で行う（会社202Ⅲ④・309Ⅱ⑤）が、定款に定めることによって、取締役の決定（取締役会設置会社では、取締役会の決議）で行うことができる（会社202Ⅲ①・②）。

なお、自己株式を有していても、当該株式会社には割当てを受ける権利は与えられない（会社202Ⅱ括弧書）。

②　株主への通知

株主割当ての場合、株式会社は、引受けの申込みの期日の２週間前までに、割当てを受ける権利を与える株主に対し、募集事項、当該株主が割当てを受ける募集株式の数及び募集株式の引受けの申込みの期日を通知しなければならない（会社202Ⅳ）。

③　募集株式の発行における資本金等増加限度額

募集株式を発行した場合の資本金の額は、会社法に別段の定めがある場合を除き、株式の発行に際して株主となる者が当該株式会社に対して「払込み又は給付をした財産の額（資本金等増加限度額）」を基準として増加する（会社445Ⅰ）。

資本金等増加限度額とは、①「募集株式の引受人より払込み及び給付を受けた財産の価額の合計額」から、②「増加する資本金及び資本準備金に関する事項として募集株式の交付に係る費用の額のうち、株式会社が資本金等増加限度額から減ずるべき額と定めた額（株式の交付に係る費用）」を減じて得た額に、③「株式発行割合（交付する株式の総数に占める新たに発行する株式の数の割合）」を乗じて得た額を算出し、そこから④「自己株式の処分差損」※を減じて得た額のことである（会社計規14Ⅰ）。ただし、②に掲げる募集株式の交付に係る費用等については、当分の間、零とされている（会社計規附則11）。

{(①－②）×③} －④＝資本金等増加限度額

※　自己株式の処分差損は、イに掲げる額からロに掲げる額を減じて得た額が零以上であるときに、当該額を考慮することを要する。

イ　当該募集に際して処分する自己株式の帳簿価額

ロ　①に掲げる額から②に掲げる額を減じて得た額（零未満である場合にあっては、零）に自己株式処分割合（１から株式発行割合を減じて得た割合をいう。）を乗じて得た額

以上により資本金等増加限度額として算出された額のうち、２分の１を超えない額は、募集事項等の決定に際して定めることにより資本金として計上しないことができ（会社445Ⅱ・199Ⅰ⑤)、その分は資本準備金として計上することとなる（会社445Ⅲ)。

募集株式の発行による変更登記の申請書には、資本金の額を証するため、「資本金の額が会社法及び会社計算規則の規定に従って計上されたことを証する書面」を添付する（商登規61Ⅸ)。

④　**定款の添付について**

定款の定め又は裁判所の許可がなければ登記すべき事項につき無効又は取消しの原因が存することとなる申請については、申請書に、定款又は裁判所の許可書を添付しなければならない（商登規61Ⅰ)。

9－1 決議権限

別紙１及び２より、申請会社は非公開会社であるが、定款に「株主に株式の割当てを受ける権利を与える場合には、募集事項並びに株主に株式の割当てを受ける権利を与える旨及び募集株式の引受けの申込みの期日は、取締役会の決議により定めることができる。」旨を定めているため、募集株式の募集事項等を取締役会の決議によって定めることができる（会社202Ⅲ②)。

別紙１、２及び３より、申請会社は取締役会設置会社であり、取締役会において決議されているため、決議機関は適法である。

9－2 決議形式

⑴ 招集手続

別紙15より、取締役の全員が出席しているため、招集手続の瑕疵の有無については、検討することを要しない。

⑵ 決議要件

別紙３及び15より、議決に加わることができる取締役の過半数が出席し（全員）、その過半数の賛成を得ているため（全員）、決議要件を満たしている（会社369Ⅰ）。

9－3 決議内容

⑴ 割当方法

別紙３より、割当方法として、「株主割当てとし、株主に対し、その有する普通株式２株につき普通株式１株の割合をもって割当てを受ける権利を与える。」旨が定められているため、株主割当ての方法による募集株式の発行等であることが分かる。

⑵ 募集株式の数

募集株式の発行等は、発行可能株式総数の範囲内で行わなければならない。

別紙３より、募集株式の種類及び数として、「普通株式5,000株　このうち2,000株については、まず自己株式を交付する。」旨が定められている。

なお、自己株式を有していても、申請会社には割当てを受ける権利は与えられない。

⑶ 募集株式の払込金額

別紙３より、払込金額を募集株式１株につき金１万円と定めている。

⑷ 増加する資本金及び資本準備金の額

別紙３より、増加する資本金の額については、資本金等増加限度額の２分の１の金額、また、増加する資本準備金の額については、資本金等増加限度額から増加する資本金の額を減じた額と定めている。

(5) 払込期日

別紙３より、払込期日を令和６年４月１日と定めている。

(6) 申込期日

別紙３より、申込期日を令和６年３月29日と定めている。

9－4 引受けの申込み

別紙15より、募集株式の割当てを受ける権利を与えられた株主のうち、Ｈ及びＩを除く株主全員から、申込期日までに適法に申込みがされている。

9－5 払込み

別紙15より、払込期日（令和６年４月１日）までに、申込みに係る払込金額の全額が払い込まれている。

9－6 効力発生日

別紙３より、払込期日は令和６年４月１日であるため、同日に募集株式の発行等の効力が生ずる。

9－7 発行済株式の総数

申請会社は、募集株式の発行等に際して、保有する自己株式の全てである2,000株を交付しているため、新たに発行する株式の数は、2,500株（4,500株－2,000株）となる。

したがって、変更後の発行済株式の総数は、従前の発行済株式の総数１万2,000株に、新たに発行した株式数2,500株を加え、１万4,500株となるが、別紙１及び２より、申請会社の発行可能株式総数は４万株であるため、枠内発行の要請を満たしている。

9－8 資本金の額

上述より、募集株式4,500株のうち、2,000株は自己株式を交付しており、また、別紙15より、自己株式の１株当たりの帳簿価額は金１万円であることが分かる。

募集株式の発行における資本金等増加限度額の計算式に当てはめると、①は（金１万円×4,500株）＝金4,500万円、②は金０円、③は4,500株のうち、2,500株を新たに発行するため、4,500分の2,500、④は（金１万円×2,000株）－｛(金4,500万円－金０円）×（１－2,500/4,500)｝＝金2,000万円－金2,000万円＝金０円となる。

よって、資本金等増加限度額は、{(金4,500万円－金０円) ×4,500分の2,500}＝金2,500万円となる。

別紙３より、増加する資本金の額を資本金等増加限度額の２分の１の金額と定めていることから、金2,500万円に２分の１を乗じた金1,250万円を資本金に計上することとなる。

9－9　登記すべき事項

登記すべき事項には、

「令和６年４月１日次のとおり変更
　　発行済株式の総数　１万4,500株
　　資本金の額　　　金１億6,250万円」

と記載する。

9－10　添付書面

取締役会の決議によって募集事項等を定めることができるとする旨の定款規定があることを証するため、「定款」を添付する（商登規61Ⅰ）。

募集事項等の決定を証する書面として、令和６年３月14日付けの「取締役会議事録」を添付する（商登46Ⅱ）。

募集株式の発行等に関する引受けの申込み及び払込みに関する手続が適法にされたことを証するため、「募集株式の引受けの申込みを証する書面」及び「払込みがあったことを証する書面」を添付する（商登56①・②）。

会社計算規則14条により、資本金に計上すべき額に関する規律が設けられているため、「資本金の額が会社法及び会社計算規則の規定に従って計上されたことを証する書面」を添付する（商登規61Ⅸ）。

10　取締役等の会社に対する責任の免除に関する規定の設定

結論

本問の場合、取締役等の会社に対する責任の免除に関する規定を設定する旨の登記をすることはできない。なぜなら、**申請会社は、監査役設置会社、監査等委員会設置会社又は指名委員会等設置会社のいずれにも該当しない**からである。

前提の知識

取締役等の会社に対する責任の免除に関する規定

会社法424条の規定にかかわらず、監査役設置会社（取締役が２人以上ある場合に限る。）、監査等委員会設置会社又は指名委員会等設置会社は、会社法423条１項の責任について、当該役員等が職務を行うにつき善意でかつ重大な過失がない場合において、責任の原因となった事実の内容、当該役員等の職務の執行の状況その他の事情を勘案して特に必要と認めるときは、会社法425条１項の規定により免除することができる額を限度として取締役（当該責任を負う取締役を除く。）の過半数の同意（取締役会設置会社にあっては、取締役会の決議）によって免除することができる旨を定款で定めることができる（会社426Ⅰ）。取締役等の会社に対する責任の免除に関する規定を定款に定めた場合、その定めは登記すべき事項となる（会社911Ⅲ㉔）。

10－1　決議内容

別紙７より、取締役等の会社に対する責任の免除に関する規定として、定款に「当会社は、会社法第426条の規定により、取締役会の決議をもって、同法第423条の行為に関する取締役及び会計参与の責任を法令の限度内において免除することができる。」旨の規定を設ける決議をしている。

しかし、申請会社は当該決議時点において監査役設置会社、監査等委員会設置会社又は指名委員会等設置会社のいずれにも該当しないため、当該規定を設定することはできない。

したがって、取締役等の会社に対する責任の免除に関する規定の設定は、登記することができない事項であるため、答案用紙の第３欄にその理由とともに記載する（解答例参照）。

11　非業務執行取締役等の会社に対する責任の制限に関する規定の設定

結論

本問の場合、**令和６年６月25日**付けで、**非業務執行取締役等の会社に対する責任の制限に関する規定**を**設定**する旨の登記を申請することができる。

＜申請書記載例＞

1．事　非業務執行取締役等の会社に対する責任の制限に関する規定の設定
1．登　○年○月○日設定
　　　　非業務執行取締役等の会社に対する責任の制限に関する規定
　　　　　○○○…
1．税　金３万円（登録税別表1.24.(1)ツ）
1．添　株主総会議事録　1通（商登46Ⅱ）
　　　株主の氏名又は名称、住所及び
　　　議決権数等を証する書面　1通（商登規61Ⅲ）
　　　委任状　1通（商登18）

前提の知識

非業務執行取締役等の責任限定契約

会社法424条の規定にかかわらず、株式会社は、取締役（業務執行取締役等であるものを除く。）、会計参与、監査役又は会計監査人（以下「非業務執行取締役等」という。）の株式会社に対する任務懈怠による損害賠償責任について、当該非業務執行取締役等が職務を行うにつき善意でかつ重大な過失がないときは、定款で定めた額の範囲内であらかじめ株式会社が定めた額と会社法425条１項に定める最低責任限度額とのいずれか高い額を限度とする旨の契約を非業務執行取締役等と締結することができる旨を定款で定めることができる（会社427Ⅰ）。

11－1　決議権限

別紙７より、株主総会において決議されているため、決議機関は適法である（会社466）。

11－2　決議形式

(1)　招集手続

別紙16より、議決権を行使することができる株主全員が出席しているため、招集手続の瑕疵の有無については、検討することを要しない。

(2)　決議要件

別紙７及び16より、議決権を行使することができる株主の議決権の過半数を有する株主が出席し（全員）、出席した当該株主の議決権の３分の２以上の賛成を

得ているため（満場一致）、決議要件を満たしている（会社309Ⅱ⑪）。

11－3 決議内容

別紙７より、非業務執行取締役等の会社に対する責任の制限に関する規定として、定款に「当会社は、会社法第427条の規定により、取締役（業務執行取締役等であるものを除く。）及び会計参与との間に、同法第423条の行為による賠償責任を限定する契約を締結することができる。ただし、当該契約に基づく賠償責任の限度額は、法令が規定する額とする。」旨の規定を設ける決議をしている。

11－4 効力発生日

別紙７より、決議された令和６年６月25日付けで非業務執行取締役等の会社に対する責任の制限に関する規定の設定の効力が生ずる。

11－5 添付書面

非業務執行取締役等の会社に対する責任の制限に関する規定の設定決議をしたことを証する書面として、令和６年６月25日付けの「(臨時) 株主総会議事録」を添付する（商登46Ⅱ）。

登記すべき事項につき株主総会の決議を要するため、「株主の氏名又は名称、住所及び議決権数等を証する書面」を添付する（商登規61Ⅲ）。

⑫ 株式交付

結論

株式交付の効力発生日である**令和６年７月１日**までに、必要となる手続は全て適法に終了しているため、**発行済株式の総数**を**１万6,900株**とする**変更**登記を申請することができる。

<申請書記載例>

１．事　株式交付
１．登　○年○月○日変更
　　　　発行済株式の総数　○株
１．税　金３万円（登録税別表1.24.(1)ツ）

1．添	株主総会議事録　1通（商登46Ⅱ）	
	株主の氏名又は名称、住所及び議決権数等を証する書面	1通（商登規61Ⅲ）
	株式交付計画書	1通（商登90の２①）
	総数譲渡し契約を証する書面	1通（商登90の２②）
	委任状	1通（商登18）

12－1　株式交付計画の作成

前提の知識

株式交付

株式交付とは、株式会社が他の株式会社をその子会社とするために当該他の株式会社の株式を譲り受け、当該株式の譲渡人に対して当該株式の対価として当該株式会社の株式を交付することをいう（会社２㉜の２）。これは、株式会社が他の株式会社を完全子会社とすることを予定していない場合であっても、親子会社関係を円滑かつ簡易に創設するための制度である。

別紙８より、株式会社サクラを株式交付親会社とし、ボタン株式会社を株式交付子会社とする株式交付が計画されている。

以下、別紙８の株式交付計画書の記載内容等について具体的に検討する。

冒頭・第１条・第２条について

株式会社サクラが、東京都渋谷区ぼたん町５番地のボタン株式会社をその子会社とするために株式交付を行う旨を定めている（会社774の３Ⅰ①参照）。

第３条について

株式会社サクラが株式交付に際して譲り受けるボタン株式会社の株式の下限は、普通株式1,000株とする旨を定めている（会社774の３Ⅰ②参照）。

株式交付親会社が株式交付に際して譲り受ける株式の数の下限は、株式交付子会社が効力発生日において株式交付親会社の子会社となる数を内容とするものでなければならない（会社774の３Ⅱ）が、別紙11より、ボタン株式会社の発行済株式の総数は1,500株であるため、適法である。

第４条について

株式会社サクラは、株式交付に際して、ボタン株式会社の株式の譲渡人に対して、当該株式の対価として、株式会社サクラに譲り渡すボタン株式会社の株式の合計数に２を乗じて得た数の株式会社サクラの普通株式を交付する旨及び、譲渡人のボタン株式会社の株式１株につき、株式会社サクラの普通株式２株の割合をもって割り当てる旨を定めている（会社774の３Ⅰ③・④参照）。

第５条について

株式交付に際し、株式会社サクラの資本金の額は増加しない旨を定めている（会社774の３Ⅰ③参照）。

第６条について

ボタン株式会社の株式の譲渡しの申込みの期日は、令和６年６月24日とする旨を定めている（会社774の３Ⅰ⑩参照）。

第７条について

令和６年７月１日を株式交付の効力発生日と定めている（会社774の３Ⅰ⑪参照）。

12－2 承認決議権限（株式交付親会社となる株式会社サクラ）

前提の知識

① **株式交付親会社における株式交付計画の承認決議**

株式交付親会社は、効力発生日の前日までに、原則として、株主総会の特別決議によって、株式交付計画の承認を受けなければならない（会社816の３Ⅰ・309Ⅱ⑫）。

② **株式交付親会社における簡易株式交付**

株式交付において、株式交付子会社の株主に対して交付する株式交付親会社の株式の数に１株当たりの純資産額を乗じて得た額等の合計額の、株式交付親会社の純資産額として法務省令で定める方法により算定される額に対する割合が５分の１（これを下回る割合を株式交付親会社の定款で定めた場合にあっては、その割合）を超えない場合には、株式交付親会社における株主総会の承認は不要である（会社816の４Ⅰ、会社施規213の５）。ただし、以下の（1）、（2）又は（3）の場合に該当するときは、株式交付親会社は、効力発生日の前日までに、株主総会の特別決議によって、株式交付計画の承認を受けなければならない。

⑴ 株式交付親会社が公開会社でない場合（会社816の４Ⅰ但書）

⑵ 株式交付親会社が株式交付子会社の株主に対して交付する金銭等（株式交付親会社の株式等を除く。）の帳簿価額が株式交付親会社が取得する株式交付子会社の株式の額として法務省令で定める額を超える場合（会

社816の３Ⅱ）
⑶　法務省令で定める数の株式（株式交付計画の承認決議において議決権を行使することができるものに限る。）を有する株主が会社法816条の６第３項の規定による通知又は同条４項の公告の日から２週間以内に株式交付に反対する旨を株式交付親会社に対し通知した場合（会社816の４Ⅱ、会社施規213の６）

別紙１及び２より、株式会社サクラは公開会社でないため、簡易株式交付の手続によることはできない（会社816の４Ⅰ但書）。

したがって、株式会社サクラにおける株式交付計画の承認については、株主総会における決議を省略することができる場合には該当しないため、株主総会の決議により、株式交付計画の承認を受けることを要するが、別紙７より、株主総会において決議されているため、決議機関は適法である（会社816の３Ⅰ）。

12－3　承認決議形式（株式交付親会社となる株式会社サクラ）

⑴　招集手続

別紙16より、議決権を行使することができる株主全員が出席しているため、招集手続の瑕疵の有無については、検討することを要しない。

⑵　決議要件

別紙７及び16より、議決権を行使することができる株主の議決権の過半数を有する株主が出席し（全員）、出席した当該株主の議決権の３分の２以上の賛成を得ているため（満場一致）、決議要件を満たしている（会社309Ⅱ⑫）。

12－4　総数譲渡し契約の締結

前提の知識

総数譲渡し契約

株式交付子会社の株式を譲り渡そうとする者と株式交付親会社が、株式交付に際して譲り受ける株式交付子会社の株式の総数の譲渡しを行う契約を締結する場合には、会社法774条の４及び同法774条の５に規定する株式の譲渡しの申込み及び割当てに関する手続は要しない（会社774の６）。

別紙９より、令和６年６月20日に、株式会社サクラとＪとの間で総数譲渡し契約が締結されている。

12－5 債権者保護手続の要否

前提の知識

債権者保護手続の要否

株式交付をする場合においては、原則として債権者保護手続を要しないが、株式交付子会社の株主に対して株式交付親会社の株式等以外の財産を交付する場合には、株式交付親会社の債権者について債権者保護手続を行わなければならない（会社816の8）。

別紙8より、株式交付親会社となる株式会社サクラは、株式交付子会社となるボタン株式会社の株主に対し、株式会社サクラの普通株式を交付するとしており、株式交付子会社の株主に対して株式交付親会社の株式等以外の財産を交付する場合には該当しない。

したがって、株式会社サクラにおいて、債権者保護手続は不要である。

12－6 効力発生日

前提の知識

株式交付の効力の発生

株式交付は株式交付計画で定めた日に効力が生ずる（会社774の11Ⅰ）。

なお、株式交付子会社の株式の譲渡人となった者は、効力発生日に当該株式を株式交付親会社に給付しなければならない（会社774の7Ⅱ）。

別紙8より、株式交付の効力発生日は令和6年7月1日と定められている。

別紙16より、株式交付の効力を生じさせるために必要な手続は、必要な時期までに適法に行われている旨の記載があるため、令和6年7月1日に株式交付の効力が生ずる。

12－7 登記すべき事項

前提の知識

株式交付親会社の登記事項

株式交付親会社の本店所在地の管轄登記所に、資本金の額等、変更が生じた事項につき、変更の登記を申請する（会社915Ⅰ）。なお、株式交付をした旨並びに株式交付子会社の商号及び本店は、登記すべき事項ではない。

別紙８より、株式会社サクラは、ボタン株式会社の株式の譲渡人に対して、当該株式の対価として譲渡人のボタン株式会社の株式１株につき、株式会社サクラの普通株式２株の割合をもって割り当てる旨を定めている。

別紙９より、Ｊが株式会社サクラに譲り渡すボタン株式会社の株式数は1,200株であるため、株式交付により株式会社サクラは新たに2,400株を発行することとなる。

したがって、変更後の発行済株式の総数は、１万6,900株となる。

12－8 添付書面

前提の知識

株式交付親会社がする変更の登記の添付書面

本店の所在地における株式交付親会社の株式交付による変更の登記の申請書には、次の書面を添付しなければならない（商登90の２）。

⑴ 株式交付計画書（商登90の２①）
　なお、効力発生日の変更があった場合には、株式交付親会社において取締役の過半数の一致があったことを証する書面又は取締役会の議事録（商登46Ⅱ）も添付しなければならない。

⑵ 株式の譲渡しの申込み又は総数譲渡し契約を証する書面（商登90の２②）

⑶ 株式交付計画の承認に関する書面（商登46）
　株式交付計画承認機関に応じ、株主総会、種類株主総会若しくは取締役会の議事録又は取締役の過半数の一致があったことを証する書面を添付しなければならない。

⑷ 簡易株式交付の場合には、その要件を満たすことを証する書面（簡易株式交付に反対する旨を通知した株主がある場合にあっては、その有する株式の数が会社法施行規則213条の６の規定により定まる数に達しないことを証する書面を含む。）（商登90の２③）

⑸ 債権者保護手続関係書面（商登90の２④）

⑹ 資本金の額が会社法445条５項の規定に従って計上されたことを証する書面（商登90の２⑤）

令和６年５月15日付けの「株式交付計画書」を添付する（商登90の２①）。

令和６年６月20日付けの「総数譲渡し契約を証する書面」を添付する（商登90の２②）。

株式交付親会社において、株式交付計画の承認決議が適法にされたこと及びその内容を証するため、株式会社サクラの令和６年６月25日付けの「(臨時) 株主総会議事録」を添付する（商登46Ⅱ)。

登記すべき事項につき株主総会の決議を要するため、「株主の氏名又は名称、住所及び議決権数等を証する書面」を添付する（商登規61Ⅲ)。

なお、本株式交付に際し資本金の額は増加しないため、「資本金の額が会社法第445条第５項の規定に従って計上されたことを証する書面」は添付することを要しない。

13 役員の変更

結論

取締役Ｂ

令和６年３月30日付けで、辞任による**退任**登記を申請することができる。

取締役Ｄ・Ｅ

令和６年３月25日付けで、任期満了による**退任**登記を申請することができる。

取締役Ｇ

令和６年６月27日付けで、**就任**登記を申請することができる。

取締役Ｈ

令和６年６月28日付けで、**就任**登記を申請することができる。

代表取締役Ｂ

令和６年３月30日付けで、**退任**登記を申請することができる。

代表取締役Ｇ

令和６年６月29日付けで、**就任**登記を申請することができる。

会計参与税理士法人ハマナス

令和６年３月25日付けで、**就任**登記を申請することができる。

監査役Ｆ

令和６年３月25日付けで、任期満了による**退任**登記を申請することができる。

13－1 監査役Ｆ（任期満了）

＜申請書記載例＞

１．事　監査役の変更
１．登　○年○月○日監査役○○退任

1．税　金３万円（登録税別表1.24.⑴カ）
（但し、資本金の額が１億円以下の会社については、金１万円）
1．添　退任を証する書面　1通（商登54Ⅳ）
委任状　1通（商登18）

前提の知識

監査役の任期満了事由

株式会社が①監査役を置く旨の定款の定めを廃止する定款の変更、②監査等委員会又は指名委員会等を置く旨の定款の変更、③監査役の監査の範囲を会計に関するものに限定する旨の定款の定めを廃止する定款の変更、④非公開会社が公開会社となる定款の変更をした場合、監査役の任期は、当該定款の変更の効力が生じたときに満了する（会社336Ⅳ）。

問題文（答案作成に当たっての注意事項）、別紙１及び２より、監査役Ｆは、令和４年３月25日に選任され、同日就任しており、選任後４年以内に終了する事業年度のうち最終のものに関する定時株主総会の終結の時まで任期があるはずであったが、令和６年３月25日付けで監査役設置会社の定め及び監査役の監査の範囲を会計に関するものに限定する旨の定款の定めを廃止したことにより、同日付けで任期が満了し退任する。

したがって、令和６年３月25日付けで、任期満了による退任登記を申請することとなる。

<添付書面>

退任を証する書面として、監査役設置会社の定め及び監査役の監査の範囲を会計に関するものに限定する旨の定款の定めを廃止したことを証する令和６年３月25日付けの「（定時）株主総会議事録」を添付する（商登54Ⅳ）。

13−2　取締役Ｄ・Ｅ（任期満了）

<申請書記載例>

1．事　取締役の変更
1．登　○年○月○日次の者退任
取締役　○○
取締役　○○

1．税　金３万円（登録税別表1.24.(1)カ）
（但し、資本金の額が１億円以下の会社については、金１万円）
1．添　定款　　　　　　　　　　　　　１通（商登規61Ⅰ）
退任を証する書面　　　　　　　　　１通（商登54Ⅳ）
委任状　　　　　　　　　　　　　　１通（商登18）

前提の知識

① **取締役の任期**

取締役の任期は、原則として、選任後２年以内に終了する事業年度のうち最終のものに関する定時株主総会の終結の時までである（会社332Ⅰ）。ただし、監査等委員会設置会社の取締役（監査等委員であるものを除く。）又は指名委員会等設置会社の取締役は、選任後１年以内に終了する事業年度のうち最終のものに関する定時株主総会の終結の時までである（会社332Ⅲ・Ⅵ）。

監査等委員である取締役以外の取締役については、定款又は株主総会の決議によって、その任期を短縮することができる（会社332Ⅳ・Ⅰ但書）。また、非公開会社（監査等委員会設置会社及び指名委員会等設置会社を除く。）においては、定款によって、その任期を選任後10年以内に終了する事業年度のうち最終のものに関する定時株主総会の終結の時まで伸長することができる（会社332Ⅱ）。

② **退任を証する書面としての定款の添付の要否**

定時株主総会の議事録に「本定時株主総会の終結をもって取締役及び監査役の任期が満了するので改選…」との記載があるときは、退任を証する書面として、別に定款を添付する必要はない（昭53.9.18民四5003号）。

問題文（答案作成に当たっての注意事項）及び別紙１より、取締役Ｄ及びＥは、令和３年３月26日に選任され、同日就任している。

この点、別紙２より、取締役の任期は、選任後３年以内に終了する事業年度のうち最終のものに関する定時株主総会の終結の時までとする旨が定められているため、取締役Ｄ及びＥは、令和６年３月25日の定時株主総会の終結の時に任期が満了し退任する。

したがって、令和６年３月25日付けで、任期満了による退任登記を申請することとなる。

<添付書面>

退任を証する書面として、令和６年３月25日付けの「（定時）株主総会議事録」

を添付する（商登54Ⅳ）。

なお、別紙４より、定時株主総会の終結をもって取締役の任期が満了する旨が議事録に明示されておらず、また、定款により取締役の任期を法定期間より伸長しているため、「定款」の添付を要するものと解される（商登規61Ⅰ）。

13−3 会計参与税理士法人ハマナス（就任）

<申請書記載例；法人の場合・主たる事務所が本店を管轄する登記所の管轄区域内にない場合>

1．事　会計参与の変更
1．登　○年○月○日次の者就任
　　会計参与　税理士法人○○
　　（書類等備置場所）○県○市○町○丁目○番○号
1．税　金３万円（登録税別表1.24.⑴カ）
　　（但し、資本金の額が１億円以下の会社については、金１万円）
1．添　株主総会議事録　1通（商登46Ⅱ）
　　株主の氏名又は名称、住所及び
　　議決権数等を証する書面　1通（商登規61Ⅲ）
　　就任を承諾したことを証する書面　1通（商登54Ⅱ①）
　　税理士法人○○の登記事項証明書　1通（商登54Ⅱ②）
　　委任状　1通（商登18）

前提の知識

会計参与の就任登記の添付書面

会計参与の就任による変更登記の申請書には、以下の書面を添付しなければならない。

⑴　選任を証する株主総会議事録（会社329Ⅰ、商登46Ⅱ）
⑵　就任を承諾したことを証する書面（商登54Ⅱ①）
⑶　会計参与が法人であるときは、当該法人の登記事項証明書（商登54Ⅱ②本文）

ただし、以下のいずれかに該当する場合を除く。

⑴　申請する登記所の管轄区域内に当該法人の主たる事務所がある場合（商登54Ⅱ②但書）
⑵　申請書に会社法人等番号を記載した場合その他法務省令で定める場合（商登19の３、商登規36の３）

(4) 会計参与が法人でないときは、会社法333条1項に規定する者であることを証する書面（商登54Ⅱ③）

なお、書類等備置場所を証する書面を別途添付することは要しない（商登54Ⅱ参照）。

13−3−1 決議権限

別紙4より、株主総会において決議されているため、決議機関は適法である（会社329Ⅰ）。

13−3−2 決議形式

(1) 招集手続

別紙4より、議決権を行使することができる株主全員が出席していないため、招集手続の瑕疵の有無の検討を要するが、特に招集手続に瑕疵がある旨の記載もないことから、招集手続は適法にされていると解する。

(2) 決議要件

別紙4より、議決権を行使することができる株主の議決権（1万個）の過半数(5,001個以上）を有する株主が出席し（株主3名＝9,000個)、出席した当該株主の議決権の過半数の賛成を得ているため(6,000個)、決議要件を満たしている(会社341)。

13−3−3 決議内容

別紙4より、会計参与として税理士法人ハマナスを選任している。

(1) 資格制限

被選任者は税理士法人であり、会計参与としての資格を有している（会社333Ⅰ)。また、他に資格制限に抵触する事実は示されていないため、適法である。

(2) 員数制限

員数制限に抵触する事実は示されていないため、適法である。

13−3−4 就任承諾

問題文（答案作成に当たっての注意事項）より、被選任者の就任承諾は、選任された日に適法に得られている旨の記載があるため、令和6年3月25日に就任の効力が生ずる。

13−3−5 添付書面

選任を証する書面として、令和6年3月25日付けの「(定時）株主総会議事録」

を添付する（商登46Ⅱ）。

登記すべき事項につき株主総会の決議を要するため、「株主の氏名又は名称、住所及び議決権数等を証する書面」を添付する（商登規61Ⅲ）。

税理士法人ハマナスの「会計参与の就任を承諾したことを証する書面」を添付する（商登54Ⅱ①）。

問題文（答案作成に当たっての注意事項）、別紙１及び４より、申請する登記所の管轄区域内に税理士法人ハマナスの主たる事務所は存せず、問題文（答案作成に当たっての注意事項）より、「登記申請書に会社法人等番号を記載することによる登記事項証明書の添付の省略は、しないものとする。」旨の記載があるため、「税理士法人ハマナスの登記事項証明書」を添付する（商登54Ⅱ②）。

13−4 ｜ 代表取締役Ｂ（退任）

<申請書記載例；代表取締役の退任登記のみを申請する場合>

１．事　代表取締役の変更
１．登　○年○月○日代表取締役○○退任
１．税　金３万円（登録税別表1.24.⑴カ）
　　　（但し、資本金の額が１億円以下の会社については、金１万円）
１．添　退任を証する書面　　１通（商登54Ⅳ）
　　　委任状　　１通（商登18）

前提の知識

代表取締役の資格喪失による退任登記の添付書面

代表取締役の資格喪失による退任登記の添付書面は、退任を証する書面であり（商登54Ⅳ）、具体的には、前提資格である取締役の退任を証する書面である。通常は前提資格である取締役の退任登記も一括して申請されるため、別途添付する必要はない。しかし、取締役としては員数を欠くこととなり取締役としての権利義務を有することになるが、代表取締役としては員数を欠くこととならず、代表取締役の資格喪失による退任登記のみ申請するというような場合には添付を要することとなる。

問題文（答案作成に当たっての注意事項）及び別紙１より、代表取締役Ｂは、令和４年３月25日に選定され、同日就任しているが、後述のとおり、令和６年３月30日に代表取締役の前提資格である取締役を辞任により退任するため、同日をもって代表取締役としても退任する。

後述のとおり、Bは、辞任により取締役としての権利義務を有することとなるが、問題文（答案作成に当たっての注意事項）及び別紙2より、申請会社の定款には、代表取締役の最低員数に関する規定は定められていないため、Bは代表取締役としての権利義務を有することとはならない（役員の概要参照）。

したがって、令和6年3月30日付けで、退任登記を申請することとなる。

<添付書面>

前提資格の喪失による代表取締役の退任登記のみを申請する場合に該当するため、退任を証する書面として、前提資格である取締役を辞任により退任したことを証する「辞任届」を添付する（商登54Ⅳ）。

なお、問題文（答案作成に当たっての注意事項）及び別紙1より、Bは申請会社の代表取締役であるが、登記所に印鑑を提出していないため、商業登記規則61条8項の規定は適用されず、辞任届に押印した印鑑についての証明書を添付することを要しない。

13−5 取締役B（辞任）

<申請書記載例>

1．事	取締役の変更		
1．登	○年○月○日取締役○○辞任		
1．税	金3万円（登録税別表1.24.(1)カ） （但し、資本金の額が1億円以下の会社については、金1万円）		
1．添	退任を証する書面	1通	（商登54Ⅳ）
	委任状	1通	（商登18）

前提の知識

① **辞任の可否**

株式会社と役員及び会計監査人との関係は、委任に関する規定に従うため（会社330）、役員及び会計監査人は、その任期中いつでも会社に対する一方的な意思表示によりその地位を辞任することができる。

② **権利義務を有する者の退任登記**

役員が欠けた場合又は会社法若しくは定款で定めた役員の員数が欠けた場合には、任期の満了又は辞任により退任した役員は、新たに選任された役員（一時役員の職務を行うべき者を含む。）が就任するまで、なお役員としての権利義務を有する（会社346Ⅰ）。

③　役員としての権利義務を有する者の退任年月日

役員としての権利義務を有する者について、退任の登記をするときは、その退任年月日は、過去における任期満了又は辞任の日となる。後任者の就任に伴って退任の登記をする場合、権利義務を有する者の死亡により退任の登記をする場合のいずれの場合であっても同様である（昭31.4.6民甲746号、死亡につき昭39.10.3民甲3197号）。

問題文（答案作成に当たっての注意事項）、別紙１及び２より、取締役Ｂは、令和４年３月25日に選任され、同日就任しており、選任後３年以内に終了する事業年度のうち最終のものに関する定時株主総会の終結の時まで任期があるはずであったが、別紙６及び15より、令和６年３月30日付けで取締役を辞任したい旨の意思を申請会社に対して表明し、同日、辞任届が提出されている。

この点、別紙１及び２より、申請会社は取締役会設置会社であるため、取締役の員数は３人以上要するが（会社331Ⅴ）、Ｂが辞任の意思を表明した時点において、最低員数を満たす後任者が就任していないため（役員の概要参照）、Ｂは取締役としての権利義務を有することとなる。

権利義務を有する者の退任登記は、原則として、最低員数を満たす後任者が就任するまで申請することはできないが、後述のとおり、令和６年６月25日開催の臨時株主総会において、最低員数を満たす後任者が選任され、同日就任しているため、Ｂの権利義務関係が解消される。

したがって、令和６年３月30日付けで、辞任による退任登記を申請することとなる。

<添付書面>

退任を証する書面として、Ｂが申請会社に提出した「辞任届」を添付する（商登54Ⅳ）。

なお、問題文（答案作成に当たっての注意事項）及び別紙１より、Ｂは申請会社の代表取締役であるが、登記所に印鑑を提出していないため、商業登記規則61条８項の規定は適用されず、辞任届に押印した印鑑についての証明書を添付することを要しない。

13−6　取締役Ｇ・Ｈ（就任）

<申請書記載例>

１．事　取締役の変更
１．登　○年○月○日取締役○○就任

1．税　金３万円（登録税別表1.24.(1)カ）
(但し、資本金の額が１億円以下の会社については、金１万円)
1．添　株主総会議事録　1通（商登46Ⅱ）
株主の氏名又は名称、住所及び
議決権数等を証する書面　1通（商登規61Ⅲ）
就任を承諾したことを証する書面　○通（商登54Ⅰ）
委任状　1通（商登18）

前提の知識

就任の効力の発生日

株式会社と役員及び会計監査人との関係は、委任に関する規定に従うとされているため（会社330)、株主総会で選任された者が就任の承諾をして初めて就任の効力が生ずる（民643)。ただし、任期計算の始期は選任時である（会社332Ⅰ・334Ⅰ・336Ⅰ・338Ⅰ)。

13−6−1　決議権限

別紙７より、株主総会において決議されているため、決議機関は適法である（会社329Ⅰ)。

13−6−2　決議形式

(1)　招集手続

別紙16より、議決権を行使することができる株主全員が出席しているため、招集手続の瑕疵の有無については、検討することを要しない。

(2)　決議要件

別紙７及び16より、議決権を行使することができる株主の議決権の過半数を有する株主が出席し（全員)、出席した当該株主の議決権の過半数の賛成を得ているため（満場一致)、決議要件を満たしている（会社341)。

13−6−3　決議内容

別紙７より、取締役としてＧ及びＨを選任している。

(1)　資格制限

資格制限に抵触する事実は示されていないため、適法である。

(2)　員数制限

員数制限に抵触する事実は示されていないため、適法である。

13−6−4　就任承諾

別紙13及び14より、Ｇの就任承諾は令和６年６月27日に、Ｈの就任承諾は令和６年６月28日に得られていることが分かるため、それぞれの就任を承諾した日に就任の効力が生ずる。

13−6−5　添付書面

選任を証する書面として、令和６年６月25日付けの「(臨時）株主総会議事録」を添付する（商登46Ⅱ）。

登記すべき事項につき株主総会の決議を要するため、「株主の氏名又は名称、住所及び議決権数等を証する書面」を添付する（商登規61Ⅲ）。

Ｇ及びＨの「取締役の就任を承諾したことを証する書面」を添付する（商登54Ⅰ）。

なお、後述のとおり、商業登記規則61条６項の規定により印鑑証明書を添付する場合に該当するため、Ｇ及びＨの本人確認証明書を添付することを要しない（商登規61Ⅶ）。

13−7　代表取締役Ｇ（就任）

＜申請書記載例；取締役会設置会社＞

１．事	代表取締役の変更		
１．登	○年○月○日次の者就任 ○県○市○町○丁目○番○号 　代表取締役　○○		
１．税	金３万円（登録税別表1.24.(1)カ） （但し、資本金の額が１億円以下の会社については、金１万円）		
１．添	取締役会議事録	１通	（商登46Ⅱ）
	就任を承諾したことを証する書面	１通	（商登54Ⅰ）
	印鑑証明書	４通	（商登規61Ⅴ・Ⅳ・Ⅵ）
	委任状	１通	（商登18）

前提の知識

取締役会設置会社における代表取締役の就任登記の添付書面

取締役会設置会社において、代表取締役を選定した場合の代表取締役の就任登記の添付書面は、次のとおりである。

(1)　取締役会議事録（商登46Ⅱ）

(2)　(1)に係る印鑑証明書（商登規61Ⅵ③）

※　出席した取締役及び監査役（監査役の監査の範囲が会計に関するものに限定されている場合を含む。）が取締役会議事録に押印した印鑑につき、変更前の代表取締役が権限をもって取締役会に出席し、当該議事録に届出印を押印している場合を除き、市町村長の作成した証明書を添付しなければならない。

(3)　代表取締役が就任を承諾したことを証する書面（商登54Ⅰ）

※　被選定者が取締役会の席上で就任を承諾し、それが議事の経過の要領として議事録に記載されていれば、当該議事録の記載を「就任を承諾したことを証する書面」として援用することが可能である。この場合、再任の場合を除き、議事録に被選定者の実印が押印されていなければならない。

(4)　(3)に係る印鑑証明書（商登規61Ⅴ・Ⅳ）

※　代表取締役が就任を承諾したことを証する書面に押印した印鑑につき、再任の場合を除き、市町村長の作成した証明書を添付しなければならない。

13−7−1　決議権限

別紙１及び２より、申請会社は取締役会設置会社であり、別紙10より、取締役会において決議されているため、決議機関は適法である（会社362Ⅱ③）。

13−7−2　決議形式

(1)　招集手続

別紙16より、取締役の全員が出席しているため、招集手続の瑕疵の有無については、検討することを要しない。

(2)　決議要件

別紙10及び16より、議決に加わることができる取締役の過半数が出席し（全員）、その過半数の賛成を得ているため（全員）、決議要件を満たしている（会社369Ⅰ）。

13−7−3　決議内容

別紙10より、代表取締役としてＧを選定している。

(1)　前提資格

前述のとおり、令和６年６月29日の取締役会の開催時点において、Ｇは、取締役として在任中であり（役員の概要参照）、代表取締役としての前提資格を有しているため、適法である。

(2) 員数制限

員数制限に抵触する事実は示されていないため、適法である。

13−7−4 就任承諾

問題文（答案作成に当たっての注意事項）より、被選定者の就任承諾は、選定された日に適法に得られている旨の記載があるため、令和６年６月29日に就任の効力が生ずる。

13−7−5 添付書面

(1) 選定を証する書面及びこれに関する印鑑証明書

(イ) 取締役会議事録（商登46条２項）

Ｇを代表取締役に選定している旨が記載されている令和６年６月29日付けの「取締役会議事録」を添付する。

(ロ) 印鑑証明書の添付の要否（商登規61条６項３号）

別紙16より、取締役会議事録には、出席した取締役が市区町村に登録されている印鑑で押印しているため、取締役会議事録に押印された印鑑についての証明書を添付することを要する。

(ハ) 印鑑証明書を添付すべき通数

別紙16より、令和６年６月29日開催の取締役会には、当該取締役会の開催日における取締役の全員が出席している。したがって、取締役Ａ、Ｃ、Ｇ及びＨ（役員の概要参照）の「印鑑証明書」合計４通が必要である。

(2) 就任を承諾したことを証する書面及びこれに関する印鑑証明書

(イ) 就任を承諾したことを証する書面（商登54条１項）

Ｇの「代表取締役の就任を承諾したことを証する書面」を添付する。

(ロ) 印鑑証明書の添付の要否（商登規61条５項・４項）

Ｇは再任でないため（役員の概要参照）、就任を承諾したことを証する書面に押印した印鑑についての証明書を添付することを要する。

なお、Ｇの印鑑証明書は、取締役会議事録についての印鑑証明書（(１）ハ参照）を兼ねることとなるため、同じものを２通添付することを要しない。

第１欄

【登記の事由】
公告をする方法の変更 募集株式の発行 取締役、代表取締役、会計参与及び監査役の変更 監査役の監査の範囲を会計に関するものに限定する旨の定款の定めの廃止 監査役設置会社の定めの廃止 会計参与設置会社の定めの設定

【登記すべき事項】
令和６年３月25日変更 　公告をする方法 　　電子公告の方法により行う。 　　　https://www.sakura.abc.jp/ 　　ただし、事故その他やむを得ない事由によって電子公告による公告ができない場合には、官報に掲載してする。 令和６年４月１日次のとおり変更 　発行済株式の総数　１万4,500株 　資本金の額　　金１億6,250万円 令和６年３月25日次の者退任 　取締役　D 　取締役　E 　監査役　F 同日次の者就任 　会計参与　税理士法人ハマナス 　（書類等備置場所）東京都渋谷区ハマナス３番地 同日監査役の監査の範囲を会計に関するものに限定する旨の定款の定め廃止 令和６年３月30日代表取締役Ｂ退任 令和６年３月25日監査役設置会社の定め廃止 同日設定 　会計参与設置会社

【登録免許税額】
金14万7,500円

【添付書面の名称及び通数】	
定款	１通
株主総会議事録	１通
株主の氏名又は名称、住所及び議決権数等を証する書面（株主リスト）	１通
取締役会議事録	１通
募集株式の引受けの申込みを証する書面	３通
払込みがあったことを証する書面	１通
資本金の額が会社法及び会社計算規則の規定に従って計上されたことを証する書面	１通
会計参与の就任を承諾したことを証する書面	１通
税理士法人ハマナスの登記事項証明書	１通
辞任届	１通
委任状	１通

第２欄

【登記の事由】
株式交付 取締役及び代表取締役の変更 非業務執行取締役等の会社に対する責任の制限に関する規定の設定

【登記すべき事項】
令和６年７月１日変更 　発行済株式の総数　１万6,900株 令和６年３月30日取締役Ｂ辞任 令和６年６月27日取締役Ｇ就任 令和６年６月28日取締役Ｈ就任 令和６年６月29日次の者就任 　東京都北区スイセン町４番地 　　代表取締役　Ｇ

解答例

令和６年６月25日設定
　非業務執行取締役等の会社に対する責任の制限に関する規定
　　当会社は、会社法第427条の規定により、取締役（業務執行取締役等であるものを除く。）及び会計参与との間に、同法第423条の行為による賠償責任を限定する契約を締結することができる。ただし、当該契約に基づく賠償責任の限度額は、法令が規定する額とする。

【登録免許税額】
金６万円

【添付書面の名称及び通数】		
株主総会議事録	１通	
株主の氏名又は名称、住所及び議決権数等を証する書面（株主リスト）	１通	
取締役会議事録	１通	
株式交付計画書	１通	
総数譲渡し契約を証する書面	１通	※
取締役の就任を承諾したことを証する書面	２通	
代表取締役の就任を承諾したことを証する書面	１通	
印鑑証明書	４通	
辞任届	１通	
委任状	１通	

※　「総数譲渡契約書　１通」と記載しても誤りでないと解される。

第３欄

【登記することができない事項】
取締役等の会社に対する責任の免除に関する規定の設定の件 【理由】 　取締役が２人以上ある監査役設置会社、監査等委員会設置会社又は指名委員会等設置会社にあっては、取締役等の会社に対する責任の免除に関する規定を定款に定めることができる。 　本問の場合、令和６年６月25日開催の臨時株主総会において、取締役等の会社に対する責任の免除に関する規定を設定する旨の決議をしているが、申請会社は監査役設置会社ではないため、当該規定を設定することはできない。 　したがって、取締役等の会社に対する責任の免除に関する規定の設定は、登記することができない事項となる。

本問題の日付は、出題当時の本試験問題に合わせておりますが、法令等については、令和7年4月1日時点において施行されているもの（本書作成時点において施行予定のものを含む。）を適用した上で、解答を作成してください。

司法書士法務星子は、令和5年4月25日に事務所を訪れたコスモ株式会社の代表者から、別紙1から別紙6までの書面のほか、登記申請に必要な書面の提示を受けて確認を行い、別紙13のとおり事情を聴取し、登記すべき事項や登記のための要件などを説明した。そして、司法書士法務星子は、コスモ株式会社の代表者から必要な登記の申請書の作成及び登記申請の代理の依頼を受けた。

また、司法書士法務星子は、同年6月30日に事務所を訪れたコスモ株式会社の代表者及び株式会社サニーの代表者から、同年4月25日に提示を受けた書面に加え、別紙7から別紙12までの書面のほか、登記申請に必要な書面の提示を受けて確認を行い、別紙14のとおり事情を聴取し、登記すべき事項や登記のための要件などを説明した。そして、司法書士法務星子は、コスモ株式会社の代表者及び株式会社サニーの代表者から必要な登記の申請書の作成及び登記申請の代理の依頼を受けた。

司法書士法務星子は、これらの依頼に基づき、登記申請に必要な書面の交付を受け、管轄登記所に対し、同年4月25日及び同年6月30日にそれぞれの登記の申請をすることとした。

以上に基づき、後記の問1から問4までに答えなさい。

問1　令和5年4月25日に司法書士法務星子が申請した登記のうち、当該登記の申請書に記載すべき登記の事由、登記すべき事項、登録免許税額並びに添付書面の名称及び通数を答案用紙の第1欄に記載しなさい。ただし、登録免許税額の内訳については、記載することを要しない。

問2　別紙10の第2号議案で決議された事項に関し、株式会社サニーの代表者から提示を受けた書面及び聴取した内容に照らして、次の(1)及び(2)に答えなさい。

(1)　当該議案について議決権を行使することができる株主の**議決権の数**を答案用紙の第2欄(1)に記載しなさい。

(2)　当該議案の［ア］とある箇所に記載すべき議決権の数を答案用紙の第2欄

(2)に記載しなさい。ただし、［ア］の数は、法令及び別紙９記載の定款に定める決議の要件を満たす**最小限の数**とする。

問３　令和５年６月30日に司法書士法務星子が申請した登記のうち、株式会社サニーに関する登記の申請書に記載すべき登記の事由、登記すべき事項、登録免許税額並びに添付書面の名称及び通数を答案用紙の第３欄に記載しなさい。ただし、登録免許税額の内訳については、記載することを要しない。

なお、同時に申請すべきコスモ株式会社に関する登記がある場合には、これについては、記載することを要しない。

問４　令和５年６月30日に司法書士法務星子が別紙14のとおり事情を聴取した際に、別紙14の７で株式会社サニーの代表者から提示を受けた株主名簿について、これに記載されている株主のうち、**保有株式数の多い順に**、株主の氏名又は名称及びその株式の数を答案用紙の第４欄に記載しなさい。ただし、各株主が数次にわたって株式を取得している場合は、その**合計数**により**上位４名のみ**記載するものとし、その他の株主に係る事項は記載することを要しない。

（答案作成に当たっての注意事項）

1　別紙２は、令和５年４月21日現在のコスモ株式会社の定款の抜粋であり、令和４年４月23日以降変更の決議はされておらず、別紙１から別紙７まで及び別紙13に現れている以外には、会社法の規定と異なる定めは、存しない。

2　別紙９は、令和５年４月30日現在の株式会社サニーの定款の抜粋であり、同日以降変更されておらず、別紙７から別紙12まで及び別紙14に現れている以外には、会社法の規定と異なる定めは、存しない。

3　コスモ株式会社及び株式会社サニーを通じて、ＡからＺまでの記号で表示されている者は、自然人又は法人であって、いずれも同じ記号の者が各々同一の自然人又は法人であるものとする。

4　株式会社サニーは、設立以来、最終事業年度に係る貸借対照表の負債の部に計上した額の合計額が200億円以上となったことはないものとする。

5　東京都港区は東京法務局港出張所、名古屋市は名古屋法務局の管轄である。別紙１から別紙14までに現れるコスモ株式会社及び株式会社サニー以外の全ての法人の本店又は主たる事務所の所在地は、コスモ株式会社又は株式会社サニーの本店の所在地の管轄登記所の管轄と異なる。

6　別紙中、（略）と記載されている部分及び記載が省略されている部分には、いずれも有効な記載があるものとする。

7　被選任者及び被選定者の就任承諾は、選任され、又は選定された日に適法に得られているものとする。

8　別紙３及び別紙４の定時株主総会には、議決権を行使することができる株主の過半数を有する株主が出席している。

9　別紙10及び別紙12の株主総会には、当該各株主総会の開催日において議決権を行使することができる株主全員が出席している。

10　令和５年６月30日に申請した登記に関し、官庁の許可又は官庁への届出を要する事項はないものとする。

11　登記申請書の添付書面については、全て適式に調えられており、所要の記名・押印がされているものとする。

12　登記の申請に伴って必要となる印鑑の提出手続は、適式にされているものとする。

13　登記申請書の添付書面のうち、就任承諾を証する書面を記載する場合には、答案用紙の第１欄及び第３欄中、**【添付書面の名称及び通数】**欄の『就任承諾を証する書面』の該当欄にその資格及び氏名又は名称を記載すること。なお、就任承諾を証する書面に限り、通数の記載を要しない。

14　登記申請書の添付書面については、他の書面を援用することができる場合でも、これを**援用しない**ものとする。

15　登記申請書の添付書面のうち、株主の氏名又は名称、住所及び議決権数等を証する書面（株主リスト）を記載する場合において、各議案を通じて株主リストに記載する各株主についての内容が変わらないときは、その通数は開催された株主総会ごとに１通を添付するものとする。

16　登記申請書に会社法人等番号を記載することによる登記事項証明書の添付の省略は、しないものとする。

17　租税特別措置法等の特例法による減免規定の適用はないものとする。

18　数字を記載する場合には、算用数字を使用すること。

19　登記申請の懈怠については、考慮しないものとする。

20　答案用紙の**各欄に記載する文字は字画を明確にし、**訂正、加入又は削除をするときは、訂正は訂正すべき字句に線を引き、近接箇所に訂正後の字句を記載し、加入は加入する部分を明示して行い、削除は削除すべき字句に線を引いて、訂正、加入又は削除をしたことが明確に分かるように記載すること。ただし、押印や字数を記載することは要しない。

別紙１

【令和５年４月21日現在のコスモ株式会社に係る登記記録の抜粋】

商号　コスモ株式会社

本店　東京都港区東町１番１号

電子提供措置に関する規定　当会社は、株主総会の招集に際し、株主総会参考書類等の内容である情報について、電子提供措置をとるものとする。

公告をする方法　当会社の公告方法は、電子公告により行う。

ｈｔｔｐｓ：//ｗｗｗ．ｃｏｓｕｍｏ○○○．ｃｏｍ/

目的　１　医療用ソフトウェアの開発、制作、販売

２　医薬品、化学薬品、食品の製造、販売

３　前各号に附帯する一切の業務

単元株式数　100株

発行可能株式総数　2000万株

発行済株式の総数並びに種類及び数

発行済株式の総数　510万9000株

資本金の額　金５億500万円

役員に関する事項　取締役　Ａ　令和４年４月22日重任

取締役　Ｂ　令和４年４月22日重任

取締役　Ｃ　令和４年４月22日就任

取締役　Ｄ　令和５年２月15日就任

取締役・監査等委員　Ｅ　令和４年４月22日就任

取締役・監査等委員(社外取締役)　Ｆ　令和４年4月 22日就任

取締役・監査等委員(社外取締役)　Ｇ　令和４年4月 22日就任

東京都品川区西町一丁目２番３号

代表取締役　Ａ　令和４年4月 22日重任

会計監査人　ビーナス監査法人　令和４年４月22日重任

取締役会設置会社に関する事項　取締役会設置会社

監査等委員会設置会社に関する事項　監査等委員会設置会社

重要な業務執行の決定の取締役への委任に関する事項　重要な業務執行の決定の取締役への委任についての定款の定めがある

会計監査人設置会社に関する事項　会計監査人設置会社

別紙２

【令和５年４月21日現在のコスモ株式会社の定款の抜粋】

（商号）

第１条　当会社は、コスモ株式会社と称する。

（本店の所在地）

第３条　当会社は、本店を東京都港区に置く。

（機関）

第４条　当会社には、株主総会及び取締役のほか、次の機関を置く。

　１　取締役会

　２　監査等委員会

　３　会計監査人

（公告方法）

第５条　当会社の公告方法は、電子公告により行う。

（発行可能株式総数）

第６条　当会社の発行可能株式総数は、2000万株とする。

（単元株式数）

第７条　当会社の単元株式数は、100株とする。

（株主総会の招集）

第10条　当会社の定時株主総会は、毎年４月にこれを招集し、臨時株主総会は、必要に応じこれを招集する。

（電子提供措置に関する規定）

第13条　当会社は、株主総会の招集に際し、株主総会参考書類等の内容である情報について、電子提供措置をとるものとする。

（取締役の員数）

第16条　当会社の取締役(監査等委員である取締役を除く。)は、10名以内とする。

2　当会社の監査等委員である取締役は、5名以内とする。

（取締役の選任）

第17条　取締役は、監査等委員である取締役とそれ以外の取締役とを区別して、株主総会の決議によって選任する。

2　取締役の選任決議は、議決権を行使することができる株主の議決権の3分の1以上を有する株主が出席し、その議決権の過半数をもって行う。

3　取締役の選任決議については累積投票によらない。

（取締役の任期）

第18条　取締役(監査等委員である取締役を除く。)の任期は、選任後1年以内に終了する事業年度のうち最終のものに関する定時株主総会の終結の時までとする。

2　監査等委員である取締役の任期は、選任後2年以内に終了する事業年度のうち最終のものに関する定時株主総会の終結の時までとする。

3　任期の満了前に退任した監査等委員である取締役の補欠として選任された監査等委員である取締役の任期は、退任した監査等委員である取締役の任期の満了する時までとする。

（重要な業務執行の決定の委任）

第28条　取締役会は、会社法第399条の13第6項の規定により、その決議によって重要な業務執行(同条第5項各号に掲げる事項を除く。)の決定の全部又は一部を取締役に委任することができる。

（事業年度）

第38条　当会社の事業年度は、毎年2月1日から翌年1月31日までの年1期とする。

別紙3

【令和4年4月22日開催のコスモ株式会社の定時株主総会における議事の概要】

[報告事項]　令和3年2月1日から令和4年1月31日までの事業報告及び計算書類報告の件

（略）

[決議事項]

第1号議案　定款一部変更の件

（略）

第2号議案　取締役(監査等委員である取締役を除く。)選任の件

（略）

第3号議案　監査等委員である取締役選任の件

（略）

第4号議案　補欠の監査等委員である取締役1名選任の件

法令に定める監査等委員である取締役の員数を欠くこととなる場合に備え、あらかじめ補欠の監査等委員である取締役 1 名(社外取締役)の選任をすることについて、出席した株主の議決権のうち過半数の賛成をもって可決承認された。

補欠の監査等委員である取締役(社外取締役)　H

別紙４

【令和５年４月21日開催のコスモ株式会社の定時株主総会における議事の概要】

［報告事項］ 令和4年 2月1日から令和5年1月31日までの事業報告及び計算書類報告の件

（略）

［決議事項］

第１号議案　取締役（監査等委員である取締役を除く。）選任の件

取締役３名を選任することが諮られ、下記のとおり選任することについて、出席した株主の議決権のうち過半数の賛成をもって可決承認された。

取締役　A

取締役　B

取締役（社外取締役）　M

第２号議案　補欠の監査等委員である取締役１名選任の件

法令に定める監査等委員である取締役の員数を欠くこととなる場合に備え、あらかじめ補欠の監査等委員である取締役１名（社外取締役）の選任をすることについて、出席した株主の議決権のうち過半数の賛成をもって可決承認された。

補欠の監査等委員である取締役（社外取締役）　Y

別紙5

【令和5年4月21日開催のコスモ株式会社の取締役会における議事の概要】

第1号議案　代表取締役選定の件
　代表取締役を選定することが諮られ、出席取締役全員の一致をもって下記のとおり選定することを可決承認した。なお、被選定者は、席上就任を承諾した。
　東京都品川区西町一丁目2番3号　代表取締役　A

第2号議案　吸収分割契約承認の件
　別紙(※別紙7)の吸収分割契約を承認することを諮ったところ、出席取締役全員の一致をもって可決承認した。

第3号議案　支店の設置の件
　名古屋市に支店を設置したい旨が説明され、具体的な支店の所在場所及び設置日の決定を取締役Bに委任したい旨を諮ったところ、出席取締役全員の一致をもって可決承認した。

別紙6

【令和5年4月22日付けのコスモ株式会社の取締役Bの決定の概要】

　私は、令和5年4月21日付け取締役会の第3号議案に基づき、当会社の支店を以下のとおり設置することを決定した。

　支店の所在場所　　名古屋市西区本町8番地
　設置日　令和5年4月23日

令和5年4月 22日　取締役　B

別紙７

【令和５年４月21日付け吸収分割契約書の抜粋】

ただし、吸収分割契約において、会社法上定めなければならない事項の全てが現れている。

株式会社サニー(住所(略))(以下「甲」という。)及びコスモ株式会社(住所(略))(以下「乙」という。)は、次のとおり吸収分割契約を締結する。

(吸収分割の方法)

第１条　甲は、吸収分割により、乙から乙の営む「食品に使用する添加物の製造事業」(以下「本件事業」という。)に関する権利義務を承継し、乙は甲にこれを承継させる。

(承継する権利義務)

第２条　甲が乙から承継する権利義務は、乙の本件事業に関する資産、債務、雇用契約、その他の権利義務とし、別紙「承継財産の明細」記載のとおりとする。

(分割対価)

第３条　甲は、吸収分割に際して、株式2000株を新たに発行し、乙に対してこれを交付する。

(増加すべき資本金及び準備金の額等)

第４条　吸収分割により、甲の増加すべき資本金及び準備金の額等は、次のとおりとする。

(1)　増加する資本金の額　金500万円

(2)　増加する準備金その他の増加額

　　会社計算規則に従い、甲が定める。

(効力発生日)

第５条　効力発生日は、令和５年6月 25日とする。

(以下略)

別紙「承継財産の明細」(略)

別紙8

【令和5年6月19日現在の株式会社サニーに係る登記記録の抜粋】

商号　株式会社サニー

本店　名古屋市中区丸の内一丁目1番地

公告をする方法　官報に掲載してする。

会社成立の年月日　平成18年7月3日

目的　1　食品の製造、加工、販売

　　　2　飲食店の経営

　　　3　前各号に附帯する一切の業務

発行可能株式総数　10万株

発行済株式の総数並びに種類及び数

　発行済株式の総数　5000株

株券を発行する旨の定め　当会社の株式については、株券を発行する。

資本金の額　金1000万円

株式の譲渡制限に関する規定

　当会社の株式を譲渡により取得する場合は、株主総会の承認を受けなければならない。

役員に関する事項　取締役　N　令和1年6月30日就任

　　　　　　　　　取締役　J　令和2年6月22日重任

　　　　　　　　　取締役　R　令和2年6月22日重任

　　　　　　　　　取締役　S　令和3年5月7日就任

　　　　　　　　　岐阜市長良町5番地

　　　　　　　　　代表取締役　S　令和3年5月7日就任

　　　　　　　　　監査役　W　令和2年6月22日重任

　　　　　　　　　監査役　Z　令和3年6月29日就任

監査役設置会社に関する事項　監査役設置会社

別紙９

【令和５年４月30日現在の株式会社サニーの定款の抜粋】

（商号）
第１条　当会社は、株式会社サニーと称する。

（公告方法）
第４条　当会社の公告は、官報に掲載してする。

（機関）
第５条　当会社には、株主総会及び取締役のほか、監査役を置く。

（発行可能株式総数）
第６条　当会社の発行可能株式総数は、10万株とする。

（株券の発行）
第７条　当会社の株式については、株券を発行する。

（株式の譲渡制限）
第８条　当会社の株式を譲渡により取得する場合は、株主総会の承認を受けなければならない。

（基準日）
第９条　当会社は、毎事業年度末日の最終の株主名簿に記載された株主をもって、その事業年度に関する定時株主総会において権利を行使することができる株主とする。

（招集時期）
第10条　当会社の定時株主総会は、毎事業年度の終了後３か月以内に招集し、臨時株主総会は、必要がある場合に招集する。

（株主総会の決議の方法）
第14条　株主総会の決議は、法令又は本定款に別段の定めがある場合を除き、出席した議決権を行使することができる株主の議決権の過半数をもって行う。

2　会社法第309条第2項に定める決議は、議決権を行使することができる株主の議決権の3分の2以上を有する株主が出席し、出席した当該株主の議決権の4分の3以上に当たる多数をもって行う。

（取締役の員数）

第16条　当会社の取締役は、3名以上10名以内とする。

（取締役の任期）

第19条　取締役の任期は、選任後4年以内に終了する事業年度のうち最終のものに関する定時株主総会の終結の時までとする。

（代表取締役）

第20条　当会社は、取締役の互選により代表取締役を選定する。

（監査役の員数）

第21条　当会社の監査役は、2名とする。

（監査役の任期）

第23条　監査役の任期は、選任後4年以内に終了する事業年度のうち最終のものに関する定時株主総会の終結の時までとする。

（事業年度）

第25条　当会社の事業年度は、毎年5月1日から翌年4月30日までの年1期とする。

別紙 10

【令和 5 年 6 月 19 日開催の株式会社サニーの定時株主総会における議事の概要】

[決議事項]

第 1 号議案　計算書類承認の件

別紙計算書類(第17期：令和4年5月1日から令和5年4月30日まで)の承認を求めたところ、出席した株主の議決権のうち過半数の賛成をもって可決承認された。

第 2 号議案　吸収分割契約承認の件

別紙(※別紙 7)の吸収分割契約を承認することを諮ったところ、出席した株主の議決権のうち ア 個の賛成をもって可決承認された。

～～～

第 1 号議案別紙

第 17 期末(令和 5 年 4 月 30 日現在)の貸借対照表の抜粋(単位：円)

流動資産	13,750,000	負債合計	248,691,000
固定資産	262,441,000	資本金	10,000,000
		資本準備金	10,000,000
		利益剰余金	11,500,000
		自己株式	△4,000,000
		純資産合計	27,500,000
資産合計	276,191,000	負債・純資産合計	276,191,000

その他の計算書類　(略)

株主資本変動計算書

注記事項　第 17 期末自己株式の数　1000 株

以下(略)

～～～

別紙 11

【令和 5 年 4 月 30 日現在の株式会社サニーの株主名簿の抜粋】

取得年月日、株券の番号に関する記載は省略

番号	株主の住所	株主の氏名又は名称	株式の数
1	(略)	N	1400 株
2	名古屋市中区丸の内一丁目 1 番地	株式会社サニー	1000 株
3	(略)	合同会社X	600 株
4	(略)	R	500 株
5	(略)	株式会社K	400 株
6	岐阜市長良町 5 番地	S	300 株
7	(略)	T	200 株
8	(略)	(略)	(略)
15	(略)	(略)	(略)
合計			5000 株

ただし、登録株式質権者は、存在しない。

別紙 12

【令和 5 年 6 月 26 日開催の株式会社サニーの臨時株主総会における議事の概要】

［決議事項］

第 1 号議案　取締役選任の件

取締役 1 名を選任することが諮られ、下記のとおり満場一致をもって可決承認された。

取締役　B

第 2 号議案　募集株式の発行

下記要領にて、当会社の発行する株式又は処分する自己株式を引き受ける者の募集をすることが諮られ、満場一致をもって可決承認された。

(1) 募集株式の数　5000 株

ただし、このうち 1000 株は、当会社の自己株式を割り当てる。

(2) 払込金額　1 株につき、金 1 万円

(3) 払込期日　令和 5 年 6月 29 日

(4) 割当方法　第三者割当とし、下記の者から申込みがされることを条件とする。

N　　　　　500 株

合同会社X　3600 株

株式会社Q　900 株

(5) 増加する資本金の額　会社計算規則に基づき算出される資本金等増加限度額の 2 分の 1を乗じて得た額（ただし、1 円未満切上げ）とする。

(6) 増加する資本準備金の額　資本金等増加限度額から(5)を減じて得た額

別紙 13

【司法書士法務星子の聴取記録(令和 5 年 4月 25 日)】

1　コスモ株式会社の令和 4 年 4 月 22 日に開催された定時株主総会の議事の概要は、別紙 3 に記載されているとおりであり、第 1 号議案から第 3 号議案までに関して必要となる登記は、全て別紙 1 に登記されている。

2　監査等委員である取締役Gは、令和 5 年 4 月 1 日死亡し、同日遺族である配偶者からコスモ株式会社に対して死亡の届出がされている。

3　コスモ株式会社の令和 5 年 4 月 21 日に開催された定時株主総会の終結後直ちに開催された取締役会には、取締役及び監査等委員である取締役の全員が出席し、その議事の概要は別紙 5 に記載されているとおりである。また、別紙 5 の取締役会議事録には、Aが登記所に提出している印鑑が押印されている。

4　別紙 6 で決定された支店は、当該決定で定めた設置日までに現実に支店の開設が完了している。

5　全ての定時株主総会において、選任された社外取締役又は補欠の社外取締役は、社外取締役の要件を満たしている。

別紙 14
【司法書士法務星子の聴取記録（令和5年6月30日）】

1 別紙10の株式会社サニーの令和5年6月19日に開催された定時株主総会に関して、別紙9の定款に定める基準日以後に株式を取得したものは、存しない。
2 別紙7の吸収分割契約に係る吸収分割は、吸収分割契約書の記載のとおり効力が発生した。
(1) コスモ株式会社は、当該吸収分割により株式会社サニーに承継させる資産の帳簿価額の合計額がコスモ株式会社の総資産額として法務省令により定まる額の5分の1を超えず、簡易分割の要件に該当するため、コスモ株式会社は、当該吸収分割契約について株主総会の承認決議を経ていない。
(2) 当該吸収分割に関する債権者の保護手続は、法令上必要とされる範囲で適法に行われた。なお、コスモ株式会社及び株式会社サニーには異議を述べることができる知れている債権者が存在したが、異議を述べた債権者はいなかった。また、不法行為によって生じたコスモ株式会社の債務の債権者は存在しない。
(3) 株式会社サニーに対して、当該吸収分割に反対した株主による株式買取請求はされなかった。
(4) 当該吸収分割契約書第4条に定める増加する資本金の額は、会社法及び会社計算規則に従って計上されている。
(5) 当該吸収分割契約には、吸収分割の効力発生日に剰余金の配当をする定めはなく、「承継財産の明細」にコスモ株式会社が有する株式会社サニーの株式の記載はない。また、コスモ株式会社は、種類株式発行会社ではなく、新株予約権を発行していない。
(6) 会社分割に伴う労働契約の承継等に関する法律に基づく所要の手続は、適法に完了している。
3 別紙10の第1号議案別紙で示された貸借対照表の抜粋中、自己株式の項目は、株式会社サニーが保有する株式の帳簿価格をもって純資産の部から控除項目として表示しており、自己株式について、令和5年5月1日以降別紙7から別紙14までから判明する事実のほか変動はない。
4 別紙11の令和5年4月30日現在における株式会社サニーの株主名簿の抜粋は、保有する株式の数の多い順に記載がされており、株主の氏名又は名称欄の（略）とある部分には、別紙11に表示された番号1から7までに記載された以外の自然人である株主の氏名が記載されている。なお、株式会社サニーは、設立以来、他の株式会社の株式を保有したことはない。

令和5年

5　別紙 12 は、株式会社サニーの令和 5 年 6 月 26 日に開催された臨時株主総会の議事の概要である。

6　N、合同会社X及び株式会社Qは、別紙 12 の第 2 号議案に係る募集株式について、それぞれ適法に申込みをし、払込期日に払込金の全額の払込みをしたので、株式会社サニーの保有する自己株式の全部に加えて新規に発行する株式が割り当てられた。

7　株式会社サニーの代表者から提示を受けた令和 5 年 6 月 30 日付けの株主名簿の内容について確認したところ、別紙 7 から別紙 12 まで及び別紙 14 の 1 から 6 までにおいて判明する事実が全て適切に記載されており、当該事実以外の株主の氏名又は名称及び株式の数の異動は、記載されていなかった。

MEMO

令和５年●答案用紙

第１欄

【登記の事由】

【登記すべき事項】

【登録免許税額】

【添付書面の名称及び通数】

『就任承諾を証する書面 』(本欄に限り、通数の記載は要しない。)

資格	氏名又は名称

資格	氏名又は名称

第２欄

(1)

(2)

第３欄

【登記の事由】

【登記すべき事項】

【登録免許税額】

【添付書面の名称及び通数】

『就任承諾を証する書面 』(本欄に限り、通数の記載は要しない。)

資格	氏名又は名称

資格	氏名又は名称

第4欄

株主の氏名又は名称	その株式の数 (株)

解説　令和５年

[本問の重要論点一覧表]

出題範囲	重要論点	解説箇所
支店設置	監査等委員会設置会社において、定款の定めがある場合には、取締役会の決議によって、重要な業務執行（会社399条の13第５項各号に列挙されている事項を除く。）の決定の全部又は一部を取締役に委任することができる。	P102 参照
問２の検討	株主総会の特別決議に係る決議要件について、定款の定めにより、その要件の加重をすることができるとされているところ、その定款の定めの内容については、特に制限が設けられておらず、定款で各事項につき異なる決議要件を定めることも可能である。	P104 参照
吸収分割	吸収分割により吸収分割承継会社に承継させる資産の帳簿価額の合計額が吸収分割会社の総資産額として法務省令で定める方法により算定される額の５分の１（これを下回る割合を吸収分割会社の定款で定めた場合にあっては、その割合）を超えない場合には、吸収分割会社において株主総会の決議により吸収分割契約の承認を受けることを要しない。	P112 参照
	債権者保護手続に際して、不法行為によって生じた吸収分割株式会社の債務の債権者がいる場合を除き、官報のほか、定款に定めた時事に関する事項を掲載する日刊新聞紙に掲載する方法又は電子公告の方法により公告をした場合は、知れている債権者への各別の催告は省略することができる。	P113 参照

出題範囲	重要論点	解説箇所
募集株式の発行等	株式会社は、申込者の中から募集株式の割当てを受ける者を定め、かつ、その者に割り当てる募集株式の数を定めなければならない。募集株式が譲渡制限株式である場合における当該決定は、定款に別段の定めがある場合を除き、株主総会（取締役会設置会社にあっては､取締役会）の決議によるものとされる。なお、募集事項の決定機関と割当先等の決定機関が同一の場合、株式を割り当てた者から申込みがされることを条件として、割当先等の決定を、募集事項の決定と同一の株主総会又は取締役会において決議することができる。	P121参照
役員等の変更	役員は、株主総会の決議によって選任する。この場合においては、法務省令で定めるところにより、役員が欠けた場合又は会社法若しくは定款で定めた役員の員数を欠くこととなるときに備えて補欠の役員を選任することができる。	P129参照
	取締役及び監査役の就任（再任を除く。）による変更の登記の申請書には、取締役又は監査役の本人確認証明書を添付しなければならない。ただし、登記の申請書に商業登記規則61条４項、５項又は６項の規定により当該取締役及び監査役の印鑑証明書を添付する場合は、当該書面の添付は不要である。	P130参照
	会計監査人の任期が満了することとなる定時株主総会において別段の決議がされなかったときは、会計監査人は当該定時株主総会において再任されたものとみなされる。	P139参照
問４の検討	吸収分割及び募集株式の発行等の効力が生じたことを踏まえ、各株主の保有する株式数を計算する。	P145参照

1 役員等の概要

コスモ株式会社

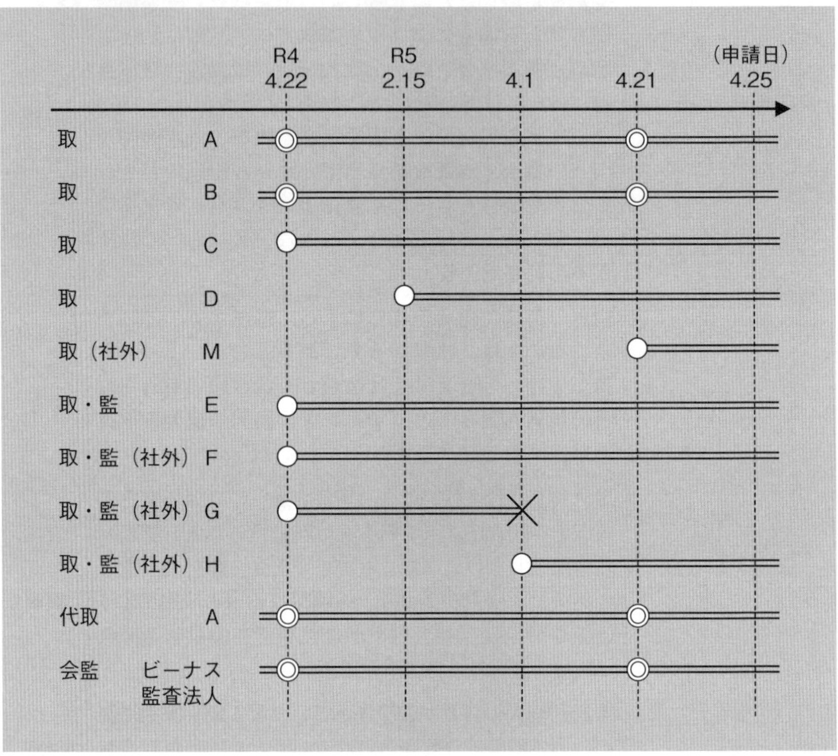

株式会社サニー

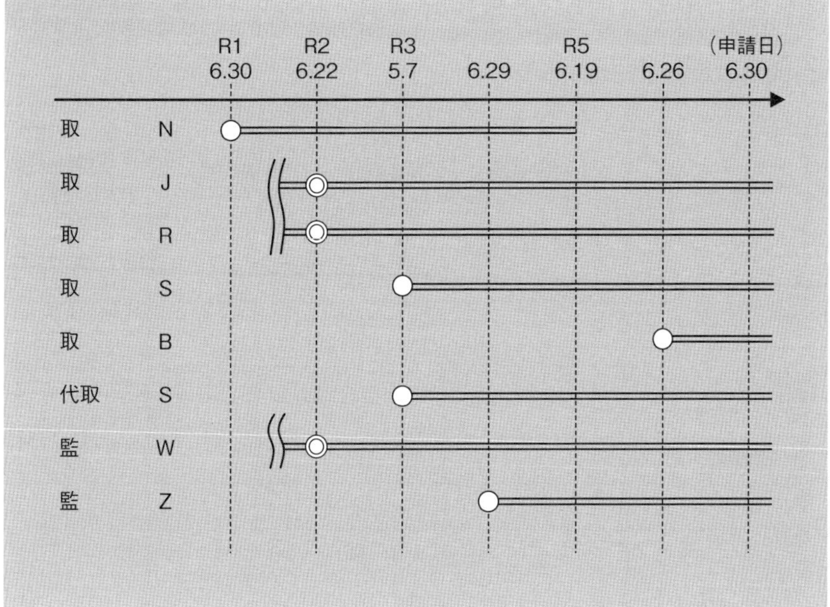
R1
6.30
R2
6.22
R3
5.7
6.29
R5
6.19
6.26
(申請日)
6.30
取 N
取 J
取 R
取 S
取 B
代取 S
監 W
監 Z

任 期 中
重任
就任

2 印鑑証明書及び本人確認証明書の通数

<令和５年４月25日申請分>

	印鑑証明書の添付を要する書面			本人確認証明書（商登規61条７項）
	就任承諾書（商登規61条４・５項）	選定証明書（商登規61条６項）	辞任届（商登規61条８項）	
取　A		×（届）		×（届）
取　B		×（届）		×（届）
取　C				
取　D		×（届）		
取（社外）　M		×（届）		○
取・監　E		×（届）		
取・監（社外）　F		×（届）		
取・監（社外）　G				
取・監（社外）　H		×（届）		○
代取　A	×（再）			
合計	０通			２通

○…添付必要
×…添付不要
（届）…従前からの代表取締役の届出印で押印しているため
（再）…再任のため
（印）…商登規61条４項、５項又は６項の規定により印鑑証明書を添付するため

＜令和５年６月30日申請分＞

	印鑑証明書の添付を要する書面			本人確認証明書（商登規61条７項）
	就任承諾書（商登規61条４・５項）	選定証明書（商登規61条６項）	辞任届（商登規61条８項）	
取　N				
取　J				
取　R				
取　S				
取　B	○			
代取　S				
監　W				
監　Z				
合計	１通			０通

○…添付必要
×…添付不要
（届）…従前からの代表取締役の届出印で押印しているため
（再）…再任のため
（印）…商登規61条４項、５項又は６項の規定により印鑑証明書を添付するため

3 株主の氏名又は名称、住所及び議決権数等を証する書面（株主リスト）の通数

3−1 株主の氏名又は名称、住所及び議決権数等を証する書面（株主リスト）の添付を要する場合等の検討

前提の知識

① **株主総会又は種類株主総会の決議を要する場合の株主の氏名又は名称、住所及び議決権数等を証する書面（株主リスト）**

登記すべき事項につき株主総会又は種類株主総会の決議を要する場合には、申請書に、総株主（種類株主総会の決議を要する場合にあっては、その種類の株式の総株主）の議決権（当該決議において、行使することができるものに限る。）の数に対するその有する議決権の数の割合が高いことにおいて上位となる株主であって、次に掲げる人数のうちいずれか少ない人数の株主の氏名又は名称及び住所、当該株主のそれぞれが有する株式の数（種類株主総会の決議を要する場合にあっては、その種類の株式の数）及び議決権の数並びに当該株主のそれぞれが有する議決権に係る当該割合を証する書面を添付しなければならない（商登規61Ⅲ）。

⑴ 10名

⑵ その有する議決権の数の割合を当該割合の多い順に順次加算し、その加算した割合が３分の２に達するまでの人数

なお、当該決議には会社法319条１項の規定により決議があったものとみなされる場合が含まれる。

② **株主の氏名又は名称、住所及び議決権数等を証する書面（株主リスト）の通数**

株主の氏名又は名称、住所及び議決権数等を証する書面（株主リスト）は、一の登記申請で、株主総会の決議を要する複数の登記すべき事項について申請される場合には、当該登記すべき事項ごとに添付を要する（商登規61Ⅱ・Ⅲ）。

ただし、決議ごとに添付を要する当該書面に記載すべき内容が一致するときは、その旨の注記がされた当該書面が１通添付されていれば足りるとされている（平28.6.23民商98号第3.1⑵ア）。

なお、日本司法書士会連合会より、以下の見解も示されている（日司連発第790号）。

Q：複数の株主総会により、複数の登記事項が発生し、これらを一括して登記申請する場合、それぞれの株主総会議事録ごとに株主リストが必要ですか。

A：「株主リスト」に記載すべき株主は、当該株主総会において議決権を行使することができるものをいうから、複数の株主総会により、複数の登記事項が発生し、これらを一括して登記申請する場合には、登記すべき事項ごとに当該株主総会において議決権を行使することができる「株主リスト」を添付しなければならない。

　ただし、一の株主総会において、複数の登記すべき事項について決議された場合において、各事項に関して株主リストに記載すべき事項が同一である場合には、その旨注記して、一の株主リストを添付すれば足りるとされている。

3－1－1　株主の氏名又は名称、住所及び議決権数等を証する書面（株主リスト）の添付を要する事項

第１欄

株主の氏名又は名称、住所及び議決権数等を証する書面の添付を要する株主総会	通数
＜令和４年４月22日付けコスモ株式会社の定時株主総会＞ 補欠監査等委員である取締役の選任の件　※	１通
＜令和５年４月21日付けコスモ株式会社の定時株主総会＞ 役員の変更の件	１通
合計	２通

※　補欠監査等委員である取締役の選任により直接的に登記すべき事項が発生しているわけではないため、添付不要と解する余地もある。

第３欄

株主の氏名又は名称、住所及び議決権数等を証する書面の添付を要する株主総会	通数
＜令和５年６月19日付け株式会社サニーの定時株主総会＞ 吸収分割契約承認の件	１通
＜令和５年６月26日付け株式会社サニーの臨時株主総会＞ 募集株式の発行等の件 募集株式の割当ての件 役員の変更の件	１通
合計	２通

課税標準金額・登録免許税

＜令和５年４月25日申請分＞

登記事項	登録免許税	
支店設置分	金６万円	登録税別表 1.24.(1)ル
役員等変更分	金３万円　※１	登録税別表 1.24.(1)カ
合計	金９万円　※２	

＜令和５年６月30日申請分＞

課税標準金額	金2,500万円

登記事項	登録免許税	
募集株式の発行等による 資本金の額増加分	金2,000万円×７/1,000 ＝金14万円　※３	登録税別表 1.24.(1)ニ
吸収分割による 資本金の額増加分	金500万円×７/1,000 ＝金３万5,000円　※３	登録税別表 1.24.(1)チ
役員変更分	金１万円　※１	登録税別表 1.24.(1)カ
合計	金18万5,000円　※２	

※１　役員等変更の登録免許税額は金３万円であるが、資本金の額が１億円以下の会社の場合は金１万円である（登録税別表1.24.(1)カ）。

※２　異なる区分に属する数個の登記事項を同一の申請書で申請する場合には各登記の区分の税率を適用した計算金額の合計額となる（登録税18）。

※３　課税標準金額のある登記と課税標準金額のない登記を一括申請する場合には、登録免許税額の内訳を記載する。

5 支店設置

結論

本問の場合、**令和５年４月23日**付けで、**支店設置**する旨の登記を申請することができる。

<申請書記載例；監査等委員会設置会社・重要な業務執行の決定の取締役への委任についての定款の定めがある場合>

1．事　支店設置		
1．登　○年○月○日設置 　　　支店　1 　　　　　○県○市○町○丁目○番○号		
1．税　金６万円（登録税別表1.24.(1)ル）		
1．添　取締役会議事録	1通	（商登46Ⅳ）
決定があったことを証する書面	1通	（商登46Ⅳ）
委任状	1通	（商登18）

前提の知識

重要な業務執行の決定の取締役への委任

監査等委員会設置会社においては、①取締役の過半数が社外取締役である場合又は、②定款の定めがある場合には、取締役会の決議によって、重要な業務執行（会社399条の13第５項各号に列挙されている事項を除く。）の決定の全部又は一部を取締役に委任することができる（会社399の13Ⅴ・Ⅵ)。取締役に委任することが可能な重要な業務執行の事項の範囲は、指名委員会等設置会社において執行役への委任が可能な範囲（会社416Ⅳ）と実質的に同じである。

また、上記②の場合には、重要な業務執行の決定の取締役への委任についての定款の定めがある旨が登記事項となる。

5−1 定款の定め

別紙１及び２より、コスモ株式会社の定款には、重要な業務執行の決定を取締役に委任することができる旨の定めがあることが分かる。

5−2 決議権限

別紙５より、取締役会において、支店設置に関する決定権限を取締役Ｂに委任する旨の決議がされているため、決議機関は適法である（会社399の13Ⅴ・Ⅵ）。

5−3 決議内容

別紙５より、支店設置に関する決定権限を取締役Ｂに委任する旨の決議が成立し、別紙６より、当該委任に基づいて、取締役Ｂは、支店の所在場所を名古屋市西区本町８番地と定め、支店を設置する日を令和５年４月23日とする旨を決定している。

5−4 効力発生日

別紙13より、取締役Ｂが決定で定めた設置日までに現実に支店の開設が完了している旨の記載があるため、令和５年４月23日に支店設置の効力が生ずる。

5−5 添付書面

支店設置に関する決定権限を取締役Ｂに委任する旨の決議がされているため、令和５年４月21日付けの「取締役会議事録」及び支店設置に関する決定をしたことを証する書面として「取締役Ｂの決定書」を添付する（商登46Ⅳ）。

6 問２の検討

結論

令和５年６月19日開催の株式会社サニーの定時株主総会の第２号議案において、当該議案で議決権を行使することができる株主の議決権の数は「4,000」、当該議案を可決するために必要な議決権の数は「3,000」となる。

前提の知識

> **株主総会の特別決議の要件**
>
> 株主総会の特別決議は、当該株主総会において、議決権を行使することができる株主の議決権の過半数（３分の１以上の割合を定款で定めた場合にあっては、その割合以上）を有する株主が出席し、出席した当該株主の議決権の３分の２（これを上回る割合を定款で定めた場合にあっては、その割合）以上に当たる多数をもって行わなければならない。この場合においては、当該決議の要件に加えて、一定の数以上の株主の賛成を要する旨その他の要件を定款で定めることができる（会社309Ⅱ）。

別紙９（第14条第２項）より、株式会社サニーの定款には、「会社法第309条第２項に定める決議は、議決権を行使することができる株主の議決権の３分の２以上を有する株主が出席し、出席した当該株主の議決権の４分の３以上に当たる多数をもって行う。」旨の定めがあるが、定款をもって特別決議の決議要件を加重することは可能である（会社309Ⅱ）。

《別紙10の第２号議案について議決権を行使することができる株主の議決権の数》

別紙11より、株式会社サニーは株式1,000株を保有しているが、当該自己株式は議決権を有しないため（会社308Ⅱ）、議決権を行使することができる株主の議決権の数は4,000個（5,000−1,000）となる。

よって、第２欄⑴には、議決権を行使することができる株主の議決権の数として4,000を記載することとなる。

《別紙10の第２号議案を可決するために必要な議決権の数》

吸収分割承継株式会社である株式会社サニーは、効力発生日の前日までに、原則として、株主総会の特別決議によって、吸収分割契約の承認を受けなければならない（会社795Ⅰ・309Ⅱ⑫）。

問題文（答案作成に当たっての注意事項）より、株式会社サニーの令和５年６月19日開催の定時株主総会には、当該株主総会において議決権を行使することができる株主全員が出席している。この点、株式会社サニーは定款で特別決議の決議要件を「議決権を行使することができる株主の議決権の３分の２以上を有する株主が出席し、出席した当該株主の議決権の４分の３以上に当たる多数をもって行う。」と定めており、また、問題文より、[ア]の数は、法令及び別紙９記載の定款に定める決議の要件を満たす最小限の数とする旨の記載があることから、別紙10の第２号議案は、出席した株主の議決権（4,000個）のうち、出席した当該株主の議決権の４分の３に当たる3,000個の賛成をもって可決承認されたと判断することができる。

したがって、第２欄(2)には、別紙10の[ア]とある箇所に記載すべき議決権の数として3,000を記載することとなる。

7 吸収分割

結論

吸収分割の効力発生日である**令和５年６月25日**までに必要となる手続は、全て適法に終了しているため、株式会社サニー（吸収分割承継株式会社）については、**コスモ株式会社**（吸収分割株式会社）**から**の**分割**により、食品に使用する添加物の製造事業に関する権利義務を承継した旨の登記、**発行済株式の総数**を**7,000株**、**資本金の額**を**金1,500万円**とする**変更**登記を申請することができる。

コスモ株式会社（吸収分割株式会社）については、**株式会社サニー**（吸収分割承継株式会社）に、食品に使用する添加物の製造事業に関する権利義務を**分割**した旨の登記を申請することができる。

＜申請書記載例；吸収分割承継株式会社・本問の場合＞

１．事　吸収分割による変更

１．登　○年○月○日次のとおり変更

　　発行済株式の総数　○株

　　資本金の額　金○円

　同日○県○市○町○丁目○番○号株式会社○○から分割

１．税　増加した資本金の額×1,000分の７（登録税別表1.24.(1)チ）

　（計算した税額が金３万円に満たないときは、金３万円）

１．添		
	株主総会議事録	１通（商登46Ⅱ）
	株主の氏名又は名称、住所及び議決権数等を証する書面	１通（商登規61Ⅲ）
	吸収分割契約書	１通（商登85①）
	公告及び催告をしたことを証する書面 　異議を述べた債権者はいない	２通（商登85③）
	資本金の額が会社法第445条第５項の規定に従って計上されたことを証する書面	１通（商登85④）
	吸収分割会社の登記事項証明書	１通（商登85⑤）
	吸収分割会社の取締役会議事録	１通（商登85⑥・Ⅱ）
	吸収分割会社の簡易分割の要件を満たすことを証する書面	１通（商登85⑥）
	吸収分割会社の公告をしたことを証する書面 　異議を述べた債権者はいない	２通（商登85⑧）
	委任状	１通（商登18）

<申請書記載例；吸収分割株式会社・本問の場合>

1．事　吸収分割による変更
1．登　○年○月○日○県○市○町○丁目○番○号株式会社○○に分割
1．税　金３万円（登録税別表1.24.(1)ツ）
1．添　委任状　　　　　　　　　　　　　　　1通（商登18）

7−1 吸収分割契約の締結

会社が、吸収分割をする場合には、吸収分割承継会社である会社との間で吸収分割契約を締結しなければならない（会社757）。

本問の場合、別紙７の吸収分割契約書に基づき、株式会社サニーを吸収分割承継株式会社とし、コスモ株式会社を吸収分割株式会社とする吸収分割契約が締結されている。

吸収分割承継会社が株式会社であるときは、吸収分割契約において、次に掲げる事項を定めなければならない（会社758各号）。

以下、別紙７の吸収分割契約書の記載内容等について具体的に検討する。

法定記載事項（会社758条各号）	吸収分割契約書（別紙７）
①　吸収分割会社及び吸収分割承継株式会社の商号及び住所（会社758①）	冒　頭（以下省略）箇所
②　吸収分割承継株式会社が吸収分割により吸収分割会社から承継する資産、債務、雇用契約その他の権利義務（吸収分割株式会社及び吸収分割承継株式会社の株式並びに吸収分割株式会社の新株予約権に係る義務を除く。）に関する事項（会社758②）	第１条 第２条
③　吸収分割により吸収分割株式会社又は吸収分割承継株式会社の株式を吸収分割承継株式会社に承継させるときは、当該株式に関する事項（会社758③）	—
④　吸収分割承継株式会社が吸収分割に際して吸収分割会社に対してその事業に関する権利義務の全部又は一部に代わる金銭等を交付するときは、当該金銭等についての次に掲げる事項（会社758④）	第３条

⑴　当該金銭等が吸収分割承継株式会社の株式であるときは、当該株式の数（種類株式発行会社にあっては、株式の種類及び種類ごとの数）又はその数の算定方法並びに当該吸収分割承継株式会社の資本金及び準備金の額に関する事項（会社758④イ）	第３条 第４条
⑵　当該金銭等が吸収分割承継株式会社の社債（新株予約権付社債についてのものを除く。）であるときは、当該社債の種類及び種類ごとの各社債の金額の合計額又はその算定方法（会社758④ロ）	—
⑶　当該金銭等が吸収分割承継株式会社の新株予約権（新株予約権付社債に付されたものを除く。）であるときは、当該新株予約権の内容及び数又はその算定方法（会社758④ハ）	—
⑷　当該金銭等が吸収分割承継株式会社の新株予約権付社債であるときは、当該新株予約権付社債についての④⑵に掲げる事項及び当該新株予約権付社債に付された新株予約権についての④⑶に掲げる事項（会社758④ニ）	—
⑸　当該金銭等が吸収分割承継株式会社の株式等以外の財産であるときは、当該財産の内容及び数若しくは額又はこれらの算定方法（会社758④ホ）	—
⑤　吸収分割承継株式会社が吸収分割に際して吸収分割株式会社の新株予約権の新株予約権者に対して当該新株予約権に代わる当該吸収分割承継株式会社の新株予約権を交付するときは、当該新株予約権についての次に掲げる事項（会社758⑤）	—
⑴　吸収分割契約新株予約権の内容（会社758⑤イ）	—
⑵　吸収分割契約新株予約権の新株予約権者に対して交付する吸収分割承継株式会社の新株予約権の内容及び数又はその算定方法（会社758⑤ロ）	—
⑶　吸収分割契約新株予約権が新株予約権付社債に付された新株予約権であるときは、吸収分割承継株式会社が当該新株予約権付社債についての社債に係る債務を承継する旨並びにその承継に係る社債の種類及び種類ごとの各社債の金額の合計額又はその算定方法（会社758⑤ハ）	—
⑥　⑤の場合には、吸収分割契約新株予約権の新株予約権者に対する⑤の吸収分割承継株式会社の新株予約権の割当てに関する事項（会社758⑥）	—

⑦　吸収分割がその効力を生ずる日（会社758⑦）	第５条
⑧　吸収分割株式会社が効力発生日に次に掲げる行為をするときは、その旨（会社758⑧）	—
⑴　会社法171条１項の規定による株式の取得（取得対価が吸収分割承継株式会社の株式（吸収分割株式会社が吸収分割をする前から有するものを除き、吸収分割承継株式会社の株式に準ずるものとして法務省令で定めるものを含む。⑧(２)において同じ。）のみであるものに限る。）（会社758⑧イ）	—
⑵　剰余金の配当（配当財産が吸収分割承継株式会社の株式のみであるものに限る。）（会社758⑧ロ）	—

冒頭・第１条について

コスモ株式会社が、食品に使用する添加物の製造事業に関する権利義務を株式会社サニーに承継させる旨の記載がある。

第２条について

株式会社サニーがコスモ株式会社から承継する権利義務は、「コスモ株式会社の本件事業に関する資産、債務、雇用契約、その他の権利義務とし、別紙「承継財産の明細」記載のとおりとする。」旨の記載がある。

第３条について

吸収分割承継株式会社となる株式会社サニーは、吸収分割に際して、新たに発行する2,000株をコスモ株式会社に交付する旨の記載がある。

別紙８及び９より、株式会社サニーの発行済株式の総数は5,000株、発行可能株式総数は10万株であり、発行可能株式総数の範囲内での発行である。

第４条について

吸収分割により株式会社サニーの増加する資本金の額を500万円とし、増加する資本準備金その他の増加額は、会社計算規則に従い、株式会社サニーが定める旨の記載がある。

第５条について

令和５年６月25日を吸収分割の効力発生日と定めている。

7-2 承認決議（吸収分割承継株式会社となる株式会社サニー）

前提の知識

吸収分割承継株式会社における吸収分割契約の承認決議

吸収分割承継株式会社は、効力発生日の前日までに、原則として、株主総会の特別決議によって、吸収分割契約の承認を受けなければならない（会社795Ⅰ・309Ⅱ⑫）。

吸収分割承継株式会社が種類株式発行会社であり、吸収分割会社に対して吸収分割承継会社の譲渡制限株式を交付する場合には、募集株式の発行等における譲渡制限株式を引き受ける者の募集についてその種類の株式の種類株主を構成員とする種類株主総会の決議を要しない旨の定款規定がある場合を除き、その譲渡制限株式の種類株主を構成員とする種類株主総会の特別決議を経なければ、吸収分割はその効力を生じない。ただし、当該種類株主総会において議決権を行使することができる株主が存しない場合は、種類株主総会決議を経ることを要しない（会社795Ⅳ・324Ⅱ⑥）。

別紙10より、令和５年６月19日開催の定時株主総会において、吸収分割契約が適法に承認されたと判断することができる。

7-3 債権者保護手続（吸収分割承継株式会社となる株式会社サニー）

前提の知識

債権者保護手続の要否・公告及び催告手続

吸収分割承継株式会社の債権者は、吸収分割承継株式会社に対し、吸収分割について異議を述べることができる（会社799Ⅰ②）。吸収分割承継株式会社は、以下に掲げる事項を官報に公告し、かつ、知れている債権者には各別に催告しなければならない（会社799Ⅱ）。

⑴　吸収分割をする旨

⑵　吸収分割会社の商号及び住所

⑶　吸収分割承継株式会社及び吸収分割株式会社の計算書類に関する事項として法務省令で定めるもの（会社施規199）

⑷　債権者が一定の期間内（１か月を下ることができない。）に異議を述べることができる旨

なお、上記の事項を官報のほか、定款に定めた時事に関する事項を掲載する日刊新聞紙に掲載するか、又は電子公告により公告をした場合は、知れている債権者への各別の催告は省略することができる（会社799Ⅲ）。

⑴　債権者保護手続の要否

別紙７より、株式会社サニーは吸収分割承継株式会社であるため、債権者の異議申述の権利を保障する債権者保護手続が必要となる。

⑵　債権者に対する公告及び催告

別紙14より、債権者保護手続は、法令上必要とされる範囲で適法に行われている。別紙８及び９より、株式会社サニーの公告方法は、官報に掲載してすると定められており、知れている債権者への催告を省略できる場合には該当しないため、原則どおり、官報に公告し、かつ、各別に催告を行ったと判断することができる。

⑶　債権者への対応

別紙14より、異議を述べた債権者はいない。したがって、株式会社サニーは債権者に対して弁済する等の特別の対応は不要である。

7−4 吸収分割承継株式会社の増加する資本金及び資本準備金の額

前提の知識

吸収分割承継株式会社の資本金の額の定め

吸収分割承継株式会社が吸収分割に際して吸収分割会社に対してその事業に関する権利義務の全部又は一部に代わる吸収分割承継株式会社の株式を交付するときは、当該株式の数（種類株式発行会社にあっては、株式の種類及び種類ごとの数）又はその数の算定方法並びに当該吸収分割承継株式会社の資本金及び準備金の額に関する事項を吸収分割契約において定めなければならない（会社758④イ）。

別紙7より、吸収分割契約書第4条には、吸収分割によって増加すべき資本金の額を500万円とし、資本準備金その他の増加額は、会社計算規則に従い、株式会社サニーが定める旨の記載がある。

7−5 承認決議（吸収分割株式会社となるコスモ株式会社）

前提の知識

① **吸収分割株式会社における吸収分割契約の承認決議**

吸収分割株式会社は、効力発生日の前日までに、原則として、株主総会の特別決議によって、吸収分割契約の承認を受けなければならない（会社783Ⅰ・309Ⅱ⑫）。

② **吸収分割株式会社における簡易分割**

吸収分割により吸収分割承継会社に承継させる資産の帳簿価額の合計額が吸収分割株式会社の総資産額として法務省令で定める方法により算定される額の5分の1（これを下回る割合を吸収分割株式会社の定款で定めた場合にあっては、その割合）を超えない場合には、吸収分割株式会社における株主総会の承認は不要である（会社784Ⅱ、会社施規187）。この場合、吸収分割株式会社の株主には、株式買取請求権は認められていない（会社785Ⅰ②）。

なお、簡易分割の要件に該当する場合には、業務執行の意思決定機関（取締役会の決議又は取締役の過半数の一致）により分割契約を承認することができる（会社784Ⅰ・Ⅱ）。

別紙14より、コスモ株式会社が吸収分割により株式会社サニーに承継させる資産の帳簿価額の合計額は、コスモ株式会社の総資産額として法務省令で定める方法により算定される額の５分の１を超えていない。また、問題文（答案作成に当たっての注意事項）及び別紙２より、コスモ株式会社の定款には、簡易分割についての別段の定めは設けられていないため、５分の１を下回る割合を定めていないことが分かる。

したがって、本問の場合、コスモ株式会社においては、簡易分割の要件を満たしているため、吸収分割契約の承認のための株主総会の決議は不要である。

コスモ株式会社は取締役会設置会社であるため、上述より、吸収分割契約は取締役会において承認されることとなる。別紙５より、令和５年４月21日に取締役会において吸収分割契約の承認がされているため適法である。

7-6 債権者保護手続（吸収分割株式会社となるコスモ株式会社）

前提の知識

① **債権者保護手続の要否**

株式会社が吸収分割をする場合、吸収分割後、吸収分割株式会社に対して債務の履行（当該債務の保証人として吸収分割承継会社と連帯して負担する保証債務の履行を含む。）を請求することができない吸収分割株式会社の債権者は、吸収分割株式会社に対し、吸収分割について異議を述べることができる（会社789Ⅰ②）。

逆に、これ以外の場合（「いわゆる人的分割」の場合を除く。）には、分割の前後では、吸収分割株式会社の資産状態には実質的な変動がない（承継させる事業に関して有する権利義務と受け取る吸収分割承継株式会社の株式等とが同価値）と考えられるため、分割後も吸収分割株式会社に対して債務の履行を請求することができる債権者は、債権者保護手続の対象とはならない。

② **公告及び催告手続**

吸収分割株式会社の債権者の全部又は一部が異議を述べることができる場合には、吸収分割株式会社は、次に掲げる事項を官報に公告し、かつ、知れている債権者（異議を述べることができる債権者に限る。）に対しては各別に催告しなければならない（会社789Ⅱ・Ⅰ②）。

(1) 吸収分割をする旨

(2) 吸収分割承継会社の商号及び住所

(3) 吸収分割株式会社及び吸収分割承継会社の計算書類に関する事項として法務省令で定めるもの（会社施規188）

(4) 債権者が一定の期間内（1か月を下ることができない。）に異議を述べることができる旨

なお、上記の事項を官報のほか、定款に定めた時事に関する事項を掲載する日刊新聞紙に掲載する方法又は電子公告の方法により公告をした場合は、知れている債権者への各別の催告は省略することができる(会社789Ⅲ)。ただし、この場合であっても、不法行為によって生じた吸収分割株式会社の債務の債権者に対する各別の催告を省略することはできない（会社789Ⅲ括弧書)。

(1) 債権者保護手続の要否

本問においては、株式会社サニーが承継する債務について、コスモ株式会社が併存的に引き受ける旨は定められていない。よって、吸収分割後、吸収分割株式会社に対して債務の履行を請求することができない債権者がいるため、当該債権者は、吸収分割株式会社に対し、吸収分割について異議を述べることができ、吸収分割株式会社であるコスモ株式会社において債権者保護手続が必要である。

(2) 債権者に対する公告及び催告

別紙1及び2より、コスモ株式会社の公告方法は、電子公告により行うと定められている。また、別紙14より、コスモ株式会社の債権者は、不法行為によって生じた債権を有する者ではないため、上述より、各別の催告を省略することができる。

別紙14より、債権者保護手続は、法令上必要とされる範囲で適法に行われている旨の記載があるため、コスモ株式会社においては、官報及び電子公告によって、適法に公告がされていると判断することができる。

(3) 債権者への対応

別紙14より、異議を述べた債権者はいない。したがって、コスモ株式会社は債権者に対して弁済する等の特別の対応は不要である。

7−7 吸収分割の効果

前提の知識

① **権利義務の承継**

吸収分割承継株式会社は、吸収分割の効力発生日に、吸収分割契約の定めに従い、吸収分割会社の権利義務を承継する（会社759Ⅰ)。

ただし、吸収分割について異議を述べることができる吸収分割会社の債権者であって、各別の催告を受けなかった債権者（吸収分割会社が、官報公告に加え分割会社の定款の定めに従い、時事に関する事項を掲載する日刊新聞紙又は電子広告により、公告した場合にあっては、不法行為により生じた債務の債権者に限る。）は、吸収分割契約において吸収分割後に吸収分割会社に対して債務の履行を請求することができないものとされているときであっても、吸収分割会社に対して、吸収分割会社が効力発生日に有していた財産の価額を限度として、当該債務の履行を請求することができる（会社759Ⅱ）。また、当該債権者は、吸収分割契約において吸収分割後に吸収分割承継株式会社に対して債務の履行を請求することができないものとされているときであっても、吸収分割承継株式会社に対して、承継した財産の価額を限度として、当該債務の履行を請求することができる（会社759Ⅲ）。

②　対価の交付等

吸収分割の効力発生日に、吸収分割会社は、吸収分割契約の定めに従い、吸収分割承継株式会社の株主、社債権者、新株予約権者、新株予約権付社債権者となる（会社759Ⅷ）。

また、吸収分割会社の新株予約権の新株予約権者に吸収分割承継株式会社の新株予約権を交付すると定めたときは、吸収分割の効力発生日に吸収分割契約新株予約権は消滅し、当該新株予約権を有していた者は、吸収分割承継株式会社の新株予約権者となる（会社759Ⅸ）。

前述のとおり、本件吸収分割について必要となる手続は、効力発生日までに全て適法に終了している。

したがって、吸収分割契約で定めた令和５年６月25日に吸収分割の効力が発生する。

《吸収分割承継株式会社の変更登記申請書》

7−8　登記の事由

「吸収分割による変更」と記載する。

7−9 登記すべき事項

前提の知識

吸収分割承継株式会社がする吸収分割による変更登記の登記事項

吸収分割承継会社の登記申請書には、資本金の額等変更が生じた登記事項のほか、分割をした旨並びに吸収分割会社の商号及び本店をも記載しなければならない（商登84Ⅰ)。この場合、変更の年月日として効力発生日も登記すべき事項となる（記録例依命通知第4節第19.2(1))。

また、吸収分割に際して吸収分割株式会社の新株予約権者に対し、新株予約権に代わる吸収分割承継株式会社の新株予約権を交付したときは、その新株予約権発行に関する事項を登記事項として登記する必要がある。この場合、吸収分割の日を変更年月日として、「年月日発行」とする。

登記すべき事項には、

「令和５年６月25日次のとおり変更

発行済株式の総数　7,000株

資本金の額　金1,500万円

令和５年６月25日東京都港区東町１番１号コスモ株式会社から分割」

と記載する。

7−10 添付書面

前提の知識

吸収分割承継株式会社がする吸収分割による変更登記の添付書面

本店の所在地における吸収分割承継株式会社の変更の登記の申請書には、次の書面を添付しなければならない（商登85、平18.3.31民商第782号第5部第3.2(1)参照)。

(1) 吸収分割契約書

(2) 吸収分割承継株式会社の手続に関する次に掲げる書面

(イ) 分割契約の承認に関する書面（商登46）

分割契約承認機関に応じ、株主総会、種類株主総会若しくは取締役会の議事録又は取締役の過半数の一致があったことを証する書面を添付しなければならない。

(ロ) 略式分割又は簡易分割の場合には、その要件を満たすことを証する書面略式分割の要件を満たすことを証する書面としては、具体的には、吸収分割承継株式会社の株主名簿等がこれに該当する。

簡易分割に反対する旨を通知した株主がある場合には、その有する総株式数が会社法施行規則第197条の規定により定める数に達しないことを内容とする代表者の証明書を添付することとなる。

また、簡易分割を行う場合において、簡易分割に反対の意思を通知した株主がないときは、「反対の意思の通知をした株主はいない。」と記載する。

(ハ) 債権者保護手続関係書面

(ニ) 資本金の額が会社法445条５項の規定に従って計上されたことを証する書面

(3) 吸収分割会社の手続に関する次に掲げる書面

(イ) 吸収分割会社の登記事項証明書（なお、作成後３か月以内のものに限る（商登規36の２）。）

ただし、以下のいずれかに該当する場合を除く。

① 当該登記所の管轄区域内に吸収分割会社の本店がある場合（商登85⑤但書）

② 申請書に会社法人等番号を記載した場合その他法務省令で定める場合（商登19の３、商登規36の３）

(ロ) 吸収分割会社が株式会社であるときは、分割契約の承認機関に応じ、株主総会又は種類株主総会の議事録（略式分割又は簡易分割の場合にあっては、その要件を満たすことを証する書面及び取締役の過半数の一致があったことを証する書面又は取締役会の議事録）

(ハ) 債権者保護手続関係書面（不法行為によって生じた吸収分割会社の債務の債権者に対する各別の催告をしたことを証する書面を省略することはできない。）

(ニ) 吸収分割株式会社が新株予約権を発行している場合において、その新株予約権者に対して当該新株予約権に代わる吸収分割承継株式会社の新株予約権を交付するときは、新株予約権証券提供公告等関係書面

(1) 吸収分割契約書

別紙７の吸収分割契約書を添付する。

(2) 吸収分割承継株式会社の手続に関する次に掲げる書面

吸収分割承継株式会社において吸収分割契約の承認決議が適法にされたこと

を証するため、令和５年６月19日付けの株式会社サニーの「(定時) 株主総会議事録」を添付する（商登46Ⅱ)。

登記すべき事項につき株主総会の決議を要するため、「株主の氏名又は名称、住所及び議決権数等を証する書面」を添付する（商登規61Ⅲ)。

債権者保護手続関係書面としては、会社法799条２項の規定により、①「公告をしたことを証する書面」として、公告を掲載した官報及び②「知れている債権者に異議申述の催告をしたことを証する書面」として、催告書の写し又は会社が催告をした債権者の名簿と、各債権者に対する催告書の控え１通とを合綴して、代表取締役がその文面によって名簿に記載された債権者に対して各別に催告した旨を記載し、署名又は記名押印したものを添付する。したがって、通数の記載方法としては、①及び②を合わせて、「２通」と記載する（商登85③)。

なお、異議を述べた債権者はいないため、「異議を述べた債権者はいない」旨を申請書に記載する。

別紙14より、吸収分割契約書で定めた吸収分割により増加すべき資本金の額及び資本準備金の額は、会社法445条５項の規定に従って適法に計上されていることが分かる。したがって、「資本金の額が会社法第445条第５項の規定に従って計上されたことを証する書面」を添付する（商登85④)。

(3)　吸収分割株式会社の手続に関する次に掲げる書面

問題文（答案作成に当たっての注意事項)、別紙１及び８より、吸収分割承継株式会社の本店所在地を管轄する登記所の管轄区域内には、吸収分割株式会社の本店が存在せず、また、会社法人等番号を記載することによる登記事項証明書の添付の省略はしないものとする旨の記載があることから、「吸収分割会社の登記事項証明書」（商登85⑤）を添付する。

吸収分割株式会社において吸収分割契約の承認決議が適法にされたことを証するため、「吸収分割会社の簡易分割の要件を満たすことを証する書面」（商登85⑥）及び令和５年４月21日付けの「吸収分割会社の取締役会議事録」を添付する（商登85⑥・46Ⅱ)。

債権者保護手続関係書面としては、官報及び電子公告をもって会社法789条２項及び３項に規定する公告をしているため、「吸収分割会社の公告をしたことを証する書面」２通を添付する（商登85⑧)。

なお、異議を述べた債権者はいないため、「異議を述べた債権者はいない」旨を申請書に記載する。

7−11 申請人

吸収分割承継株式会社である株式会社サニーが申請人となり、その代表者であるＳが会社を代表して登記の申請を行うこととなる。

《吸収分割株式会社の変更登記申請書》

本問においては、コスモ株式会社についての解答は要求されていないが、吸収分割による変更登記の申請内容は以下のとおりとなる。

7−12 登記の事由

「吸収分割による変更」と記載する。

7−13 登記すべき事項

前提の知識

① **吸収分割会社がする吸収分割による変更登記の登記事項**

吸収分割会社の登記申請書には、分割をした旨、吸収分割承継会社の商号及び本店、吸収分割の効力発生日を記載しなければならない（会社923、商登84Ⅱ、記録例依命通知第4節第19.2⑵）。

吸収分割承継会社が、吸収分割会社の新株予約権者に対して当該新株予約権に代わる吸収分割承継会社の新株予約権を交付した結果、吸収分割会社の新株予約権が消滅した場合（会社758⑤・759Ⅸ）、新株予約権が消滅した旨及びその年月日も登記しなければならない。

② **吸収分割会社がする吸収分割による変更登記の申請**

本店の所在地における吸収分割会社がする吸収分割による変更の登記の申請は、当該登記所の管轄区域内に吸収分割承継会社の本店がないときは、吸収分割承継会社の本店の所在地を管轄する登記所を経由してしなければならない（商登87Ⅰ）。

また、この場合の吸収分割会社がする吸収分割による変更の登記の申請と吸収分割承継会社がする吸収分割による変更の登記の申請は、同時にしなければならない（商登87Ⅱ）。そして、吸収分割会社がする吸収分割による変更の登記の申請書には、委任状を除き、他の書面の添付を要しない（商登18・87Ⅲ）。

登記すべき事項には、
「令和５年６月25日名古屋市中区丸の内一丁目１番地株式会社サニーに分割」

と記載する。

7−14 添付書面

司法書士法務星子の代理権限を証する「委任状」を添付する（商登18・87Ⅲ）。

7−15 申請人

吸収分割株式会社であるコスモ株式会社が申請人となり、その代表者であるAが会社を代表して登記の申請を行うこととなる。

7−16 経由・同時申請

(1) 経由申請の要求

吸収分割株式会社であるコスモ株式会社の本店所在地を管轄する登記所の管轄区域内に、吸収分割承継株式会社である株式会社サニーの本店が存しないため、吸収分割株式会社における吸収分割による変更登記は、吸収分割承継株式会社の本店所在地を管轄する登記所を経由して申請しなければならない（商登87Ⅰ）。

(2) 同時申請の要求

本店所在地において吸収分割株式会社であるコスモ株式会社がする変更登記と吸収分割承継株式会社である株式会社サニーがする変更登記は、同時に申請しなければならない（商登87Ⅱ）。

8 募集株式の発行等

結論

本問の場合、**令和５年６月29日**付けで、**発行済株式の総数**を**１万1,000株**、**資本金の額**を**金3,500万円**とする募集株式の発行による**変更**の登記を申請することができる。

<申請書記載例；第三者割当て・非公開会社・非取締役会設置会社・本問の場合>

１．事　募集株式の発行
１．登　○年○月○日次のとおり変更
　　　　発行済株式の総数　○株
　　　　資本金の額　金○円

１．税　増加した資本金の額×７/1,000（登録税別表1.24.(1)ニ）
　　　（計算額が金３万円に満たないときは、金３万円）
１．添　株主総会議事録　１通（商登46Ⅱ）
　　　株主の氏名又は名称、住所及び議決権数等を証する書面　１通（商登規61Ⅲ）
　　　募集株式の引受けの申込みを証する書面　○通（商登56①）
　　　払込みがあったことを証する書面　１通（商登56②）
　　　資本金の額が会社法及び会社計算規則の規定に従って計上されたことを証する書面　１通（商登規61Ⅸ）
　　　委任状　１通（商登18）

前提の知識

①　募集株式の募集事項の決定機関

募集株式発行の際の募集事項の決定は、原則として、株主総会の特別決議による（会社309Ⅱ⑤・199Ⅱ）。ただし、公開会社については、有利発行の場合を除き、取締役会の決議による（会社201Ⅰ・199Ⅱ・Ⅲ）。

②　募集株式の割当て

株式会社は、申込者の中から募集株式の割当てを受ける者を定め、かつ、その者に割り当てる募集株式の数を定めなければならない（会社204Ⅰ）。募集株式が譲渡制限株式である場合における当該決定は、定款に別段の定めがある場合を除き、株主総会（取締役会設置会社にあっては、取締役会）の決議による（会社204Ⅱ）。また、譲渡制限株式でない場合においては、代表者の割当自由の原則により、適宜の業務執行機関の決定による。

なお、募集事項の決定機関と割当先等の決定機関が同一の場合、株式を割り当てた者から申込みがされることを条件として、割当先等の決定を、募集事項の決定と同一の株主総会又は取締役会において決議することができる。

③　募集株式の発行における資本金等増加限度額

募集株式を発行した場合の資本金の額は、会社法に別段の定めがある場合を除き、株式の発行に際して株主となる者が当該株式会社に対して「払込み又は給付をした財産の額（資本金等増加限度額）」を基準として増加する（会社445Ⅰ）。

そして、資本金等増加限度額は、会社計算規則14条の規定に従って算定される。

具体的には、①「募集株式の引受人より払込み及び給付を受けた財産の価額の合計額」から、②「増加する資本金及び資本準備金に関する事項として募集株式の交付に係る費用の額のうち、株式会社が資本金等増加限度額から減ずるべき額と定めた額（株式の交付に係る費用）」を減じて得た額に、③「株式発行割合（交付する株式の総数に占める新たに発行する株式の数の割合）」を乗じて得た額を算出し、そこから④「自己株式の処分差損」※を減じて得た額が資本金等増加限度額となる（会社計規14Ⅰ）。

なお、②に掲げる募集株式の交付に係る費用等については、当分の間、零とされている（会社計規附則11）。

{(①－②) ×③} －④＝資本金等増加限度額

以上により資本金等増加限度額として算出された額のうち、２分の１を超えない額は、募集事項等の決定に際して定めることにより資本金として計上しないことができ（会社445Ⅱ・199Ⅰ⑤）、その分は資本準備金として計上することとなる（会社445Ⅲ）。

募集株式の発行による変更登記の申請書には、資本金の額を証するため、「資本金の額が会社法及び会社計算規則の規定に従って計上されたことを証する書面」を添付する（商登規61Ⅸ）。

※　自己株式の処分差損は、イに掲げる額からロに掲げる額を減じて得た額が零以上であるときに、当該額を考慮することを要する。

イ　当該募集に際して処分する自己株式の帳簿価額

ロ　①に掲げる額から②に掲げる額を減じて得た額（零未満である場合にあっては、零）に自己株式処分割合（１から株式発行割合を減じて得た割合をいう。）を乗じて得た額

④　条件・期限付決議

決議に条件・期限を付すことも強行規定、定款又は株式会社の本質に反せず、かつ合理的な範囲内である限り、有効に行うことができるものとされている。

8－1　決議権限

別紙８及び９より、株式会社サニーは非公開会社であるため、募集株式の募集事項の決定は、株主総会の決議で行う（会社199Ⅱ）。

別紙12より、株主総会において決議されているため、決議機関は適法である。

8−2 決議形式

⑴ 招集手続

問題文（答案作成に当たっての注意事項）より、議決権を行使することができる株主全員が出席しているため、招集手続の瑕疵の有無については、検討することを要しない。

⑵ 決議要件

別紙９より、株式会社サニーの定款には、「会社法第309条第２項に定める決議は、議決権を行使することができる株主の議決権の３分の２以上を有する株主が出席し、出席した当該株主の議決権の４分の３以上に当たる多数をもって行う。」旨の定めがある。

問題文（答案作成に当たっての注意事項）及び別紙12より、議決権を行使することができる株主の議決権の３分の２以上を有する株主が出席し（全員）、出席した当該株主の議決権の４分の３以上の賛成を得ているため（満場一致）、決議要件を満たしている（会社309Ⅱ⑤）。

8−3 決議内容

⑴ 割当方法

別紙11、12及び14より、第三者割当ての方法による募集株式の発行等であることが分かる。

⑵ 募集株式の数（枠内発行の要請）

募集株式の発行等は、発行可能株式総数の範囲内で行わなければならない。

本問の場合、別紙12より、5,000株（うち、自己株式1,000株）を交付する旨の決議をしている。別紙８及び９より、募集株式の発行等の効力発生日である令和５年６月29日時点における株式会社サニーの発行可能株式総数は10万株であり、また、令和５年６月25日に吸収分割の効力が生じたことにより、募集株式の発行等の効力発生前の発行済株式の総数は7,000株である。

以上により、株式会社サニーが募集株式の発行等をすることができる株式の最大の数は９万4,000株（新たに発行することができる株式の最大の数は９万3,000株）となり、募集株式の数である5,000株（うち、新たに発行する株式の数は4,000株）は、募集株式の発行等をすることができる株式の数の範囲内である。

したがって、今回の募集株式の発行等後の発行済株式の総数は、発行可能株式総数（10万株）を超える発行とはならず、枠内発行の要請を満たしているため、適法である。

⑶ 募集株式の数

別紙12より、募集株式の数を、5,000株と定めている。

⑷ 募集株式の払込金額

別紙12より、払込金額は募集株式１株につき、金１万円と定めている。

⑸ 増加する資本金及び資本準備金の額

別紙12より、増加する資本金の額については、会社計算規則に基づき算出される資本金等増加限度額の２分の１を乗じて得た額と定めており、また、増加する資本準備金の額については、資本金等増加限度額から増加する資本金の額を減じて得た額と定めている。

⑹ 払込期日

別紙12より、払込期日を令和５年６月29日と定めている。

なお、別紙８及び９より、株式会社サニーは非公開会社であるため、募集事項を株主に対して通知する必要はない（会社201Ⅲ参照）。

8－4 引受けの申込み

別紙14より、募集株式の引受けの申込みに関する手続は、全て適法にされていることが分かる。

8－5 募集株式の割当て

上述のとおり、募集株式が譲渡制限株式であり、株式会社サニーは非取締役会設置会社であるため、株主総会の決議により、割当てを受ける者及びその者に割り当てる募集株式の数を定めなければならない（会社204Ⅰ・Ⅱ）。

別紙12より、令和５年６月26日開催の臨時株主総会において、N、合同会社X及び株式会社Qから引受けの申込みがされることを条件に、Nに500株、合同会社Xに3,600株、株式会社Qに900株を割り当てる旨の決定をしている。

本問の場合、募集事項の決定機関と割当先等の決定機関が同一の場合に該当し、上述より、割当先等の決定を株式を割り当てた者から申込みがされることを条件として、同一の株主総会において決議することができるため、適法である。

8−6 払込み

別紙14より、令和５年６月29日（払込期日）に、N、合同会社X及び株式会社Qは適法に払込みをしている。

8−7 効力発生日

別紙12より、払込期日は令和５年６月29日であるため、同日に募集株式の発行等の効力が生ずる。

8−8 発行済株式の総数

株式会社サニーは、募集株式の発行等に際して、保有する自己株式の全てである1,000株を交付しているため、新たに発行する株式の数は、4,000株（5,000株－1,000株）となる。

したがって、変更後の発行済株式の総数は、従前の発行済株式の総数（7,000株）に、新たに発行した株式数（4,000株）を加え、１万1,100株となる。

8−9 資本金の額

別紙12より、株式会社サニーは、募集株式5,000株のうち、1,000株は自己株式を交付する旨を定めているが、別紙10第１号議案の別紙である貸借対照表の抜粋及び別紙14の３より、自己株式の帳簿価額は金400万円であり、１株あたりの帳簿価額は金4,000円（金400万円÷1,000株）であることが分かる。

募集株式の発行における資本金等増加限度額の計算式に当てはめると、①は（金１万円×5,000株）＝金5,000万円、②は金０円、③は5,000株のうち、4,000株を新たに発行するため、5,000分の4,000、④は（金4,000円×1,000株）－｛(金5,000万円－金０円）×（１－4,000/5,000)｝＝金400万円－金1,000万円＝－金600万円となり、自己株式の処分差損が、零未満である場合に該当する。

資本金等増加限度額＝｛(①－②）×③｝

＝｛(金5,000万円－金０円）×5,000分の4,000｝

＝金4,000万円

以上により、資本金等増加限度額は金4,000万円となる。

別紙12より、増加する資本金の額を会社計算規則に基づき算出される資本金等増加限度額の２分の１を乗じて得た額と定めていることから、金4,000万円に２分の１を乗じた金2,000万円を資本金に計上することとなる。

8−10 登記すべき事項

登記すべき事項には、

「令和５年６月29日次のとおり変更

発行済株式の総数　１万1,000株

資本金の額　金3,500万円」

と記載する。

8−11 添付書面

募集事項等を定めたこと及び割当決議をしたことを証する書面として、令和５年６月26日付けの「(臨時) 株主総会議事録」を添付する（商登46Ⅱ）。

登記すべき事項につき株主総会の決議を要するため、「株主の氏名又は名称、住所及び議決権数等を証する書面」を添付する（商登規61Ⅲ）。

募集株式の発行等に関する引受けの申込み及び払込みに関する手続が適法にされているため、「募集株式の引受けの申込みを証する書面」及び「払込みがあったことを証する書面」を添付する（商登56①・②）。

会社計算規則14条により、資本金に計上すべき額に関する規律が設けられているため、「資本金の額が会社法及び会社計算規則の規定に従って計上されたことを証する書面」を添付する（商登規61Ⅸ）。

9 役員等の変更（コスモ株式会社）

結論

取締役Ａ・Ｂ

令和５年４月21日付けで、**重任**登記を申請することができる。

取締役Ｃ

令和５年４月21日付けで、任期満了により**退任**した旨の登記を申請することができる。

取締役（社外取締役）Ｍ

令和５年４月21日付けで、**就任**登記を申請することができる。

監査等委員である取締役（社外取締役）Ｇ

令和５年４月１日付けで、**死亡**により退任した旨の登記を申請することができる。

監査等委員である取締役（社外取締役）Ｈ

令和５年４月１日付けで、**就任**登記を申請することができる。

代表取締役Ａ

令和５年４月21日付けで、**重任**登記を申請することができる。

会計監査人ビーナス監査法人

令和５年４月21日付けで、**重任**登記を申請することができる。

9－1 監査等委員である取締役（社外取締役）Ｇ（死亡）

<申請書記載例>

１．事	監査等委員である取締役の変更		
１．登	○年○月○日監査等委員である取締役（社外取締役）○○死亡		
１．税	金３万円（登録税別表1.24.(1)カ） （但し、資本金の額が１億円以下の会社については、金１万円）		
１．添	退任を証する書面	１通	（商登54Ⅳ）
	委任状	１通	（商登18）

前提の知識

死亡による退任登記の退任日付

死亡によって役員及び会計監査人と会社との委任関係は当然に消滅するので(会社330、民653①)、死亡届の届出年月日や受領年月日は退任日付に何ら影響を与えない。

問題文(答案作成に当たっての注意事項)、別紙1及び2より、監査等委員である取締役(社外取締役)Gは、令和4年4月22日に選任され、同日就任しており、選任後2年以内に終了する事業年度のうち最終のものに関する定時株主総会の終結の時まで任期があるはずであったが、別紙13より、令和5年4月1日に死亡している。

したがって、令和5年4月1日付けで、死亡による退任登記を申請する。

<添付書面>

退任を証する書面として、「死亡届」を添付する(商登54Ⅳ)。

9−2 監査等委員である取締役(社外取締役)H(就任)

<申請書記載例>

1.事　監査等委員である取締役の変更
1.登　○年○月○日監査等委員である取締役(社外取締役)○○就任
1.税　金3万円(登録税別表1.24.(1)カ)
　　　(但し、資本金の額が1億円以下の会社については、金1万円)

1.添　株主総会議事録　1通(商登46Ⅱ)
　　　株主の氏名又は名称、住所及び
　　　議決権数等を証する書面　1通(商登規61Ⅲ)
　　　就任を承諾したことを証する書面　1通(商登54Ⅰ)
　　　本人確認証明書　1通(商登規61Ⅶ)
　　　委任状　1通(商登18)

前提の知識

① **補欠の役員**

役員及び会計監査人は、株主総会の決議によって選任する（会社329Ⅰ）。この場合には、法務省令で定めるところにより、役員が欠けた場合又は会社法若しくは定款で定めた役員の員数を欠くこととなるときに備えて補欠の役員を選任することができる（会社329Ⅲ）。

② **補欠役員選任決議の有効期間**

役員及び会計監査人は、株主総会の決議によって選任する（会社329Ⅰ）。この場合には、法務省令で定めるところにより、役員が欠けた場合又は会社法若しくは定款で定めた役員の員数を欠くこととなるときに備えて補欠の役員を選任することができる（会社329Ⅲ）。

③ **補欠役員の就任要件**

補欠役員は、「役員が欠けた場合又はこの法律若しくは定款で定めた役員の員数を欠くこととなるとき」に、役員として選任の効力が生ずる（会社329Ⅲ）。

「この法律…で定めた役員の員数」とは、会社法上当該員数が規定されている場合における当該最低員数を指す。例えば、取締役会設置会社における取締役の最低員数（３名、会社331Ⅴ）、監査役会設置会社における監査役の最低員数（３名、会社335Ⅲ）がこれに当たる。

④ **社外取締役である旨の登記**

社外取締役である旨は、原則として登記する必要はない。例外として、以下の場合には社外取締役である旨の登記をしなければならない（会社911Ⅲ㉑・㉒・㉓）。

⑴ 特別取締役による議決の定めがある場合

⑵ 監査等委員会設置会社である場合

⑶ 指名委員会等設置会社である場合

⑤ **取締役及び監査役の就任登記の添付書面**

取締役及び監査役の就任登記の添付書面は、原則として、株主総会議事録（商登46条Ⅱ）及び就任を承諾したことを証する書面（商登54Ⅰ）である。また、取締役及び監査役の就任（再任を除く。）による変更の登記の申請書には、取締役又は監査役が就任を承諾したことを証する書面に記載した取締役又は監査役の氏名及び住所と同一の氏名及び住所が記載されている市町村長その他の公務員が職務上作成した証明書（当該取締役又は監査役が原本と相違がない旨を記載した謄本を含む。以下「本人確認証明書」という。）を添付しなければならない。

なお、登記の申請書に商業登記規則61条４項、５項又は６項の規定により、当該取締役及び監査役の印鑑につき市町村長の作成した証明書を添付する場合は、本人確認証明書の添付は不要である（商登規61Ⅶ但書）。

また、株主総会議事録に取締役又は監査役が席上就任を承諾した旨の記載がある場合には、就任を承諾したことを証する書面を添付することを要しないが、本人確認証明書の添付を要する場合には、席上就任を承諾した旨の記載があり、かつ被選任者の住所の記載がされていなければ、議事録の記載を援用することはできない（平27.2.20民商18号通達）。

9−2−1　決議権限

別紙３より、株主総会において決議されているため、決議機関は適法である（会社329Ⅰ・Ⅲ）。

9−2−2　決議形式

(1)　招集手続

問題文（答案作成に当たっての注意事項）より、議決権を行使することができる株主全員が出席しているわけではないため、招集手続の瑕疵の有無の検討を要するが、特に招集手続に瑕疵がある旨の記載もないことから、招集手続は適法にされていると解することができる。

(2)　決議要件

別紙２より、コスモ株式会社の定款には、「取締役の選任決議は、議決権を行使することができる株主の議決権の３分の１以上を有する株主が出席し、その議決権の過半数をもって行う。」旨の定めがある。問題文（答案作成に当たっての注意事項）及び別紙３より、議決権を行使することができる株主の議決権の３分の１以上を有する株主が出席し（過半数）、出席した当該株主の議決権の過半数の賛成を得ているため、決議要件を満たしている（会社341）。

9−2−3　決議内容

別紙３より、法令又は定款に定める取締役の員数を欠く場合に備えて、監査等委員である取締役（社外取締役）の補欠としてＨを選任している。

(1)　資格制限

資格制限に抵触する事実は示されていないため、適法である。

(2)　員数制限

別紙２より、コスモ株式会社の定款には、「当会社の監査等委員である取締役は、

５名以内とする。」旨の定めがあるが、監査等委員である取締役の員数規定に抵触しないため、適法である。

9−2−4　就任承諾

別紙３より、令和４年４月22日開催の定時株主総会において、Hを補欠の監査等委員である取締役（社外取締役）として選任しており、問題文（答案作成に当たっての注意事項）より、Hは、同日就任を承諾している。

前述のとおり、監査等委員である取締役（社外取締役）Gが令和５年４月１日に死亡したことにより、監査等委員である取締役の最低員数（３名）及びコスモ株式会社における監査等委員である取締役（社外取締役）の最低員数（２名）を欠くこととなるため（役員等の概要（コスモ株式会社）参照、会社331Ⅵ）、補欠の監査等委員である取締役（社外取締役）Hが令和５年４月１日に監査等委員である取締役（社外取締役）として就任することとなる。

なお、補欠の監査等委員である取締役（社外取締役）の選任決議後、令和５年４月１日までに、定時株主総会は開催されておらず、補欠役員の選任に係る決議の有効期間内であるため、Hは適法に監査等委員である取締役（社外取締役）に就任する（会社施規96Ⅲ）。

9−2−5　社外取締役である旨の登記の要否

別紙１及び２より、コスモ株式会社は、監査等委員会設置会社であり、また、別紙13より、Hは社外取締役の要件を満たしているため、社外取締役である旨の登記をすることを要する。

9−2−6　添付書面

選任を証する書面として、令和４年４月22日付けの「（定時）株主総会議事録」を添付する（商登46Ⅱ）。

登記すべき事項につき株主総会の決議を要するため、「株主の氏名又は名称、住所及び議決権数等を証する書面」を添付する（商登規61Ⅲ）。

Hの「監査等委員である取締役の就任を承諾したことを証する書面」を添付する（商登54Ⅰ）。

Hの「本人確認証明書」を添付する（商登規61Ⅶ）。

9－3 取締役C（任期満了）

＜申請書記載例＞

1．事　取締役の変更		
1．登　○年○月○日取締役○○退任		
1．税　金３万円（登録税別表1.24.⑴カ）		
（但し、資本金の額が１億円以下の会社については、金１万円）		
1．添　退任を証する書面	1通	（商登54Ⅳ）
委任状	1通	（商登18）

前提の知識

取締役の任期

取締役は、原則として、選任後２年以内に終了する事業年度のうち最終のものに関する定時株主総会の終結の時に退任する（会社332Ⅰ）。例外規定は、以下のとおりである。

⑴ 監査等委員である取締役以外の取締役は、定款又は株主総会の決議によって、その任期を短縮することができる（会社332Ⅰ但書）。

⑵ 非公開会社（監査等委員会設置会社及び指名委員会等設置会社を除く。）においては、定款によって、選任後10年以内に終了する事業年度のうち最終のものに関する定時株主総会の終結の時まで伸長することができる（会社332Ⅱ）。

⑶ 監査等委員会設置会社の取締役（監査等委員であるものを除く。）は、選任後１年以内に終了する事業年度のうち最終のものに関する定時株主総会の終結の時に退任する（会社332Ⅲ）。

⑷ 定款によって、任期の満了前に退任した監査等委員である取締役の補欠として選任された監査等委員である取締役の任期を退任した監査等委員である取締役の任期の満了する時までとすることができる（会社332Ⅴ）。

⑸ 指名委員会等設置会社の取締役は、選任後１年以内に終了する事業年度のうち最終のものに関する定時株主総会の終結の時に退任する（会社332Ⅵ）。

⑹ 定款変更によりその効力発生時に任期満了となる場合（会社332Ⅶ）

㈠ 監査等委員会又は指名委員会等を置く旨の定款の変更

(ロ) 監査等委員会又は指名委員会等を置く旨の定款の定めを廃止する定款の変更 (ハ) 非公開会社が公開会社となる定款の変更

問題文（答案作成に当たっての注意事項）及び別紙１より、取締役Ｃは、令和４年４月22日に選任され、同日就任している。別紙２より、取締役（監査等委員である取締役を除く。）の任期は、選任後１年以内に終了する事業年度のうち最終のものに関する定時株主総会の終結の時までであり、取締役Ｃは、令和５年４月21日の定時株主総会の終結の時に退任する。

<添付書面>

取締役Ｃの退任を証する書面として、令和５年４月21日付けの「(定時) 株主総会議事録」を添付する（商登54Ⅳ)。

なお、取締役が定時株主総会の終結をもって任期満了する旨が議事録に明示されていないが、コスモ株式会社は、取締役（監査等委員である取締役を除く。）につき、定款によって法定任期と異なる任期を定めていないため、定款を添付せずとも、登記の申請は受理されるものと解される。

9-4 取締役Ａ・Ｂ（重任）

<申請書記載例>

１．事　取締役の変更
１．登　○年○月○日次の者重任
　　　　取締役　○○
　　　　取締役　○○
１．税　金３万円（登録税別表1.24.(1)カ）
　　　　(但し、資本金の額が１億円以下の会社については、金１万円)
１．添　株主総会議事録　１通（商登46Ⅱ）
　　　　株主の氏名又は名称、住所及び
　　　　議決権数等を証する書面　１通（商登61Ⅲ）
　　　　就任を承諾したことを証する書面　１通（商登54Ⅰ）
　　　　委任状　１通（商登18）

前提の知識

重任

任期満了と同時に再選され就任した場合を、登記の実務上「重任」といい、退任の旨及び就任した旨を重ねて記載するのではなく、重任した旨を記載する。

株式譲渡制限の定めを廃止する定款変更により取締役が退任した場合において、当該株主総会で同一人が取締役に再任されたときの登記の原因は、「重任」としてよい（平18.6.14日司連発279号「会社法等の施行に伴う商業登記実務についてのQ＆A」Q11）。

また、監査等委員会設置会社の定めの設定により、従前の取締役が、退任と同時に監査等委員である取締役に就任した場合の登記原因は、退任及び就任であるが、退任と同時に監査等委員である取締役以外の取締役に就任した場合の登記原因は、重任である（平成27.2.6法務省民商13号通達）。

9−4−1　決議権限

別紙４より、株主総会において決議されているため、決議機関は適法である（会社329Ⅰ）。

9−4−2　決議形式

(1)　招集手続

問題文（答案作成に当たっての注意事項）より、議決権を行使することができる株主全員が出席しているわけではないため、招集手続の瑕疵の有無の検討を要するが、特に招集手続に瑕疵がある旨の記載もないことから、招集手続は適法にされていると解することができる。

(2)　決議要件

別紙２より、コスモ株式会社の定款には、「取締役の選任決議は、議決権を行使することができる株主の議決権の３分の１以上を有する株主が出席し、その議決権の過半数をもって行う。」旨の定めがある。

問題文（答案作成に当たっての注意事項）及び別紙４より、議決権を行使することができる株主の議決権の３分の１以上を有する株主が出席し（過半数）、出席した当該株主の議決権の過半数の賛成を得ているため、決議要件を満たしている（会社341）。

9−4−3　決議内容

別紙４より、取締役としてＡ及びＢを選任している。

⑴　資格制限

資格制限に抵触する事実は示されていないため、適法である。

⑵　員数制限

別紙２より、コスモ株式会社の定款には、「当会社の取締役（監査等委員である取締役を除く。）は、10名以内とする。」旨の定めがあるが、取締役の員数規定に抵触しないため、適法である。

⑶　重任・予選の可否

問題文（答案作成に当たっての注意事項）及び別紙１より、Ａ及びＢは令和４年４月22日に選任され、同日就任している。問題文（答案作成に当たっての注意事項）及び別紙２より、Ａ及びＢは、選任後１年以内に終了する事業年度のうち最終のものに関する定時株主総会の終結の時に任期が満了し、退任する。しかし、同定時株主総会において、Ａ及びＢが再度取締役に選任され、問題文（答案作成に当たっての注意事項）より、就任承諾は適法に得られているため、同日付けで重任登記を申請することとなる。

なお、Ａ及びＢは、令和５年４月21日の定時株主総会の終結の時まで任期があるため、当該定時株主総会における選任決議は、予選と解されるが、選任の効力が生ずるまでの期間も短期間であり、予選することについて合理性を欠くような事実も示されていないため、可能である。

9−4−4　就任承諾

問題文（答案作成に当たっての注意事項）及び別紙４より、被選任者は、令和５年４月21日開催の定時株主総会において選任され、同日就任を承諾しているため、令和５年４月21日に就任の効力が生ずる。

9−4−5　添付書面

退任を証する書面及び選任を証する書面として、令和５年４月21日付けの「（定時）株主総会議事録」を添付する（商登54Ⅳ・46Ⅱ）。

登記すべき事項につき株主総会の決議を要するため、「株主の氏名又は名称、住所及び議決権数等を証する書面」を添付する（商登規61Ⅲ）。

Ａ及びＢの「取締役の就任を承諾したことを証する書面」を添付する（商登54Ⅰ）。

なお、Ａ及びＢは再任であるため（役員等の概要（コスモ株式会社）参照）、本人確認証明書の添付を要しない。

9−5 代表取締役Ａ（重任）

＜申請書記載例；取締役会設置会社＞

１．事　代表取締役の変更
１．登　○年○月○日次の者重任
　　　　○県○市○町○丁目○番○号
　　　　　代表取締役　○○
１．税　金３万円（登録税別表1.24.(1)カ）
　　　　(但し、資本金の額が１億円以下の会社については、金１万円)
１．添　取締役会議事録　　　　　　　　　　　　１通（商登46Ⅱ）
　　　　就任を承諾したことを証する書面　　　　１通（商登54Ⅰ）
　　　　委任状　　　　　　　　　　　　　　　　１通（商登18）

前提の知識

取締役会設置会社における代表取締役の就任登記の添付書面

取締役会設置会社において、代表取締役を選定した場合の代表取締役の就任登記の添付書面は、次のとおりである。

(1)　取締役会議事録（商登46Ⅱ）

(2)　(1)に係る印鑑証明書（商登規61Ⅵ③）

※　出席した取締役及び監査役（監査役の監査の範囲が会計に関するものに限定されている場合を含む。会社369Ⅲ）が取締役会議事録に押印した印鑑につき、変更前の代表取締役が権限をもって取締役会に出席し、当該議事録に届出印を押印している場合を除き、市町村長の作成した証明書を添付しなければならない。

(3)　代表取締役が就任を承諾したことを証する書面（商登54Ⅰ）

※　被選定者が取締役会の席上で就任を承諾し、それが議事の経過の要領として議事録に記載されていれば、当該議事録の記載を「就任を承諾したことを証する書面」として援用することが可能である。この場合、再任の場合を除き、議事録に被選定者の実印が押印されていなければならない。

(4)　(3)に係る印鑑証明書（商登規61Ⅴ・Ⅳ）

※　代表取締役が就任を承諾したことを証する書面に押印した印鑑につき、再任の場合を除き、市町村長の作成した証明書を添付しなければならない。

9−5−1　決議権限

別紙１及び２より、コスモ株式会社は取締役会設置会社であり、別紙５より、取締役会において決議されているため、決議機関は適法である（会社362Ⅱ③）。

9−5−2　決議形式

⑴　招集手続

別紙13より、取締役及び監査等委員である取締役の全員が出席しているため、招集手続の瑕疵の有無については、検討することを要しない。

⑵　決議要件

別紙５及び13より、議決に加わることができる取締役の過半数が出席し（全員）、その過半数の賛成を得ているため（全員）、決議要件を満たしている（会社369Ⅰ）。

9−5−3　決議内容

別紙５より、代表取締役としてＡを選定している。

⑴　前提資格

前述のとおり、令和５年４月21日開催の取締役会の時点において、Ａは、取締役として在任中であり（役員等の概要（コスモ株式会社）参照）、代表取締役としての前提資格を有しているため、適法である。

⑵　員数制限

員数制限に抵触する事実は示されていないため、適法である。

⑶　重任・予選の可否

前述のとおり、代表取締役Ａは、代表取締役の前提資格である取締役を令和５年４月21日に任期満了により退任しているため、同日をもって代表取締役としても退任する。しかし、同日付けで取締役に就任し、さらに、同日開催の取締役会において、再び代表取締役に選定され、席上即時に就任を承諾しているため、同日付けで重任登記を申請することができる。

9−5−4　就任承諾

別紙５より、被選定者は、選定決議に係る取締役会において席上即時に就任を承諾しているため、令和５年４月21日に就任の効力が生ずる。

9−5−5　添付書面

⑴　退任を証する書面（商登54条４項）

前提資格である取締役としての重任登記と一括申請する場合であるので、別途代表取締役としての退任を証する書面を添付することを要しない。

⑵　選定を証する書面及びこれに関する印鑑証明書

㈠　取締役会議事録（商登46条２項）

Ａを代表取締役に選定している旨が記載されている令和５年４月21日付けの「取締役会議事録」を添付する。

㈡　印鑑証明書の添付の要否（商登規61条６項３号）

別紙13より、取締役会議事録に代表取締役であるＡが登記所に提出している印鑑と同一の印鑑を押印しているため、取締役会議事録に押印した印鑑についての証明書を添付することを要しない（商登規61Ⅵ但書）。

⑶　就任を承諾したことを証する書面及びこれに関する印鑑証明書

㈠　就任を承諾したことを証する書面（商登54条１項）

Ａの「代表取締役の就任を承諾したことを証する書面」を添付する。

㈡　印鑑証明書の添付の要否（商登規61条５項・４項）

Ａは再任であるため（役員等の概要（コスモ株式会社）参照）、就任を承諾したことを証する書面に印鑑についての証明書を添付することを要しない。

9−6　会計監査人ビーナス監査法人（重任）

＜申請書記載例；法人の場合・主たる事務所が本店を管轄する登記所の他の管轄区域内にある場合＞

1．事	会計監査人の変更		
1．登	○年○月○日会計監査人○○監査法人重任		
1．税	金３万円（登録税別表1.24.⑴カ） （但し、資本金の額が１億円以下の会社については、金１万円）		
1．添	株主総会議事録	1通	（商登54Ⅳ）
	登記事項証明書	1通	（商登54Ⅱ②）
	委任状	1通	（商登18）

前提の知識

会計監査人の再任みなし

会計監査人が退任する定時株主総会で別段の決議がされなかったときは、会計監査人は当該定時株主総会で再任されたものとみなされる（会社338Ⅱ）。この場合の重任登記の申請書には、資格を証する書面（商登54Ⅱ②・③）及び当該定時株主総会の議事録（商登54Ⅳ）を添付すれば足り、会計監査人が就任を承諾したことを証する書面の添付は要しない（平18.3.31民商782号第2部第3.9⑵イ(ア)b）。

9−6−1　決議の有無

別紙１及び４より、会計監査人ビーナス監査法人は、令和４年４月22日付けで重任登記がされており、選任後１年以内に終了する事業年度のうち最終のものに関する定時株主総会の終結の時である令和５年４月21日に任期が満了し退任する。

しかし、別紙４より、会計監査人ビーナス監査法人の任期が満了する当該定時株主総会において、別段の決議がされていないため、会計監査人ビーナス監査法人は、同定時株主総会において再任されたものとみなされる。

したがって、令和５年４月21日付けで、重任登記を申請することとなる。

⑴　資格制限

ビーナス監査法人は監査法人であり、また、他に資格制限に抵触する事実は示されていないため、適法である。

⑵　員数制限

員数制限に抵触する事実は示されていないため、適法である。

9−6−2　添付書面

退任（重任）を証する書面として、令和５年４月21日付けの「(定時）株主総会議事録」を添付する（商登54Ⅳ）。

また、資格を証する書面として、「ビーナス監査法人の登記事項証明書」を添付する（商登54Ⅱ②）。

なお、就任を承諾したことを証する書面（商登54Ⅱ①）は、添付することを要しない（平18.3.31民商782号第2部第3.9⑵イ(ア)b）。

9−7 取締役（社外取締役）M（就任）

＜申請書記載例＞

1．事	取締役の変更		
1．登	○年○月○日取締役（社外取締役）○○就任		
1．税	金３万円（登録税別表1.24.(1)カ） （但し、資本金の額が１億円以下の会社については、金１万円）		
1．添	株主総会議事録	１通	（商登46Ⅱ）
	株主の氏名又は名称、住所及び 議決権数等を証する書面	１通	（商登61Ⅲ）
	就任を承諾したことを証する書面	１通	（商登54Ⅰ）
	本人確認証明書	１通	（商登規61Ⅶ）
	委任状	１通	（商登18）

9−7−1 決議権限

別紙４より、株主総会において決議されているため、決議機関は適法である（会社329Ⅰ）。

9−7−2 決議形式

(1) 招集手続

問題文（答案作成に当たっての注意事項）より、議決権を行使することができる株主全員が出席しているわけではないため、招集手続の瑕疵の有無の検討を要するが、特に招集手続に瑕疵がある旨の記載もないことから、招集手続は適法にされていると解することができる。

(2) 決議要件

別紙２より、コスモ株式会社の定款には、「取締役の選任決議は、議決権を行使することができる株主の議決権の３分の１以上を有する株主が出席し、その議決権の過半数をもって行う。」旨の定めがある。

問題文（答案作成に当たっての注意事項）及び別紙４より、議決権を行使することができる株主の議決権の３分の１以上を有する株主が出席し（過半数）、出席した当該株主の議決権の過半数の賛成を得ているため、決議要件を満たしている（会社341）。

9−7−3　決議内容

別紙４より、取締役（社外取締役）としてMを選任している。

⑴　資格制限

資格制限に抵触する事実は示されていないため、適法である。

⑵　員数制限

別紙２より、コスモ株式会社の定款には、「当会社の取締役（監査等委員である取締役を除く。）は、10名以内とする。」旨の定めがあるが、取締役の員数規定に抵触しないため、適法である。

9−7−4　就任承諾

問題文（答案作成に当たっての注意事項）及び別紙４より、被選任者は、令和５年４月21日開催の定時株主総会において選任され、同日就任を承諾しているため、令和５年４月21日に就任の効力が生ずる。

9−7−5　社外取締役である旨の登記の要否

別紙１及び２より、コスモ株式会社は、監査等委員会設置会社であり、また、別紙13より、Mは社外取締役の要件を満たしているため、社外取締役である旨の登記をすることを要する。

9−7−6　添付書面

選任を証する書面として、令和５年４月21日付けの「（定時）株主総会議事録」を添付する（商登46Ⅱ）。

登記すべき事項につき株主総会の決議を要するため、「株主の氏名又は名称、住所及び議決権数等を証する書面」を添付する（商登規61Ⅲ）。

Mの「取締役の就任を承諾したことを証する書面」を添付する（商登54Ⅰ）。

Mの「本人確認証明書」を添付する（商登規61Ⅶ）。

10 役員の変更（株式会社サニー）

結論

取締役B

令和５年６月26日付けで、**就任**登記を申請することができる。

取締役N

令和５年６月19日付けで、任期満了により**退任**した旨の登記を申請することができる。

10－1 取締役N（任期満了）

<申請書記載例>

1.	事	取締役の変更	
1.	登	○年○月○日取締役○○退任	
1.	税	金１万円（登録税別表1.24.(1)カ） （但し、資本金の額が１億円を超える場合は、金３万円）	
1.	添	定款	１通（商登規61Ⅰ）
		退任を証する書面	１通（商登54Ⅳ）
		委任状	１通（商登18）

前提の知識

退任を証する書面としての定款の添付の要否

役員の改選に当たり、定時株主総会の議事録に「本定時株主総会の終結をもって取締役及び監査役の任期が満了するので改選…」との記載があるときは、退任を証する書面として、別に定款を添付する必要はない（昭53.9.18民四5003号）。

問題文（答案作成に当たっての注意事項）及び別紙８より、取締役Nは、令和１年６月30日に選任され、同日就任している。別紙９より、取締役の任期は、選任後４年以内に終了する事業年度のうち最終のものに関する定時株主総会の終結の時までであり、取締役Nは、令和５年６月19日の定時株主総会の終結の時に退任する。

したがって、令和５年６月19日付けで、任期満了による退任登記を申請することができる。

＜添付書面＞

取締役Nの退任を証する書面として、令和５年６月19日付けの「(定時) 株主総会議事録」を添付する（商登54Ⅳ)。

別紙10より、取締役が定時株主総会の終結をもって任期が満了する旨が議事録に明示されておらず、また、定款により取締役の任期を法定期間より伸長しているため、「定款」の添付を要するものと解される（商登規61Ⅰ)。

10－2 取締役B（就任）

＜申請書記載例＞

1．事	取締役の変更	
1．登	○年○月○日取締役○○就任	
1．税	金１万円（登録税別表1.24.⑴カ） (但し、資本金の額が１億円以下を超える場合は、金３万円)	
1．添	株主総会議事録	１通（商登46Ⅱ)
	株主の氏名又は名称、住所及び 議決権数等を証する書面	１通（商登規61Ⅲ)
	就任を承諾したことを証する書面	１通（商登54Ⅰ)
	印鑑証明書	１通（商登61Ⅳ)
	委任状	１通（商登18)

10－2－1 決議権限

別紙12より、株主総会において決議されているため、決議機関は適法である（会社329Ⅰ)。

10－2－2 決議形式

⑴ 招集手続

問題文（答案作成に当たっての注意事項）より、議決権を行使することができる株主全員が出席しているため、招集手続の瑕疵の有無については、検討することを要しない。

⑵ 決議要件

問題文（答案作成に当たっての注意事項）及び別紙12より、議決権を行使することができる株主の過半数が出席し（全員)、出席した議決権を行使することができる株主の議決権の過半数の賛成を得ているため（満場一致)、決議要件を満たしている。

10−2−3　決議内容

別紙12より、取締役としてBを選任している。

(1)　資格制限

資格制限に抵触する事実は示されていないため、適法である。

(2)　員数制限

別紙9より、株式会社サニーの定款には、「当会社の取締役は、3名以上10名以内とする。」旨の定めがあるが、取締役の員数規定に抵触しないため、適法である。

10−2−4　就任承諾

問題文（答案作成に当たっての注意事項）及び別紙12より、被選任者は、令和5年6月26日開催の臨時株主総会において選任され、同日就任を承諾しているため、令和5年6月26日に就任の効力が生ずる。

10−2−5　添付書面

選任を証する書面として、令和5年6月26日付けの「(臨時) 株主総会議事録」を添付する（商登46Ⅱ）。

登記すべき事項につき株主総会の決議を要するため、「株主の氏名又は名称、住所及び議決権数等を証する書面」を添付する（商登規61Ⅲ）。

Bの「取締役の就任を承諾したことを証する書面」を添付する（商登54Ⅰ）。

Bの「印鑑証明書」を添付する（商登規61Ⅳ）。

11 問４の検討

結論

令和５年６月30日に司法書士法務星子が株式会社サニーの代表者から提示を受けた株主名簿について、これに記載されている株主のうち、保有株式数の多い順に上位４名のみを第４欄に記載した場合、記載する株主の氏名又は名称及びその株式の数は、「合同会社X　4,200」、「コスモ株式会社　2,000」、「N　1,900」、「株式会社Q　900」となる。

《株主の氏名又は名称及びその株式の数》

別紙11及び前述より、吸収分割及び募集株式の発行等の効力が生じたことによって、令和５年６月30日時点の株式会社サニーの株主名簿の抜粋は以下のとおりとなっている。

株主の氏名又は名称	株式の数
合同会社X	4,200株
コスモ株式会社	2,000株
N	1,900株
株式会社Q	900株
R	500株
株式会社K	400株
S	300株
T	200株
（以下略）	（以下略）
合計	１万1,000株

したがって、第４欄には保有株式数の多い上位４名の株主の氏名又は名称及びその株式の数として、「合同会社X　4,200」、「コスモ株式会社　2,000」、「N　1,900」、「株式会社Q　900」を記載することとなる。

第１欄

【登記の事由】
取締役、監査等委員である取締役、代表取締役及び会計監査人の変更 支店設置

【登記すべき事項】
令和５年４月１日監査等委員である取締役（社外取締役）Ｇ死亡 同日監査等委員である取締役（社外取締役）Ｈ就任 令和５年４月21日取締役Ｃ退任 同日次の者重任 　取締役　Ａ 　取締役　Ｂ 　東京都品川区西町一丁目２番３号 　　代表取締役　Ａ 　会計監査人　ビーナス監査法人 同日取締役（社外取締役）Ｍ就任 令和５年４月23日設置 　支店　１ 　　名古屋市西区本町８番地

【登録免許税額】
金９万円

【添付書面の名称及び通数】	
株主総会議事録	２通
株主の氏名又は名称、住所及び議決権数等を証する書面 (株主リスト)	 ２通
取締役会議事録	１通
取締役Ｂの決定書	１通
ビーナス監査法人の登記事項証明書	１通
本人確認証明書	２通
死亡届	１通
委任状	１通

『就任承諾を証する書面』（本欄に限り、通数の記載は要しない。）

資格	氏名又は名称
取締役	A
取締役	B
取締役(社外取締役)	M

資格	氏名又は名称
監査等委員である取締役（社外取締役）	H
代表取締役	A

第２欄

⑴　4,000

⑵　3,000

第３欄

【登記の事由】

吸収分割による変更
募集株式の発行
取締役の変更

【登記すべき事項】

令和５年６月25日次のとおり変更
　発行済株式の総数　7,000株
　資本金の額　金1,500万円
令和５年６月29日次のとおり変更
　発行済株式の総数　１万1,000株
　資本金の額　金3,500万円

令和５年６月19日取締役Ｎ退任
令和５年６月26日取締役Ｂ就任

令和５年６月25日東京都港区東町１番１号コスモ株式会社から分割

【登録免許税額】
金18万5,000円

【添付書面の名称及び通数】

定款	1通	
株主総会議事録	2通	
株主の氏名又は名称、住所及び議決権数等を証する書面 (株主リスト)	2通	
吸収分割契約書	1通	
公告及び催告をしたことを証する書面	2通	※
異議を述べた債権者はいない		
資本金の額が会社法第445条第5項の規定に従って計上 されたことを証する書面	1通	
吸収分割会社の登記事項証明書	1通	
吸収分割会社の取締役会議事録	1通	
吸収分割会社の簡易分割の要件を満たすことを証する書面	1通	
吸収分割会社の公告をしたことを証する書面	2通	※
異議を述べた債権者はいない		
募集株式の引受けの申込みを証する書面	3通	
払込みがあったことを証する書面	1通	
資本金の額が会社法及び会社計算規則の規定に従って計上 されたことを証する書面	1通	
印鑑証明書	1通	
委任状	1通	

※　まとめて「公告をしたことを証する書面　2通又は3通
催告をしたことを証する書面　1通」と記載しても
誤りでないと解される。

『就任承諾を証する書面』(本欄に限り、通数の記載は要しない。)

資格	氏名又は名称	資格	氏名又は名称
取締役	B		

第４欄

株主の氏名又は名称	その株式の数　（株）
合同会社X	4,200
コスモ株式会社	2,000
N	1,900
株式会社Q	900

問題　令和４年

本問題の日付は、出題当時の本試験問題に合わせておりますが、法令等については、令和７年４月１日時点において施行されているもの（本書作成時点において施行予定のものを含む。）を適用した上で、解答を作成してください。

司法書士デービス優希は，令和４年４月18日に事務所を訪れた株式会社ホームショーの代表者から，別紙１から別紙８までの書面のほか，登記申請に必要な書面の提示を受けて確認を行い，別紙14のとおり事情を聴取し，登記すべき事項や登記のための要件などを説明した。そして，司法書士デービス優希は，株式会社ホームショーの代表者から必要な登記の申請書の作成及び登記申請の代理の依頼を受けた。

そこで，司法書士デービス優希は，この依頼に基づき，登記申請に必要な書面の交付を受け，管轄登記所に対し，同年４月19日に登記の申請をしたところ，同年４月22日に当該登記が完了した。

また，司法書士デービス優希は，令和４年４月25日に事務所を訪れたエッフェル合同会社の代表者から，別紙９から別紙13までの書面のほか，登記申請に必要な書面の提示を受けて確認を行い，別紙15のとおり事情を聴取し，登記すべき事項や登記のための要件などを説明した。そして，司法書士デービス優希は，エッフェル合同会社の代表者から必要な登記の申請書の作成及び登記申請の代理の依頼を受けた。

そこで，司法書士デービス優希は，この依頼に基づき，登記申請に必要な書面の交付を受け，管轄登記所に対し，同年４月26日に登記の申請をした。

以上に基づき，次の問１から問４までに答えなさい。

問１　令和４年４月19日に司法書士デービス優希が申請した登記のうち，当該登記の申請書に記載すべき登記の事由，登記すべき事項，登録免許税額並びに添付書面の名称及び通数を答案用紙の第１欄に記載しなさい。ただし，登録免許税額の内訳については，記載することを要しない。

問２　別紙８の第２号議案で決議された事項に関し，令和４年７月３日開催の取締役会において保有する自己株式の処分の方法について検討したところ，処分をせずに，自己株式の全部につき，同日をもって消却することが決議された場合において，株式会社ホームショーが当該場合について登記すべき事項があるときは，答案用紙の第２欄に当該登記すべき事項を記載しなさい。当該場合において，登記すべき事項がないときは，答案用紙の第２欄に「なし」と記載しなさい。ただし，別紙８の第２号議案で決議されてから令和４年７月３日までの間，自己株式の種類及び種類ごとの数に変更はないものとする。

問３　令和４年４月26日に司法書士デービス優希が申請した登記のうち，当該登記の申請書に記載すべき登記の事由，登記すべき事項，登録免許税額並びに添付書面の名称及び通数を答案用紙の第３欄に記載しなさい。ただし，登録免許税額の内訳については，記載することを要しない。

問４　別紙13の決定書の末尾の（略）とある箇所に記載されている社員全員の氏名又は名称を答案用紙の第４欄に記載しなさい。

（答案作成に当たっての注意事項）

1　登記申請書の添付書面については，全て適式に調えられており，別段の記載がない限り，所要の記名・押印がされているものとする。

2　登記申請書に会社法人等番号を記載することによる登記事項証明書の添付の省略は，しないものとする。

3　被選任者及び被選定者の就任承諾は，別紙６を除き，選任され，又は選定された日に適法に得られ，その旨の書面が調えられているものとする。

4　登記申請書の添付書面のうち，就任承諾を証する書面を記載する場合には，各々その資格及び氏名を特定して記載すること。

5　登記申請書の添付書面のうち，株主の氏名又は名称，住所及び議決権数等を証する書面（株主リスト）を記載する場合は，決議ごとに１通を添付するものとする。

6　株式会社ホームショーの定款には，別紙１から別紙８まで及び別紙14に現れている以外には，会社法の規定と異なる定めは，存しないものとする。

7　株式会社ホームショーは，設立以来，最終事業年度に係る貸借対照表の負債の部に計上した額の合計額が200億円以上となったことはないものとする。

8　別紙８の第１号議案で決議された事項は，普通株式を有する株主に損害を及ぼすおそれはないものとする。

9　エッフェル合同会社の定款には，別紙９から別紙13まで及び別紙15に現れている以外には，会社法の規定と異なる定めは，存しないものとする。

10　株式会社ホームショー及びエッフェル合同会社を通じて，ＡからＱまでの記号で表示されている者は，いずれも自然人であって，同じ記号の者が各々同一人物であるものとする。

11　別紙中，(略) と記載されている部分には，有効な記載があるものとする。

12　東京都品川区は，東京法務局品川出張所の管轄である。なお，東京都品川区みなと1番地に株式会社ホームショーと同一の商号の会社は存在しない。

13　東京都中央区は，東京法務局の管轄である。

14　租税特別措置法等の特例法による登録免許税の減免規定の適用はないものとする。

15　登記の申請に伴って必要となる印鑑の提出は，適式にされているものとする。

16　登記申請の懈怠については，考慮しないものとする。

17　数字を記載する場合には，算用数字を使用すること。

18　答案用紙の**各欄に記載する文字は字画を明確にし**，訂正，加入又は削除をするときは，訂正は訂正すべき字句に線を引き，近接箇所に訂正後の字句を記載し，加入は加入する部分を明示して行い，削除は削除すべき字句に線を引いて，訂正，加入又は削除をしたことが明確に分かるように記載すること。ただし，押印や字数を記載することは要しない。

別紙１

【令和４年２月21日現在の株式会社ホームショーの登記記録の抜粋】

商　号	株式会社ホームショー
本　店	東京都品川区品川１番地
公告をする方法	官報に掲載してする
会社成立の年月日	平成25年３月１日
目　的	１　アクセサリーの輸入，販売 ２　前号に附帯する一切の業務
単元株式数	普通株式　　100株 甲種類株式　50株
発行可能株式総数	12万株
発行済株式の総数並びに種類及び数	発行済株式の総数 　３万株 各種の株式の数 　普通株式　　２万株 　甲種類株式　１万株
資本金の額	金１億2500万円
発行可能種類株式総数及び発行する各種類の株式の内容	普通株式　　８万株 甲種類株式　４万株 １　剰余金配当に係る優先の定め 　甲種類株式は，普通株式に先立ち金10円の剰余金の配当を受ける ２　取得条項の定め (1) 当会社は，当会社が別途定める日に，甲種類株主から甲種類株式を取得することができる (2) 当会社は，(1)により甲種類株式１株を取得するのと引換えに，その対価として，普通株式１株を交付する
株式の譲渡制限に関する規定	当会社の普通株式を譲渡により取得するには，取締役会の承認を受けなければならない

役員に関する事項	取締役　　　A	令和２年３月27日重任
	取締役　　　B	令和２年３月27日重任
	取締役　　　C	令和３年３月26日重任
	取締役　　　D	令和３年３月26日重任
	東京都千代田区千代田１番地 代表取締役　A	令和２年３月27日重任
	東京都世田谷区世田谷１番地 代表取締役　C	令和３年３月26日重任
	監査役　　　E	平成30年３月23日重任
	監査役　　　F	平成31年３月22日重任
取締役会設置会社に関する事項	取締役会設置会社	
監査役設置会社に関する事項	監査役設置会社	
登記記録に関する事項	平成30年10月１日埼玉県さいたま市浦和区浦和１番地から本店移転 平成30年10月９日登記	

別紙２

【令和４年２月21日現在の株式会社ホームショーの定款の抜粋】

（商号）

第１条　当会社は，株式会社ホームショーと称する。

（本店の所在地）

第３条　当会社は，本店を東京都品川区に置く。

（公告の方法）

第４条　当会社の公告は，官報に掲載してする。

（機関）

第５条　当会社には，株主総会及び取締役のほか，次の機関を置く。

　１　取締役会

　２　監査役

（単元株式数）

第６条　当会社の単元株式数は，普通株式を100株とし，甲種類株式を50株とする。

（発行可能株式総数及び発行可能種類株式総数）

第７条　当会社の発行可能株式総数は，12万株とする。

２　当会社の発行可能種類株式総数は，普通株式が８万株，甲種類株式が４万株とする。

（発行する各種類の株式の内容）

第８条　当会社の発行する各種類株式の内容は，次のとおりとする。

　１　剰余金配当に係る優先の定め

　　甲種類株式は，普通株式に先立ち金10円の剰余金の配当を受ける。

　２　取得条項の定め

　（1）当会社は，当会社が別途定める日に，甲種類株主から甲種類株式を取得することができる。

(2) 当会社は，(1)により甲種類株式１株を取得するのと引換えに，その対価として，普通株式１株を交付する。

（株式の譲渡制限に関する規定）

第９条　当会社の普通株式を譲渡により取得するには，取締役会の承認を受けなければならない。

（招集）

第10条　当会社の定時株主総会は，毎事業年度終了の日の翌日から３か月以内に招集する。

（取締役会の決議の省略）

第20条　取締役が取締役会の決議の目的である事項について提案をした場合において，当該提案につき取締役（当該事項について議決に加わることができるものに限る。）の全員が書面又は電磁的記録により同意の意思表示をしたとき（監査役が当該提案について異議を述べたときを除く。）は，当該提案を可決する旨の取締役会の決議があったものとみなす。

（事業年度）

第30条　当会社の事業年度は，毎年１月１日から同年12月31日までとする。

（その他）

第35条　この定款に規定のない事項は，全て会社法その他の法令の定めるところによる。

別紙３

【令和４年２月21日開催の株式会社ホームショーの臨時株主総会における議事の概要】

議案　資本金の額の減少の件

議長は，当会社の資本金１億2500万円のうち金１億1500万円を減少したい旨を述べ，以下の事項につきその承認を求めたところ，満場異議なくこれを承認可決した。

記

１　減少する資本金の額　金１億1500万円

２　効力発生日　令和４年４月15日

３　減少する資本金の全部を資本準備金とすること

別紙４

【令和４年３月25日に決議があったものとみなされた株式会社ホームショーの定時株主総会の議事録】

定時株主総会議事録

(1) 株主総会の決議があったものとみなされた事項の内容

第１号議案　令和３年事業年度に係る計算書類承認の件

令和３年事業年度(自令和３年１月１日至令和３年12月31日)に係る貸借対照表，損益計算書，株主資本等変動計算書及び個別注記表について，承認を得ること。

第２号議案　定款一部変更の件

次のとおり，定款の一部を変更すること(下線は変更部分)。

変更前	変更後
【新設】	(監査役の任期) 第25条の２　監査役の任期は，選任後10年以内に終了する事業年度のうち最終のものに関する定時株主総会の終結の時までとする。

第３号議案　取締役選任の件

取締役Ａ及び取締役Ｂにつき，本定時株主総会の終結の時をもって任期が満了し退任するため，取締役として次の者を選任すること。なお，取締役Ｇは，元株式会社ジーンケン銀行の調査部長であり，社外取締役として選任するものである。

取締役　Ａ

取締役　Ｇ(社外取締役)

(2) 株主総会の決議があったものとみなされた事項の提案をした者の氏名

取締役　Ａ

(3) 株主総会の決議があったものとみなされた日

令和４年３月25日

(4) 議事録の作成に係る職務を行った取締役の氏名

Ａ

令和４年３月10日，取締役Ａが当会社の議決権を有する株主全員に対し，上記株主総会の目的である事項について書面にて提案をしたところ，当該提案につき株主全員が書面により同意の意思表示をしたので，当該提案を可決する旨の株主総会の決議があったものとみなされた。

令和４年４月１日

株式会社ホームショー

議事録作成者　取締役　Ａ

別紙５
【令和４年３月30日に決議があったものとみなされた株式会社ホームショーの取締役会の議事録】

取締役会議事録

(1) 取締役会の決議があったものとみなされた事項の内容
第１号議案　代表取締役選定の件
代表取締役として，次の者を選定すること。
東京都千代田区千代田１番地
代表取締役　A
第２号議案　本店移転の件
次のとおり本店を移転すること。ただし，現実には，令和４年３月21日に移転を終えている。
新本店所在場所　東京都品川区みなと１番地
第３号議案　資本金の額の減少の効力発生日の変更の件
令和４年２月21日開催の臨時株主総会において決議された資本金の額の減少の効力発生日を，令和４年３月31日に変更すること。
第４号議案　甲種類株式の全部取得の件
定款第８条の規定に従い，令和４年４月15日付けで甲種類株式の全部を取得すること。ただし，対価として交付する普通株式のうち3000株は，当会社が保有している自己株式の全部（普通株式3000株）を交付するものとする。
(2) 取締役会の決議があったものとみなされた事項の提案をした者の氏名
取締役　C
(3) 取締役会の決議があったものとみなされた日
令和４年３月30日
(4) 議事録の作成に係る職務を行った取締役の氏名
C
令和４年３月25日，取締役Cが当会社の取締役及び監査役全員に対し，上記取締役会の決議の目的である事項について書面にて提案をしたところ，当該提案につき，取締役の全員が同意の意思表示を，監査役の全員が異議を述べない旨の意思表示を，各々書面で行ったので，当該提案を可決する旨の取締役会の決議があったものとみなされた。

令和４年４月１日
株式会社ホームショー
議事録作成者　取締役　Ｃ　㊞

別紙６
【Ａの就任承諾書】

就任承諾書

私は，令和４年３月30日に決議があったものとみなされた取締役会において，貴社の代表取締役に選定されましたので，その就任を承諾いたします。

令和４年３月30日

住所　東京都千代田区千代田１番地
氏名　　　Ａ

株式会社ホームショー　御中

別紙7

【令和4年3月30日付けで株式会社ホームショーが同社の甲種類株式の株主及びその登録株式質権者に対して通知した通知書の抜粋】

> 通　知　書
>
> 令和4年3月30日に決議があったものとみなされた取締役会において，定款第8条の規定に従い，令和4年4月15日付けで甲種類株式の全部を取得することが決定されましたので，ご通知いたします。
>
> （略）

別紙8

【令和4年4月15日開催の株式会社ホームショーの取締役会における議事の概要】

第1号議案　単元株式数の廃止の件

議長は，定款第6条に規定されている単元株式数の定めを廃止し，本日付けで次のとおり定款を変更することを提案したところ，全員異議なく賛成可決した（下線は変更部分）。

変更前	変更後
（単元株式数） 第6条　当会社の単元株式数は，普通株式を100株とし，甲種類株式を50株とする。	第6条　削除

第2号議案　自己株式の処分の件

議長は，当会社が保有する自己株式の処分の方法につき，約3か月後の令和4年7月3日に開催を予定している取締役会において検討することを提案したところ，全員異議なく賛成可決した。

別紙９

【令和４年４月18日現在のエッフェル合同会社の登記記録の抜粋】

商　号	エッフェル合同会社
本　店	東京都中央区中央１番地
公告をする方法	官報に掲載してする
会社成立の年月日	平成26年７月１日
目　的	１　アクセサリーの販売 ２　前号に附帯する一切の業務
資本金の額	金1200万円
社員に関する事項	業務執行社員　株式会社ホームショー
	業務執行社員　H
	業務執行社員　K
	東京都品川区品川１番地 代表社員　　株式会社ホームショー 東京都千代田区千代田１番地 職務執行者　A
	東京都渋谷区渋谷１番地 代表社員　　H
登記記録に関する事項	平成27年４月１日千葉県柏市柏１番地から本店移転 平成27年４月３日登記

別紙10

【令和４年４月18日現在のエッフェル合同会社の定款の抜粋】

（商号）
第１条　当会社は，エッフェル合同会社と称する。

（目的）
第２条　当会社は，次の事業を営むことを目的とする。
　　1　アクセサリーの販売
　　2　前号に附帯する一切の業務

（本店の所在地）
第３条　当会社は，本店を東京都中央区に置く。

（公告の方法）
第４条　当会社の公告は，官報に掲載してする。

（社員の氏名，住所，出資及び責任）
第５条　当会社の社員の氏名又は名称，住所，出資の目的及びその価額又はその評価の基準並びに社員の責任は，次のとおりとする。
　①　金200万円　住所(略)
　　　　　　　　有限責任社員　株式会社ホームショー
　②　金200万円　住所(略)
　　　　　　　　有限責任社員　H
　③　金200万円　住所(略)
　　　　　　　　有限責任社員　J
　④　金200万円　住所(略)
　　　　　　　　有限責任社員　K
　⑤　金200万円　住所(略)
　　　　　　　　有限責任社員　L
　⑥　金200万円　住所(略)
　　　　　　　　有限責任社員　M

（業務執行社員）
第６条　当会社の業務は，業務執行社員がこれを執行するものとする。
２　業務執行社員は，総社員の同意により社員の中からこれを選任する。

（代表社員）
第７条　当会社の代表社員は，業務執行社員の互選をもって，これを定める。

（事業年度）
第８条　当会社の事業年度は，毎年４月１日から翌年３月31日までとする。

（その他）
第９条　この定款に規定のない事項は，全て会社法その他の法令の定めるところによる。

別紙11

【令和４年４月18日付けのエッフェル合同会社の総社員の同意書の抜粋】

総社員の同意書

令和４年４月18日，エッフェル合同会社の社員全員は，次の各事項について同意した。

１．社員Ｍを業務執行社員に選任すること。

２．社員Ｎが，有限責任社員として当会社に加入すること。

(1) 新加入社員の氏名，住所，出資の目的及びその価額並びに責任は，次のとおり。

金200万円　住所(略)　有限責任社員　Ｎ

(2) 定款第５条第１項に，⑦として，次の条項を追加すること(下線は変更部分)。

変更前	変更後
【新設】	⑦　金200万円 住所(略) 有限責任社員　Ｎ

３．社員Ｈが，本年４月25日をもって，その持分の全部をＰに譲渡して退社し，これを譲り受けたＰは，同時に加入すること。

(1) 新加入社員の氏名，住所，出資の目的及びその価額並びに責任は，次のとおり。

金200万円　住所(略)　有限責任社員　Ｐ

(2) 本年４月25日をもって，定款第５条第１項のうち，②を次のとおり変更すること(下線は変更部分)。

変更前	変更後
②　金200万円 住所(略) 有限責任社員　Ｈ	②　金200万円 住所(略) 有限責任社員　Ｐ

以上のとおり同意したので，社員全員が次に記名押印する。

令和４年４月18日

(略)

別紙12
【令和４年４月18日付けの譲渡人Ｈ及び譲受人Ｐに係る持分譲渡契約書の抜粋】

持分譲渡契約書

譲渡人Ｈ及び譲受人Ｐは，エッフェル合同会社の持分の譲渡について，次のとおり契約を締結する。

1．譲渡人Ｈは，その有するエッフェル合同会社の持分の全部を譲受人Ｐに譲渡して同社を退社し，譲受人Ｐは，これを譲り受けて同社に加入する。

2．前項の持分の譲渡価格は，金150万円とする。

3．第１項の譲渡の期日は，令和４年４月25日とする。

（略）

別紙13
【令和４年４月19日付けのエッフェル合同会社の決定書の抜粋】

決　定　書

令和４年４月19日，次の各事項について決定した。

1．令和４年４月18日付けで総社員が同意した社員Ｎの加入に伴い出資される金200万円のうち，金80万円を増加すべき資本金の額とすること。

2．本日，有限責任社員Ｌがその持分の全部をＱ（住所（略））に譲渡することにつき，その承諾をすること。

以上のとおり決定することに同意した社員が次に記名押印する。

令和４年４月19日

エッフェル合同会社

（略）

別紙14

【司法書士デービス優希の聴取記録(令和４年４月18日)】

1　別紙１は，令和４年２月21日現在の株式会社ホームショーの登記記録を抜粋したものであり，令和４年４月18日現在においても変更はない。

2　別紙２は，令和４年２月21日現在の株式会社ホームショーの定款の抜粋である。

3　株式会社ホームショーの令和４年２月21日に開催された臨時株主総会には，議決権のある株主全員が出席し，その議事の概要は，別紙３に記載されているとおりである。なお，令和４年２月22日付け官報において，当該株主総会において決議された資本金の額の減少に係る債権者保護手続としての公告を行った。また，知れている債権者に対する各別の催告は，異議申出期間を１か月として行い，全て同月24日までに到達している。

4　前項の資本金の額の減少に対して１名の債権者が異議を述べたところ，株式会社ホームショーは，当該債権者に対し，令和４年３月15日に債務の全額を弁済した。なお，他に異議を述べた債権者はない。

5　別紙４は，令和４年３月25日に決議があったものとみなされた株式会社ホームショーの定時株主総会の議事録であり，議事録作成者としてＡが記名しているものの押印はされておらず，他の取締役及び監査役については，その記名も押印もない。

6　別紙５は，令和４年３月30日に決議があったものとみなされた株式会社ホームショーの取締役会の議事録であり，議事録作成者としてＣが登記所に提出している印鑑と同一の印鑑を押印しているが，他の取締役及び監査役については，その記名も押印もない。

7　別紙６は，令和４年３月30日に株式会社ホームショーの代表者に対し提出されたＡの就任承諾書であり，Ａが署名しているものの押印はされていない。

8　別紙７は，令和４年３月30日付けで株式会社ホームショーが同社の甲種類株式の株主及びその登録株式質権者に対して通知した通知書の抜粋である。

9　株式会社ホームショーの令和４年４月15日に開催された取締役会には，取締役及び監査役の全員が出席し，その議事概要は別紙８に記載されているとおりである。

別紙15

【司法書士デービス優希の聴取記録（令和４年４月25日）】

1　別紙９は，令和４年４月18日現在のエッフェル合同会社の登記記録を抜粋したものであり，令和４年４月25日現在においても変更はない。

2　別紙10は，令和４年４月18日に総社員による同意がされる直前のエッフェル合同会社の定款の抜粋である。

3　別紙11は，令和４年４月18日付けのエッフェル合同会社の総社員の同意書の抜粋である。

4　別紙12は，令和４年４月18日付けの譲渡人Ｈ及び譲受人Ｐに係る持分譲渡契約書の抜粋である。

5　別紙13は，令和４年４月19日付けのエッフェル合同会社の決定書の抜粋である。当該決定書の末尾の（略）とある箇所には，当該決定書に記載されている全ての事項が有効となるために最低限必要な社員全員の記名押印がされている。

6 株式会社ホームショーからエッフェル合同会社の社員全員に対し，別紙４及び別紙５で決議があったものとみなされた事項が令和４年４月22日に連絡されたところ，エッフェル合同会社の代表者からデービス優希に対し，必要な登記を申請するよう申出があった。

7　Ｎは，令和４年４月20日に出資全額の払込みをした。

8　Ｈがその持分全部をＰに譲渡する手続は，令和４年４月25日までに完了した。

令和４年●答案用紙

第１欄

【登記の事由】

【登記すべき事項】

【登録免許税額】

【添付書面の名称及び通数】

第２欄

第３欄

【登記の事由】

【登記すべき事項】

【登録免許税額】

【添付書面の名称及び通数】

第４欄

[本問の重要論点一覧表]

出題範囲	重要論点	解説箇所
本店移転	定款に定められた最小行政区画内で本店を移転する場合，取締役の決定（取締役が２人以上ある場合には，取締役の過半数による決定，取締役会設置会社においては取締役会の決議）により行う。	P183参照
	取締役会設置会社は，取締役が取締役会の決議の目的である事項について提案をした場合において，当該提案につき議決に加わることができる取締役の全員が書面又は電磁的記録によって同意の意思表示をし，かつ，監査役設置会社においては，各監査役が異議を述べなかったときは，当該提案を可決する旨の取締役会の決議があったものとみなす旨を定款で定めることができる。	P183参照
資本金の額の減少	資本金の額の減少をする場合，原則として，株主総会の特別決議が必要である。	P186参照
単元株式数の定めの廃止	単元株式数の減少又は廃止は，取締役の決定（取締役会設置会社にあっては，取締役会の決議）によることができる。	P189参照
取得条項付株式の取得と引換えにする株式の発行	株式会社が別に定める日の到来をもって取得事由としている場合には，定款に別段の定めがある場合を除き，その取得日を株主総会の決議（取締役会設置会社にあっては，取締役会の決議）によって定めなければならない。	P191参照
株式の消却（問２の検討）	取締役会設置会社においては，株式の消却は，取締役会が決議権限を有する。	P204参照
役員の変更	監査役の任期は，選任後４年以内に終了する事業年度のうち最終のものに関する定時株主総会の終結の時までであり，非公開会社では，定款によって，その任期を，選任後10年以内に終了する事業年度のうち最終のものに関する定時株主総会の時までとすることもできる。	P195参照

出題範囲	重要論点	解説箇所
社員の加入に伴う資本金の額の増加	合同会社においては，社員の新たな出資による加入に伴い，資本金の額を増加させることができる。	P205参照
代表社員の住所変更	会社を代表する社員の住所は登記事項であり，代表社員につき住所の変更があったときは，代表社員の住所の変更登記をしなければならない。	P207参照
業務執行社員の変更	社員は，原則として，各自業務執行権を有するが，定款に直接業務執行社員の氏名・名称を記載する方法や，総社員の同意によりこれを定める旨の定款の定めに従い選任する方法等により，社員の中から業務執行社員を定めることもできる。	P208参照
業務執行社員の退社及び代表社員の変更	業務を執行する社員が持分の全部を譲渡した場合，退社した旨及びその年月日を登記する。	P209参照
社員の持分の譲渡(問４の検討)	社員がその持分を全部又は一部を他人に譲渡するには，他の社員の全員の承諾を要する。ただし，業務を執行しない有限責任社員の持分の譲渡については業務を執行する社員の全員の承諾で足りる。	P210参照

1 役員等の概要

株式会社ホームショー

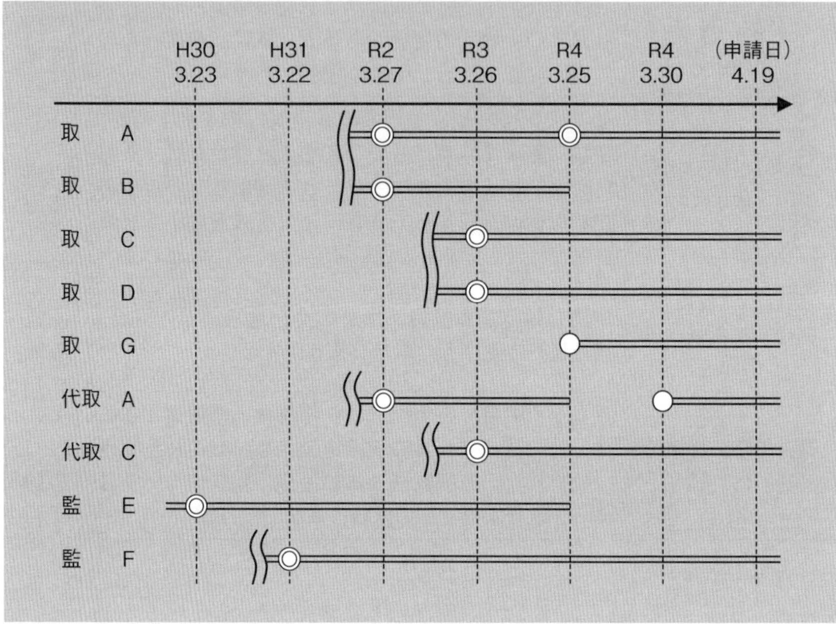

エッフェル合同会社

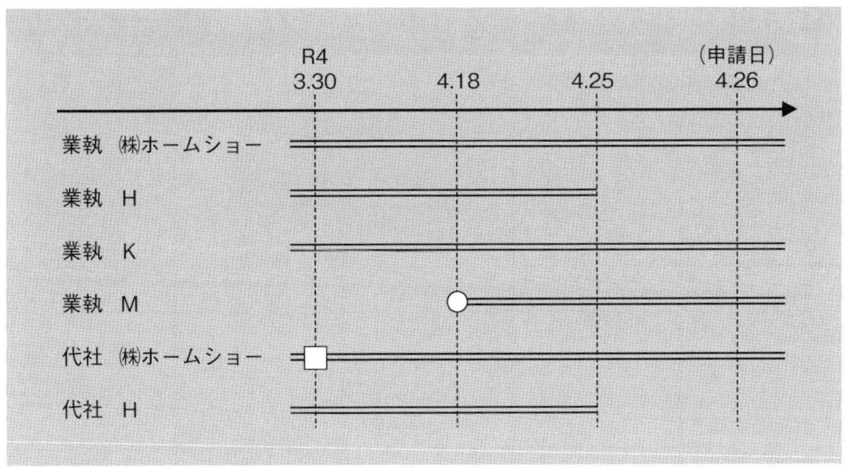
R4
3.30
4.18
4.25
(申請日)
4.26
業執 ㈱ホームショー
業執 H
業執 K
業執 M
代社 ㈱ホームショー
代社 H

在 職 中
業務執行権付与
住所変更

2 印鑑証明書及び本人確認証明書の通数

<令和４年４月19日申請分>

	印鑑証明書の添付を要する書面			本人確認証明書（商登規61条７項）
	就任承諾書（商登規61条４・５項）	選定証明書（商登規61条６項）	辞任届（商登規61条８項）	
取　A				
取　B				
取　C				
取　D				
取　G				○
代取　A				
代取　C				
監　E				
監　F				
合計	０通			１通

○…添付必要
×…添付不要
（届）…従前からの代表取締役の届出印で押印しているため
（再）…再任のため
（印）…商登規61条４項，５項又は６項の規定により印鑑証明書を添付するため

3 株主の氏名又は名称，住所及び議決権数等を証する書面（株主リスト）の通数

3−1 株主の氏名又は名称，住所及び議決権数等を証する書面（株主リスト）の添付を要する場合等の検討

前提の知識

① **株主総会又は種類株主総会の決議を要する場合の株主の氏名又は名称，住所及び議決権数等を証する書面（株主リスト）**

登記すべき事項につき株主総会又は種類株主総会の決議を要する場合には，申請書に，総株主（種類株主総会の決議を要する場合にあっては，その種類の株式の総株主）の議決権（当該決議において，行使することができるものに限る。）の数に対するその有する議決権の数の割合が高いことにおいて上位となる株主であって，次に掲げる人数のうちいずれか少ない人数の株主の氏名又は名称及び住所，当該株主のそれぞれが有する株式の数（種類株主総会の決議を要する場合にあっては，その種類の株式の数）及び議決権の数並びに当該株主のそれぞれが有する議決権に係る当該割合を証する書面を添付しなければならない（商登規61Ⅲ）。

⑴　10名

⑵　その有する議決権の数の割合を当該割合の多い順に順次加算し，その加算した割合が３分の２に達するまでの人数

なお，当該決議には会社法319条１項の規定により決議があったものとみなされる場合が含まれる。

② **株主の氏名又は名称，住所及び議決権数等を証する書面（株主リスト）の通数**

株主の氏名又は名称，住所及び議決権数等を証する書面（株主リスト）は，一の登記申請で，株主総会の決議を要する複数の登記すべき事項について申請される場合には，当該登記すべき事項ごとに添付を要する（商登規61Ⅱ・Ⅲ）。

ただし，決議ごとに添付を要する当該書面に記載すべき内容が一致するときは，その旨の注記がされた当該書面が１通添付されていれば足りるとされている（平28.6.23民商98号第3.1⑵ｱ）。

なお，日本司法書士会連合会より，以下の見解も示されている（日司連発第790号）。

Q：複数の株主総会により，複数の登記事項が発生し，これらを一括して登記申請する場合，それぞれの株主総会議事録ごとに株主リストが必要ですか。

A：「株主リスト」に記載すべき株主は，当該株主総会において議決権を行使することができるものをいうから，複数の株主総会により，複数の登記事項が発生し，これらを一括して登記申請する場合には，登記すべき事項ごとに当該株主総会において議決権を行使することができる「株主リスト」を添付しなければならない。

ただし，一の株主総会において，複数の登記すべき事項について決議された場合において，各事項に関して株主リストに記載すべき事項が同一である場合には，その旨注記して，一の株主リストを添付すれば足りるとされている。

3−1−1　株主の氏名又は名称，住所及び議決権数等を証する書面（株主リスト）の添付を要する事項

株主の氏名又は名称，住所及び議決権数等を証する書面（株主リスト）は，以下のとおりとなる。

第１欄

株主の氏名又は名称，住所及び議決権数等を証する書面の添付を要する株主総会	通数
<令和４年２月21日付け株式会社ホームショーの臨時株主総会> 資本金の額の減少の件	１通
<令和４年３月25日付け株式会社ホームショーの定時株主総会> 役員の変更の件	１通
合計	２通

課税標準金額・登録免許税

＜令和４年４月19日申請分＞

<table>
<tr><th colspan="2">登記事項</th><th colspan="2">登録免許税</th></tr>
<tr><td colspan="2">本店移転分</td><td>金３万円</td><td>登録税別表
1.24.(1)ヲ</td></tr>
<tr><td colspan="2">役員変更分</td><td>金３万円　※１</td><td>登録税別表
1.24.(1)カ</td></tr>
<tr><td rowspan="3">他の変更分</td><td>資本金の額の減少</td><td rowspan="3">金３万円</td><td rowspan="3">登録税別表
1.24.(1)ツ</td></tr>
<tr><td>単元株式数の定めの廃止</td></tr>
<tr><td>取得条項付株式の取得と
引換えにする株式の発行</td></tr>
<tr><td colspan="2">合計</td><td colspan="2">金９万円　※２</td></tr>
</table>

※１　役員等変更の登録免許税額は金３万円であるが，資本金の額が１億円以下の会社の場合は金１万円である（登録税別表1.24.(1)カ）。

※２　異なる区分に属する数個の登記事項を同一の申請書で申請する場合には各登記の区分の税率を適用した計算金額の合計額となる（登録税18）。

＜令和４年４月26日申請分＞

課税標準金額	金80万円

登記事項	登録免許税	
業務執行社員変更分	金１万円　※１	登録税別表 1.24.⑴カ
資本金の額の増加分	金80万円×７/1,000 ＝金5,600円 ※２ 計算額が３万円に 満たないため，金３万円	登録税別表 1.24.⑴ニ
合計	金４万円　※３	

※１　業務執行社員変更の登録免許税額は金３万円であるが，資本金の額が１億円以下の会社の場合は金１万円である（登録税別表1.24.⑴カ）。

※２　課税標準金額のある登記と課税標準金額のない登記を一括申請する場合には，登録免許税額の内訳を記載する。

※３　異なる区分に属する数個の登記事項を同一の申請書で申請する場合には各登記の区分の税率を適用した計算金額の合計額となる（登録税18）。

5 本店移転

結論

本問の場合，**令和４年３月30日**付けで，**本店移転**する旨の登記を申請することができる。

＜申請書記載例；取締役会設置会社の場合＞

１．事　本店移転
１．登　○年○月○日本店移転
　　　　本店　○県○市○町○丁目○番○号

１．税　金３万円（登録税別表1.24.⑴ヲ）
１．添　定款　　　　　　　　　　１通（商登規61Ⅰ）
　　　　取締役会議事録　　　　　１通（商登46Ⅲ）
　　　　委任状　　　　　　　　　１通（商登18）

前提の知識

① **本店移転の決議権限の分配**

本店の所在地は，定款の記載・記録事項であるため（会社27③），従前の本店の所在していた最小行政区画以外の地に本店を移転するには，株主総会の特別決議による定款の変更が必要である（会社466・309Ⅱ⑪）。

また，本店の具体的な所在場所をどこにするか，移転時期をいつにするかは，重要な業務執行行為であることから，定款に別段の定めがある場合を除き，取締役の決定（取締役が２人以上ある場合には，取締役の過半数の決定，又は取締役会設置会社においては，取締役会の決議）により行う（会社348Ⅰ・Ⅱ・362Ⅱ①）。

② **本店移転日の定め方**

取締役会による移転日の定め方としては，次のとおり，ある程度概括的な決議を認めることにより弾力的な運用を図っており，その決議の範囲内であれば登記は受理される。

(1)　「何年何月何日頃に移転する」というように，ある程度漠然とした日を議事録に記載している場合

→　当該取締役会の決議が許容する範囲内で申請書に移転年月日が記載してあれば（例えば，２月１日頃と決議して２月１日又は２月２日に移転した旨の記載が申請書にある場合）受理される（昭41.2.7民四75号）。

(2)　「何年何月何日から何月何日までの間に移転する」というように，一定の期間を議事録に記載している場合

→　申請書に記載された移転の日が当該一定の期間内の日であれば受理される（昭41.2.7民四75号）。

(3)　「何年何月何日までの間に移転する」と議事録に記載している場合

→　決議の日から議事録記載の年月日までの日付が申請書に記載してあれば受理される。

なお，移転年月日に関して，定款変更を伴わない本店移転につき，移転後に取締役会の承認決議があったときは，当該決議のあった日に移転したものとして取り扱われている（昭35.12.6民甲3060号回答）。

③ **取締役会の決議の省略**

取締役会設置会社は，取締役が取締役会の決議の目的である事項について提案をした場合において，当該提案につき議決に加わることができる取締役の全員が書面又は電磁的記録によって同意の意思表示をし，かつ，監査役設置

令和４年

会社にあっては，各監査役が異議を述べなかったときは，当該提案を可決する旨の取締役会の決議があったものとみなす旨を定款で定めることができる(会社370)。定款の定めに基づく取締役会の決議の省略，すなわち会社法370条の規定により取締役会の決議があったとみなされた場合においても，会社法施行規則101条４項１号で定めるところにより，議事録を作成しなければならない（会社369Ⅲ)。この場合，「取締役会の決議があったものとみなされた事項の内容」，「取締役会の決議があったものとみなされた事項の提案をした取締役の氏名」，「取締役会の決議があったものとみなされた日」及び「議事録の作成に係る職務を行った取締役の氏名」を議事録の内容としなければならない。なお，監査役設置会社においては，監査役の異議がないことが要件となっていることから，議事録にも異議がなかった旨を付記しておくものと考えられる。

5−1 定款の定め

取締役会の決議を省略する方法（いわゆる書面決議等）を用いるためには，定款の定めが必要である（会社370)。

別紙２より，申請会社の定款には取締役会の決議の省略に関する規定が定められている。

5−2 取締役会の決議の省略

別紙１及び２より，申請会社は取締役会設置会社であり，別紙２及び５より，定款変更を伴わない本店移転であるため，取締役会において，本店移転の決議をすることができる（会社362Ⅱ①)。

また，別紙５より，取締役会の決議の省略に関する定款規定に基づき，取締役Cが，取締役全員に対して取締役会の決議の目的である事項について書面にて提案したところ，当該提案につき，取締役の全員が同意の意思表示を，監査役の全員が異議を述べない旨の意思表示を，各々書面で行い，会社法370条に基づき，当該提案を可決する取締役会の決議があったものとみなされた旨の議事録が作成されているため，本店移転は，適法に行われたと判断することができる。

5−3 取締役会の決議があったものとみなされた事項の内容

別紙５より，本店を東京都品川区みなと１番地に移転する旨の決議をしている。

なお，現実には，令和４年３月21日に本店移転を終えているが，上述のとおり，移転後に取締役会の決議があったときは，当該決議の日に本店移転したものとして，本店移転の登記を申請する。

5−4 添付書面

取締役会の決議を省略する旨の定款規定があることを証するため，「定款」を添付する（商登規61Ⅰ）。

定款規定に基づき取締役会の決議の省略を行ったため，令和４年３月30日付けの「取締役会議事録（取締役会の決議があったものとみなされる場合に該当することを証する書面）」を添付する（商登46Ⅲ）。

6 資本金の額の減少

結論

本問の場合，**令和４年３月31日**付けで，**資本金の額を金1,000万円**とする**変更**登記を申請することができる。

<申請書記載例>

1．事	資本金の額の減少	
1．登	○年○月○日変更 資本金の額　金○円	
1．税	金３万円（登録税別表1.24.(1)ツ）	
1．添	定款	1通（商登規61Ⅰ）
	株主総会議事録	1通（商登46Ⅱ）
	株主の氏名又は名称，住所及び議決権数等を証する書面	1通（商登規61Ⅲ）
	取締役会議事録	1通（商登46Ⅲ）
	公告及び催告をしたことを証する書面	2通（商登70）
	異議を述べた債権者に対し弁済したことを証する書面	○通（商登70）
	委任状	1通（商登18）

前提の知識

① **資本金の額の減少の決議**

株式会社は，資本金の額を減少することができる。この場合においては，株主総会の特別決議によって，次に掲げる事項を定めなければならない（会社447Ⅰ・309Ⅱ⑨）。

⑴ 減少する資本金の額

⑵ 減少する資本金の額の全部又は一部を準備金とするときは，その旨及び準備金とする額

⑶ 資本金の額の減少がその効力を生ずる日

ただし，株式会社が株式の発行と同時に資本金の額を減少する場合において，当該資本金の額の減少の効力が生ずる日後の資本金の額が，当該日前の資本金の額を下回らないときは,取締役の決定（取締役会設置会社にあっては,取締役会の決議）により上記⑴から⑶までの事項を定めることができる（会社447Ⅲ）。

なお，必要があるときは，株式会社は，効力発生日前であれば，いつでも効力発生日を変更することができるが，この決定は，会社法348条２項又は362条２項１号の業務執行の決定に該当し，取締役の過半数の決定又は取締役会の決議を要するものと解されている。

② **債権者保護手続**

株式会社が資本金又は準備金（以下「資本金等」という。）の額を減少する場合（減少する準備金の額の全部を資本金とする場合を除く。）には，当該株式会社の債権者は，当該株式会社に対し，資本金等の額の減少について異議を述べることができる（会社449Ⅰ本文）。ただし，定時株主総会において準備金の額のみの減少を決議した場合であって，減少する準備金の額が当該定時株主総会の日における欠損の額を超えないときは，債権者は異議を述べることができない(会社449Ⅰ但書)。債権者が異議を述べることができる場合には,当該株式会社は，次に掲げる事項を官報に公告し，かつ，知れている債権者には，各別にこれを催告しなければならず，（３）の期間は，１か月を下ることができない（会社449Ⅱ）。

⑴ 当該資本金等の額の減少の内容

⑵ 当該株式会社の計算書類に関する事項として法務省令で定めるもの（会社計規152参照）

⑶ 債権者が一定の期間内に異議を述べることができる旨

また，株式会社が官報のほか，公告方法として定款に定めている以下の方法により公告をする時は，知れている債権者への各別の催告を省略することができる（会社449Ⅲ）。

⑴　時事に関する事項を掲載する日刊新聞紙に掲載する方法

⑵　電子公告

なお，準備金の額は登記事項ではないため，債権者保護手続を要する場合でも，準備金の額の減少に係る債権者保護手続を行ったことを証する書面の添付は要しない（平18.3.31民商782号第2部第4.2⑵ア(イ)c）。

6−1　決議権限

別紙３より，株式の発行と同時に資本金の額を減少する場合に該当しないため，株主総会で資本金の額の減少決議をすることを要する。

別紙３より，株主総会において決議されているため，決議機関は適法である（会社447Ⅰ）。

6−2　決議形式

⑴　招集手続

別紙14より，議決権のある株主全員が出席しているため，招集手続の瑕疵の有無については，検討することを要しない（最判昭60.12.20，最判昭46.6.24，昭43.8.30民甲2770号）。

⑵　決議要件

別紙３及び14より，議決権を行使することができる株主の議決権の過半数を有する株主が出席し（全員），出席した当該株主の議決権の３分の２以上の賛成を得ているため（満場一致），決議要件を満たしている（会社309Ⅱ⑨）。

6−3　定款の定め

取締役会の決議を省略する方法（いわゆる書面決議等）を用いるためには，定款の定めが必要である（会社370）。

別紙２より，申請会社の定款には取締役会の決議の省略に関する規定が定められている。

6−4 取締役会の決議があったものとみなされた事項の内容

前述のとおり，株式会社は必要があるときは取締役会設置会社においては取締役会の決議により，効力発生日前であれば，いつでも効力発生日を変更することができる。

別紙５より，令和４年２月21日開催の臨時株主総会において決議された資本金の額の減少の効力発生日を，令和４年３月31日に変更する旨の決議があったものとみなされている。

6−5 債権者保護手続

別紙14より，会社法449条２項及び３項に定める債権者に対する異議申述の公告は，令和４年２月22日付けの官報で行い，また，知れている債権者に対する催告は，異議申出期間を１か月として行い，全て同月24日までに到達しているため，適法である。

6−6 債権者への対応

別紙14より，異議を述べた債権者が１名いたところ，申請会社は当該債権者に対し，令和４年３月15日に債務の全額を弁済している。

6−7 効力発生日

別紙５及び14より，申請会社が定めた資本金の額の減少の効力発生日である令和４年３月31日までに債権者保護手続は適法に完了しているため，令和４年３月31日付けで資本金の額の減少の効力が生ずる。

6−8 添付書面

取締役会の決議を省略する旨の定款規定があることを証するため，「定款」を添付する（商登規61Ⅰ）。

資本金の額の減少の決議をしたことを証する書面として，令和４年２月21日付けの「(臨時) 株主総会議事録」を添付する（商登46Ⅱ）。

登記すべき事項につき株主総会の決議を要するため，「株主の氏名又は名称，住所及び議決権数等を証する書面」を添付する（商登規61Ⅲ）。

資本金の額の効力発生日を変更したことを証する書面として，取締役会議事録（取締役会の決議があったものとみなされる場合に該当することを証する書面）を添付する（商登46Ⅲ）。

会社法449条２項の規定による①公告をしたことを証する書面として，公告を掲載した官報を添付し，②知れている債権者に対する催告を証する書面として，催告書の写し又は会社が催告をした債権者の名簿と各債権者に対する催告書の控えを合綴し，これに代表者が署名又は記名押印したものを添付することとなる。通数の記載方法としては，①及び②の合計として，「公告及び催告をしたことを証する書面　２通」と記載する。

異議を述べた債権者が存在する場合であるため，弁済を受けた債権者につき「異議を述べた債権者に対し弁済したことを証する書面」を添付する（商登70）。

 7 単元株式数の定めの廃止

結論

本問の場合，**令和４年４月15日**付けで，**単元株式数の定めを廃止**する旨の登記を申請することができる。

<申請書記載例；取締役会設置会社・種類株式発行会社・損害を及ぼすおそれがない場合>

1．事	単元株式数の定めの廃止		
1．登	○年○月○日単元株式数の定め廃止		
1．税	金３万円（登録税別表1.24.(1)ツ）		
1．添	取締役会議事録	１通	（商登46Ⅱ）
	委任状	１通	（商登18）

前提の知識

単元株式数の減少変更又は廃止

単元株式数は定款の記載事項であるため，その変更又は廃止は，原則として，株主総会の特別決議により行う（会社466・309Ⅱ⑪）。

しかし，株式会社は，定款変更であるにもかかわらず，取締役が１人の場合は，取締役の決定により，取締役が複数いる場合には，取締役の過半数の一致（取締役会設置会社においては，取締役会の決議）によって，単元株式数を減少し，又は単元株式数についての定款の定めを廃止することができる（会社195Ⅰ・348Ⅰ・Ⅱ・362Ⅱ）。

なお，取締役の決定又は過半数の一致（取締役会設置会社にあっては，取締役会の決議）によって単元株式数の減少変更又は廃止決議をした場合には，株

式会社は，当該定款の変更の効力が生じた日以後遅滞なく，その株主（種類株式発行会社にあっては，単元株式数を変更した種類の種類株主）に対し，当該定款の変更をした旨を通知又は公告をしなければならない（会社195Ⅱ・Ⅲ）。

7－1 決議権限

別紙1及び2より，申請会社は取締役会設置会社であり，別紙8より，取締役会において決議されているため，決議機関は適法である（会社195Ⅰ）。

7－2 決議形式

(1) 招集手続

別紙14より，出席義務を有する役員全員が出席しているため，招集手続の瑕疵の有無については，検討することを要しない。

(2) 決議要件

別紙8及び14より，議決に加わることができる取締役の過半数が出席し（全員），その過半数の賛成を得ているため（全員），決議要件を満たしている（会社369Ⅰ）。

7－3 決議内容

別紙8より，普通株式及び甲種類株式の単元株式数の定めを廃止する旨の決定をしている。

7－4 添付書面

単元株式数の定めの廃止の決定をしたことを証する書面として，令和4年4月15日付けの取締役会議事録を添付する（商登46Ⅱ）。

8 取得条項付株式の取得と引換えにする株式の発行

結論

本問の場合，**令和4年4月15日**付けで，**発行済株式の総数**を**3万7,000株**，**発行済各種の株式の数を普通株式2万7,000株，甲種類株式1万株**，とする変更登記を申請することができる。

<申請書記載例>

1．事	取得条項付株式の取得と引換えにする株式の発行		
1．登	○年○月○日変更		
	発行済株式の総数　○株		
	発行済各種の株式の数　○種類株式　○株		
	○種類株式　○株		
1．税	金３万円（登録税別表1.24.(1)ツ）		
1．添	定款	1通	（商登規61Ⅰ）
	取締役会議事録	1通	（商登46Ⅲ）
	委任状	1通	（商登18）

前提の知識

① **取得条項付株式の取得事由の発生**

取得条項付株式は，原則として，一定の取得事由が発生すると取得の効果が発生するものである。また，株式会社が別に定める日の到来をもって取得事由としている場合には，株式会社は，その取得日を株主総会の普通決議（取締役会設置会社にあっては,取締役会決議）によって定めなければならない（会社168Ⅰ本文)。ただし,定款で別段の定めがあれば,それに従うこととなる（会社168Ⅰ但書)。

また,株式会社が別に定める日の到来をもって取得事由としている場合には,株式会社は，取得条項付株式の株主及び登録株式質権者に対し，当該日の２週間前までに，当該日を通知しなければならない（会社168Ⅱ)。この通知は,公告をもって代えることができる（会社168Ⅲ)。

② **取得条項付株式の取得の効力発生日**

取得条項付株式の取得の効力発生日は，原則として，取得事由が生じた日であるが，取得条項付株式の一部取得の旨の定めがある場合は，取得事由が生じた日か，会社法169条３項の規定による通知の日（又は同条４項の公告の日）から２週間を経過した日のいずれか遅い日である（会社170Ⅰ)。

8−1　定款の定め

取締役会の決議を省略する方法（いわゆる書面決議等）を用いるためには，定款の定めが必要である（会社370)。

別紙２より，申請会社の定款には取締役会の決議の省略に関する規定が定められている。

8－2 取締役会の決議の省略

別紙１及び２より，申請会社は取締役会設置会社である。したがって，取締役会の決議により，取得条項付株式の取得と引換えにする株式の発行をすることができる（会社168Ⅰ）。

別紙５より，取締役会の決議の省略に関する定款規定に基づき，取締役Ｃが，取締役全員に対して取締役会の決議の目的である事項について書面にて提案したところ，当該提案につき取締役の全員から書面により同意の意思表示を得ており，会社法370条に基づき，当該提案を可決する取締役会の決議があったものとみなされた旨の議事録が作成されているため，取得条項付株式の取得と引換えにする株式の発行は，適法に行われたと判断することができる。

8－3 取締役会の決議があったものとみなされた事項の内容

別紙５より，取得条項付株式の取得日を「令和４年４月15日」とする旨，取得の対象となる株式につき，甲種類株式の全部，とする旨を定めている。

8－4 発行済株式の総数並びに種類及び数

取得条項付株式の取得により，会社は自己株式を取得することとなるが，これにより発行済株式の総数に変動が生ずることはない。

これに対して，対価として株式を交付する場合において，新たに株式を発行して交付した場合には，発行済株式の総数及びその種類ごとの数が増加することとなり，その変更登記が必要となる。

本問の場合，別紙１より，「当会社は，（1）により甲種類株式１株を取得するのと引換えに，その対価として，普通株式１株を交付する」旨の定めがある。また，別紙５より，申請会社は，対価として交付する普通株式のうち3,000株は，申請会社が保有している自己株式の全部（普通株式3,000株）を交付するものとしている。よって，申請会社が甲種類株式１万株を取得するのと引換えに，普通株式7,000株を新たに発行して交付することとなる。

したがって，新たに発行する普通株式7,000株を加え，発行済株式の総数並びに種類及び数として「発行済株式の総数３万7,000株，発行済各種の株式の数　普通株式２万7,000株，甲種類株式１万株」と記載する。

なお，会社が取得条項付株式の取得と引換えに新たに株式を発行した場合であっても，資本金の額は増加しない（会社計規15，平18.3.31民商782号第2部第2.3⑶イ

(ア))。

8－5 添付書面

取締役会の決議を省略する旨の定款規定があることを証するため，「定款」を添付する（商登規61Ⅰ）。

定款規定に基づき取締役会の決議の省略を行ったため，令和４年３月30日付けの「取締役会議事録（取締役会の決議があったものとみなされる場合に該当することを証する書面）」を添付する（商登46Ⅲ）。

9 役員の変更

結論

取締役Ａ

令和４年３月25日付けで，**重任**登記を申請することができる。

取締役Ｂ

令和４年３月25日付けで，任期満了による**退任**登記を申請することができる。

取締役Ｇ

令和４年３月25日付けで，**就任**登記を申請することができる。

代表取締役Ａ

令和４年３月25日付けで，**退任**登記を申請することができる。

令和４年３月30日付けで，**就任**登記を申請することができる。

監査役Ｅ

令和４年３月25日付けで，任期満了による**退任**登記を申請することができる。

9−1 取締役B・監査役E（任期満了）

＜申請書記載例＞

1．事　取締役及び監査役の変更 1．登　○年○月○日次の者退任 　　　　取締役　○○ 　　　　監査役　○○ 1．税　金３万円（登録税別表1.24.⑴カ） 　　　（但し，資本金の額が１億円以下の会社については，金１万円） 1．添　株主総会議事録　　　　　　　　　　　　　１通（商登54Ⅳ） 　　　委任状　　　　　　　　　　　　　　　　　　１通（商登18）	

前提の知識

① **取締役の任期**

取締役は，原則として，選任後２年以内に終了する事業年度のうち最終のものに関する定時株主総会の終結の時に退任する（会社332Ⅰ）。例外規定は，以下のとおりである。

⑴　監査等委員である取締役以外の取締役は，定款又は株主総会の決議によって，その任期を短縮することができる（会社332Ⅰ但書）。

⑵　非公開会社（監査等委員会設置会社及び指名委員会等設置会社を除く。）においては，定款によって，選任後10年以内に終了する事業年度のうち最終のものに関する定時株主総会の終結の時まで伸長することができる（会社332Ⅱ）。

⑶　監査等委員会設置会社の取締役（監査等委員であるものを除く。）は，選任後１年以内に終了する事業年度のうち最終のものに関する定時株主総会の終結の時に退任する（会社332Ⅲ）。

⑷　定款によって，任期の満了前に退任した監査等委員である取締役の補欠として選任された監査等委員である取締役の任期を退任した監査等委員である取締役の任期の満了する時までとすることができる（会社332Ⅴ）。

⑸　指名委員会等設置会社の取締役は，選任後１年以内に終了する事業年度のうち最終のものに関する定時株主総会の終結の時に退任する（会社332Ⅵ）。

(6) 定款変更によりその効力発生時に任期満了となる場合（会社332Ⅶ）
(イ) 監査等委員会又は指名委員会等を置く旨の定款の変更
(ロ) 監査等委員会又は指名委員会等を置く旨の定款の定めを廃止する定款の変更
(ハ) 非公開会社が公開会社となる定款の変更（監査等委員会設置会社及び指名委員会等設置会社がするものを除く。）

② **監査役の任期**

監査役は，原則として，選任後４年以内に終了する事業年度のうち最終のものに関する定時株主総会の終結の時に退任する（会社336Ⅰ）。例外規定は，以下のとおりである。

(1) 非公開会社においては，定款によって，選任後10年以内に終了する事業年度のうち最終のものに関する定時株主総会の終結の時まで伸長することができる（会社336Ⅱ）。
(2) 定款によって，任期の満了前に退任した監査役の補欠として選任された監査役の任期を退任した監査役の任期の満了する時までとすることができる（会社336Ⅲ）。
(3) 定款変更によりその効力発生時に任期満了となる場合（会社336Ⅳ）
(イ) 監査役を置く旨の定款の定めを廃止する定款の変更
(ロ) 監査等委員会又は指名委員会等を置く旨の定款の変更
(ハ) 監査役の監査の範囲を会計に関するものに限定する旨の定款の定めを廃止する定款の変更（会社389参照）
(ニ) 非公開会社が公開会社となる定款の変更

(1) 取締役Ｂ

問題文（答案作成に当たっての注意事項）及び別紙１より，取締役Ｂは，令和２年３月27日に選任され，同日就任している。取締役の任期は，原則として，選任後２年以内に終了する事業年度のうち最終のものに関する定時株主総会の終結の時までであり，別紙２より定款に別段の定めもないことから，取締役Ｂは，令和４年３月25日の定時株主総会の終結の時に退任する。

(2) 監査役Ｅ

問題文（答案作成に当たっての注意事項）及び別紙１より，監査役Ｅは，平成30年３月23日に選任され，同日就任している。監査役の任期は，原則として，選任後４年以内に終了する事業年度のうち最終のものに関する定時株主総会の終結の時までであるところ，別紙４より申請会社は株主総会の決議により，監査役の任期を10年に伸長する旨の決議をしている。しかし，別紙１及び２より，申請会社は公開会社であり，公開会社は定款の定めによっても監査役の任期を10年に伸長することはできないため，取締役Ｅは，令和４年３月25日の定時株主総会の終結の時に退任する。

<添付書面>

退任を証する書面として，令和４年３月25日付けの「(定時) 株主総会議事録」を添付する（商登54Ⅳ)。

なお，別紙４より，監査役Ｅが定時株主総会の終結をもって任期満了する旨が議事録に明示されていないため，定款の添付を要するとされているところ（昭53.9.18民四5003号)，申請会社は監査役につき，定款によって法定任期と異なる任期を定めていないため，定款を添付せずとも，登記の申請は受理されるものと解される。

9−2　代表取締役Ａ（退任)

<申請書記載例>

1．事　代表取締役の変更
1．登　○年○月○日代表取締役○○退任
1．税　金３万円（登録税別表1.24.(1)カ)
　　　（但し，資本金の額が１億円以下の会社については，金１万円)
1．添　委任状　　　　　　　　　　　　　　　１通（商登18)

前提の知識

代表取締役の資格喪失による退任登記の添付書面

代表取締役の資格喪失による退任登記の添付書面は，退任を証する書面であり（商登54Ⅳ)，具体的には，前提資格である取締役の退任を証する書面である。通常は前提資格である取締役の退任登記も一括して申請されるため，別途添付する必要はない。しかし，取締役としては員数を欠くこととなり取締役としての権利義務を有する者になるが，代表取締役としては員数を欠くこととならず，代表取締役の資格喪失による退任登記のみ申請する場合には添付を要することとなる。

代表取締役Ａは，上述のとおり，令和４年３月25日の定時株主総会の終結時に，代表取締役の前提資格である取締役を任期満了により退任し，同時に再び取締役に就任しているが，代表取締役としては，同日をもって退任することとなる。

したがって，令和４年３月25日付けで，退任登記を申請することができる。

＜添付書面＞

代表取締役Ａの退任登記の添付書面に関しては，前提資格である取締役としての重任登記と一括申請する場合であるので，別途代表取締役としての退任を証する書面を添付することを要しない。

9−3 取締役Ａ（重任）

＜申請書記載例＞

１．事　取締役の変更
１．登　○年○月○日取締役○○重任
１．税　金３万円（登録税別表1.24.(1)カ）
　　　（但し，資本金の額が１億円以下の会社については，金１万円）
１．添　株主総会議事録　１通（商登46Ⅲ）
　　　株主の氏名又は名称，住所及び
　　　議決権数等を証する書面　１通（商登規61Ⅲ）
　　　就任を承諾したことを証する書面　１通（商登54Ⅰ）
　　　委任状　１通（商登18）

前提の知識

① **重任**

任期満了と同時に再選され就任した場合を，登記の実務上「重任」という。したがって，このような場合には，退任の旨及び就任した旨を重ねて記載するのではなく，重任した旨を記載することとなる。

株式譲渡制限の定めを廃止する定款変更により取締役が退任した場合において，当該株主総会で同一人が取締役に再任されたときの登記の原因は，「重任」としてよい（平18.6.14日司連発279号「会社法等の施行に伴う商業登記実務についてのＱ＆Ａ」Q11）。

② **株主総会の決議の省略**

取締役又は株主が株主総会の目的である事項について提案をした場合において，当該提案につき株主（当該事項について議決権を行使することができるものに限る。）の全員が書面又は電磁的記録により同意の意思表示をしたときは，当該提案を可決する旨の株主総会の決議があったものとみなされる（会社319Ⅰ）。この場合，株主総会は現実には開かれるわけではないため，株主総会の招集手続は不要である。

株式会社は，株主総会の決議があったものとみなされた日から10年間，上記の書面又は電磁的記録をその本店に備え置かなければならない（会社319Ⅱ）。また，株主総会の決議があったものとみなされた場合，次の事項を内容とする株主総会議事録を作成しなければならない（会社施規72Ⅳ①）。

⑴ 株主総会の決議があったものとみなされた事項の内容

⑵ ⑴の事項の提案をした者の氏名又は名称

⑶ 株主総会の決議があったものとみなされた日

⑷ 議事録の作成に係る職務を行った取締役の氏名

9－3－1 決議権限

別紙4より，取締役Aの提案に基づき，株主総会において決議があったものとみなされているため，決議機関は適法である（会社319Ⅰ・329Ⅰ）。

9－3－2 決議形式

別紙4より，議決権を行使することができる株主全員に対して株主総会の決議の目的である取締役の選任について提案書を発し，当該提案につき株主の全員から書面により同意の意思表示を得ているため，適法である（会社319Ⅰ）。

9－3－3 決議内容

別紙4より，取締役としてAを選任している。

⑴ 資格制限

資格制限に抵触する事実は示されていないため，適法である。

⑵ 員数制限

員数制限に抵触する事実は示されていないため，適法である。

⑶ 重任・予選の可否

問題文（答案作成に当たっての注意事項）及び別紙1より，Aは令和2年3月27日に選任され，同日就任している。問題文（答案作成に当たっての注意事項）及び別紙2より，Aは，選任後2年以内に終了する事業年度のうち最終のものに関する定時株主総会の終結の時に任期が満了し退任するはずであった。しかし，同定時株主総会において，Aが再度取締役に選任され，問題文（答案作成に当たっての注意事項）より，就任承諾は適法に得られているため，同日付けで重任登記を申請することとなる。

なお，Aは，令和4年3月25日の定時株主総会の終結の時まで任期があるため，当該定時株主総会における選任決議は，予選と解されるが，選任の効力が生ずるまでの期間も短期間であり，予選することについて合理性を欠くような事実も示されていないことから，可能である。

9−3−4　就任承諾

問題文（答案作成に当たっての注意事項）より，被選任者の就任承諾は，選任された日に適法に得られ，その旨の書面が調えられているため，令和４年３月25日に就任の効力が生ずる。

9−3−5　添付書面

会社法319条１項の規定に基づき株主総会の決議の省略を行ったので，会社法施行規則72条４項１号の規定により作成された令和４年３月25日付けの「(定時)株主総会議事録」を添付する（商登46Ⅲ）。

登記すべき事項につき株主総会の決議を要するため「株主の氏名又は名称，住所及び議決権数等を証する書面」を添付する（商登規61Ⅲ）。

Ａの「取締役の就任を承諾したことを証する書面」を添付する（商登54Ⅰ）。

9−4　取締役Ｇ（就任）

＜申請書記載例＞

１．事　取締役の変更
１．登　○年○月○日次の者就任
　　　　　取締役　○○
１．税　金３万円（登録税別表1.24.(1)カ）
　　　　（但し，資本金の額が１億円以下の会社については，金１万円）
１．添　株主総会議事録　１通（商登46Ⅲ）
　　　　株主の氏名又は名称，住所及び
　　　　議決権数等を証する書面　１通（商登規61Ⅲ）
　　　　就任を承諾したことを証する書面　１通（商登54Ⅰ）
　　　　本人確認証明書　１通（商登規61Ⅶ）
　　　　委任状　１通（商登18）

前提の知識

取締役及び監査役の就任登記の添付書面

取締役及び監査役の就任登記の添付書面は，原則として，（種類）株主総会議事録（商登46Ⅱ）及び就任を承諾したことを証する書面（商登54Ⅰ）である。また，取締役及び監査役の就任（再任を除く。）による変更の登記の申請書には，取締役又は監査役が就任を承諾したことを証する書面に記載した取締役又は監査役の氏名及び住所と同一の氏名及び住所が記載されている市町村長その他の公務員が職務上作成した証明書（当該取締役又は監査役が原本と相違がない旨を記載した謄本を含む。以下「本人確認証明書」という。）を添付しなければならない。ただし，登記の申請書に商業登記規則61条４項，５項又は６項の規定により，当該取締役及び監査役の印鑑につき市町村長の作成した証明書を添付する場合は，当該書面の添付は不要である（商登規6Ⅶ但書）。

なお，株主総会議事録に取締役又は監査役が席上就任を承諾した旨の記載がある場合には，当該株主総会議事録が就任を承諾したことを証する書面となるため，就任を承諾したことを証する書面を別途添付することを要しない。これは，（種類）株主総会議事録は，議事の経過の要領及びその結果を記載すべきものとされた法定の書面であること（会社318Ⅰ，会社施規72Ⅲ②），並びに議事録の不実記載については過料の対象にされていることから（会社976⑦），記載の信用性は担保されているためである。ただし，就任を承諾したことを証する書面に記載した取締役又は監査役の氏名及び住所についての本人確認証明書の添付を要する場合には，席上就任を承諾した旨の記載があり，かつ被選任者の住所の記載がされていなければ，議事録の記載を援用することはできない(平27.2.20民商18号通達)。

9−4−1　決議権限

別紙４より，取締役Ａの提案に基づき，株主総会において決議があったものとみなされているため，決議機関は適法である（会社319Ⅰ・329Ⅰ）。

9−4−2　決議形式

別紙４より，議決権を行使することができる株主全員に対して株主総会の決議の目的である取締役の選任について書面にて提案したところ，当該提案につき株主の全員から書面により同意の意思表示を得ているため，適法である（会社319Ⅰ）。

9−4−3　決議内容

別紙４より，取締役としてＧを選任している。

(1)　資格制限

資格制限に抵触する事実は示されていないため，適法である。

(2)　員数制限

員数制限に抵触する事実は示されていないため，適法である。

9−4−4　就任承諾

問題文（答案作成に当たっての注意事項）より，被選任者の就任承諾は，選任された日に適法に得られ，その旨の書面が調えられているため，令和４年３月25日に就任の効力が生ずる。

9−4−5　社外取締役である旨の登記の要否

社外取締役である旨については，①特別取締役による議決の定めがある場合，又は②監査等委員会設置会社及び指名委員会等設置会社である場合以外は，登記する必要はない（会社911Ⅲ㉑・㉒・㉓）。

別紙４より，Ｇは社外取締役として選任されているものの，別紙１及び２より，申請会社は，特別取締役による議決の定めはなく，また，監査等委員会設置会社及び指名委員会等設置会社でもないため，社外取締役である旨の登記を申請する必要はない。

9−4−6　添付書面

会社法319条１項の規定に基づき株主総会の決議の省略を行ったので，会社法施行規則72条４項１号の規定により作成された令和４年３月25日付けの「(定時)株主総会議事録」を添付する（商登46Ⅲ)。

登記すべき事項につき株主総会の決議を要するため「株主の氏名又は名称，住所及び議決権数等を証する書面」を添付する（商登規61Ⅲ)。

Ｇの「取締役の就任を承諾したことを証する書面」を添付する（商登54Ⅰ)。

Ｇの「本人確認証明書」を添付する（商登規61Ⅶ)。

9−5　代表取締役Ａ（就任）

＜申請書記載例；取締役会設置会社＞

１．事　代表取締役の変更
１．登　○年○月○日次の者就任
　　　　○県○市○町○丁目○番○号
　　　　　代表取締役　○○
１．税　金３万円（登録税別表1.24.⑴カ）
　　　　（但し，資本金の額が１億円以下の会社については，金１万円）
１．添　定款　１通（商登規61Ⅰ）
　　　　取締役会議事録　１通（商登46Ⅲ）
　　　　就任を承諾したことを証する書面　１通（商登54Ⅰ）
　　　　委任状　１通（商登18）

前提の知識

代表取締役の就任登記の添付書面

取締役会設置会社において，代表取締役の就任登記の添付書面は，取締役会議事録（商登46Ⅱ）とこれに関する印鑑証明書（商登規61Ⅵ③）及び就任を承諾したことを証する書面（商登54Ⅰ）とこれに関する印鑑証明書（商登規61Ⅴ・Ⅳ）である。

なお，取締役会議事録及び就任を承諾したことを証する書面について印鑑証明書を添付する場合，当該書面についての押印は市町村長の証明を得ることができる実印によりされていないと印鑑証明書が添付できず，申請は却下されることとなる（商登24⑦）。

そして，就任を承諾したことを証する書面について取締役会議事録の記載を援用するためには，当該議事録に代表取締役として選定された者が議場において就任承諾した旨の記載があるのみでは足らず，その者の印鑑についての証明書が添付できなければならない。しかし，就任を承諾したことを証する書面に関する印鑑証明書を添付することを要しない場合には，単に選定された者が議場において就任承諾した旨の記載があれば，取締役会議事録の記載を援用することができる。

9－5－1　定款の定め

取締役会の決議を省略する方法（いわゆる書面決議等）を用いるためには，定款の定めが必要である（会社370）。

別紙２より，申請会社の定款には取締役会の決議の省略に関する規定が定められている。

9－5－2　取締役会の決議の省略

別紙１及び２より，申請会社は取締役会設置会社である。したがって，取締役会の決議により，代表取締役の選定をすることができる（会社362Ⅱ③）。

別紙５より，取締役会の決議の省略に関する定款規定に基づき，取締役Ｃが，取締役全員に対して取締役会の決議の目的である事項について書面にて提案したところ，当該提案につき，取締役の全員が同意の意思表示を，監査役の全員が異議を述べない旨の意思表示を，各々書面で行い，会社法370条に基づき，当該提案を可決する旨の取締役会の決議があったものとみなされた旨の議事録が作成されているため，代表取締役の選定は，適法に行われたと判断することができる。

9－5－3　取締役会の決議があったものとみなされた事項の内容

別紙５より，代表取締役としてＡを選定している。

⑴ 資格制限

前述のとおり，Ａは，令和４年３月30日に取締役会の決議があったものとみなされた時点において，取締役として在任中であり（役員等の概要参照），代表取締役としての前提資格を有しているため，適法である。

⑵ 員数制限

員数制限に抵触する事実は示されていないため，適法である。

9−5−4 就任承諾

別紙６より，被選定者は，令和４年３月30日付けで就任承諾書を申請会社に提出しているため，令和４年３月30日に就任の効力が生ずる。

9−5−5 添付書面

⑴ 定款

取締役会の決議を省略する旨の定款規定があることを証するため，「定款」を添付する（商登規61Ⅰ）。

⑵ 選定を証する書面及びこれに関する印鑑証明書

㈠ 取締役会議事録（商登46条３項）

Ａを代表取締役に選定している旨が記載されている令和４年３月30日付けの「取締役会議事録」を添付する。

㈡ 印鑑証明書の添付の要否（商登規61条６項３号）

別紙14より，取締役会議事録に代表取締役であるＣが登記所に提出している印鑑と同一の印鑑を押印しているため，取締役会議事録に押印した印鑑についての証明書を添付することを要しない。

⑶ 就任を承諾したことを証する書面及びこれに関する印鑑証明書

㈠ 就任を承諾したことを証する書面（商登54条１項）

別紙６より，Ａは令和４年３月30日付けで就任承諾書を申請会社に提出している。

したがって，就任を承諾したことを証する書面として，令和４年３月30日付けの就任承諾書を添付する。

㈡ 印鑑証明書添付の要否（商登規61条５項・４項）

Ａは再任であるため（役員等の概要参照），就任を承諾したことを証する書面に印鑑についての証明書を添付することを要しない。

なお，「再任」には，辞任等で取締役を退任した代表取締役が当該登記の未了の間に取締役・代表取締役として再選された場合も含まれる。

10 株式の消却（問２の検討）

結論

本問の場合，**令和４年７月３日**付けで，**発行済株式の総数を２万7,000株，発行済各種の株式の数を普通株式２万7,000株**と**変更**する旨の登記を申請することができる。

前提の知識

> **株式の消却**
> 株式会社は，自己株式を消却することができる。この場合においては，消却する自己株式の数（種類株式発行会社にあっては，自己株式の種類及び種類ごとの数）を定めなければならない（会社178Ⅰ）。
> 株式会社は，取締役が１人の場合には，取締役の決定により，取締役が複数いる場合には，取締役の過半数の一致により（会社348Ⅰ・Ⅱ），当該決定をすることができる。取締役会設置会社においては，取締役会の決議によらなければならない（会社178Ⅱ）。

別紙５より，申請会社は，令和４年４月15日付けで甲種類株式の全部を取得することとしているところ，申請会社の発行済甲種類株式の数は１万株であるから，取得条項付株式の取得の効力が生じた日に自己株式として甲種類株式１万株を取得していることとなる。

そして問題文問２より，申請会社は令和４年７月３日開催の取締役会において保有する自己株式の処分の方法について検討したところ，処分をせずに，自己株式の全部につき，同日をもって消却することが決議されたことから，登記すべき事項として，

「令和４年７月３日変更
　発行済株式の総数　２万7,000株
　発行済各種の株式の数　普通株式　２万7,000株
　　　　　　　　　　　　甲種類株式　　　０株」

と記載して，登記を申請することとなる。

11 社員の加入に伴う資本金の額の増加

結論

本問の場合，**令和４年４月20日**付けで，**資本金の額を金1,280万円**と**変更**する旨の登記を申請することができる。

1．事	資本金の額の増加		
1．登	○年○月○日変更		
	資本金の額　金○円		
1．税	資本金の額×７／1,000（登録税別表1.24.⑴ニ）		
	（但し，計算額が３万円未満のときは金３万円）		
1．添	総社員の同意書	１通	（商登118・93・96Ⅰ）
	払込みがあったことを証する書面	１通	（商登119）
	決定書	１通	（商登118・93）
	委任状	１通	（商登18）

前提の知識

社員の加入に伴う資本金の額の増加の変更登記

合同会社においては，社員の新たな出資による加入により，資本金の額の増加をさせることができ，資本金の額は，原則として，当該出資により払込み又は給付がされた財産の範囲内で，合同会社が計上するものと定めた額が増加する（会社計規30Ⅰ①）。

この場合において，資本金の額の変更の登記を申請するときの添付書面は次のとおりである（商登118・93・96Ⅰ・119，商登規92・61Ⅸ）。

①社員の加入に係る総社員の同意があったことを証する書面

②増加すべき資本金の額につき業務を執行する社員の過半数の一致があったことを証する書面

③資本金の額が会社法及び会社計算規則の規定に従って計上されたことを証する書面

※出資に係る財産が金銭のみの場合は，当分の間，添付を要しない（平19.1.17民商91号）

④出資に係る払込み又は給付があったことを証する書面

なお，加入した社員が業務を執行する社員である場合には，その加入の登記も要するため，定款変更に係る新たな社員を含む総社員の同意を証する書面を添付しなければならない。

11－1 決議権限

別紙11より，総社員の同意により加入する社員に係る定款変更をしており，適法である（会社604Ⅱ）。

また，別紙13より，業務執行社員の決定により，増加する資本金の額を決定しており，適法である（会社計規30Ⅰ①，会社591Ⅰ）。

11－2 同意・決定内容

別紙11より，令和４年４月18日付けで，社員Ｎが加入する定款変更につき総社員の同意を得ている。

また，別紙13より，加入した社員Ｎが出資した金200万円のうち，金80万円を増加すべき資本金の額とする旨の決定をしている。

11－3 効力発生日

別紙15より，社員Ｎが出資全額の払込みをした令和４年４月20日に資本金の額が増加する効力が生ずる（会社604Ⅲ）。

11－4 添付書面

加入の事実を証する書面として，「総社員の同意を証する書面」を添付する（商登118・96Ⅰ）。

社員Ｎが出資全額の払込みをしたことを証する書面として，「払込みがあったことを証する書面」を添付する（商登119）。

また，増加すべき資本金の額につき業務執行社員の過半数の一致があったことを証する書面として，「決定書」を添付する（商登118・93）。

12 代表社員の住所変更

結論

本問の場合，**令和４年３月30日**付けで，**代表社員株式会社ホームショーの本店**を，**東京都品川区みなと１番地**と**変更**する旨の登記を申請することができる。

1．事　代表社員の住所変更	
1．登　○年○月○日代表社員○○の本店移転 ○県○市○町○丁目○番○号 代表社員　○○ ○県○市○町○丁目○番○号 職務執行者　○○	
1．税　金１万円（登録税別表1.24.(1)カ） （但し，資本金の額が金１億円を超える場合は金３万円）	
1．添　登記事項証明書	１通（商登118・96Ⅱ）
委任状	１通（商登18）

前提の知識

代表社員の住所の変更登記

合同会社を代表する社員の住所は登記事項であり，代表社員につき住所の変更があったときは，代表社員の住所の変更の登記をしなければならない。

なお，代表社員が法人である場合において，本店の変更の登記の申請をするときは，当該法人の登記事項証明書を添付しなければならない（商登118·96Ⅱ）。

ただし，当該登記所の管轄区域内に当該法人の本店又は主たる事務所がある場合や，他管轄でも会社法人等番号を提供した場合は，登記事項証明書の添付は不要である（商登118・96Ⅱ・19の３）。

別紙５及び15より，代表社員の株式会社ホームショーは，令和４年３月30日に本店移転をしており，その旨が株式会社ホームショーからエッフェル合同会社の社員全員に対し連絡され，エッフェル合同会社の代表者から司法書士デービス優希に対し，必要な登記を申請するよう依頼がされている。

合同会社においては，代表社員の氏名，名称及び住所は登記事項であるため，令和４年３月30日付けで代表社員の住所を変更する旨の登記を申請することとなる。

<添付書面>

本問の場合，問題文（答案作成に当たっての注意事項）より，エッフェル合同会社の本店の管轄登記所と株式会社ホームショーの本店の管轄登記所が異なっている。

また，問題文（答案作成に当たっての注意事項）より，「会社法人等番号を記載することによる登記事項証明書の添付の省略はしない」とされているため，株式会社ホームショーの「登記事項証明書」を添付することとなる。

13 業務執行社員の変更

結論

本問の場合，**令和４年４月18日**付けで，エッフェル合同会社の業務を執行しない社員であるMに対し，**業務執行権**を**付与**する旨の**変更**登記を申請することができる。

１．事　業務執行社員の変更
１．登　○年○月○日業務執行権付与
　　　　　業務執行社員　○○
１．税　金１万円（登録税別表1.24.(1)カ）
　　　　(但し，資本金の額が金１億円を超える場合は金３万円)
１．添　定款　　１通（商登規92・82）
　　　　総社員の同意書　　１通（商登118・93）
　　　　委任状　　１通（商登18）

前提の知識

業務執行社員の変更登記

社員は，原則として，各自業務執行社員となるが，定款に直接業務執行社員の氏名・名称を記載する方法や，総社員の同意によりこれを定める旨の定款の定めに従い選任する方法等により，社員の中から業務執行社員を定めることもできる（会社590Ⅰ）。

合同会社は，業務を執行しない社員は登記事項とはされていないため，当該社員を業務執行社員に選任した場合は，当該社員に業務執行権付与の登記をする。

別紙10及び11より，令和４年４月18日付けのエッフェル合同会社は定款の定めに従い，総社員の同意により，社員Mを業務執行社員に選任している。合同会社においては，業務執行社員の氏名・名称は登記事項であり，業務を執行しない社員が業務執行社員となった場合には，業務執行社員の氏名・名称及び変更年月日の登記を申請することとなる。よって，エッフェル合同会社は令和４年４月18日付けで社員Mに業務執行権を付与する旨の登記を申請することとなる。

<添付書面>

定款の定めに従い，業務執行社員を選任していることから,「定款」を添付する（商登規92・82）。

「総社員の同意を証する書面」を添付する（商登118・93）。

14 業務執行社員の退社及び代表社員の変更

結論

本問の場合，**令和４年４月25日**付けで，**業務執行社員**Ｈの**退社**及び**代表社員**Ｈが**退任**する旨の**変更**登記を申請することができる。

1．事	業務執行社員の退社及び代表社員の変更	
1．登	○年○月○日業務執行社員○○退社 ○年○月○日代表社員○○退任	
1．税	金１万円（登録税別表1.24.⑴カ） （但し，資本金の額が金１億円を超える場合は金３万円）	
1．添	総社員の同意書	１通（商登118・93）
	持分譲渡契約書	１通（商登118・96Ⅰ）
	委任状	１通（商登18）

前提の知識

持分の譲渡による退社の登記

合同会社の業務を執行する社員が持分の全部を譲渡した場合，退社した旨及びその年月日を登記する。

当該登記の申請は，退社の事実を証する書面として，「持分譲渡契約書」を添付する（商登118・96Ⅰ）。

また，会社を代表する社員が社員たる地位を失った場合，代表社員の退任の登記を申請する。

なお，持分を譲り受けた者が，業務を執行しない社員となる場合においては，当該社員の加入の登記は要しない。

14－1 決議権限

別紙11より，総社員の同意により加入する社員に係る定款変更をしており，適法である（会社604Ⅱ）。

14－2 同意・契約内容

別紙11より，令和４年４月25日をもって，社員Ｈがその持分の全部をＰに譲渡して退社し，これを譲り受けたＰは同時に加入する定款変更につき総社員の同意を得ている。

また，別紙12より，社員Ｈの持分の全部をＰに譲渡し，社員Ｈが退社し譲受人Ｐが加入する持分の譲渡の契約が締結されている。

14－3 効力発生日

別紙12及び15より，譲渡の期日とされている令和４年４月25日までに手続は完了しているため，令和４年４月25日に業務執行社員Ｈの退社及び代表社員Ｈの退任の効力が生ずる（会社604Ⅲ）。

なお，別紙11より，Ｐは業務を執行しない社員として加入するため，Ｐの加入の登記は申請することを要しない。

14－4 添付書面

「総社員の同意を証する書面」を添付する（商登118・93）。

退社の事実を証する書面として,「持分譲渡契約書」を添付する（商登118･96Ⅰ）。

15 社員の持分の譲渡（問４の検討）

結論

本問の場合，業務を執行しない有限責任社員Ｌの持分の全部をＱに譲渡することにつき，株式会社ホームショー，Ｈ，Ｋ，Ｍの承諾が必要となる。

前提の知識

業務を執行しない有限責任社員の持分の譲渡

社員がその持分を全部又は一部を他人に譲渡するには，他の社員の全員の承諾を要する。ただし，業務を執行しない有限責任社員の持分の譲渡については，会社の信用や経営に重大な影響を生ずることが少ないため，業務を執行する社員の全員の承諾で足りる（会社585Ⅱ）。

別紙13より，有限責任社員Ｌがその持分の全部をＱに譲渡することにつき承諾を得たのは，令和４年４月19日であることが分かる。別紙９及び11より，令和４年４月19日時点において，申請会社の業務執行社員は，株式会社ホームショー，H，K，Mであることが分かる。上述のように，業務を執行しない有限責任社員の持分の譲渡については，業務執行社員の全員の承諾で足りるから，第４欄には社員全員の氏名又は名称として，株式会社ホームショー，H，K，Mと記載することとなる。

第１欄

【登記の事由】
本店移転 資本金の額の減少 単元株式数の定めの廃止 取得条項付株式の取得と引換えにする株式の発行 取締役，代表取締役及び監査役の変更

【登記すべき事項】
令和４年３月30日本店移転 　本店　東京都品川区みなと１番地 令和４年３月31日変更 　資本金の額　金1,000万円 令和４年４月15日単元株式数の定め廃止 同日変更 　発行済株式の総数　３万7,000株　｝※ 　発行済各種の株式の数　普通株式　２万7,000株　｝※ 　　　　　　　　　　　　甲種類株式　１万株　｝※ 令和４年３月25日次の者退任 　取締役　B 　監査役　E 　代表取締役　A 同日取締役Ａ重任 同日取締役Ｇ就任 令和４年３月30日次の者就任 　東京都千代田区千代田１番地 　　代表取締役　A ※「発行済株式の総数並びに種類及び数」の柱書を記載しても誤りでないと解される。

【登録免許税額】
金９万円

【添付書面の名称及び通数】	
定款	１通
株主総会議事録	２通
株主の氏名又は名称，住所及び議決権数等を証する書面（株主リスト）	２通
取締役会議事録	２通
公告及び催告をしたことを証する書面	２通 ※
異議を述べた債権者に対し弁済したことを証する書面	１通
取締役Ａの就任を承諾したことを証する書面	１通
代表取締役Ａの就任を承諾したことを証する書面	１通
取締役Ｇの就任を承諾したことを証する書面	１通
本人確認証明書	１通
委任状	１通
※「公告をしたことを証する書面　１通」 「催告をしたことを証する書面　１通」と記載しても誤りでないと解される。	

第２欄

令和４年７月３日変更
発行済株式の総数　２万7,000株
発行済各種の株式の数　普通株式　２万7,000株
甲種類株式　０株 ※２
（以上 ※１）

※１「発行済株式の総数並びに種類及び数」の柱書を記載しても誤りでないと解される。
※２「甲種類株式　０株」を記載しない場合でも誤りでないと解される。

第３欄

【登記の事由】
代表社員の住所変更 業務執行社員の変更 業務執行社員の退社及び代表社員の変更 資本金の額の増加

【登記すべき事項】
令和４年３月30日代表社員株式会社ホームショーの本店移転 　東京都品川区みなと１番地 　代表社員　株式会社ホームショー 　東京都千代田区千代田１番地 　職務執行者　A 令和４年４月18日業務執行権付与 　業務執行社員　M 令和４年４月25日業務執行社員H退社 同日代表社員H退任 令和４年４月20日変更 　資本金の額　金1,280万円

【登録免許税額】
金４万円

【添付書面の名称及び通数】	
定款	１通
総社員の同意書	１通
持分譲渡契約書	１通
払込みがあったことを証する書面	１通
決定書	１通
登記事項証明書	１通
委任状	１通

第４欄

株式会社ホームショー，H，K，M

問題　令和３年

本問題の日付は、出題当時の本試験問題に合わせておりますが、法令等については、令和７年４月１日時点において施行されているもの（本書作成時点において施行予定のものを含む。）を適用した上で、解答を作成してください。

司法書士法務希は，令和３年４月１日に事務所を訪れたアポロ株式会社の代表者から，別紙１から別紙５までの書類のほか，登記申請に必要な書類の提示を受けて確認を行い，別紙８のとおり事情を聴取し，登記すべき事項や登記のための要件などを説明した。そして，司法書士法務希は，アポロ株式会社の代表者から必要な登記の申請書の作成及び登記申請の代理の依頼を受けた。

また，司法書士法務希は，同年７月１日に事務所を訪れたアポロ株式会社の代表者から，別紙６及び別紙７の書類のほか，登記申請に必要な書類の提示を受けて確認を行い，別紙９のとおり事情を聴取し，登記すべき事項や登記のための要件などを説明した。そして，司法書士法務希は，アポロ株式会社の代表者から必要な登記の申請書の作成及び登記申請の代理の依頼を受けた。

司法書士法務希は，これらの依頼に基づき，登記申請に必要な書類の交付を受け，管轄登記所に対し，同年４月２日及び同年７月２日にそれぞれの登記の申請をすることとした。

以上に基づき，次の問１から問３までに答えなさい。

問１　令和３年４月２日に司法書士法務希が申請した登記のうち，当該登記の申請書に記載すべき登記の事由，登記すべき事項，登録免許税額並びに添付書面の名称及び通数を答案用紙の第１欄に記載しなさい。ただし，登録免許税額の内訳については，記載することを要しない。

問２　令和３年７月２日に司法書士法務希が申請した登記のうち，当該登記の申請書に記載すべき登記の事由，登記すべき事項，登録免許税額並びに添付書面の名称及び通数を答案用紙の第２欄に記載しなさい。ただし，登録免許税額の内訳については，記載することを要しない。

問３　アポロ株式会社の代表者から受領した書類及び聴取した内容のうち，登記することができない事項（法令上登記すべき事項とされていない事項を除く。）がある場合には，当該事項及びその理由を答案用紙の第３欄に記載しなさい。

登記することができない事項がない場合には，答案用紙の第３欄【登記することができない事項】部分に「なし」と記載しなさい。

（答案作成に当たっての注意事項）

1　アポロ株式会社の定款には，別紙１から別紙９までに現れている以外には，会社法の規定と異なる定めは，存しないものとする。

2　アポロ株式会社は，設立以来，最終事業年度に係る貸借対照表の負債の部に計上した額の合計額が200億円以上となったことはないものとする。

3　東京都千代田区は東京法務局，東京都港区は東京法務局港出張所，東京都渋谷区は東京法務局渋谷出張所の管轄である。

4　別紙中，（略）と記載されている部分及び記載が省略されている部分は，いずれも有効な記載があり，令和３年３月23日開催の定時株主総会は同日適法に終結している。

5　令和３年３月23日及び同年６月30日に開催された株主総会で決議された事項は，いずれも普通株式を有する株主に損害を及ぼすおそれはないものとする。

6　被選任者及び被選定者の就任承諾は，選任され，又は選定された日に適法に得られているものとする。

7　登記申請書の添付書面については，全て適式に調えられており，所要の記名・押印がされているものとする。

8　登記の申請に伴って必要となる印鑑の提出手続は，適式にされているものとする。

9　登記申請書の添付書面については，他の書面を援用することができる場合には，これを援用しなければならない。

10　登記申請書の添付書面のうち，就任承諾を証する書面を記載する場合には，資格を特定して記載すること（氏名の記載は要しない。）。

11　新株予約権に関する登記を申請すべき場合には，登記すべき事項の新株予約権に関する事項のうち，新株予約権の名称について，記載することを要しない。

12　申請書に会社法人等番号を記載することによる登記事項証明書の添付の省略は，しないものとする。

13　登記申請書の添付書面のうち，種類株主総会議事録を記載する場合には，どの種類の株式の種類株主を構成員とする種類株主総会の議事録かが明らかになるように記載すること。

14　登記申請書の添付書面のうち，株主の氏名又は名称，住所及び議決権数等を証する書面（株主リスト）を記載する場合において，各議案を通じて株主リストに記載する各株主についての内容が変わらないときは，その通数は開催された総会ごとに１通を添付するものとする。

15　数字を記載する場合には，算用数字を使用すること。

16　答案用紙の**各欄に記載する文字は字画を明確に**し，訂正，加入又は削除をするときは，訂正は訂正すべき字句に線を引き，近接箇所に訂正後の字句を記載し，加入は加入する部分を明示して行い，削除は削除すべき字句に線を引いて，訂正，加入又は削除をしたことが明確に分かるように記載すること。ただし，押印や字数を記載することは要しない。

別紙１
【令和３年３月23日現在のアポロ株式会社に係る登記記録の抜粋】

商号　アポロ株式会社
本店　東京都千代田区甲町１番地
公告をする方法　当会社の公告方法は，官報に掲載してする。
会社成立の年月日　平成20年７月１日
目的　１．チョコレートの製造販売
　　　２．月輸送システムの構築
　　　３．前各号に附帯する一切の業務
発行可能株式総数　８万株
発行済株式の総数並びに種類及び数
　発行済株式の総数
　　３万株
　各種の株式の数
　　普通株式　３万株
資本金の額　金３億円
発行可能種類株式総数及び発行する各種類の株式の内容
　普通株式　７万株
　優先株式　１万株
　１　剰余金の配当
　　優先株式の株主は，毎事業年度において，普通株式の株主に先立ち，１株につき年30円の剰余金の配当を受ける。
　２　議決権
　　優先株式の株主は，株主総会において議決権を有しない。
株式の譲渡制限に関する規定
　当会社の株式を譲渡により取得する場合は，取締役会の承認を受けなければならない。
役員に関する事項　取締役　Ａ　　令和２年３月20日重任
　取締役　Ｂ　　令和２年３月20日重任
　取締役　Ｃ　　令和２年３月20日重任
　東京都江東区北町一丁目２番３号
　代表取締役　Ａ　令和２年３月20日重任
　監査役　Ｄ　　平成30年３月22日重任
　会計監査人　　山田つばさ　　令和２年３月20日重任
取締役会設置会社に関する事項　取締役会設置会社
監査役設置会社に関する事項　監査役設置会社
会計監査人設置会社に関する事項　会計監査人設置会社

別紙２
【令和３年３月23日現在のアポロ株式会社の定款の抜粋】

（商号）
第１条　当会社は，アポロ株式会社と称し，英文ではAPOLLO Co.，Ltd.と表記する。

（目的）
第２条　当会社は，次の事業を営むことを目的とする。
　１．チョコレートの製造販売
　２．月輸送システムの構築
　３．前各号に附帯する一切の業務

（本店の所在地）
第３条　当会社は，本店を東京都千代田区に置く。

（公告方法）
第４条　当会社の公告方法は，官報に掲載してする。

（機関）
第５条　当会社は，株主総会及び取締役のほか，次の機関を置く。
　１　取締役会
　２　監査役
　３　会計監査人

（発行可能株式総数）
第６条　当会社の発行可能株式総数は，８万株とする。

（発行可能種類株式総数及び発行する各種類の株式の内容）
第７条　当会社の発行する株式の発行可能種類株式総数及び発行する各種類の株式の内容は，以下のとおりとする。
　　普通株式　７万株
　　優先株式　１万株

１　剰余金の配当

優先株式の株主は，毎事業年度において，普通株式の株主に先立ち，１株につき年30円の剰余金の配当を受ける。

２　議決権

優先株式の株主は，株主総会において議決権を有しない。

（株式の譲渡制限）

第８条　当会社の株式を譲渡により取得する場合は，取締役会の承認を受けなければならない。

（種類株主総会）

第19条　種類株主総会の決議は，法令又はこの定款に別段の定めがある場合のほか，出席した議決権を行使することができる種類株主の議決権の過半数をもって決する。

（役員の員数）

第22条　当会社の取締役は，３名以上10名以内とする。

２　当会社の監査役は，１名以上３名以内とする。

（任期）

第24条　取締役の任期は，選任後２年以内に終了する事業年度のうち最終のものに関する定時株主総会の終結の時までとする。

２　監査役の任期は，選任後４年以内に終了する事業年度のうち最終のものに関する定時株主総会の終結の時までとする。

（事業年度）

第31条　当会社の事業年度は，毎年１月１日から同年12月31日までとする。

別紙３

【令和３年３月23日開催のアポロ株式会社の定時株主総会における議事の概要】

［報告事項］

第１号　事業報告の件

（略）

第２号　計算書類報告の件

（略）

［決議事項］

第１号議案　定款一部変更の件

次のとおり，定款の一部を変更することが諮られ，満場一致をもって可決承認された（下線は変更部分）。

変更前	変更後
（新設）	（株主名簿管理人） 第15条　当会社は，株主名簿及び新株予約権原簿（以下「株主名簿等」という。）の作成及び備置きその他株主名簿等に関する事務を取り扱わせるため，株主名簿管理人を置くものとする。
（招集） 第15条　＜条文省略＞	（招集） 第16条　＜現行どおり＞
以下　＜条文省略＞	以下　＜現行どおり＞ （条文番号繰下げ）

第２号議案　新株予約権発行の件

当会社の従業員に対する新株予約権の発行につき，下記要領にて募集事項の決定を取締役会に委任する旨が諮られ，満場一致をもって可決承認された。

1　新株予約権の総数，新株予約権の目的となる株式の数及び新株予約権の内容

(1)　新株予約権の総数

2000個を上限とする

(2) 新株予約権の目的たる株式の種類及び数又はその算定方法
当会社の優先株式２万株を上限とする
本新株予約権１個の目的である優先株式の数は，10株とする
(3) 募集新株予約権の内容
ア　新株予約権の目的たる株式の種類及び数又はその算定方法
新株予約権１個の目的である株式の数は，優先株式10株とする
イ　新株予約権の行使に際して出資される財産の価額又はその算定方法
新株予約権１個につき１万円
ウ　新株予約権を行使することができる期間
令和５年５月１日から令和10年４月30日まで
エ　新株予約権の行使の条件
新株予約権者が死亡した場合には，相続人はその権利を行使することができない
オ　新株予約権の行使により株式を発行する場合における増加する資本金及び資本準備金に関する事項
［増加する資本金の額］
会社計算規則第17条第１項の規定に従い算出される資本金等増加限度額の２分の１の金額(計算の結果１円未満の端数が生じたときは，その端数を切り上げる)
［増加する資本準備金の額］
上記の資本金等増加限度額から増加する資本金の額を減じた額
カ　譲渡による新株予約権の取得
譲渡による新株予約権の取得について当会社の承認を要する
キ　新株予約権証券の発行
新株予約権証券を発行する
ク　記名式と無記名式との間の転換
新株予約権証券は記名式とし，無記名式に転換をすることはできない
2　募集新株予約権の払込金額若しくはその算定方法又は払込を要しないとする旨
無償
3　その他の事項
その他の事項については，取締役会の決議によって定める

別紙４

【令和３年３月23日開催のアポロ株式会社の取締役会における議事の概要】

第１号議案　株主名簿管理人選定の件

株主名簿管理人につき，以下の者を選定する旨が諮られ，出席取締役全員の一致をもって可決承認された。

東京都港区乙町一丁目１番地
東証券代行株式会社　港支店
本店　東京都渋谷区丙町二丁目２番地

第２号議案　新株予約権発行の件

第１回新株予約権として下記のとおり募集新株予約権を発行する旨が諮られ，出席取締役全員の一致をもって可決承認された。

(1) 募集新株予約権の内容

ア　新株予約権の名称　第１回新株予約権

イ　新株予約権の目的たる株式の種類及び数又はその算定方法
新株予約権１個の目的である株式の数は，優先株式10株とする

ウ　新株予約権の行使に際して出資される財産の価額又はその算定方法
新株予約権１個につき１万円

エ　新株予約権を行使することができる期間
令和５年５月１日から令和10年4月30日まで

オ　新株予約権の行使の条件
新株予約権者が死亡した場合には，相続人はその権利を行使することができない

カ　新株予約権の行使により株式を発行する場合における増加する資本金及び資本準備金に関する事項

［増加する資本金の額］
会社計算規則第17条第１項の規定に従い算出される資本金等増加限度額の２分の１の金額(計算の結果１円未満の端数が生じたときは，その端数を切り上げる)

［増加する資本準備金の額］
上記の資本金等増加限度額から増加する資本金の額を減じた額

キ　譲渡による新株予約権の取得

　　譲渡による新株予約権の取得について当会社の承認を要する

ク　新株予約権証券の発行

　　新株予約権証券を発行する

ケ　記名式と無記名式との間の転換

　　新株予約権証券は記名式とし，無記名式に転換をすることはできない

(2)　募集新株予約権の数

　1500個

(3)　募集新株予約権の払込金額若しくはその算定方法又は払込を要しないとする旨

　無償

(4)　募集新株予約権を割り当てる日

　令和３年４月１日

(5)　割当

　第三者割当てとし，当会社の従業員である下記の者から申込みがあることを条件に下記のとおり割り当てる。

役職	氏名	新株予約権の個数
部長	甲	700
課長	乙	400
主任	丙	200
主任	丁	200

別紙５

【令和３年３月31日までに第１回新株予約権の引受けの申込みをした者及びその新株予約権の数】

役職	氏名	新株予約権の個数
部長	甲	700
課長	乙	400
主任	丙	200

別紙６
【令和３年６月30日開催のアポロ株式会社の臨時株主総会における議事の概要】

第１号議案　定款一部変更の件
定款第８条を下記のとおり変更する旨が諮られ，満場一致をもって可決承認された（下線は変更部分）。

変更前	変更後
（株式の譲渡制限） 第８条　当会社の株式を譲渡により取得する場合は，取締役会の承認を受けなければならない。	（株式の譲渡制限） 第８条　当会社の普通株式を譲渡により取得する場合は，取締役会の承認を受けなければならない。

第２号議案　取締役及び監査役選任の件
取締役４名及び監査役２名を選任することが諮られ，下記のとおり選任することが可決承認された。

取締役　E　　取締役　F
取締役　G　　取締役　H
監査役　I　　監査役　J

別紙７

【令和３年６月30日開催のアポロ株式会社の取締役会における議事の概要】

第１号議案　代表取締役選定の件
　代表取締役を選定することが諮られ，出席取締役全員の一致をもって下記のとおり選定することを可決承認した。
　　　　千葉県松戸市丁町三丁目４番１号　代表取締役　Ｇ
　なお，被選定者は，席上就任を承諾した。

第２号議案　支配人選任に関する件
　支配人の選任に関する事項の決定を代表取締役Ｇに委任することが諮られ，出席取締役全員の一致をもってこれを可決承認した。

別紙８

【司法書士法務希の聴取記録（令和３年４月１日）】

1　別紙１は，令和３年３月23日現在におけるアポロ株式会社の登記記録を抜粋したものである。

2　別紙２は，令和３年３月23日現在におけるアポロ株式会社の定款を抜粋したものである。

3　令和３年３月23日に開催されたアポロ株式会社の定時株主総会には議決権のある株主全員が出席し，その議事の概要は，別紙３に記載されているとおりである。

4　アポロ株式会社の令和３年３月23日に開催された定時株主総会の終結後直ちに開催された取締役会には，取締役及び監査役の全員が出席し，その議事の概要は，別紙４に記載されているとおりである。

5　アポロ株式会社と東証券代行株式会社との間において，令和３年４月１日付けで東証券代行株式会社を株主名簿管理人とし，その事務を港支店にて取り扱う旨の株式事務代行委託契約が締結された。

別紙９

【司法書士法務希の聴取記録(令和３年７月１日)】

1　令和３年６月18日，アポロ株式会社の従業員である主任丙が死亡した。

2　アポロ株式会社の令和３年６月30日に開催された臨時株主総会には，議決権のある株主全員が出席し，その議事の概要は別紙６に記載されているとおりである。

3　アポロ株式会社の令和３年６月30日に開催された臨時株主総会の終結後直ちに開催された取締役会には，取締役及び監査役の全員が出席し，その議事の概要は，別紙７に記載されているとおりである。また，別紙７の取締役会議事録に押されている印鑑は，全て市区町村に登録されている印鑑である。

4　代表取締役Ｇは，令和３年６月30日開催の取締役会の決議に基づき，同日，下記のとおり支配人を置くことを決定した。

　　埼玉県春日部市戊町５番６号

　　支配人　　Ｋ

　　支配人を置く営業所　　本店

MEMO

令和３年●答案用紙

第１欄

【登記の事由】

【登記すべき事項】

【登録免許税額】

【添付書面の名称及び通数】

第２欄

【登記の事由】

【登記すべき事項】

【登録免許税額】

【添付書面の名称及び通数】

第３欄

【登記することができない事項】
【理由】

[本問の重要論点一覧表]

出題範囲	重要論点	解説箇所
株主名簿管理人の設置	株主名簿管理人と会社との関係は委任関係であり，契約締結の時が設置の効力発生日となる。	P243参照
募集新株予約権の発行	非公開会社における第三者割当ての場合，株主総会の特別決議で，その委任に基づいて募集事項の決定をすることができる募集新株予約権の内容及び数の上限並びに払込金額の下限（又は払込みを要しないこととする場合には，その旨）を定めたときは，その後１年以内の日を割当日とする募集新株予約権の発行に関する具体的な募集事項の決定を，取締役（取締役会設置会社にあっては，取締役会）に委任することができる。	P246参照
	種類株式発行会社が第三者割当てにより募集新株予約権の発行をする場合において，募集新株予約権の目的である株式の種類の全部又は一部が譲渡制限株式であるときは，当該募集新株予約権に関する募集事項の決定の委任は，定款に別段の定めがある場合を除き，当該種類株主総会の特別決議がなければ，その効力を生じない。ただし，当該種類株主総会において議決権を行使することができる種類株主が存しない場合は，この限りでない。	P247参照
新株予約権の消滅	新株予約権者がその有する新株予約権を行使することができなくなったときは，当該新株予約権は消滅する。	P254参照
	新株予約権の行使不能による新株予約権の一部消滅の場合は，一部消滅後の新株予約権の数，新株予約権の目的である株式の種類及び数並びに変更年月日が登記すべき事項となる。	P254参照
株式の譲渡制限に関する規定の変更	全ての種類株式に株式の譲渡制限に関する規定が付されている種類株式発行会社において，一部の種類株式についてのみ当該規定を廃止した場合，その会社は公開会社となる。	P256参照

<table>
<tr><th>出題範囲</th><th>重要論点</th><th>解説箇所</th></tr>
<tr><td>支配人選任</td><td>支配人の選任は，取締役会の決議（非取締役会設置会社の場合は，取締役の過半数の一致）により行う必要があり，この決定は各取締役に委任することはできない。</td><td>P259
参照</td></tr>
<tr><td rowspan="3">役員等の変更</td><td>会計監査人が退任する定時株主総会で別段の決議がされなかったときは，会計監査人は当該定時株主総会で再任されたものとみなされる。</td><td>P261
参照</td></tr>
<tr><td>非公開会社が公開会社となる定款変更をした場合，役員は任期満了退任する。</td><td>P263
参照</td></tr>
<tr><td>就任を承諾したことを証する書面に記載した取締役又は監査役の氏名及び住所についての本人確認証明書（これに代わる印鑑証明書を含む。）の添付を要する場合には，席上就任を承諾した旨の記載があり，かつ被選任者の住所の記載がされていなければ，議事録の記載を援用することはできない。</td><td>P266
参照</td></tr>
</table>

1 役員等の概要

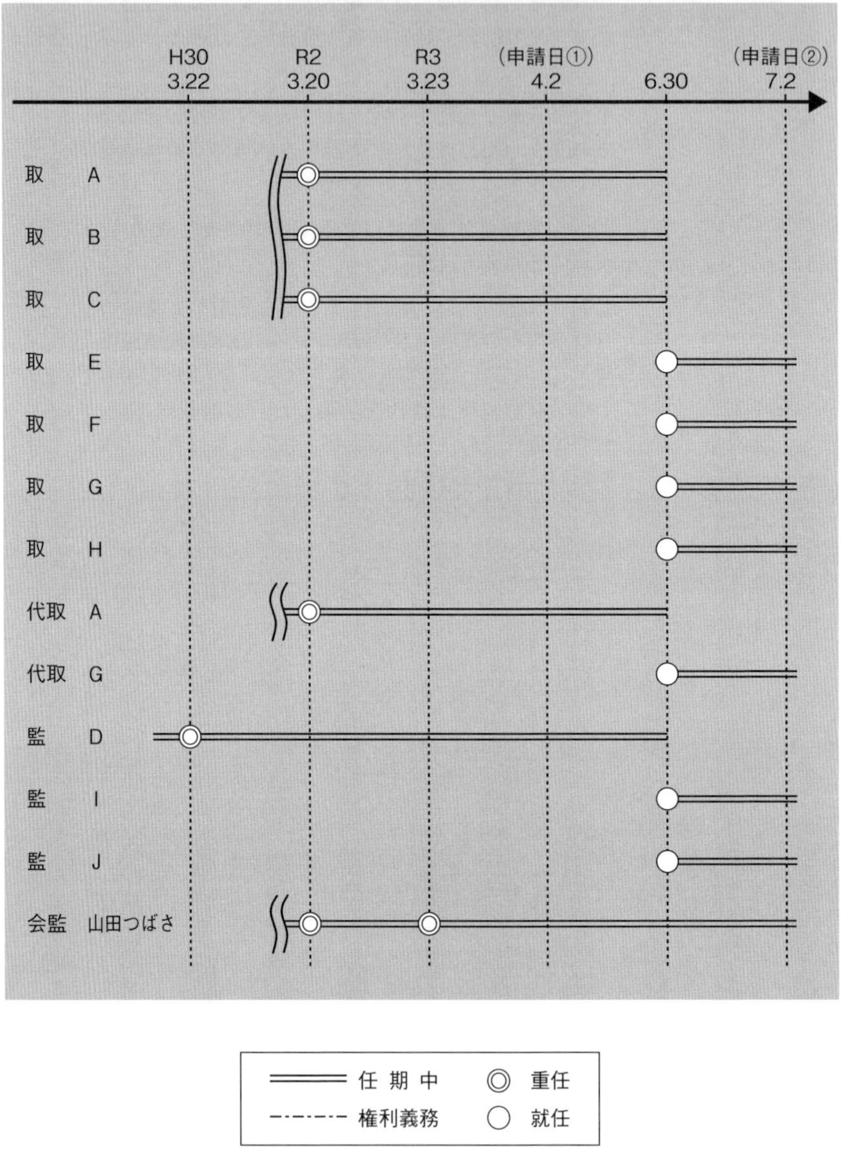

H30 3.22　R2 3.20　R3 3.23　(申請日①) 4.2　6.30　(申請日②) 7.2

取 A
取 B
取 C
取 E
取 F
取 G
取 H
代取 A
代取 G
監 D
監 I
監 J
会監 山田つばさ

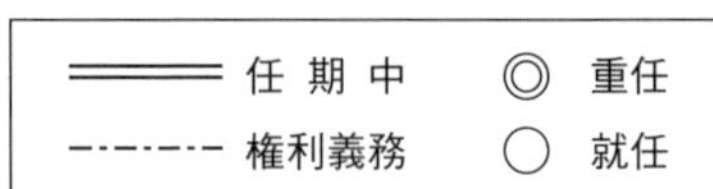

② 印鑑証明書及び本人確認証明書の通数

＜令和３年７月２日申請分＞

	印鑑証明書の添付を要する書面			本人確認証明書（商登規61条７項）
	就任承諾書（商登規61条４・５項）	選定証明書（商登規61条６項）	辞任届（商登規61条８項）	
取　A				
取　B				
取　C				
取　E		○		×（印）
取　F		○		×（印）
取　G		○		×（印）
取　H		○		×（印）
代取　A				
代取　G	○			
監　D				
監　I		○		×（印）
監　J		○		×（印）
合計	６通 ※			０通

※　同一人のものについては１通添付すれば足りる。

○…添付必要
×…添付不要
（届）…従前からの代表取締役の届出印で押印しているため
（再）…再任のため
（印）…商登規61条４項，５項又は６項の規定により印鑑証明書を添付するため

令和３年

3 株主の氏名又は名称，住所及び議決権数等を証する書面（株主リスト）の通数

3−1 株主の氏名又は名称，住所及び議決権数等を証する書面（株主リスト）の添付を要する場合等の検討

前提の知識

① **株主総会又は種類株主総会の決議を要する場合の株主の氏名又は名称，住所及び議決権数等を証する書面（株主リスト）**

登記すべき事項につき株主総会又は種類株主総会の決議を要する場合には，申請書に，総株主（種類株主総会の決議を要する場合にあっては，その種類の株式の総株主）の議決権（当該決議において，行使することができるものに限る。）の数に対するその有する議決権の数の割合が高いことにおいて上位となる株主であって，次に掲げる人数のうちいずれか少ない人数の株主の氏名又は名称及び住所，当該株主のそれぞれが有する株式の数（種類株主総会の決議を要する場合にあっては，その種類の株式の数）及び議決権の数並びに当該株主のそれぞれが有する議決権に係る当該割合を証する書面を添付しなければならない（商登規61Ⅲ）。

⑴　10名

⑵　その有する議決権の数の割合を当該割合の多い順に順次加算し，その加算した割合が３分の２に達するまでの人数

なお，当該決議には会社法319条１項の規定により決議があったものとみなされる場合が含まれる。

② **株主の氏名又は名称，住所及び議決権数等を証する書面（株主リスト）の通数**

株主の氏名又は名称，住所及び議決権数等を証する書面（株主リスト）は，一の登記申請で，株主総会の決議を要する複数の登記すべき事項について申請される場合には，当該登記すべき事項ごとに添付を要する（商登規61Ⅱ・Ⅲ）。

ただし，決議ごとに添付を要する当該書面に記載すべき内容が一致するときは，その旨の注記がされた当該書面が１通添付されていれば足りるとされている（平28.6.23民商98号第3.1⑵ｱ）。

なお，日本司法書士会連合会より，以下の見解も示されている（日司連発第790号）。

Q：複数の株主総会により，複数の登記事項が発生し，これらを一括して登記申請する場合，それぞれの株主総会議事録ごとに株主リストが必要ですか。

A：「株主リスト」に記載すべき株主は，当該株主総会において議決権を行使することができるものをいうから，複数の株主総会により，複数の登記事項が発生し，これらを一括して登記申請する場合には，登記すべき事項ごとに当該株主総会において議決権を行使することができる「株主リスト」を添付しなければならない。

ただし，一の株主総会において，複数の登記すべき事項について決議された場合において，各事項に関して株主リストに記載すべき事項が同一である場合には，その旨注記して，一の株主リストを添付すれば足りるとされている。

3−1−1　株主の氏名又は名称，住所及び議決権数等を証する書面（株主リスト）の添付を要する事項

問題文（答案作成に当たっての注意事項）より，株主の氏名又は名称，住所及び議決権数等を証する書面（株主リスト）を記載する場合において，各議案を通じて株主リストに記載する各株主についての内容が変わらないときは，その通数は開催された総会ごとに１通を添付すれば足りる。

第１欄

株主の氏名又は名称，住所及び議決権数等を証する書面の添付を要する株主総会	通数
<令和３年３月23日付け定時株主総会> 募集新株予約権に関する募集事項の決定の委任の件	１通

第２欄

株主の氏名又は名称，住所及び議決権数等を証する書面の添付を要する株主総会	通数
<令和３年６月30日付け臨時株主総会> 株式の譲渡制限に関する規定の変更の件 役員の変更の件	１通

4 登録免許税

＜令和３年４月２日申請分＞

<table>
<tr><th colspan="2">登記事項</th><th colspan="2">登録免許税</th></tr>
<tr><td colspan="2">募集新株予約権の発行分</td><td>金９万円</td><td>登録税別表
1.24.(1)ヌ</td></tr>
<tr><td colspan="2">役員等変更分</td><td>金３万円　※１</td><td>登録税別表
1.24.(1)カ</td></tr>
<tr><td>他の変更分</td><td>株主名簿管理人の設置</td><td>金３万円</td><td>登録税別表
1.24.(1)ツ</td></tr>
<tr><td colspan="2">合計</td><td colspan="2">金15万円　※２</td></tr>
</table>

＜令和３年７月２日申請分＞

<table>
<tr><th colspan="2">登記事項</th><th colspan="2">登録免許税</th></tr>
<tr><td colspan="2">役員変更分</td><td>金3万円　※1</td><td>登録税別表
1.24.(1)カ</td></tr>
<tr><td rowspan="2">他の変更分</td><td>株式の譲渡制限に関する
規定の変更</td><td rowspan="2">金３万円</td><td rowspan="2">登録税別表
1.24.(1)ツ</td></tr>
<tr><td>新株予約権の消滅</td></tr>
<tr><td colspan="2">合計</td><td colspan="2">金６万円　※２</td></tr>
</table>

※１　役員等変更の登録免許税額は金３万円であるが，資本金の額が１億円以下の会社の場合は金１万円である（登録税別表1.24.(1)カ）。

※２　異なる区分に属する数個の登記事項を同一の申請書で申請する場合には各登記の区分の税率を適用した計算金額の合計額となる（登録税18）。

5 株主名簿管理人の設置

結論

本問の場合，**令和３年４月１日付け**で，**株主名簿管理人**を**設置**する旨の登記を申請することができる。

<申請書記載例；取締役会設置会社・取扱場所（営業所）が支店の場合>

１．事　株主名簿管理人の設置
１．登　○年○月○日設置
　　　株主名簿管理人の氏名又は名称及び住所並びに営業所
　　　　○県○市○町○丁目○番○号
　　　　　○○株式会社　○○支店
　　　　本店　○県○市○町○丁目○番○号
１．税　金３万円（登録税別表1.24.(1)ツ）
１．添　定款　1通（商登64）
　　　取締役会議事録　1通（商登46Ⅱ）
　　　株主名簿管理人との契約を証する書面　1通（商登64）
　　　委任状　1通（商登18）

前提の知識

① **株主名簿管理人設置（変更）の効力発生日**

取締役による決定（取締役会設置会社にあっては，取締役会の決議）があったときは，代表取締役は株主名簿管理人との間で名義書換の委託に関する契約を締結することとなる。株主名簿管理人と会社との関係は委任関係であり（民643），契約締結の時が設置（変更）の効力発生日となる。

② **株主名簿管理人の設置に関する定款の定め**

株主名簿管理人を設置するには，定款にその旨の定めが必要である（会社123）。

したがって，申請書には当該規定の存在を証する「定款」を添付する（商登64）。

5−1 定款規定の存在

株主名簿管理人を設置するには，定款にその旨の定めが必要である（会社123）。

別紙３より，令和３年３月23日の定時株主総会において，「当会社は，株主名簿及び新株予約権原簿（以下「株主名簿等」という。）の作成及び備置きその他株主名簿等に関する事務を取り扱わせるため，株主名簿管理人を置くものとする。」旨の規定を設定する定款変更が行われており，定款規定が存在することとなるため適法である。

5−2 決議権限

別紙１及び２より，申請会社は取締役会設置会社であり，別紙４より，取締役会において決議されているため，決議機関は適法である（会社362Ⅱ①）。

5−3 決議形式

⑴ 招集手続

別紙８より，取締役及び監査役の全員が出席しているため，招集手続の瑕疵の有無については，検討することを要しない。

⑵ 決議要件

別紙４及び８より，議決に加わることができる取締役の過半数が出席し（全員），その過半数の賛成を得ているため（全員），決議要件を満たしている（会社369Ⅰ）。

5−4 決議内容

別紙４より，東証券代行株式会社（本店　東京都渋谷区丙町二丁目２番地）を株主名簿管理人とし，その港支店を取扱場所（営業所）とする旨の決議をしている。

5−5 契約

別紙４より，令和３年３月23日に株主名簿管理人の設置決議がされ，別紙８より，当該決議に従って令和３年４月１日に東証券代行株式会社を株主名簿管理人とする委託契約が締結されている。したがって，令和３年４月１日に株主名簿管理人の設置の効力が生ずる。

5−6 登記すべき事項

登記すべき事項には，

「令和３年４月１日設置

　　株主名簿管理人の氏名又は名称及び住所並びに営業所

　　　東京都港区乙町一丁目１番地

東証券代行株式会社　港支店
本店　東京都渋谷区内町二丁目２番地」
と記載する。

5−7 添付書面

株主名簿管理人を設置する旨の定款規定が存在することを証する書面として「定款」を添付する（商登64）。

株主名簿管理人の設置決議をしたことを証する書面として，令和３年３月23日付けの「取締役会議事録」を添付する（商登46Ⅱ）。

申請会社が東証券代行株式会社との間で委託に関する契約を締結したことを証する書面として，「株主名簿管理人との契約を証する書面」を添付する（商登64）。

なお，「定款」については，「令和３年３月23日付けの株主総会議事録の記載を援用する」と記載しても，誤りではないと解される。

6 募集新株予約権の発行

結論

本問の場合，**令和３年４月１日**付けで，**募集新株予約権**の**発行**登記を申請することができる。

<申請書記載例；第三者割当て・非公開会社・種類株式発行会社・本問の場合>

１．事　募集新株予約権の発行
１．登　○年○月○日発行
　　　第○回新株予約権
　　　　新株予約権の数
　　　　　○個
　　　　新株予約権の目的たる株式の種類及び数又はその算定方法
　　　　　○種類株式　○株
　　　　募集新株予約権の払込金額若しくはその算定方法又は払込を要しないとする旨
　　　　　金○円
　　　　新株予約権の行使に際して出資される財産の価額又はその算定方法
　　　　　金○円

新株予約権を行使することができる期間
　令和○年○月○日から令和○年○月○日まで
新株予約権の行使の条件
　新株予約権者が死亡した場合には，相続人はその権利を行使することができない

1．税　金９万円（登録税別表1.24.(1)ヌ）

1．添　株主総会議事録　1通（商登46Ⅱ）
　株主の氏名又は名称，住所及び議決権数等を証する書面　1通（商登規61Ⅲ）
　取締役会議事録　1通（商登46Ⅱ）
　募集新株予約権の引受けの申込みを証する書面　3通（商登65Ⅰ）
　委任状　1通（商登18）

前提の知識

①　募集事項の決定機関

非公開会社における募集新株予約権の募集事項の決定は，原則として，株主総会の特別決議によらなければならない（会社238Ⅱ・309Ⅱ⑥）。

公開会社における募集新株予約権の募集事項の決定は，原則として，取締役会の決議によらなければならない（会社240Ⅰ）。

無償発行とする場合に金銭の払込みを要しないこととすることが募集新株予約権を引き受ける者に特に有利な条件であるとき，又は有償発行とする場合に募集新株予約権の払込金額が募集新株予約権を引き受ける者に特に有利な金額であるときには，取締役は，株主総会において，当該条件又は当該金額で募集新株予約権を引き受ける者の募集をすることを必要とする理由を説明しなければならない（会社238Ⅲ）。この場合は，公開会社における募集事項の決定は，株主総会の特別決議によらなければならない（会社238Ⅱ・309Ⅱ⑥）。

②　募集事項の決定を株主総会から取締役会に委任する場合

非公開会社における第三者割当ての場合，株主総会の特別決議で，その委任に基づいて募集事項の決定をすることができる募集新株予約権の内容及び数の上限並びに払込金額の下限（又は払込みを要しないこととする場合には，その旨）を定めたときは，その後１年以内の日を割当日とする募集新株予約権の発行に関する具体的な募集事項の決定を，取締役（取締役会設置会社にあっ

ては，取締役会）に委任することができる（会社239Ⅰ・Ⅲ）。

③　募集新株予約権に関する募集事項の決定の委任の際の種類株主総会決議の要否

種類株式発行会社が第三者割当てにより募集新株予約権の発行をする場合において，募集新株予約権の目的である株式の種類の全部又は一部が譲渡制限株式であるときは，当該募集新株予約権に関する募集事項の決定の委任は，当該種類の株式を目的とする募集新株予約権を引き受ける者の募集について当該種類の株式の種類株主を構成員とする種類株主総会の決議を要しない旨の定款の定めがある場合を除き，当該種類株主総会の特別決議がなければ，その効力を生じない。ただし，当該種類株主総会において議決権を行使することができる種類株主が存しない場合は，この限りでない（会社324Ⅱ③・239Ⅳ）。

④　募集新株予約権の割当て

株式会社は，申込者の中から募集新株予約権の割当てを受ける者を定め，かつ，その者に割り当てる募集新株予約権の数を定めなければならない（会社243Ⅰ）。当該決定は，募集新株予約権の目的である株式の全部又は一部が譲渡制限株式である場合，募集新株予約権が譲渡制限新株予約権（新株予約権であって，譲渡による当該新株予約権の取得について株式会社の承認を要する旨の定めがあるものをいう。）である場合には，株主総会（取締役会設置会社にあっては，取締役会）の決議によらなければならない。ただし，定款に別段の定めがある場合は，この限りでない（会社243Ⅱ①・②）。

なお，公開会社において，割り当てる募集新株予約権が上記以外のものである場合，募集新株予約権の割当ては，適宜，業務執行機関の決定による。

また，募集事項の決定機関と割当先等の決定機関が同一の場合，募集新株予約権を割り当てた者から申込みがされることを条件として，割当先等の決定を，募集事項の決定と同一の株主総会又は取締役会において決議することができる。

⑤　募集新株予約権の発行の登記事項

新株予約権を発行したときは，次に掲げる事項を登記しなければならない（会社911Ⅲ⑫）。

⑴　新株予約権の数

⑵　新株予約権の目的である株式の数（種類株式発行会社にあっては，株式の種類及び種類ごとの数）又はその数の算定方法

⑶　新株予約権の行使に際して出資される財産の価額又はその算定方法

⑹に規定する場合にあっては，新株予約権の行使に際して出資される財産の価額又はその算定方法を除く。

⑷　金銭以外の財産を当該新株予約権の行使に際してする出資の目的とするときは，その旨並びに当該財産の内容及び価額
⑸　新株予約権を行使することができる期間
⑹　会社法236条３項各号に掲げる事項を定めたときは，その定め
⑺　⑵から⑹に掲げる事項のほか，新株予約権の行使の条件を定めたときは，その条件
⑻　会社法236条１項７号に掲げる事項（取得条項付新株予約権の内容）
⑼　会社法238条１項２号に掲げる事項（募集新株予約権と引換えに金銭の払込みを要しないこととする場合には，その旨）
⑽　⑼以外の場合には，募集新株予約権の払込金額（募集新株予約権の払込金額の算定方法を定めた場合において，登記の申請の時までに募集新株予約権の払込金額が確定していないときは，当該算定方法）
⑾　新設合併設立会社等の設立の登記として行う場合を除き，発行年月日（平18.3.31民商782号第2部第2.6⑴イ(ア)）

6−1　委任決議権限

別紙１及び２より，申請会社は非公開会社であるため，募集新株予約権の発行決議は，原則として株主総会の特別決議により行われなければならない（会社238Ⅱ・309Ⅱ⑥）。しかし，第三者割当ての場合には，株主総会の特別決議で，募集事項の決定を，取締役（取締役会設置会社にあっては，取締役会）に委任することができる（会社239Ⅰ・Ⅲ）。

別紙３より，株主総会において委任決議がされているため，適法である。

6−2　委任決議形式

⑴　招集手続

別紙８より，議決権のある株主全員が出席しているため，招集手続の瑕疵の有無については，検討することを要しない（最判昭60.12.20，最判昭46.6.24，昭43.8.30民甲2770号）。

⑵　決議要件

別紙３及び８より，議決権を行使することができる株主の議決権の過半数を有する株主が出席し（全員），出席した当該株主の議決権の３分の２以上の賛成を得ているため（満場一致），決議要件を満たしている（会社309Ⅱ⑥）。

6−3 委任決議内容

⑴ 募集新株予約権の内容及び数の上限

別紙３より，募集新株予約権の数の上限を2,000個とし，募集新株予約権の内容については次のとおりである。

㈠ 新株予約権の目的たる株式の種類及び数又はその算定方法

「当会社の優先株式２万株を上限とする」とし，「本新株予約権１個の目的である優先株式の数は，10株とする」と定めている。

㈹ 新株予約権の行使に際して出資される財産の価額又はその算定方法

「新株予約権１個につき１万円」と定めている。

㈥ 新株予約権を行使することができる期間

「令和５年５月１日から令和10年４月30日まで」と定めている。

㈡ 新株予約権の行使の条件

「新株予約権者が死亡した場合には，相続人はその権利を行使することができない」と定めている。

㈭ 新株予約権の行使により株式を発行する場合における増加する資本金及び資本準備金に関する事項

［増加する資本金の額］

「会社計算規則第17条第１項の規定に従い算出される資本金等増加限度額の２分の１の金額（計算の結果１円未満の端数が生じたときは，その端数を切り上げる)」と定めている。

［増加する資本準備金の額］

「上記の資本金等増加限度額から増加する資本金の額を減じた額」と定めている（会社445Ⅱ・Ⅲ)。

㈬ 譲渡による新株予約権の取得

「譲渡による新株予約権の取得について当会社の承認を要する」と定めている。

㈣ 新株予約権証券の発行

「新株予約権証券を発行する」と定めている。

㈠ 記名式と無記名式との間の転換

「新株予約権証券は記名式とし，無記名式に転換をすることはできない」と定めている。

⑵ 募集新株予約権の払込金額若しくはその算定方法又は払込を要しないとする旨

別紙3より，「無償」と定めているが，問題文より，有利発行に該当するような特段の記載がないため，募集新株予約権を引き受ける者に特に有利な条件には当たらないと判断することができる。

また，「その他の事項については，取締役会の決議によって定める」とし，募集事項の決定について取締役会に委任する旨の決議がされている。

6−4 種類株主総会決議の要否

募集新株予約権の目的である優先株式は譲渡制限株式であるため，優先株式の種類株主を構成員とする種類株主総会の決議が必要となる（会社239Ⅳ）。

しかし，別紙1より，優先株式は発行されていないことから，種類株主総会において議決権を行使することができる種類株主が存しないため，優先株式の種類株主を構成員とする種類株主総会の決議を経ることを要しない。

6−5 発行決議権限

別紙1及び2より，申請会社は，取締役会設置会社である。

別紙3より，募集事項の決定を取締役会に委任する旨の決議がされており，別紙4より，取締役会において決議されているため，決議機関は適法である（会社239Ⅰ）。

6−6 発行決議形式

⑴ 招集手続

別紙8より，取締役及び監査役の全員が出席しているため，招集手続の瑕疵の有無については，検討することを要しない。

⑵ 決議要件

別紙4及び8より，議決に加わることができる取締役の過半数が出席し（全員），その過半数の賛成を得ているため（全員），決議要件を満たしている（会社369Ⅰ）。

6−7 発行決議内容

⑴ 募集新株予約権の数

別紙４より，募集新株予約権の数を1,500個と定めているが，当該募集新株予約権の数は，募集事項の決定の委任決議で定めた募集新株予約権の数の上限である2,000個を上回っていない。

⑵ 割当日

別紙４より，割当日を「令和３年４月１日」と定めているが，株主総会の委任決議の日（令和３年３月23日）から１年以内の日を割当日とする募集である（会社239Ⅲ）。なお，別紙１及び２より，申請会社は非公開会社であるため，募集事項を株主に対して通知する必要はない（会社240Ⅱ参照）。

6−8 割当て

別紙４より，令和３年３月23日の募集事項の決定を行った取締役会において，申込みがあることを条件に，甲に700個，乙に400個，丙に200個及び丁に200個の募集新株予約権を割り当てる旨の決定をしている。

別紙１及び２より，申請会社は取締役会設置会社であり，上述のとおり，募集新株予約権の目的である優先株式は譲渡制限株式であり，また，募集新株予約権が譲渡制限新株予約権である場合に該当するため，決議機関は適法である（会社243Ⅱ①・②）。

本問は，募集事項の決定機関と割当先等の決定機関が同一の場合であるが，割当先等の決定を，募集新株予約権を割り当てた者から申込みがされることを条件として，同一の取締役会において決議することができるため，適法である。

6−9 引受けの申込み

別紙５より，令和３年３月31日までに，甲，乙及び丙は第１回新株予約権の引受けの申込みをしているが，丁が引受けの申込みをしていないことが分かる。

したがって，別紙４及び５より，実際に発行することとなる募集新株予約権の数は「1,300個」，新株予約権の目的たる株式の種類及び数又はその算定方法は「優先株式　１万3,000株」となる。

6−10 枠内発行の検討

種類株式発行会社において募集新株予約権の発行をする場合，当該新株予約権

（行使期間の初日が到来していないものを除く。）の行使によって，新株予約権者が取得することとなる株式の数が，発行可能株式総数から発行済株式の総数を控除して得た数，及び当該種類の株式の発行可能種類株式総数から当該種類の発行済株式の総数を控除して得た数を超えてはならない（会社113Ⅳ・114Ⅱ③）。

別紙１及び２より，申請会社の発行可能株式総数は８万株，発行可能種類株式総数は，普通株式７万株，優先株式１万株である。上述のとおり，新株予約権の目的たる株式の種類及び数又はその算定方法は「優先株式　１万3,000株」であるため，優先株式の発行可能種類株式総数を超えることとなる。しかし，行使期間の初日は「令和５年５月１日」であり，行使期間の初日が到来しておらず，考慮することを要しない。

したがって，発行可能株式総数及び発行可能種類株式総数における枠内発行の要請を満たしている。

6−11 ｜ 効力発生日

別紙４より，割当日は令和３年４月１日であるため，同日に募集新株予約権の申込者は，それぞれ募集新株予約権の新株予約権者となる（会社245Ⅰ①）。

したがって，令和３年４月１日に募集新株予約権の発行の効力が生ずる。

6−12 ｜ 登記すべき事項

登記すべき事項には，

「令和３年４月１日発行

　　第１回新株予約権

　　　新株予約権の数

　　　　1,300個

　　　新株予約権の目的たる株式の種類及び数又はその算定方法

　　　　優先株式　１万3,000株

　　　募集新株予約権の払込金額若しくはその算定方法又は払込を要しないとする旨

　　　　無償

　　　新株予約権の行使に際して出資される財産の価額又はその算定方法

　　　　金１万円

　　　新株予約権を行使することができる期間

　　　　令和５年５月１日から令和10年４月30日まで

　　　新株予約権の行使の条件

新株予約権者が死亡した場合には，相続人はその権利を行使することができない」

と記載する。

別紙３及び４で決議された事項のうち，「新株予約権の行使により株式を発行する場合における増加する資本金及び資本準備金に関する事項」，「譲渡による新株予約権の取得」，「新株予約権証券の発行」及び「記名式と無記名式との間の転換」については，登記事項とならない。

なお，本問においては，問題文（答案作成に当たっての注意事項）より，新株予約権の名称（第１回新株予約権）については記載が要求されていない。

6－13 添付書面

募集新株予約権の発行に関する募集事項の決定の委任決議がされているため，令和３年３月23日付けの「（定時）株主総会議事録」を添付する（商登46Ⅱ）。

登記すべき事項につき株主総会の決議を要するため「株主の氏名又は名称，住所及び議決権数等を証する書面」を添付する（商登規61Ⅲ）。

取締役会の決議により具体的な募集事項の決定がされているため，募集事項の決定の決議をしたことを証する書面及び割当決議をしたことを証する書面として，令和３年３月23日付けの「取締役会議事録」を添付する（商登46Ⅱ）。

募集新株予約権の引受けの申込みを証する書面として，「募集新株予約権の引受けの申込みを証する書面」を添付する（商登65Ⅰ）。

7 新株予約権の消滅

結論

本問の場合，**令和３年６月18日**付けで，**新株予約権の数**を**1,100個**，**新株予約権の目的たる株式の種類及び数又はその算定方法**を**優先株式１万1,000株**とする**変更**登記を申請することができる。

<申請書記載例；種類株式発行会社>

1．事　新株予約権の消滅
1．登　○年○月○日変更
　　　　第○回新株予約権の数　○個
　　　　前記新株予約権の目的たる株式の種類及び数又はその算定方法
　　　　　○種類株式　○株
1．税　金３万円（登録税別表1.24.(1)ツ）
1．添　委任状　　1通（商登18）

前提の知識

① **新株予約権の消滅**

新株予約権者がその有する新株予約権を行使することができなくなったときは，当該新株予約権は，消滅する（会社287）。

② **新株予約権の行使不能**

新株予約権の行使の条件として，「新株予約権者は，その権利行使時においても，当会社又は当会社の子会社の取締役又は執行役の地位にあることを要するものとする。これを付与した取締役又は執行役が一旦退任した場合には，再度就任するか否かを問わず，一切の新株予約権の行使を認めない。」等の条件を付した場合，当該役員が退任すると，当該新株予約権は行使不能となるため，消滅することとなる。

③ **登記すべき事項等**

新株予約権の行使不能による新株予約権の一部消滅の場合は，一部消滅後の新株予約権の数，新株予約権の目的である株式の種類及び数又はその算定方法並びに変更年月日が登記すべき事項となり，全部消滅の場合は，その旨及び変更年月日が登記すべき事項となる。

また，当該登記の申請における添付書面は，委任状を除き要しない。

7－1 行使不能

別紙３及び４より，申請会社は「新株予約権者が死亡した場合には，相続人はその権利を行使することができない」旨の新株予約権の行使の条件を定めている。

別紙５及び前述のとおり，第１回新株予約権の新株予約権者は甲，乙及び丙の３名であり，甲は700個，乙は400個及び丙は200個の第１回新株予約権をそれぞれ有している。しかし，別紙９より，令和３年６月18日に丙が死亡したため，同日付けで丙の有していた当該新株予約権200個は行使不能となり，消滅することとなる。

7－2 登記すべき事項

登記すべき事項には，

「令和３年６月18日変更

　　第１回新株予約権の数　1,100個

　　前記新株予約権の目的たる株式の種類及び数又はその算定方法

　　　優先株式　１万1,000株」

と記載する。

なお，本問においては，問題文（答案作成に当たっての注意事項）より，新株予約権の名称については記載が要求されていない。

7－3 添付書面

現行の商業登記法において，新株予約権が消滅したことを立証する書面を求める規定がないため，添付書面は，委任状を除き要しない。

8 株式の譲渡制限に関する規定の変更

結論

本問の場合，**令和３年６月30日**付けで，**株式の譲渡制限に関する規定**を「**当会社の普通株式を譲渡により取得する場合は，取締役会の承認を受けなければならない。**」と**変更**する旨の登記を申請することができる。

<申請書記載例；取締役会設置会社・種類株式発行会社・損害を及ぼすおそれがない場合>

１．事　株式の譲渡制限に関する規定の変更
１．登　○年○月○日変更
　　株式の譲渡制限に関する規定
　　　当会社の○○株式を譲渡により取得する場合は，取締役会の承認を受けなければならない。
１．税　金３万円（登録税別表1.24.(1)ツ）
１．添　株主総会議事録　１通（商登46Ⅱ）
　　株主の氏名又は名称，住所及び議決権数等を証する書面　１通（商登規61Ⅲ）
　　委任状　１通（商登18）

前提の知識

① **株式の譲渡制限に関する規定の変更決議**

既に定款に定められている株式の譲渡制限に関する規定を変更するには，株主総会の特別決議をもって行わなければならない（会社466・309Ⅱ⑪）。

なお，全ての種類株式に株式の譲渡制限に関する規定が付されている種類株式発行会社において，一部の種類株式についてのみ当該規定を廃止した場合，その会社は公開会社となる。

② **一部の種類株式についてのみ株式の譲渡制限に関する規定を廃止した場合の効果**

全ての種類株式に株式の譲渡制限に関する規定が付されている種類株式発行会社において，一部の種類株式についてのみ当該規定を廃止した場合，公開会社となる。この場合，取締役会及び監査役（監査等委員会設置会社及び指名委員会等設置会社である場合を除く。）を設置しなければならない（会社327Ⅰ①・②）。

　また，取締役，会計参与及び監査役の任期は定款変更の効力発生時に満了する（会社332Ⅶ③・334Ⅰ・336Ⅳ④）。

8−1 決議権限

別紙６より，株主総会において決議されているため，決議機関は適法である（会社466）。

8−2 決議形式

(1) 招集手続

別紙９より，議決権のある株主全員が出席しているため，招集手続の瑕疵の有無については，検討することを要しない。

(2) 決議要件

別紙６及び９より，議決権を行使することができる株主の議決権の過半数を有する株主が出席し（全員），出席した当該株主の議決権の３分の２以上の賛成を得ているため（満場一致），決議要件を満たしている（会社309Ⅱ⑪）。

8−3 決議内容

別紙１及び２より，申請会社は種類株式発行会社である。別紙６より，申請会社は，株主総会において，株式の譲渡制限に関する規定を「当会社の普通株式を譲渡により取得する場合は，取締役会の承認を受けなければならない。」とする旨の定款変更決議をしており，優先株式については，株式の譲渡制限に関する規定の定めを廃止しているが，このような変更も可能であり，当該定款変更により，申請会社は公開会社となる。

この場合，取締役会及び監査役（監査等委員会設置会社及び指名委員会等設置会社である場合を除く。）を設置しなければならないが，別紙１及び２より，申請会社は監査等委員会設置会社又は指名委員会等設置会社でない取締役会設置会社であり，かつ，監査役設置会社である。また，大会社（公開会社でないもの，監査等委員会設置会社及び指名委員会等設置会社である場合を除く。）である場合は，監査役会を置かなければならないが，問題文（答案作成に当たっての注意事項）及び別紙１より，申請会社は大会社ではないことが分かるため，監査役会の設置義務はない。

また，非公開会社が公開会社となる場合，当該定款変更後の発行可能株式総数

令和３年

は，当該定款変更の効力が生じたときにおける発行済株式の総数の４倍を超えることができない（会社113Ⅲ②）が，別紙１及び２より，申請会社の当該定款変更後の発行可能株式総数は，当該定款変更の効力発生時における発行済株式の総数の４倍を超えていない。

8－4　種類株主総会決議の要否

問題文（答案作成に当たっての注意事項）より，「令和３年３月23日及び同年６月30日に開催された株主総会で決議された事項は，いずれも普通株式を有する株主に損害を及ぼすおそれはないものとする。」旨の記載がある。

したがって，株式の譲渡制限に関する規定の変更について会社法322条の種類株主総会の決議を経ることを要しない。

8－5　効力発生日

別紙６より，決議された令和３年６月30日付けで株式の譲渡制限に関する規定の変更の効力が生ずる。

8－6　登記すべき事項

登記すべき事項には，

「令和３年６月30日変更

　株式の譲渡制限に関する規定

　　当会社の普通株式を譲渡により取得する場合は，取締役会の承認を受けなければならない。」

と記載する。

8－7　添付書面

株式の譲渡制限に関する規定の変更決議をしたことを証する書面として，令和３年６月30日付けの「(臨時）株主総会議事録」を添付する（商登46Ⅱ)。

登記すべき事項につき株主総会の決議を要するため，「株主の氏名又は名称，住所及び議決権数等を証する書面」を添付する（商登規61Ⅲ)。

9 支配人選任

結論

本問の場合，支配人の選任の登記を申請することはできない。なぜなら，**支配人の選任は，取締役会の決議（非取締役会設置会社の場合は，取締役の過半数の一致）により行う必要があり，この決定は各取締役に委任することができないところ，代表取締役が決定している**からである。

前提の知識

支配人の選任機関

支配人の選任は，業務執行機関の決定により行う。取締役会設置会社においては，取締役会が支配人を選任し（会社362Ⅱ①・Ⅳ③参照），それ以外の会社においては，取締役が支配人を選任する（会社348Ⅰ・Ⅲ①参照）。ただし，取締役が２人以上ある場合には，定款に別段の定めがある場合を除き，取締役の過半数をもって選任する（会社348Ⅱ）。なお，この決定は各取締役に委任することはできない（会社348Ⅲ①）。

9−1 決議権限

別紙７より，令和３年６月30日の取締役会において，代表取締役Ｇに支配人の選任に関する事項の決定を委任している。そして，別紙９より，同日，代表取締役Ｇは，申請会社の本店に支配人Ｋを置くことを決定しているが，取締役会が支配人の選任を各取締役に委任することはできない（会社362Ⅳ③）。

したがって，支配人選任の件は，登記することができない事項であるため，答案用紙の第３欄にその理由とともに記載する（解答例参照）。

10 役員等の変更

結論

取締役A

令和３年６月30日付けで，任期満了による**退任**登記を申請することができる。

取締役B

令和３年６月30日付けで，任期満了による**退任**登記を申請することができる。

取締役C

令和３年６月30日付けで，任期満了による**退任**登記を申請することができる。

取締役E

令和３年６月30日付けで，**就任**登記を申請することができる。

取締役F

令和３年６月30日付けで，**就任**登記を申請することができる。

取締役G

令和３年６月30日付けで，**就任**登記を申請することができる。

取締役H

令和３年６月30日付けで，**就任**登記を申請することができる。

代表取締役A

令和３年６月30日付けで，**退任**登記を申請することができる。

代表取締役G

令和３年６月30日付けで，**就任**登記を申請することができる。

監査役D

令和３年６月30日付けで，任期満了による**退任**登記を申請することができる。

監査役I

令和３年６月30日付けで，**就任**登記を申請することができる。

監査役J

令和３年６月30日付けで，**就任**登記を申請することができる。

会計監査人山田つばさ

令和３年３月23日付けで，**重任**登記を申請することができる。

10−1　会計監査人山田つばさ（重任）

<申請書記載例；法人でない場合・再任みなしの場合>

１．事　会計監査人の変更
１．登　○年○月○日会計監査人○○重任
１．税　金３万円（登録税別表1.24.(1)カ）
　　　　（但し，資本金の額が１億円以下の会社については，金１万円）
１．添　株主総会議事録　　　　　　　　　　　１通（商登54Ⅳ）
　　　　公認会計士であることを証する書面　　１通（商登54Ⅱ③）
　　　　委任状　　　　　　　　　　　　　　　１通（商登18）

前提の知識

会計監査人の再任みなし

会計監査人が退任する定時株主総会で別段の決議がされなかったときは，会計監査人は当該定時株主総会で再任されたものとみなされる（会社338Ⅱ）。「別段の決議」としては，直接現任の会計監査人について再任しない旨の決議（会社344Ⅰ参照）のほか，現任の会計監査人の「後任として」新たな会計監査人を選任する旨の決議も含まれると解されているが，現任の会計監査人を再任しない旨の意思が表示されていると評価できるものである必要がある。なお，会計監査人を再任しないことに関する議案の内容は，監査役（監査役が２人以上ある場合はその過半数の一致，監査役会設置会社においては監査役会）が決定する（会社344）。

10−1−1　決議の有無

別紙１及び３より，会計監査人山田つばさは，令和２年３月20日付けで重任登記がされており，選任後１年以内に終了する事業年度のうち最終のものに関する定時株主総会の終結の時である令和３年３月23日に任期が満了し退任する。

しかし，別紙３より，会計監査人山田つばさの任期が満了する当該定時株主総会において，別段の決議がされていないため，会計監査人山田つばさは，同定時株主総会において再任されたものとみなされる。

したがって，令和３年３月23日付けで，重任登記を申請することとなる。

(1)　資格制限

別紙１より，山田つばさは公認会計士であると判断することができ，また，他に資格制限に抵触する事実は示されていないため，適法である。

⑵ 員数制限

員数制限に抵触する事実は示されていないため，適法である。

10－1－2 添付書面

退任（重任）を証する書面として，令和３年３月23日付けの「（定時）株主総会議事録」を添付する（商登54Ⅳ）。

また，資格を証する書面として，「公認会計士であることを証する書面」を添付する（商登54Ⅱ③）。

なお，就任を承諾したことを証する書面（商登54Ⅱ①）は，添付することを要しない（平18.3.31民商782号第2部第3.9⑵イ㋐b）。

10－2 取締役Ａ・Ｂ・Ｃ（任期満了）監査役Ｄ（任期満了）

<申請書記載例>

１．事　取締役及び監査役の変更
１．登　○年○月○日次の者退任
　　　　取締役　○○
　　　　監査役　○○
１．税　金３万円（登録税別表1.24.⑴カ）
　　　　（但し，資本金の額が１億円以下の会社については，金１万円）
１．添　退任を証する書面　　　　１通（商登54Ⅳ）
　　　　委任状　　　　　　　　　１通（商登18）

前提の知識

① 取締役の任期

取締役は，原則として，選任後２年以内に終了する事業年度のうち最終のものに関する定時株主総会の終結の時に退任する（会社332Ⅰ）。例外規定は，以下のとおりである。

⑴ 監査等委員である取締役以外の取締役は，定款又は株主総会の決議によって，その任期を短縮することができる（会社332Ⅰ但書）。

⑵ 非公開会社（監査等委員会設置会社及び指名委員会等設置会社を除く。）においては，定款によって，選任後10年以内に終了する事業年度のうち最終のものに関する定時株主総会の終結の時まで伸長することができる（会社332Ⅱ）。

⑶　監査等委員会設置会社の取締役（監査等委員であるものを除く。）は，選任後１年以内に終了する事業年度のうち最終のものに関する定時株主総会の終結の時に退任する（会社332Ⅲ）。

⑷　定款によって，任期の満了前に退任した監査等委員である取締役の補欠として選任された監査等委員である取締役の任期を退任した監査等委員である取締役の任期の満了する時までとすることができる（会社332Ⅴ）。

⑸　指名委員会等設置会社の取締役は，選任後１年以内に終了する事業年度のうち最終のものに関する定時株主総会の終結の時に退任する（会社332Ⅵ）。

⑹　定款変更によりその効力発生時に任期満了となる場合（会社332Ⅶ）

(イ)　監査等委員会又は指名委員会等を置く旨の定款の変更

(ロ)　監査等委員会又は指名委員会等を置く旨の定款の定めを廃止する定款の変更

(ハ)　非公開会社が公開会社となる定款の変更（監査等委員会設置会社及び指名委員会等設置会社がするものを除く。）

②　監査役の任期

監査役は，原則として，選任後４年以内に終了する事業年度のうち最終のものに関する定時株主総会の終結の時に退任する（会社336Ⅰ）。例外規定は，以下のとおりである。

⑴　非公開会社においては，定款によって，選任後10年以内に終了する事業年度のうち最終のものに関する定時株主総会の終結の時まで伸長することができる（会社336Ⅱ）。

⑵　定款によって，任期の満了前に退任した監査役の補欠として選任された監査役の任期を退任した監査役の任期の満了する時までとすることができる（会社336Ⅲ）。

⑶　定款変更によりその効力発生時に任期満了となる場合（会社336Ⅳ）

(イ)　監査役を置く旨の定款の定めを廃止する定款の変更

(ロ)　監査等委員会又は指名委員会等を置く旨の定款の変更

(ハ)　監査役の監査の範囲を会計に関するものに限定する旨の定款の定めを廃止する定款の変更（会社389参照）

(ニ)　非公開会社が公開会社となる定款の変更

問題文（答案作成に当たっての注意事項），別紙１及び２より，取締役Ａ，Ｂ及びＣは，令和２年３月20日に選任され，同日就任している。また，監査役Ｄは，平

令和３年

成30年３月22日に選任され，同日就任しており，それぞれ選任後２年又は４年以内に終了する事業年度のうち最終のものに関する定時株主総会終結の時まで任期があるはずであったが，前述のとおり，令和３年６月30日開催の臨時株主総会において，株式の譲渡制限に関する規定を変更したことにより，申請会社は公開会社となったため，当該定款変更の効力発生時に任期が満了し退任する（会社332Ⅶ③・336Ⅳ④）。

別紙１及び２より，申請会社は取締役会設置会社であり，申請会社の定款には「当会社の取締役は，３名以上10名以内とする。」旨の員数規定があるが，後述のとおり，同臨時株主総会において，最低員数を満たす後任者が就任しているため（役員等の概要参照），A，B及びCは権利義務を有することなく，取締役を退任することができる。

また，別紙１及び２より，申請会社は監査役設置会社であり，申請会社の定款には「当会社の監査役は，１名以上３名以内とする。」旨の員数規定があるが，後述のとおり，同臨時株主総会において，最低員数を満たす後任者が就任しているため（役員等の概要参照），Dは権利義務を有することなく，監査役を退任することができる。

したがって，令和３年６月30日付けで，任期満了による退任登記を申請することができる。

<添付書面>

株式の譲渡制限に関する規定を変更する旨の定款変更に伴う任期満了による退任のため，退任を証する書面として，定款変更決議をした令和３年６月30日付けの「(臨時）株主総会議事録」を添付する（商登54Ⅳ）。

10−3　代表取締役A（退任）

<申請書記載例；取締役としての退任登記も同時に申請する場合>

１．事　代表取締役の変更
１．登　○年○月○日代表取締役○○退任
１．税　金３万円（登録税別表1.24.(1)カ）
　　　（但し，資本金の額が１億円以下の会社については，金１万円）
１．添　委任状　　　　　　　　　　　　　１通（商登18）

前提の知識

代表取締役の資格喪失による退任登記の添付書面

代表取締役の資格喪失による退任登記の添付書面は，退任を証する書面であり（商登54Ⅳ），具体的には，前提資格である取締役の退任を証する書面である。通常は前提資格である取締役の退任登記も一括して申請されるため，別途添付する必要はない。しかし，取締役としては員数を欠くこととなり取締役としての権利義務を有する者になるが，代表取締役としては員数を欠くこととならず，代表取締役の資格喪失による退任登記のみ申請する場合には添付を要することとなる。

前述のとおり，代表取締役Aは，令和３年６月30日に代表取締役の前提資格である取締役を任期満了により退任しているため（役員等の概要参照），同日をもって代表取締役としても退任する。

したがって，令和３年６月30日付けで，退任登記を申請することができる。

<添付書面>

前提資格である取締役としての退任登記と一括申請する場合であるので，別途代表取締役としての退任を証する書面（商登54Ⅳ）を添付することを要しない。

10−4　取締役Ｅ・Ｆ・Ｇ・Ｈ（就任）
監査役Ｉ・Ｊ（就任）

<申請書記載例>

１．事　取締役及び監査役の変更

１．登　○年○月○日次の者就任

　　　取締役　○○

　　　監査役　○○

１．税　金３万円（登録税別表1.24.(1)カ）

　　　（但し，資本金の額が１億円以下の会社については，金１万円）

１．添　株主総会議事録　１通（商登46Ⅱ）

　　　株主の氏名又は名称，住所及び議決権数等を

　　　証する書面　１通（商登規61Ⅲ）

　　　就任を承諾したことを証する書面　６通（商登54Ⅰ）

　　　委任状　１通（商登18）

前提の知識

取締役及び監査役の就任登記の添付書面

取締役及び監査役の就任登記の添付書面は，原則として，（種類）株主総会議事録（商登46Ⅱ）及び就任を承諾したことを証する書面（商登54Ⅰ）である。また，取締役及び監査役の就任（再任を除く。）による変更の登記の申請書には，取締役又は監査役が就任を承諾したことを証する書面に記載した取締役又は監査役の氏名及び住所と同一の氏名及び住所が記載されている市町村長その他の公務員が職務上作成した証明書（当該取締役又は監査役が原本と相違がない旨を記載した謄本を含む。以下「本人確認証明書」という。）を添付しなければならない。ただし，登記の申請書に商業登記規則61条４項，５項又は６項の規定により，当該取締役及び監査役の印鑑につき市町村長の作成した証明書を添付する場合は，当該書面の添付は不要である（商登規61Ⅶ但書）。

なお，株主総会議事録に取締役又は監査役が席上就任を承諾した旨の記載がある場合には，当該株主総会議事録が就任を承諾したことを証する書面となるため，就任を承諾したことを証する書面を別途添付することを要しない。これは，（種類）株主総会議事録は，議事の経過の要領及びその結果を記載すべきものとされた法定の書面であること（会社318Ⅰ，会社施規72Ⅲ②），並びに議事録の不実記載については過料の対象にされていることから（会社976Ⅶ），記載の信用性は担保されているためである。ただし，就任を承諾したことを証する書面に記載した取締役又は監査役の氏名及び住所についての本人確認証明書の添付を要する場合には，席上就任を承諾した旨の記載があり，かつ被選任者の住所の記載がされていなければ，議事録の記載を援用することはできない（平27.2.20民商18号通達）。

10−4−1　決議権限

別紙６より，株主総会において決議されているため，決議機関は適法である（会社329Ⅰ）。

10−4−2　決議形式

⑴　招集手続

別紙９より，議決権のある株主全員が出席しているため，招集手続の瑕疵の有無については，検討することを要しない。

⑵　決議要件

別紙６及び９より，議決権を行使することができる株主の議決権の過半数を有する株主が出席し（全員），株主総会の全ての議案を審議することができる法令及び定款上の定足数を充足しているが，決議要件を満たしているかどうかについては明らかとなっていない。しかし，特に決議要件に瑕疵がある旨の記載もないため，決議要件を満たしていると判断することができる（会社341）。

10－4－3　決議内容

別紙６より，取締役としてＥ，Ｆ，Ｇ，Ｈを，監査役としてＩ，Ｊを選任している。

⑴　資格制限

資格制限に抵触する事実は示されていないため，適法である。

⑵　員数制限

別紙２より，申請会社の定款には，「当会社の取締役は，３名以上10名以内とする。」旨の定めがあるが，取締役の員数規定に抵触しないため，適法である。

また，申請会社の定款には，「当会社の監査役は，１名以上３名以内とする。」旨の定めがあるが，監査役の員数規定に抵触しないため，適法である。

10－4－4　就任承諾

問題文（答案作成に当たっての注意事項）及び別紙６より，被選任者は，令和３年６月30日開催の臨時株主総会において選任され，同日就任を承諾していると判断することができるため，令和３年６月30日に就任の効力が生ずる。

10－4－5　添付書面

選任を証する書面として，令和３年６月30日付けの「（臨時）株主総会議事録」を添付する（商登46Ⅱ）。

登記すべき事項につき株主総会の決議を要するため「株主の氏名又は名称，住所及び議決権数等を証する書面」を添付する（商登規61Ⅲ）。

Ｅ，Ｆ，Ｇ及びＨの「取締役の就任を承諾したことを証する書面」を添付する（商登54Ⅰ）。

Ｉ及びＪの「監査役の就任を承諾したことを証する書面」を添付する（商登54Ⅰ）。

なお，問題文（答案作成に当たっての注意事項）より，他の書面を援用することができる場合には，これを援用する必要があるが，別紙６より，株主総会議事録に席上就任承諾した旨の記載がないため，当該株主総会の記載を取締役及び監査役の就任を承諾したことを証する書面として援用することはできない。

また，Ｅ，Ｆ，Ｇ及びＨ並びにＩ及びＪについて，商業登記規則61条６項の規定による印鑑証明書を添付する場合に該当するため，本人確認証明書の添付を要しない。

10−5 代表取締役Ｇ（就任）

<申請書記載例；取締役会設置会社>

１．事　代表取締役の変更
１．登　○年○月○日次の者就任
　　　　○県○市○町○丁目○番○号
　　　　　代表取締役○○
１．税　金３万円（登録税別表1.24.(1)カ）
　　　　（但し，資本金の額が１億円以下の会社については，金１万円）
１．添　取締役会議事録　　　　　　　　　　１通（商登46Ⅱ）
　　　　就任を承諾したことを証する書面
　　　　　取締役会議事録の記載を援用する
　　　　印鑑証明書　　　　　　　　　　　　６通（商登規61Ⅴ・Ⅳ・Ⅵ）
　　　　委任状　　　　　　　　　　　　　　１通（商登18）

前提の知識

代表取締役の就任登記の添付書面

取締役会設置会社において，代表取締役の就任登記の添付書面は，取締役会議事録（商登46Ⅱ）とこれに関する印鑑証明書（商登規61Ⅵ③）及び就任を承諾したことを証する書面（商登54Ⅰ）とこれに関する印鑑証明書（商登規61Ⅴ・Ⅳ）である。

なお，取締役会議事録及び就任を承諾したことを証する書面について印鑑証明書を添付する場合，当該書面についての押印は市町村長の証明を得ることができる実印によりされていないと印鑑証明書が添付できず，申請は却下されることとなる（商登24⑦）。

そして，就任を承諾したことを証する書面について取締役会議事録の記載を援用するためには，当該議事録に代表取締役として選定された者が議場において就任承諾した旨の記載があるのみでは足らず，その者の印鑑についての証明書が添付できなければならない。しかし，就任を承諾したことを証する書面に関する印鑑証明書を添付することを要しない場合には，単に選定された者が議場において就任承諾した旨の記載があれば，取締役会議事録の記載を援用することができる。

10−5−1　決議権限

別紙７より，取締役会において決議されているため，決議機関は適法である（会社362Ⅱ③）。

10−5−2　決議形式

⑴　招集手続

別紙９より，取締役及び監査役の全員が出席しているため，招集手続の瑕疵の有無については，検討することを要しない。

⑵　決議要件

別紙７及び９より，議決に加わることができる取締役の過半数が出席し（全員），その過半数の賛成を得ているため（全員），決議要件を満たしている（会社369Ⅰ）。

10−5−3　決議内容

別紙７より，代表取締役としてＧを選任している。

⑴　資格制限

前述のとおり，Ｇは，令和３年６月30日開催の取締役会開催時点において，取締役として在任中であり（役員等の概要参照），代表取締役としての前提資格を有しているため，適法である。

⑵　員数制限

員数制限に抵触する事実は示されていないため，適法である。

10−5−4　就任承諾

別紙７より，被選任者は，選任決議に係る取締役会において席上即時に就任を承諾しているため，令和３年６月30日に就任の効力が生ずる。

10−5−5　添付書面

⑴　選定を証する書面及びこれに関する印鑑証明書

㈠　取締役会議事録（商登46条２項）

Ｇを代表取締役に選定している旨が記載されている令和３年６月30日付けの「取締役会議事録」を添付する。

㈡　印鑑証明書の添付の要否（商登規61条６項３号）

別紙９より，取締役会議事録には出席した取締役及び監査役の全員が市町村に登録されている印鑑で押印しているため，取締役会議事録に押印した印鑑についての証明書を添付することを要する。

(ハ) 印鑑証明書を添付すべき通数

問題文（答案作成に当たっての注意事項）及び別紙９より，出席義務を有する役員全員が出席し，その全員が市町村に登録されている印鑑で押印しているため，取締役Ｅ，Ｆ，Ｇ及びＨ並びに監査役Ｉ，Ｊ（役員等の概要参照）の「印鑑証明書」合計６通が必要となる。

(2) 就任を承諾したことを証する書面及びこれに関する印鑑証明書

(イ) 就任を承諾したことを証する書面（商登54条１項）

別紙７より，取締役会議事録には，Ｇが席上即時に就任を承諾した旨の記載があり，また，問題文（答案作成に当たっての注意事項）及び別紙９より，当該議事録には，Ｇが市町村に登録されている印鑑で押印していることが分かる。

したがって，就任を承諾したことを証する書面として，令和３年６月30日付けの取締役会議事録の記載を援用する。

(ロ) 印鑑証明書添付の要否（商登規61条５項・４項）

Ｇは再任でないため（役員等の概要参照），就任を承諾したことを証する書面に押印した印鑑についての証明書を添付することを要する。

なお，Ｇの印鑑証明書は，取締役会議事録についての印鑑証明書(1)(ハ)参照）と兼ねることとなるため，同じものを２通添付することを要しない。

MEMO

第１欄

【登記の事由】

株主名簿管理人の設置
会計監査人の変更
募集新株予約権の発行

【登記すべき事項】

令和３年４月１日設置
　株主名簿管理人の氏名又は名称及び住所並びに営業所
　　東京都港区乙町一丁目１番地
　　　東証券代行株式会社　港支店
　　本店　東京都渋谷区丙町二丁目２番地

令和３年３月23日会計監査人山田つばさ重任

令和３年４月１日発行
　新株予約権の数
　　1,300個
　新株予約権の目的たる株式の種類及び数又はその算定方法
　　優先株式　１万3,000株
　募集新株予約権の払込金額若しくはその算定方法又は払込を要しないとする旨
　　無償
　新株予約権の行使に際して出資される財産の価額又はその算定方法
　　金１万円
　新株予約権を行使することができる期間
　　令和５年５月１日から令和10年４月30日まで
　新株予約権の行使の条件
　　新株予約権者が死亡した場合には，相続人はその権利を行使することができない

【登録免許税額】
金15万円

【添付書面の名称及び通数】	
定款	１通 ※
株主総会議事録	１通
株主の氏名又は名称，住所及び議決権数等を証する書面（株主リスト）	１通
取締役会議事録	１通
株主名簿管理人との契約を証する書面	１通
公認会計士であることを証する書面	１通
募集新株予約権の引受けの申込みを証する書面	３通
委任状	１通
※「定款　株主総会議事録の記載を援用する」と記載しても，誤りではないと解される。	

第２欄

【登記の事由】
株式の譲渡制限に関する規定の変更 取締役，代表取締役及び監査役の変更 新株予約権の消滅

【登記すべき事項】
令和３年６月30日変更 　株式の譲渡制限に関する規定 　　当会社の普通株式を譲渡により取得する場合は，取締役会の承認を受 　けなければならない。 同日次の者退任 　取締役　A 　取締役　B 　取締役　C 　監査役　D 　代表取締役　A 同日次の者就任 　取締役　E 　取締役　F 　取締役　G 　取締役　H 　千葉県松戸市丁町三丁目４番１号 　　代表取締役　G 　監査役　I 　監査役　J 令和３年６月18日変更 　新株予約権の数　1,100個 　新株予約権の目的たる株式の種類及び数又はその算定方法 　　優先株式　１万1,000株

【登録免許税額】
金６万円

【添付書面の名称及び通数】	
株主総会議事録	１通
株主の氏名又は名称，住所及び議決権数等を証する書面（株主リスト）	１通
取締役会議事録	１通
取締役の就任を承諾したことを証する書面	４通
代表取締役の就任を承諾したことを証する書面 　取締役会議事録の記載を援用する	
監査役の就任を承諾したことを証する書面	２通
印鑑証明書	６通
委任状	１通

第３欄

【登記することができない事項】
支配人選任の件
【理由】
支配人の選任は，取締役会の決議（非取締役会設置会社の場合は，取締役の過半数の一致）により行う必要があり，この決定は各取締役に委任することはできない。 本問の場合，令和３年６月30日の取締役会において，代表取締役Ｇに支配人の選任に関する事項の決定を委任しており，同日，代表取締役Ｇは，申請会社の本店に支配人を置くことを決定しているが，取締役会が支配人の選任を各取締役に委任することはできない。 したがって，支配人選任の件は登記することができない事項となる。

問題　令和２年

本問題の日付は、出題当時の本試験問題に合わせておりますが、法令等については、令和７年４月１日時点において施行されているもの（本書作成時点において施行予定のものを含む。）を適用した上で、解答を作成してください。

司法書士法務太郎は，令和２年４月21日に事務所を訪れた株式会社ブルーライトの代表者から別紙１から別紙７までの書類のほか，登記申請に必要な書類の提示を受けて確認を行い，別紙10のとおり事情を聴取し，登記すべき事項や登記のための要件などを説明した。そして，司法書士法務太郎は，株式会社ブルーライトの代表者から必要な登記の申請書の作成及び登記申請の代理の依頼を受けた。

また，司法書士法務太郎は，同年７月５日に事務所を訪れた株式会社ブルーライトの代表者から，別紙８及び別紙９の書類のほか，登記申請に必要な書類の提示を受けて確認を行い，別紙11のとおり事情を聴取し，登記すべき事項や登記のための要件などを説明した。そして，司法書士法務太郎は，株式会社ブルーライトの代表者から必要な登記の申請書の作成及び登記申請の代理の依頼を受けた。

司法書士法務太郎は，これらの依頼に基づき，登記申請に必要な書類の交付を受け，管轄登記所に対し，同年４月22日及び同年７月６日にそれぞれ登記の申請をすることとした。

以上に基づき，次の問１から問３までに答えなさい。

問１　令和２年４月22日に司法書士法務太郎が申請した登記の申請書に記載すべき登記の事由，登記すべき事項，登録免許税額及びその内訳並びに添付書面の名称及び通数を答案用紙の第１欄に記載しなさい。

問２　令和２年７月６日に司法書士法務太郎が申請した登記の申請書に記載すべき登記の事由，登記すべき事項，登録免許税額並びに添付書面の名称及び通数を答案用紙の第２欄に記載しなさい。ただし，登録免許税額の内訳については，記載することを要しない。

問３　株式会社ブルーライトの代表者から受領した書類及び聴取した内容のうち，登記することができない事項がある場合には，当該事項及びその理由を答案用紙の第３欄に記載しなさい。登記することができない事項がない場合には，答案用紙の第３欄に「なし」と記載しなさい。

(答案作成に当たっての注意事項)

1　登記申請書の添付書面については，全て適式に調えられており，所要の記名・押印がされているものとする。

2　登記申請書の添付書面については，他の書面を援用することができる場合には，これを援用しなければならない。

3　登記申請書の添付書面のうち，就任承諾を証する書面を記載する場合には，資格及び氏名を特定して記載すること。

4　登記申請書の添付書面のうち，種類株主総会議事録を記載する場合には，どの種類の株式の種類株主を構成員とする種類株主総会の議事録かが明らかになるように記載すること。

5　登記申請書の添付書面のうち，株主の氏名又は名称，住所及び議決権数等を証する書面（株主リスト）を記載する場合において，各議案を通じて株主リストに記載する各株主についての内容が変わらないときは，その通数は開催された総会ごとに１通を添付するものとする。

6　株式会社ブルーライトの定款には，別紙１から別紙11までに現れている以外には，会社法の規定と異なる定めは，存しないものとする。

7　別紙中，（省略）と記載されている部分には，有効な記載があるものとする。

8　被選任者及び被選定者の就任承諾は，選任され，又は選定された日に適法に得られているものとする。

9　登記の申請に伴って必要となる印鑑の提出手続は，適式にされているものとする。

10　数字を記載する場合には，算用数字を使用すること。

11　租税特別措置法等の特例法による登録免許税の減免規定の適用はないものとする。

12　訂正，加入又は削除をするときは，訂正は訂正すべき字句に線を引き，近接箇所に訂正後の字句を記載し，加入は加入する部分を明示して行い，削除は削除すべき字句に線を引いて，訂正，加入又は削除をしたことが明確に分かるように記載すること。ただし，押印や字数を記載することは要しない。

13　登記申請の懈怠については，考慮しないものとする。

別紙1
【令和2年4月10日現在の株式会社ブルーライトに係る登記記録の抜粋】

商号　株式会社ブルーライト
本店　東京都新宿区四谷橋八丁目8番8号
公告をする方法　官報に掲載してする。
会社成立の年月日　平成25年3月1日
目的　1．家庭用電気製品・照明器具の製造及び販売
　　　2．家具の輸出入及び販売
　　　3．前各号に附帯関連する一切の事業
発行可能株式総数　8000株
発行済株式の総数並びに種類及び数
　発行済株式の総数　1800株
　各種株式の数　普通株式　1600株
　　　　　　　　甲種類株式　200株
資本金の額　金9000万円
発行可能種類株式総数及び発行する各種類の株式の内容
　普通株式　7500株
　甲種類株式　500株
　　残余財産の分配については，甲種類株主は普通株主に先立ち甲種類株式1株当たり1000円の分配を受ける。
株式の譲渡制限に関する規定
　当会社の株式を譲渡により取得するには，当会社の承認を受けなければならない。
役員に関する事項　取締役　A　平成30年6月1日就任
　　　　　　　　　取締役　B　平成30年10月15日就任
　　　　　　　　　取締役　C　令和2年2月18日就任
　　　　　　　　　取締役　D　平成31年2月26日重任
　　　　　　　　　東京都渋谷区西渋谷四丁目5番6号
　　　　　　　　　代表取締役　D　平成31年2月26日重任
　　　　　　　　　監査役　E　平成29年2月25日就任
取締役会設置会社に関する事項　取締役会設置会社
監査役設置会社に関する事項　監査役設置会社
登記記録に関する事項　平成28年12月1日群馬県前橋市乙町3番5号から本店移転

別紙２
【令和２年４月10日現在の株式会社ブルーライトの定款】

第１章　総　則
（商号）
第１条　当会社は，株式会社ブルーライトと称する。

（目的）
第２条　当会社は，次の事業を営むことを目的とする。
1．家庭用電気製品・照明器具の製造及び販売
2．家具の輸出入及び販売
3．前各号に附帯関連する一切の事業

（本店の所在地）
第３条　当会社は，本店を東京都新宿区に置く。

（公告の方法）
第４条　当会社の公告は，官報に掲載してする。

第２章　株　式
（発行可能株式総数）
第５条　当会社の発行可能株式総数は，8000株とする。

（発行可能種類株式総数及び発行する各種類の株式の内容）
第６条　当会社の発行可能種類株式総数及び発行する各種類の株式の内容は，次のとおりとする。
普通株式　　7500株
甲種類株式　500株
残余財産の分配については，甲種類株主は普通株主に先立ち甲種類株式１株当たり1000円の分配を受ける。

(株券の不発行)
第7条　当会社の株式については，株券を発行しない。

(株式の譲渡制限)
第8条　当会社の株式を譲渡により取得するには，当会社の承認を受けなければならない。

(基準日)
第9条　当会社は，毎事業年度末日の最終の株主名簿に記載又は記録された議決権を有する株主をもって，その事業年度に関する定時株主総会において株主の権利を行使すべき株主とする。

第3章　株主総会

(招集)
第10条　当会社の定時株主総会は，毎事業年度終了後3か月以内に招集し，臨時株主総会は，随時必要に応じて招集する。

(議長)
第11条　株主総会の議長は，代表取締役がこれに当たる。ただし，代表取締役に事故があるときは，あらかじめ定めた順序により他の取締役が議長となる。

(決議の方法)
第12条　株主総会の決議は，法令又は定款に別段の定めがある場合を除き，出席した議決権を行使することができる株主の議決権の過半数をもって決する。
2　会社法第309条第2項に定める決議は，議決権を行使することができる株主の議決権の3分の1を有する株主が出席し，出席した当該株主の議決権の3分の2以上に当たる多数をもって決する。

(種類株主総会)
第13条　種類株主総会の決議は，法令又は定款に別段の定めがある場合を除き，出席した議決権を行使することができる種類株主の議決権の過半数をもって決する。
2　会社法第324条第2項に定める種類株主総会の決議は，当該種類株主総会において議決権を行使することができる株主の議決権の3分の1以上を有する株主が出席し，出席した当該株主の議決権の３分の２以上に当たる多数をもって決する。
３　第11条の規定は，種類株主総会にこれを準用する。

第４章　取締役及び監査役

（取締役会設置会社）
第14条　当会社には取締役会を置く。

（取締役の員数）
第15条　当会社の取締役の員数は７名以内とする。

（取締役の選任）
第16条　当会社の取締役は，株主総会において議決権を行使することができる株主の議決権の３分の１を有する株主が出席し，出席した当該株主の議決権の過半数の決議によって選任する。

（取締役の任期）
第17条　取締役の任期は，選任後２年以内に終了する最終の事業年度に関する定時株主総会の終結の時までとする。

（監査役設置会社）
第18条　当会社には監査役を置く。

（監査役の員数）
第19条　当会社の監査役の員数は２名以内とする。

（監査役の選任）
第20条　当会社の監査役は，株主総会において議決権を行使することができる株主の議決権の３分の１を有する株主が出席し，出席した当該株主の議決権の過半数の決議によって選任する。

（監査役の任期）
第21条　監査役の任期は，選任後４年以内に終了する最終の事業年度に関する定時株主総会の終結の時までとする。

（取締役及び監査役の報酬等）
第22条　取締役及び監査役の報酬，賞与その他の職務執行の対価として当会社から受ける財産上の利益については，株主総会の決議をもって定める。

第５章　計　算

（事業年度）
第23条　当会社の事業年度は，毎年１月１日から同年12月31日までの年１期とする。

（剰余金の配当）
第24条　剰余金の配当は，毎事業年度末現在の最終の株主名簿に記載又は記録された株主及び登録株式質権者に対して支払う。
2　剰余金の配当が，その支払提供の日から満３年を経過しても受領されないときは，当会社はその支払の義務を免れるものとする。

第６章　附　則

（法令の準拠）
第25条　この定款に規定のない事項は，全て会社法その他の法令に従う。

別紙３
【令和２年２月18日開催の株式会社ブルーライトの定時株主総会における議事の概要】

第１号議案　計算書類承認の件
　平成31年度（平成31年１月１日から令和元年12月31日まで）の計算書類の承認を求めたところ，満場一致をもって承認可決された。

第２号議案　取締役選任の件
　取締役１名を選任することが諮られ，満場一致をもって次の者を選任した。
　なお，取締役就任予定者として出席していた次の者は，席上その就任を承諾した。
　　　東京都港区芝九丁目９番９号
　　　取締役　C

別紙４
【令和２年２月18日開催の株式会社ブルーライトの定時株主総会において承認された計算書類のうち貸借対照表の要旨】

貸借対照表の要旨（令和元年12月31日現在）

科目		金額（円）
資産の部	流動資産	22,000,000
	固定資産	96,600,000
	合計	118,600,000
負債及び純資産の部	流動負債	15,000,000
	株主資本	103,600,000
	資本金	90,000,000
	資本剰余金	4,000,000
	資本準備金	4,000,000
	利益剰余金	9,600,000
	その他利益剰余金	9,600,000
	（うち当期純利益）	(950,000)
	合計	118,600,000

別紙５
【監査役Ｅの辞任届】

辞　任　届

私は，一身上の都合により貴社の監査役を令和２年４月１日付けで辞任いたしたくお届けいたします。

令和２年３月25日

住所　（省略）
氏名　Ｅ　　　　　　㊞

株式会社ブルーライト　御中

別紙６

【令和２年４月10日開催の株式会社ブルーライトの臨時株主総会における議事の概要】

第１号議案　定款第14条削除の件

定款第14条を削除し取締役会を置く旨の定款の定めを廃止することが諮られ，満場一致をもって承認可決された。

第２号議案　定款第20条の２新設の件

定款第20条の２として次の規定を設けることが諮られ，株主Ｘ及びＺは賛成し，株主Ｗ及びＹは反対した。

（監査役の監査の範囲）

第20条の２　当会社の監査役の監査の範囲は会計に関するものに限定する。

第３号議案　募集株式の発行に関する件

下記要領にて募集株式を発行することが諮られ，満場一致をもって承認可決された。

記

1　募集株式の種類及び数　普通株式　70株

2　募集株式の発行方法　　第三者割当とする

3　募集株式の払込金額　　１株につき金６万円

4　現物出資をする者の氏名，財産の内容及び価額

氏名　Ｘ

財産の内容　Ｘ所有の自家用自動車１台

（車名・年式・車台番号・型式（省略））

価額　金60万円

5　募集株式と引換えにする金銭の払込期日又は現物出資財産の給付期日

令和２年４月20日

6　増加する資本金及び資本準備金の額

①増加する資本金の額　　　１株につき金３万円

②増加する資本準備金の額　１株につき金３万円

7　払込取扱金融機関

東京都港区港一丁目１番１号　株式会社港銀行本店営業部

第４号議案　募集株式の割当ての件
　第３号議案で可決された「募集株式の発行に関する件」の割当事項を次のとおりとすることが諮られ，満場一致をもって承認可決された。
　　1　募集株式の種類及び数　普通株式　70株
　　2　割当方法　第三者割当てとし発行する募集株式を次の者に与える。
　　　　X　普通株式10株　　Y　普通株式50株　　Z　普通株式10株
　　3　条件　上記第三者から申込みがされることを条件とする。

第５号議案　剰余金の資本組入れの件
　下記要領にてその他利益剰余金を資本に組み入れることが諮られ，株主Xは賛成し，株主W，Y及びZは反対した。

記

　　1　その他利益剰余金より資本に組み入れる額　900万円
　　2　上記資本組入れの効力発生日　令和２年４月18日

別紙7
【令和２年４月10日現在の株式会社ブルーライトの株主名簿の抜粋】

	氏名	株式の種類及び数			
1	W			甲種類株式	100株
2	X	普通株式	830株	甲種類株式	80株
3	Y	普通株式	470株	甲種類株式	20株
4	Z	普通株式	300株		

株主の住所及び株式の取得年月日は省略。また，登録株式質権者は存在しない。

別紙８
【令和２年６月15日開催の株式会社ブルーライトの臨時株主総会における議事の概要】

第１号議案　株式併合の件
次の内容にて株式を併合することが諮られ，株主W，X及びZは賛成し，株主Yは反対した。
併合する株式の種類　　甲種類株式
併合の割合　　甲種類株式２株を１株に併合する。
効力発生日　　令和２年７月５日
効力発生日における発行可能株式総数　7500株

第２号議案　定款第６条変更の件
令和２年７月５日を効力発生日として定款第６条を次のとおりに変更することが諮られ，満場一致をもって承認可決された。
（発行可能種類株式総数及び発行する各種類の株式の内容）
第６条　当会社の発行可能種類株式総数及び発行する各種類の株式の内容は，次のとおりとする。
普通株式　7500株
甲種類株式　250株
残余財産の分配については，甲種類株主は普通株主に先立ち甲種類株式１株当たり5000円の分配を受ける。

第３号議案　定款第16条変更の件
定款第16条に次のとおり第２項を新設することが諮られ，満場一致をもって承認可決された。
（取締役の選任及び代表取締役の選定）
第16条　当会社の取締役は，株主総会において議決権を行使することができる株主の議決権の３分の１を有する株主が出席し，出席した当該株主の議決権の過半数の決議によって選任する。
２　当会社は，取締役の互選によって代表取締役を選定する。

第４号議案　定款第21条の２新設の件

定款第21条の２として次の規定を設けることが諮られ，満場一致をもって承認可決された。

（取締役及び監査役の責任の免除）

第21条の２　当会社は，会社法第426条の規定により，取締役の過半数の同意をもって同法第423条の行為に関する取締役及び監査役の責任を法令の限度において免除することができる。

第５号議案　監査役選任の件

監査役を１名選任することが諮られ，満場一致をもって次のとおり選任された。

監査役　F

別紙９
【令和２年６月15日付け取締役の互選書の抜粋】

互　選　書

当会社の取締役全員は，互選により満場一致をもって次の者を代表取締役に選定した。なお，被選定者は，席上その就任を承諾した。

東京都港区芝九丁目９番９号
代表取締役　C

別紙10

【司法書士法務太郎の聴取記録（令和２年４月21日)】

1　別紙１は，令和２年４月10日現在における株式会社ブルーライトの登記記録を抜粋したものである。

2　別紙２は，令和２年４月10日現在における株式会社ブルーライトの定款である。

3　株式会社ブルーライトの令和２年２月18日に開催された定時株主総会には，議決権のある株主全員が出席し，その議事の概要は別紙３に記載されているとおりである。

4　別紙４は，株式会社ブルーライトの令和２年２月18日に開催された定時株主総会において承認された計算書類のうち貸借対照表の要旨を記載したものであり，同年４月18日に至るまでその内容に変更はない。

5　別紙５は，令和２年３月25日に株式会社ブルーライトの代表者に対し提出された監査役Ｅの辞任届である。

6　株式会社ブルーライトの令和２年４月10日に開催された臨時株主総会には，議決権のある株主全員が出席し，その議事の概要は別紙６に記載されているとおりである。

7　別紙６に記載されている議案のうち，効力を生じさせるために種類株主総会の承認決議を要するものについては，令和２年４月10日開催の臨時株主総会終結後，同日に開催された種類株主総会において適法に承認決議がされた。

8　別紙７は，令和２年４月10日現在における株式会社ブルーライトの株主名簿を抜粋したものである。

9　Ｘ，Ｙ及びＺは別紙６の第３号議案に係る募集株式について適法に申込みをし，Ｘは令和２年４月18日に株式会社ブルーライトに対し現物出資の目的である財産の自家用自動車１台を現実に給付し，Ｙは同月20日にＹの申し込んだ募集株式の払込金額の全額である300万円を所定の払込取扱金融機関に払い込んだが，Ｚは払込期日までに払込みをしなかった。

別紙11
【司法書士法務太郎の聴取記録（令和２年７月５日）】

1　株式会社ブルーライトの令和２年６月15日に開催された臨時株主総会には，議決権のある株主全員が出席し，その議事の概要は別紙８に記載されているとおりである。
2　別紙８に記載されている議案のうち，効力を生じさせるために種類株主総会の承認決議を要するものについては，令和２年６月15日開催の臨時株主総会終結後，同日に開催された種類株主総会において適法に承認決議がされた。
3　株式の併合に関する会社法第180条第２項各号に掲げる事項は，甲種類株主全員に対し適法に通知されている。
4　別紙９記載のとおり，令和２年６月15日開催の臨時株主総会終結後に取締役全員の互選により代表取締役Ｃが選定された。別紙９の互選書には取締役の全員につき市町村に登録された印鑑が押されている。

令和2年●答案用紙

第1欄

【登記の事由】

【登記すべき事項】

【登録免許税額及びその内訳】

【添付書面の名称及び通数】

第２欄

【登記の事由】

【登記すべき事項】

【登録免許税額】

【添付書面の名称及び通数】

第３欄

【登記することができない事項】
【理由】

解説　令和2年

[本問の重要論点一覧表]

出題範囲	重要論点	解説箇所
取締役会設置会社の定めの廃止	公開会社，監査役会設置会社，監査等委員会設置会社及び指名委員会等設置会社以外の株式会社は，株主総会の決議により，取締役会設置会社の定めを廃止し，非取締役会設置会社となることができる。	P306参照
監査役の監査の範囲を会計に関するものに限定する旨の定款の定めの設定	公開会社でない株式会社（監査役会設置会社及び会計監査人設置会社を除く。）は，その監査役の監査の範囲を会計に関するものに限定する旨を定款で定めることができる。	P308参照
剰余金の資本組入れ	株式会社は，株主総会の普通決議により，その他資本剰余金の額を減少して，資本金の額や資本準備金の額を増加することができる。	P312参照
	株主総会の普通決議は，定款に別段の定めがある場合を除き，議決権を行使することができる株主の議決権の過半数を有する株主が出席し，出席した当該株主の議決権の過半数をもって行う。	P312参照
募集株式の発行	種類株式発行会社が第三者割当てにより募集株式の発行をする場合において，募集株式の種類が譲渡制限株式であるときは，当該種類の株式に関する募集事項の決定は，当該種類の株式を引き受ける者の募集について当該種類の株式の種類株主を構成員とする種類株主総会の決議を要しない旨の定款の定めがある場合を除き，当該種類株主総会の特別決議がなければ，その効力を生じない。ただし，当該種類株主総会において議決権を行使することができる種類株主が存しない場合は，この限りでない。	P315参照
	募集事項の決定機関と割当先等の決定機関が同一の場合，割当先等の決定を，株式を割り当てた者から申込みがされることを条件として，同一の株主総会又は取締役会において，これらを決議することができる。	P315参照

出題範囲	重要論点	解説箇所
取締役等の会社に対する責任の免除に関する規定の設定	監査等委員会設置会社，指名委員会等設置会社又は取締役が２人以上ある監査役設置会社にあっては，取締役の過半数の同意（取締役会設置会社にあっては，取締役会の決議）により取締役等の責任の一部を免除することができる旨を定款で定めることができる。	P322参照
株式の併合（発行可能株式総数の変更）	株式の併合を決議する場合，効力発生日における発行可能株式総数を定めなければならない。	P324参照
発行可能種類株式総数及び発行する各種類の株式の内容の変更	発行可能種類株式総数及び発行する各種類の株式の内容の変更をするためには，定款を変更することを要し，株主総会の特別決議を要する。また，ある種類株式の内容を，当該種類株式の株主に不利益に変更する場合には，当該種類株式の株主に損害を及ぼすことになり，当該種類の株式の種類株主を構成員とする種類株主総会の特別決議を要する。	P328参照
役員の変更	役員が欠けた場合又は会社法若しくは定款で定めた役員の員数が欠けた場合には，任期の満了又は辞任により退任した役員は，新たに選任された役員が就任するまで，なお役員としての権利義務を有する。	P332参照
	取締役会設置会社の定めの廃止に伴い，新たに代表取締役以外の取締役が会社を代表することとなった場合，「代表権付与」を原因とする代表取締役の変更の登記を併せて申請しなければならない。	P334参照
	代表取締役の選定方法の変更後，従前の代表取締役が再任された場合には，登記実務上，重任登記を要しないものとして取り扱われている。	P338参照

1 役員の概要

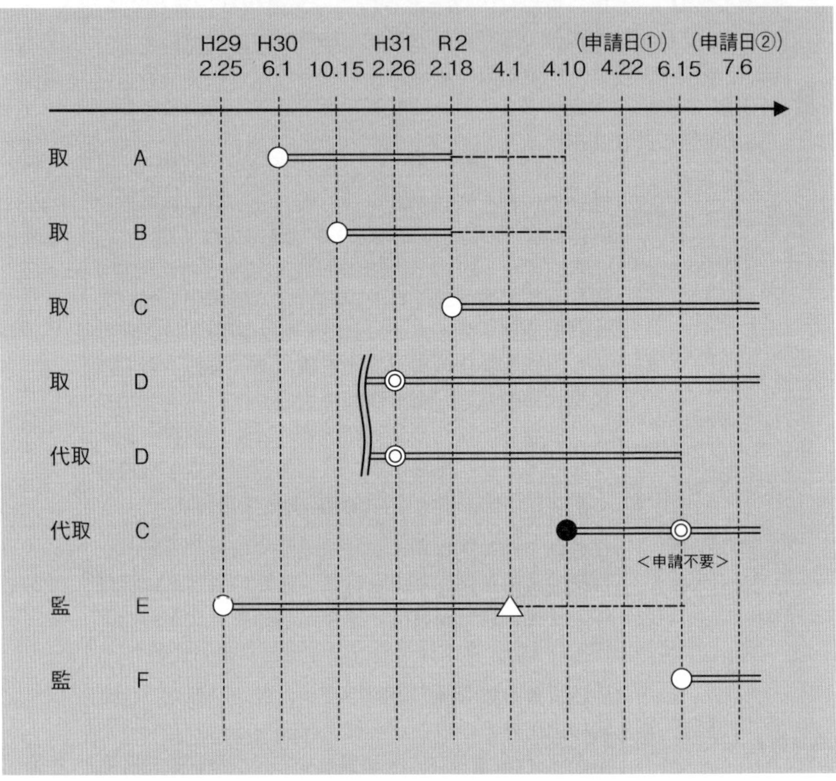
H29 2.25
H30 6.1
10.15
H31 2.26
R2 2.18
4.1
4.10
（申請日①）4.22
6.15
（申請日②）7.6
取 A
取 B
取 C
取 D
代取 D
代取 C
<申請不要>
監 E
監 F
任期中
権利義務
重任
就任
辞任
代表権付与
欠格

２ 印鑑証明書及び本人確認証明書の通数

<令和２年７月６日申請分>

	印鑑証明書の添付を要する書面			本人確認証明書（商登規61条７項）
	就任承諾書（商登規61条４・５項）	選定証明書（商登規61条６項）	辞任届（商登規61条８項）	
取　C				
取　D				
代取　D				
代取　C				
監　E				
監　F				○
合計	０通			１通

○…添付必要
×…添付不要
（届）…従前からの代表取締役の届出印で押印しているため
（再）…再任のため
（印）…商登規61条４項，５項又は６項の規定により印鑑証明書を添付するため

③ 株主の氏名又は名称，住所及び議決権数等を証する書面（株主リスト）の通数

3−1 株主の氏名又は名称，住所及び議決権数等を証する書面（株主リスト）の添付を要する場合等の検討

前提の知識

① 株主総会又は種類株主総会の決議を要する場合の株主の氏名又は名称，住所及び議決権数等を証する書面（株主リスト）

登記すべき事項につき株主総会又は種類株主総会の決議を要する場合には，申請書に，総株主（種類株主総会の決議を要する場合にあっては，その種類の株式の総株主）の議決権（当該決議において，行使することができるものに限る。）の数に対するその有する議決権の数の割合が高いことにおいて上位となる株主であって，次に掲げる人数のうちいずれか少ない人数の株主の氏名又は名称及び住所，当該株主のそれぞれが有する株式の数（種類株主総会の決議を要する場合にあっては，その種類の株式の数）及び議決権の数並びに当該株主のそれぞれが有する議決権に係る当該割合を証する書面を添付しなければならない（商登規61Ⅲ）。

⑴ 10名

⑵ その有する議決権の数の割合を当該割合の多い順に順次加算し，その加算した割合が３分の２に達するまでの人数

なお，当該決議には会社法319条１項の規定により決議があったものとみなされる場合が含まれる。

② 株主の氏名又は名称，住所及び議決権数等を証する書面（株主リスト）の通数

株主の氏名又は名称，住所及び議決権数等を証する書面（株主リスト）は，一の登記申請で，株主総会の決議を要する複数の登記すべき事項について申請される場合には，当該登記すべき事項ごとに添付を要する（商登規61Ⅱ・Ⅲ）。

ただし，決議ごとに添付を要する当該書面に記載すべき内容が一致するときは，その旨の注記がされた当該書面が１通添付されていれば足りるとされている（平28.6.23民商98号第3.1⑵ア）。

なお，日本司法書士会連合会より，以下の見解も示されている（日司連発第790号）。

Q：複数の株主総会により，複数の登記事項が発生し，これらを一括して登記申請する場合，それぞれの株主総会議事録ごとに株主リストが必要ですか。

A：「株主リスト」に記載すべき株主は，当該株主総会において議決権を行使することができるものをいうから，複数の株主総会により，複数の登記事項が発生し，これらを一括して登記申請する場合には，登記すべき事項ごとに当該株主総会において議決権を行使することができる「株主リスト」を添付しなければならない。

ただし，一の株主総会において，複数の登記すべき事項について決議された場合において，各事項に関して株主リストに記載すべき事項が同一である場合には，その旨注記して，一の株主リストを添付すれば足りるとされている。

3－1－1　株主の氏名又は名称，住所及び議決権数等を証する書面（株主リスト）の添付を要する事項

問題文（答案作成に当たっての注意事項）より，株主の氏名又は名称，住所及び議決権数等を証する書面（株主リスト）を記載する場合において，各議案を通じて株主リストに記載する各株主についての内容が変わらないときは，その通数は開催された総会ごとに１通添付すれば足りる。

第１欄

株主の氏名又は名称，住所及び議決権数等を証する書面の添付を要する株主総会	通数
<令和２年４月10日付け臨時株主総会> 取締役会設置会社の定めの廃止の件 監査役の監査の範囲を会計に関するものに限定する旨の定款の定めの設定の件 募集株式の発行の件 募集株式の割当ての件 剰余金の資本組入れの件	１通
<令和２年４月10日付け普通株主を構成員とする種類株主総会> 募集株式の発行に関する募集事項の決定の件	１通
合計	２通

令和２年

第２欄

株主の氏名又は名称，住所及び議決権数等を証する書面の添付を要する株主総会	通数
<令和２年６月15日付け臨時株主総会> 株式の併合の件 発行可能種類株式総数及び発行する各種類の株式の内容の変更の件 役員の変更の件	１通
<令和２年６月15日付け甲種類株主を構成員とする種類株主総会> 株式の併合の件	１通
<令和２年６月15日付け普通株主を構成員とする種類株主総会> 発行可能種類株式総数及び発行する各種類の株式の内容の変更の件	１通
合計	３通

4 課税標準金額・登録免許税

＜令和２年４月22日申請分＞

課税標準金額	金1,080万円

登記事項	登録免許税	
資本金の額増加分	金1,080万円×７/1,000 ＝金７万5,600円　※１	登録税別表 1.24.(1)ニ
取締役会設置会社 の定めの廃止分	金３万円	登録税別表 1.24.(1)ワ
役員変更分 (監査役の監査の範囲を会計に関するものに限定する旨の定款の定めの設定を含む)	金１万円　※２	登録税別表 1.24.(1)カ
合計	金11万5,600円　※３	

＜令和２年７月６日申請分＞

登記事項		登録免許税	
役員変更分		金３万円　※２	登録税別表 1.24.(1)カ
他の変更分	株式の併合 (発行可能株式総数の変更)	金３万円	登録税別表 1.24.(1)ツ
	発行可能種類株式総数 及び発行する各種類の 株式の内容の変更		
合計		金６万円　※３	

※１　課税標準金額のある登記と課税標準金額のない登記とを一括申請する場合には，登録免許税額の内訳を記載する。

※２　役員等変更の登録免許税額は金３万円であるが，資本金の額が１億円以下の会社の場合は金１万円である（登録税別表1.24.(1)カ）。

※３　異なる区分に属する数個の登記事項を同一の申請書で申請する場合には各登記の区分の税率を適用した計算金額の合計額となる（登録税18）。

5 取締役会設置会社の定めの廃止

結論

本問の場合，**令和２年４月10日**付けで，**取締役会設置会社の定めを廃止**する旨の登記を申請することができる。

<申請書記載例>

1．事	取締役会設置会社の定めの廃止		
1．登	○年○月○日取締役会設置会社の定め廃止		
1．税	金３万円（登録税別表1.24.(1)ワ）		
1．添	株主総会議事録	1通	（商登46Ⅱ）
	株主の氏名又は名称，住所及び議決権数等を証する書面	1通	（商登規61Ⅲ）
	委任状	1通	（商登18）

前提の知識

① **取締役会設置会社**

株式会社は，定款の定めによって，取締役会を置くことができる（会社326Ⅱ）。そして，取締役会を置く株式会社又は会社法の規定により取締役会を置かなければならない株式会社を「取締役会設置会社」という（会社２⑦）。取締役会設置会社であるときは，その旨が登記事項となる（会社911Ⅲ⑮）。

なお，公開会社，監査役会設置会社，監査等委員会設置会社，指名委員会等設置会社では，取締役会を置かなければならない（会社327Ⅰ）。

② **取締役会設置会社の定めの廃止**

取締役会設置会社は，株主総会の決議により，取締役会設置会社の定めを廃止し，非取締役会設置会社となることができる。取締役会設置会社の定めは，定款の記載・記録事項であるため，その変更には，定款変更手続として株主総会の特別決議を要する（会社466・309Ⅱ⑪）。

5−1 決議権限

別紙６より，株主総会において決議されているため，決議機関は適法である（会社466）。

5−2 決議形式

⑴ 招集手続

別紙10より，議決権のある株主全員が出席しているため，招集手続の瑕疵の有無については，検討することを要しない（最判昭60.12.20，最判昭46.6.24，昭43.8.30民甲2770号）。

⑵ 決議要件

別紙２より，申請会社の定款には，「会社法第309条第２項に定める決議は，議決権を行使することができる株主の議決権の３分の１を有する株主が出席し，出席した当該株主の議決権の３分の２以上に当たる多数をもって決する。」旨の定めがある。

別紙６及び10より，議決権を行使することができる株主の議決権の３分の１を有する株主が出席し（全員），出席した当該株主の議決権の３分の２以上の賛成を得ているため（満場一致），決議要件を満たしている（会社309Ⅱ⑪）。

5−3 決議内容

別紙６より，取締役会設置会社の定めを廃止する旨の定款変更決議をしている。

別紙１及び２より，申請会社は，非公開会社であり，また，監査役会設置会社，監査等委員会設置会社及び指名委員会等設置会社に該当しない。

したがって，取締役会設置会社の定めを廃止することができるため，決議内容は適法である。

5−4 登記すべき事項

登記すべき事項には，「令和２年４月10日取締役会設置会社の定め廃止」と記載する。

5−5 添付書面

取締役会設置会社の定めの廃止の決議をしたことを証する書面として，令和２年４月10日付けの「（臨時）株主総会議事録」を添付する（商登46Ⅱ）。

登記すべき事項につき株主総会の決議を要する場合のため，「株主の氏名又は名称，住所及び議決権数等を証する書面」を添付する（商登規61Ⅲ）。

6 監査役の監査の範囲を会計に関するものに限定する旨の定款の定めの設定

結論

本問の場合，**令和２年４月10日**付けで，**監査役の監査の範囲を会計に関するものに限定する旨の定款の定め**を**設定**する旨の登記を申請することができる。

<申請書記載例>

1．事	監査役の監査の範囲を会計に関するものに限定する旨の定款の定めの設定		
1．登	○年○月○日設定 監査役の監査の範囲を会計に関するものに限定する旨の定款の定めがある		
1．税	金３万円（登録税別表1.24.(1)カ） （但し，資本金の額が１億円以下の会社については，金１万円）		
1．添	株主総会議事録	1通	（商登46Ⅱ）
	株主の氏名又は名称，住所及び議決権数等を証する書面	1通	（商登規61Ⅲ）
	委任状	1通	（商登18）

前提の知識

① **定款の定めによる監査役の監査範囲の限定**

監査役は，取締役（会計参与設置会社にあっては，取締役及び会計参与）の職務の執行を監査する（会社381Ⅰ）。ただし，非公開会社（監査役会設置会社及び会計監査人設置会社を除く。）は会社法381条１項の規定にかかわらず，その監査役の監査の範囲を会計に関するものに限定する旨を定款で定めることができる（会社389Ⅰ）。

公開会社である監査役設置会社において，監査役の監査の範囲を会計に関するものに限定することができないのは，必ずしも経営監視能力が高くない一般株主のために，監査役において取締役等による業務の適法性を監査する必要があるからである。

②　**監査役の監査の範囲に関する登記**

監査役の監査の範囲を会計に関するものに限定する旨の定款の定めがある株式会社は，監査役設置会社である旨及び監査役の氏名に加え，監査役の監査の範囲を会計に関するものに限定する旨の定款の定めがある旨の登記をしなければならない（会社911Ⅲ⑰）。また，当該定款の定めを廃止した場合には，廃止した旨を登記しなければならない。

なお，これらの変更の登記の登録免許税の額は，申請件数１件につき金３万円（資本金の額が１億円以下の会社では金１万円）である（登録税別表1.24.(1)カ）。

③　**株主総会の特別決議の要件**

特別決議は，当該株主総会において，議決権を行使することができる株主の議決権の過半数（３分の１以上の割合を定款で定めた場合にあっては，その割合以上）を有する株主が出席し，出席した当該株主の議決権の３分の２（これを上回る割合を定款で定めた場合にあっては，その割合）以上に当たる多数をもって行わなければならない。この場合においては，当該決議の要件に加えて，一定の数以上の株主の賛成を要する旨その他の要件を定款で定めることができる（会社309Ⅱ）。

6−1　決議権限

別紙６より，株主総会において決議されているため，決議機関は適法である（会社466）。

6−2　決議形式

(1)　招集手続

別紙10より，議決権のある株主全員が出席しているため，招集手続の瑕疵の有無については，検討することを要しない。

(2)　決議要件

別紙７より，令和２年４月10日開催の臨時株主総会における株主の議決権数は以下のとおりとなる。

株主名	普通株式	甲種類株式	議決権数
W	0株	100株	100個
X	830株	80株	910個
Y	470株	20株	490個
Z	300株	0株	300個
合計	1,600株	200株	1,800個

よって，令和２年４月10日開催の臨時株主総会において議決権を行使することができる株主の議決権の数は，1,800個である。

前述のとおり，申請会社の定款には，「会社法第309条第２項に定める決議は，議決権を行使することができる株主の議決権の３分の１を有する株主が出席し，出席した当該株主の議決権の３分の２以上に当たる多数をもって決する。」旨の定めがある。

別紙６及び10より，議決権を行使することができる株主の議決権（1,800個）の３分の１（600個）を有する株主が出席し（全員），出席した当該株主の議決権の３分の２以上（1,200個以上）の賛成を得ているため（X（910個）＋Z（300個）＝1,210個），決議要件を満たしている（会社309Ⅱ⑪）。

6−3 決議内容

別紙６より，監査役の監査の範囲を会計に関するものに限定する旨の定款の定めを設定する旨の決議をしている。

別紙１及び２より，申請会社は非公開会社であり，かつ，監査役会設置会社及び会計監査人設置会社のいずれにも該当しないため，監査役の監査の範囲を会計に関するものに限定する旨を定款で定めることができる。

6−4 登記すべき事項

登記すべき事項には，

「令和２年４月10日設定

監査役の監査の範囲を会計に関するものに限定する旨の定款の定めがある」

と記載する。

6−5 添付書面

監査役の監査の範囲を会計に関するものに限定する旨の定款の定めの設定の決議をしたことを証する書面として，令和２年４月10日付けの「（臨時）株主総会議事録」を添付する（商登46Ⅱ）。

登記すべき事項につき株主総会の決議を要する場合のため，「株主の氏名又は名称，住所及び議決権数等を証する書面」を添付する（商登規61Ⅲ）。

7 剰余金の資本組入れ

結論

本問の場合，**令和２年４月18日**付けで，**資本金の額を金9,900万円**とする**変更**登記を申請することができる。

＜申請書記載例＞

1．事	剰余金の資本組入れ		
1．登	○年○月○日変更 資本金の額　金○円		
1．税	増加した資本金の額×７／1000（登録税別表1.24.(1)ニ） （計算額が金３万円に満たないときは，金３万円）		
1．添	株主総会議事録	１通	（商登46Ⅱ）
	株主の氏名又は名称，住所及び議決権数等を 証する書面	１通	（商登規61Ⅲ）
	減少に係る剰余金の額が計上されていたことを 証する書面	１通	（商登69）
	委任状	１通	（商登18）

前提の知識

① **剰余金の資本組入れの決議機関**

株式会社は，剰余金の額を減少して，資本金の額を増加することができる。この場合においては，次に掲げる事項を株主総会の決議により定めなければならない（会社450Ⅰ・Ⅱ）。

⑴　減少する剰余金の額

⑵　資本金の額の増加がその効力を生ずる日

また，⑴の額は，⑵の日における剰余金の額を超えてはならない（会社450Ⅲ）。

令和２年

② **株主総会の普通決議の要件**

株主総会の普通決議は，定款に別段の定めがある場合を除き，議決権を行使することができる株主の議決権の過半数を有する株主が出席し，出席した当該株主の議決権の過半数をもって行う（会社309Ⅰ）。

③ **剰余金の資本金又は準備金への組入れ**

株式会社は，株主総会の普通決議により，その他資本剰余金の額を減少して，資本金の額や資本準備金の額を増加することができる（会社450・451・309Ⅰ）。

この場合，資本金の額を増加した場合は，登記事項である資本金の額が変更した旨の登記が必要となるが（会社911Ⅲ⑤・915Ⅰ），資本準備金の額を増加した場合は，登記事項に変更は生じない（会社911Ⅲ参照）。

7－1 剰余金の存在

別紙４より，計算書類が承認された定時株主総会（令和２年２月18日）時点において，その他利益剰余金として金960万円が存在していたことが分かる。

別紙10より，剰余金の資本組入れの効力発生日（令和２年４月18日）時点に至るまで，その内容に変更はない旨の記載があるため，効力発生日において，申請会社には，その他利益剰余金の額として金960万円が存在していたことが分かる。

7－2 決議権限

別紙６より，株主総会において決議されているため，決議機関は適法である（会社450）。

7－3 決議形式

(1) 招集手続

別紙10より，議決権のある株主全員が出席しているため，招集手続の瑕疵の有無については，検討することを要しない。

(2) 決議要件

別紙２より，申請会社の定款には，「株主総会の決議は，法令又は定款に別段の定めがある場合を除き，出席した議決権を行使することができる株主の議決権の過半数をもって決する。」旨の定めがある。

別紙６及び10より，出席した当該株主の議決権（1,800個）の過半数（901個）の賛成を得ているため（X（910個）），決議要件を満たしている（会社309Ⅰ）。

7－4 決議内容

別紙４及び６より，効力発生日を令和２年４月18日として，申請会社に存するその他利益剰余金960万円のうち金900万円を減少し，その全額を資本金とする旨が決議されている。

7－5 効力発生日

別紙６より，剰余金の資本組入れの効力発生日を令和２年４月18日と定めているため，同日に剰余金の資本組入れの効力が生ずる。

7－6 資本金の額

別紙１より，申請会社の資本金の額は金9,000万円であり，上述のとおり，剰余金の資本組入れによる資本金の増加額は金900万円であるため，変更後の資本金の額は金9,900万円となる。

7－7 登記すべき事項

登記すべき事項には，
「令和２年４月18日変更
　　資本金の額　金9,900万円」
と記載する。

7－8 添付書面

剰余金の資本組入れの決議をしたことを証する書面として，令和２年４月10日付けの「(臨時）株主総会議事録」を添付する（商登46Ⅱ）。

登記すべき事項につき株主総会の決議を要するため，「株主の氏名又は名称，住所及び議決権数等を証する書面」を添付する（商登規61Ⅲ）。

減少に係る剰余金の額が計上されていたことを証する書面として，「減少に係る剰余金の額が計上されていたことを証する書面」を添付する（商登69）。

8 募集株式の発行

結論

本問の場合，**令和２年４月20日**付けで，**発行済株式の総数**を**1,860株**，**発行済各種の株式の数**を**普通株式1,660株**，**甲種類株式200株**，**資本金の額**を**金１億80万円**とする募集株式の発行による**変更**の登記を申請することができる。

<申請書記載例；第三者割当て・非公開会社・非取締役会設置会社・種類株式発行会社・本問の場合>

1．事　募集株式の発行
1．登　○年○月○日次のとおり変更
　　発行済株式の総数　○株
　　発行済各種の株式の数　○種類株式　○株
　　　　　　　　　　　　　○種類株式　○株
　　資本金の額　金○円
1．税　増加した資本金の額×７／1000（登録税別表1.24.(1)ニ）
　　（但し，計算額が金３万円に満たないときは，金３万円）
1．添　株主総会議事録　１通（商登46Ⅱ）
　　種類株主総会議事録　１通（商登46Ⅱ）
　　株主の氏名又は名称，住所及び議決権数等を
　　証する書面　２通（商登規61Ⅲ）
　　引受けの申込みを証する書面　１通（商登56①）
　　払込みがあったことを証する書面　１通（商登56②）
　　資本金の額が会社法及び会社計算規則の
　　規定に従って計上されたことを証する書面　１通（商登規61Ⅸ）
　　委任状　１通（商登18）

前提の知識

① **募集株式の募集事項の決定機関**

募集株式発行の際の募集事項の決定は，原則として，株主総会の特別決議によるものとされる（会社309Ⅱ⑤・199Ⅱ）。ただし，公開会社については，有利発行の場合を除き，取締役会の決議によるものとされる（会社201Ⅰ・199Ⅱ・Ⅲ）。

② 募集株式の種類が譲渡制限株式である場合の種類株主総会決議の要否

種類株式発行会社が第三者割当てにより募集株式の発行をする場合において，募集株式の種類が譲渡制限株式であるときは，当該種類の株式に関する募集事項の決定は，当該種類の株式を引き受ける者の募集について当該種類の株式の種類株主を構成員とする種類株主総会の決議を要しない旨の定款の定めがある場合を除き，当該種類株主総会の特別決議がなければ，その効力を生じない。ただし，当該種類株主総会において議決権を行使することができる種類株主が存しない場合は，この限りでない（会社324Ⅱ②・199Ⅳ）。

③ 募集株式の割当て

株式会社は，申込者の中から募集株式の割当てを受ける者を定め，かつ，その者に割り当てる募集株式の数を定めなければならない（会社204Ⅰ）。募集株式が譲渡制限株式である場合における当該決定は，定款に別段の定めがある場合を除き，株主総会（取締役会設置会社にあっては，取締役会）の決議によるものとされる（会社204Ⅱ）。また，譲渡制限株式でない場合においては，代表者の割当自由の原則により，適宜の業務執行機関の決定によるものとされる。

なお，募集事項の決定機関と割当先等の決定機関が同一の場合，株式を割り当てた者から申込みがされることを条件として，割当先等の決定を，募集事項の決定と同一の株主総会又は取締役会において決議することができる。

④ 現物出資に関する検査役の調査の要否

株式会社は，募集株式の発行に際して現物出資をする者がある場合，当該現物出資財産の価額を調査させるため，裁判所に対し，検査役の選任の申立てをしなければならない（会社207Ⅰ）。ただし，以下に掲げる場合には，検査役の選任の申立てをする必要はない（会社207Ⅸ）。

⑴ 募集株式の引受人に割り当てる株式の総数が発行済株式の総数の10分の１を超えない場合

複数の現物出資者があるときには，その全ての現物出資者に割り当てる株式の合計数で判断することとなる。

⑵ 現物出資財産について定められた価額の総額が500万円を超えない場合

複数の現物出資財産があるときには，その全ての現物出資財産の価額の総額で判断することとなる。

⑶ 現物出資財産のうち，市場価格のある有価証券について定められた価額が当該有価証券の市場価格として法務省令で定める方法により算定されるものを超えない場合

令和２年

なお，法務省令に定める方法は，次に掲げる額のうちいずれか高い額をもって，有価証券の価格とする方法とする（会社施規43）。

(イ) 会社法199条１項３号の価額を定めた日（以下「価額決定日」という。）における当該有価証券を取引する市場における最終の価格（当該価額決定日に売買取引がない場合又は当該価額決定日が当該市場の休業日に当たる場合にあっては，その後最初になされた売買取引の成立価格）

(ロ) 価額決定日において当該有価証券が公開買付け等の対象であるときは，当該価額決定日における当該公開買付け等に係る契約における当該有価証券の価格

(4) 現物出資財産について定められた価額が相当であることについて弁護士，弁護士法人，公認会計士，監査法人，税理士又は税理士法人の証明（現物出資財産が不動産である場合にあっては，当該証明及び不動産鑑定士の鑑定評価）を受けた場合

(5) 現物出資財産が株式会社に対する金銭債権（弁済期が到来しているものに限る。）であって，当該金銭債権について定められた価額が当該金銭債権に係る負債の帳簿価額を超えない場合

⑤ 募集株式の発行における資本金等増加限度額

募集株式を発行した場合の資本金の額は，会社法に別段の定めがある場合を除き，株式の発行に際して株主となる者が当該株式会社に対して「払込み又は給付をした財産の額（資本金等増加限度額）」を基準として増加する（会社445Ⅰ）。

そして，資本金等増加限度額は，会社計算規則14条の規定に従って算定される。

具体的には，①「募集株式の引受人より払込み及び給付を受けた財産の価額の合計額」から，②「増加する資本金及び資本準備金に関する事項として募集株式の交付に係る費用の額のうち，株式会社が資本金等増加限度額から減ずるべき額と定めた額（株式の交付に係る費用）」を減じて得た額に，③「株式発行割合（交付する株式の総数に占める新たに発行する株式の数の割合）」を乗じて得た額を算出し，そこから④「自己株式の処分差損」※を減じて得た額が資本金等増加限度額となる（会社計規14Ⅰ）。

なお，②に掲げる募集株式の交付に係る費用等については，当分の間，零とされている（会社計規附則11）。

{(①－②) ×③} －④＝資本金等増加限度額

以上により資本金等増加限度額として算出された額のうち，２分の１を超えない額は，募集事項等の決定に際して定めることにより資本金として計上しないことができ（会社445Ⅱ・199Ⅰ⑤），その分は資本準備金として計上することとなる（会社445Ⅲ）。

募集株式の発行による変更登記の申請書には，資本金の額を証するため，「資本金の額が会社法及び会社計算規則の規定に従って計上されたことを証する書面」を添付する（商登規61Ⅸ）。

※　自己株式の処分差損は，イに掲げる額からロに掲げる額を減じて得た額が零以上であるときに，当該額を考慮することを要する。

イ　当該募集に際して処分する自己株式の帳簿価額

ロ　①に掲げる額から②に掲げる額を減じて得た額（零未満である場合にあっては，零）に自己株式処分割合（１から株式発行割合を減じて得た割合をいう。）を乗じて得た額

8－1　決議権限

別紙１及び２より，申請会社は非公開会社であるため，募集株式の募集事項の決定は，株主総会の決議で行う（会社199Ⅱ）。

別紙６より，株主総会において決議されているため，決議機関は適法である。

8－2　決議形式

⑴　招集手続

別紙10より，議決権のある株主全員が出席しているため，招集手続の瑕疵の有無については，検討することを要しない。

⑵　決議要件

前述のとおり，申請会社の定款には，「会社法第309条第２項に定める決議は，議決権を行使することができる株主の議決権の３分の１を有する株主が出席し，出席した当該株主の議決権の３分の２以上に当たる多数をもって決する。」旨の定めがある。

別紙６及び10より，議決権を行使することができる株主の議決権の３分の１を有する株主が出席し（全員），出席した当該株主の議決権の３分の２以上の賛成を得ているため（満場一致），決議要件を満たしている（会社309Ⅱ⑤）。

8−3 決議内容

(1) 割当方法

別紙6，7及び10より，第三者割当ての方法による募集株式の発行であることが分かる。

(2) 募集株式の数（枠内発行の要請）

種類株式発行会社における募集株式の発行は，発行可能株式総数及び当該種類の株式の発行可能種類株式総数の範囲内で行わなければならない。

本問の場合，別紙6より，普通株式を新たに70株発行する旨の決議をしている。別紙1及び2より，募集株式の発行の効力発生日である令和2年4月20日時点における申請会社の発行可能株式総数は8,000株，発行可能種類株式総数は普通株式7,500株，甲種類株式500株であり，募集株式の発行の効力発生前の発行済株式の総数は1,800株，発行済各種の株式の数は普通株式1,600株，甲種類株式200株である。

以上により，申請会社が枠内発行の要請を満たしているかを検討すると，以下のとおりとなる。

(イ) 発行可能株式総数における枠内発行の要請

普通株式を70株発行した場合，発行済株式の総数は1,870株（1,800株＋70株）となる。また，別紙1より，当該募集株式の発行の効力発生時点において，申請会社は新株予約権を発行していないことが分かるため，新株予約権の目的となる株式の数を留保しておく必要はない。

したがって，今回の募集株式の発行後の発行済株式の総数は，発行可能株式総数（8,000株）を超える発行とはならず，枠内発行の要請を満たしている。

(ロ) 発行可能種類株式総数における枠内発行の要請

普通株式を70株発行した場合，普通株式の発行済株式の総数は1,670株（1,600株＋70株）となる。また，問題文（答案作成に当たっての注意事項），別紙1及び2より，当該募集株式の発行の効力発生時点において，申請会社は普通株式を取得対価とする取得請求権付株式及び取得条項付株式，普通株式を目的とする新株予約権を発行していないことが分かるため，当該取得対価として交付する普通株式の数及び当該新株予約権の目的となる普通株式の数を留保しておく必要はない。

したがって，今回の募集株式の発行後の普通株式の発行済株式の総数は，普通株式の発行可能種類株式総数（7,500株）を超える発行とはならず，枠内発行の要請を満たしている。

以上の検討から，募集株式の発行決議で定められた普通株式の数は，申請会社が新たに発行することができる普通株式の数の範囲内であるため，適法である。

⑶ 募集株式の種類及び数

別紙６より，募集株式の種類及び数として，普通株式70株と定めている。

⑷ 募集株式の払込金額

別紙６より，払込金額は募集株式１株につき金６万円と定めている。

⑸ 増加する資本金及び資本準備金の額

別紙６より，増加する資本金の額は，１株につき金３万円と定めている。また，増加する資本準備金の額は，１株につき金３万円と定めており，払込金額金６万円のうち，金３万円は資本金に計上されない。

⑹ 現物出資に関する事項

別紙６より，現物出資に関する事項について決議がされ，現物出資の目的として，X所有の自家用自動車１台と定めている。

⑺ 払込期日又は給付期日

別紙６より，払込期日又は給付期日を令和２年４月20日と定めている。

なお，別紙１及び２より，申請会社は非公開会社であるため，募集事項を株主に対して通知する必要はない（会社201Ⅲ）。

8－4 種類株主総会決議の要否

別紙１及び２より，申請会社の普通株式は譲渡制限株式であるため，普通株式の種類株主を構成員とする種類株主総会の決議が必要となる（会社199Ⅳ）。別紙10より，普通株式の種類株主総会が適法に開催され，承認決議がされていると判断することができる。

8－5 引受けの申込み

別紙10より，募集株式の引受けの申込みに関する手続は，全て適法にされていることが分かる。

8−6 募集株式の割当て

前述のとおり，募集株式である普通株式は譲渡制限株式であり，申請会社は非取締役会設置会社であるため，株主総会の決議により，割当てを受ける者及びその者に割り当てる募集株式の数を定めなければならない（会社204Ⅰ・Ⅱ）。

別紙6より，割当方法として，X，Y及びZから引受けの申込みがされることを条件に，Xに普通株式10株，Yに普通株式50株，Zに普通株式10株を割り当てる旨の決定をしている。

本問は，募集事項の決定機関と割当先等の決定機関が同一の場合であるが，割当先等の決定を，株式を割り当てた者から申込みがされることを条件として，同一の株主総会において決議することができるため，適法である。

8−7 検査役の調査の要否

別紙6より，現物出資に関する事項について決議がされ，現物出資の目的としてX所有の自家用自動車1台と定められている。現物出資に関する事項を定めた場合，原則として，株式会社は現物出資財産の価額を調査させるために検査役の選任の申立てをしなければならないが，別紙1及び6より，募集株式の引受人であるXに割り当てる株式の総数は発行済株式の総数の10分の1を超えておらず，現物出資財産につき募集事項の決定の際に定められた価格の総額は500万円を超えていない。

したがって，検査役の調査は不要である（会社207Ⅸ①・②）。

8−8 払込み・財産の給付

別紙10より，令和2年4月20日（給付期日）までに，Xが適法に現物出資財産の給付をしている。また，同日（払込期日）までに，Yが適法に払込みをしている。なお，Zは払込期日までに払込みをしていないため，当該募集株式の株主となる権利を失う（会社208Ⅴ）。

8−9 効力発生日

別紙6より，払込期日又は給付期日は令和2年4月20日であるため，同日に募集株式の発行の効力が生ずる。

8−10 発行済株式の総数並びに種類及び数

別紙7より，申請会社は，自己株式を保有していないことが分かるため，株式の全てを新たに発行することとなる。

したがって，変更後の発行済株式の総数並びに種類及び数は，従前の発行済株式の総数（1,800株）及び発行済各種の株式の数（普通株式1,600株，甲種類株式200株）に，新たに発行した株式数（普通株式60株）を加え，発行済株式の総数1,860株，発行済各種の株式の数は普通株式1,660株，甲種類株式200株となる。

8−11 資本金の額

別紙６より，増加する資本金の額は，１株につき金３万円とすると定めており，また，上述のとおり，申請会社は自己株式を交付していないため，払込金額の全額が資本金等増加限度額となる。

したがって，払込みのあった金180万円（金３万円×60株）を資本金に計上することとなり，前述のとおり，従前の資本金の額は金9,900万円であるため，変更後の資本金の額は，金１億80万円となる。

8−12 登記すべき事項

登記すべき事項には，

「令和２年４月20日次のとおり変更

発行済株式の総数　1,860株

発行済各種の株式の数　普通株式　1,660株

甲種類株式　200株

資本金の額　金１億80万円」

と記載する。

8−13 添付書面

募集事項を定めたこと及び割当決議をしたことを証する書面として，令和２年４月10日付けの「（臨時）株主総会議事録」を添付する（商登46Ⅱ）。

普通株式の種類株主を構成員とする種類株主総会の承認決議をしたことを証する書面として，令和２年４月10日付けの「普通株式の種類株主総会議事録」を添付する（商登46Ⅱ）。

登記すべき事項につき株主総会及び種類株主総会議事録の決議を要する場合のため，「株主の氏名又は名称，住所及び議決権数等を証する書面」を添付する（商登規61Ⅲ）。

募集株式の発行に関する引受けの申込み及び払込みに関する手続が適法にされているため，「引受けの申込みを証する書面」及び「払込みがあったことを証する書面」を添付する（商登56①・②）。

会社計算規則14条により，資本金に計上すべき額に関する規律が設けられているため，「資本金の額が会社法及び会社計算規則の規定に従って計上されたことを証する書面」を添付する（商登規61Ⅸ）。

9 取締役等の会社に対する責任の免除に関する規定の設定

結論

本問の場合，取締役等の会社に対する責任の免除に関する規定の設定登記を申請することはできない。なぜなら，**申請会社には，監査役の監査の範囲を会計に関するものに限定する旨の定款の定めがあり，監査役設置会社ではない**からである。

前提の知識

① **取締役等の株式会社に対する損害賠償責任**

取締役，会計参与，監査役，執行役又は会計監査人は，その任務を怠ったときは，株式会社に対し，これによって生じた損害を賠償する責任を負う（会社423Ⅰ）。また，原則として，当該責任は，総株主の同意がなければ，免除することができない（会社424）。

② **取締役等の会社に対する責任の免除に関する規定**

会社法424条の規定にかかわらず，監査役設置会社（取締役が２人以上ある場合に限る。），監査等委員会設置会社又は指名委員会等設置会社は，会社法423条１項の責任について，当該役員等が職務を行うにつき善意でかつ重大な過失がない場合において，責任の原因となった事実の内容，当該役員等の職務の執行の状況その他の事情を勘案して特に必要と認めるときは，会社法425条１項の規定により免除することができる額を限度として取締役（当該責任を負う取締役を除く。）の過半数の同意（取締役会設置会社にあっては，取締役会の決議）によって免除することができる旨を定款で定めることができる（会社426Ⅰ）。取締役等の会社に対する責任の免除に関する規定を定款に定めた場合，その定めは登記すべき事項となる（会社911Ⅲ㉔）。

なお，監査役設置会社においては，取締役は，会社法423条１項の責任の免除（取締役の責任の免除に限る。）に関する議案を株主総会に提出するには，監査役（監査役が２人以上ある場合にあっては，各監査役）の同意を得なければならない（会社426Ⅱ・425Ⅲ①）。

9−1 決議権限

別紙８より，株主総会において決議されているため，決議機関は適法である（会社466）。

9−2 決議形式

⑴ 招集手続

別紙11より，議決権のある株主全員が出席しているため，招集手続の瑕疵の有無については，検討することを要しない。

⑵ 決議要件

前述のとおり，申請会社の定款には，「会社法第309条第２項に定める決議は，議決権を行使することができる株主の議決権の３分の１を有する株主が出席し，出席した当該株主の議決権の３分の２以上に当たる多数をもって決する。」旨の定めがある。

別紙８及び11より，議決権を行使することができる株主の議決権の３分の１を有する株主が出席し（全員），出席した当該株主の議決権の３分の２以上の賛成を得ているため（満場一致），決議要件を満たしている（会社309Ⅱ⑪）。

9−3 決議内容

別紙８より，取締役等の会社に対する責任の免除に関する規定として，定款に「当会社は，会社法第426条の規定により，取締役の過半数の同意をもって同法第423条の行為に関する取締役及び監査役の責任を法令の限度において免除することができる。」旨の規定を設定する旨の決議をしている。

しかし，前述のとおり，申請会社には，監査役の監査の範囲を会計に関するものに限定する旨の定款の定めがあり，監査役設置会社ではないため，取締役等の会社に対する責任の免除に関する規定を設定することはできない。

したがって，取締役等の会社に対する責任の免除に関する規定の設定の件は，登記することができない事項であるため，答案用紙の第３欄にその理由とともに記載する（解答例参照）。

10 株式の併合（発行可能株式総数の変更）

結論

本問の場合，**令和２年７月５日**付けで，**発行済株式の総数**を**1,760株**，**発行済各種の株式の数**を**普通株式1,660株**，**甲種類株式100株**，**発行可能株式総数**を**7,500株**とする**株式の併合**の登記を申請することができる。

<申請書記載例；種類株式発行会社・株券発行会社でない会社・会社法第322条の種類株主総会の決議を要する場合・本問の場合>

1．事	株式の併合		
1．登	○年○月○日次のとおり変更		
	発行済株式の総数　○株		
	発行済各種の株式の数　○種類株式　○株		
	○種類株式　○株		
	発行可能株式総数　○株		
1．税	金３万円（登録税別表1.24.(1)ツ）		
1．添	株主総会議事録	１通	（商登46Ⅱ）
	種類株主総会議事録	１通	（商登46Ⅱ）
	株主の氏名又は名称，住所及び議決権数等を証する書面	２通	（商登規61Ⅲ）
	委任状	１通	（商登18）

前提の知識

① **株式の併合と発行可能株式総数**

株式の併合を決議するにあたり，（1）併合の割合，（2）株式の併合がその効力を生ずる日，（3）株式会社が種類株式発行会社である場合には，併合する株式の種類，（4）効力発生日における発行可能株式総数を定めなければならない（会社180Ⅱ）。

当該発行可能株式総数は，併合比率に応じて減少させる必要はないが，公開会社においては，株式の併合の効力発生日における発行済株式の総数の４倍を超えることはできない（会社180Ⅲ）。また，株式の併合の効力発生日において，（4）の定めに従い，発行可能株式総数に係る定款変更をしたものとみなされる（会社182Ⅱ）。

②　会社法322条１項１号の２から14号までに掲げる行為をする場合における種類株主総会決議の要否

種類株式発行会社が会社法322条１項１号の２から14号まで及び単元株式数についての定款変更をする場合（会社322Ⅲ括弧書参照）において，ある種類の株式の種類株主に損害を及ぼすおそれがあるときは，当該種類の株式の種類株主を構成員とする種類株主総会（当該種類株主に係る株式の種類が２以上ある場合にあっては，当該２以上の株式の種類別に区分された種類株主を構成員とする各種類株主総会）の特別決議が必要である（会社322Ⅰ柱書本文・①の２～⑭・324Ⅱ④)。ただし，当該種類株主総会において議決権を行使することができる種類株主が存しない場合，又は当該種類株式の内容として，種類株主総会の決議を要しない旨が定款に定められている場合には，種類株主総会決議は不要である（会社322Ⅰ但書・Ⅱ・Ⅲ)。

10－1　決議権限

別紙８より，株主総会において決議されているため，決議機関は適法である（会社180Ⅱ)。

10－2　決議形式

⑴　招集手続

別紙11より，議決権のある株主全員が出席しているため，招集手続の瑕疵の有無については，検討することを要しない。

⑵　決議要件

前述のとおり，令和２年４月20日に募集株式の発行の効力が発生しているため，令和２年６月15日開催の臨時株主総会における株主の議決権数は以下のとおりとなる。

株主名	普通株式	甲種類株式	議決権数
W	0株	100株	100個
X	840株	80株	920個
Y	520株	20株	540個
Z	300株	0株	300個
合計	1,660株	200株	1,860個

よって，令和２年６月15日開催の臨時株主総会において議決権を行使することができる株主の議決権の数は，1,860個である。

前述のとおり，申請会社の定款には，「会社法第309条第２項に定める決議は，議決権を行使することができる株主の議決権の３分の１を有する株主が出席し，出席した当該株主の議決権の３分の２以上に当たる多数をもって決する。」旨の定めがある。

別紙８及び11より，議決権を行使することができる株主の議決権（1,860個）の３分の１（620個）を有する株主が出席し（全員），出席した当該株主の議決権の３分の２以上（1,240個以上）の賛成を得ているため（W（100個）＋X（920個）＋Z（300個）＝1,320個），決議要件を満たしている（会社309Ⅱ④）。

10−3 決議内容

別紙８より，甲種類株式２株を１株に併合する旨，効力発生日を令和２年７月５日とする旨，効力発生日における発行可能株式総数を7,500株と定める旨の決議をしている。

別紙１及び２より，申請会社は非公開会社であるため，効力発生日における発行可能株式総数は，発行済株式の総数の４倍を超えることができる。

10−4 種類株主総会決議の要否

会社法322条１項各号に掲げる行為をする場合において，種類株主に損害を及ぼすおそれがあるときは，会社法322条の種類株主総会決議が必要となる。この点，甲種類株式２株を１株に併合する旨の決議をしており，甲種類株主の議決権数が減少するため，甲種類株主に損害を及ぼすおそれがある。問題文（答案作成に当たっての注意事項），別紙１及び２より，会社法322条の種類株主総会の決議を要しない旨の定款の定めはないため，甲種類株式の種類株主を構成員とする種類株主総会が必要となる。別紙11より，甲種類株式の種類株主総会が開催され，適法に承認決議がされていると判断することができる。

10−5　株券提供公告の要否

問題文（答案作成に当たっての注意事項），別紙１及び２より，申請会社は株券発行会社ではないため，株式の併合のための株券提供公告は不要である。

10−6　効力発生日

別紙８より，令和２年７月５日に効力が生ずるものとして決議しており，別紙11より，株式の併合に関する会社法180条２項各号に掲げる事項は，甲種類株主全員に対し適法に通知されているため，同日に株式の併合の効力が生ずる。

10−7　発行済株式の総数並びに種類及び数・発行可能株式総数

前述のとおり，効力発生日前の発行済株式の総数は1,860株，発行済各種の株式の数は，普通株式1,660株，甲種類株式200株，発行可能株式総数は8,000株である。

したがって，株式の併合後の発行済株式の総数は1,760株，発行済各種の株式の数は，普通株式1,660株，甲種類株式100株，発行可能株式総数は7,500株となる。

10−8　登記すべき事項

登記すべき事項には，

「令和２年７月５日次のとおり変更

　　発行済株式の総数　1,760株

　　発行済各種の株式の数　普通株式　1,660株

　　　　　　　　　　　　　甲種類株式　100株

　　発行可能株式総数　7,500株」

と記載する。

10−9　添付書面

株式の併合の決議をしたことを証する書面として，令和２年６月15日付けの「（臨時）株主総会議事録」を添付する（商登46Ⅱ）。

甲種類株式の種類株主を構成員とする種類株主総会の承認決議をしたことを証する書面として，令和２年６月15日付けの「甲種類株式の種類株主総会議事録」を添付する（商登46Ⅱ）。

登記すべき事項につき株主総会及び種類株主総会議事録の決議を要するため，

令和２年

「株主の氏名又は名称，住所及び議決権数等を証する書面」を添付する（商登規61Ⅲ）。

11 発行可能種類株式総数及び発行する各種類の株式の内容の変更

結論

本問の場合，**令和２年７月５日**付けで，**発行可能種類株式総数及び発行する各種類の株式の内容**を，以下のとおりとする**変更**登記を申請することができる。

「普通株式　7,500株
甲種類株式　250株
残余財産の分配については，甲種類株主は普通株主に先立ち甲種類株式１株当たり5000円の分配を受ける。」

＜申請書記載例＞

１．事　発行可能種類株式総数及び発行する各種類の株式の内容の変更
１．登　○年○月○日発行可能種類株式総数及び発行する各種類の株式の内容の変更
　　○種類株式　○株
　　○種類株式　○株
　１．残余財産の分配に関する定め
　　○○○○…
１．税　金３万円（登録税別表1.24.(1)ツ）
１．添　株主総会議事録　　１通（商登46Ⅱ）
　　種類株主総会議事録　　１通（商登46Ⅱ）
　　株主の氏名又は名称，住所及び議決権数等を証する書面　　２通（商登規61Ⅲ）
　　委任状　　１通（商登18）

前提の知識

発行可能種類株式総数及び発行する各種類の株式の内容の設定（変更）

発行可能種類株式総数及び発行する各種類の株式の内容は定款で定めることを要する（会社108Ⅰ・Ⅱ）ため，発行可能種類株式総数及び発行する各種類の株式の内容の設定（変更）をするためには，株主総会の特別決議を要する（会社466・309Ⅱ⑪）ほか，ある種類の株式の種類株主に損害を及ぼすおそれが

あるときは，種類株主総会（当該種類株主に係る株式の種類が２以上ある場合にあっては，当該２以上の株式の種類別に区分された種類株主を構成員とする各種類株主総会）の決議がなければ，その効力を生じない（会社322Ⅰ）。
ただし，当該種類株主総会において議決権を行使することができる種類株主が存しない場合は，上記の種類株主総会の決議を要しない（会社322Ⅰ柱書但書）。

11－1　決議権限

別紙８より，株主総会において決議されているため，決議機関は適法である（会社466）。

11－2　決議形式

⑴　招集手続

別紙11より，議決権のある株主全員が出席しているため，招集手続の瑕疵の有無については，検討することを要しない。

⑵　決議要件

前述のとおり，申請会社の定款には，「会社法第309条第２項に定める決議は，議決権を行使することができる株主の議決権の３分の１を有する株主が出席し，出席した当該株主の議決権の３分の２以上に当たる多数をもって決する。」旨の定めがある。
別紙８及び11より，議決権を行使することができる株主の議決権の３分の１を有する株主が出席し（全員），出席した当該株主の議決権の３分の２以上の賛成を得ているため（満場一致），決議要件を満たしている（会社309Ⅱ⑪）。

11－3　決議内容

別紙８より，発行可能種類株式総数及び発行する各種類の株式の内容として，発行可能種類株式総数を「普通株式7,500株，甲種類株式250株」とし，発行する各種類の株式の内容を「残余財産の分配については，甲種類株主は普通株主に先立ち甲種類株式１株当たり5000円の分配を受ける。」とする旨の定款変更決議をしている。

11－4 種類株主総会決議の要否

会社法322条１項各号に掲げる行為をする場合において，種類株主に損害を及ぼすおそれがあるときは，会社法322条の種類株主総会決議が必要となる。この点，甲種類株式の残余財産の優先分配額を１株当たり1000円から5000円に増額しており，普通株主の残余財産の分配額が減少するため，普通株主に損害を及ぼすおそれがある。問題文（答案作成に当たっての注意事項），別紙１及び２より，会社法322条の種類株主総会の決議を要しない旨の定款の定めはないため，普通株式の種類株主を構成員とする種類株主総会が必要となる。別紙11より，普通株式の種類株主総会が開催され，適法に承認決議がされていると判断することができる。

11－5 効力発生日

別紙８より，令和２年７月５日に効力が生ずるものとして決議しており，同日に発行可能種類株式総数及び発行する各種類の株式の内容の変更の効力が生ずる。

11－6 登記すべき事項

登記すべき事項には，

「令和２年７月５日発行可能種類株式総数及び発行する各種類の株式の内容の変更

普通株式　7,500株

甲種類株式　250株

残余財産の分配については，甲種類株主は普通株主に先立ち甲種類株式１株当たり5000円の分配を受ける。」

と記載する。

11－7 添付書面

発行可能種類株式総数及び発行する各種類の株式の内容の変更決議をしたことを証する書面として，令和２年６月15日付けの「（臨時）株主総会議事録」を添付する（商登46Ⅱ）。

普通株式の種類株主を構成員とする種類株主総会の承認決議をしたことを証する書面として，令和２年６月15日付けの「普通株式の種類株主総会議事録」を添付する（商登46Ⅱ）。

登記すべき事項につき株主総会及び種類株主総会の決議を要するため，「株主の氏名又は名称，住所及び議決権数等を証する書面」を添付する（商登規61Ⅲ）。

12 役員の変更

結論

取締役Ａ

令和２年２月18日付けで，任期満了による**退任**登記を申請することができる。

取締役Ｂ

令和２年２月18日付けで，任期満了による**退任**登記を申請することができる。

代表取締役Ｄ

令和２年６月15日付けで，**退任**登記を申請することができる。

代表取締役Ｃ

令和２年４月10日付けで，**代表権付与**の登記を申請することができる。その後，**令和２年６月15日**に再度代表取締役に選定されているが，当該選定に係る代表取締役の重任登記は要しない。

監査役Ｅ

令和２年４月１日付けで，**辞任**により退任した旨の登記を申請することができる。

監査役Ｆ

令和２年６月15日付けで，**就任**登記を申請することができる。

12−1 取締役A・B（任期満了）

<申請書記載例>

1．事　取締役の変更
1．登　○年○月○日次の者退任
　　　取締役　○○
　　　取締役　○○
1．税　金３万円（登録税別表1.24.(1)カ）
　　　（但し，資本金の額が１億円以下の会社については，金１万円）
1．添　退任を証する書面　　1通（商登54Ⅳ）
　　　委任状　　1通（商登18）

前提の知識

権利義務を有する者の退任登記

役員（監査等委員会設置会社においては，監査等委員である取締役若しくはそれ以外の取締役又は会計参与）が欠けた場合又は会社法若しくは定款で定めた役員の員数が欠けた場合には，任期の満了又は辞任により退任した役員は，新たに選任された役員（一時役員の職務を行うべき者を含む。）が就任するまで，なお役員としての権利義務を有する（会社346Ⅰ）。

また，権利義務を有する者の退任登記は，原則として，員数を満たした後任者が就任するまで申請することができない。

欠員の補充が一部にすぎない場合は，依然として，退任した役員全員が役員としての権利義務を有する者にとどまり，就任登記は受理されるが，退任登記は受理されない（昭30.5.23民甲1008号）。なお，重任登記については受理されると解される。

問題文（答案作成に当たっての注意事項），別紙１及び２より，取締役Aは，平成30年６月１日に選任され，同日就任しており，また，取締役Bは平成30年10月15日に選任され，同日就任しており，それぞれ選任後２年以内に終了する事業年度のうち最終のものに関する定時株主総会の終結の時である令和２年２月18日に任期が満了し退任するはずであった。

しかし，別紙１及び２より，申請会社は取締役会設置会社であり，取締役の最低員数（３名）を欠くこととなるため（役員の概要参照），A及びBは取締役としての権利義務を有することとなる（会社346Ⅰ）。

前述のとおり，その後，令和２年４月10日開催の臨時株主総会において，取締役会設置会社の定めを廃止することにより，取締役の最低員数（１名）を満たすこととなるため，同日をもって権利義務関係は解消する。

したがって，令和２年２月18日付けで，任期満了による退任登記を申請することができる。

<添付書面>

退任を証する書面として，令和２年２月18日付けの「(定時）株主総会議事録」を添付する（商登54Ⅳ)。

なお，別紙３より，取締役が定時株主総会の終結をもって任期満了する旨が議事録に明示されていないため，定款の添付を要するとされているところ（昭53.9.18民四5003号)，申請会社は取締役につき，定款によって法定任期と異なる任期を定めていないため，定款を添付せずとも，登記の申請は受理されるものと解される。

なお，権利義務関係が解消されたことは，同時に申請する取締役会設置会社の定めの廃止の登記から明らかとなり，権利義務関係が解消されたことを証する書面を別途添付することを要しない。

12−2　代表取締役Ｃ（代表権付与）

<申請書記載例；取締役会設置会社の定めの廃止による代表権付与・取締役会設置会社の定めの廃止の登記と同時に申請する場合>

１．事　代表取締役の変更
１．登　○年○月○日次の者代表権付与
　　　　○県○市○町○丁目○番○号
　　　　代表取締役○○
１．税　金３万円（登録税別表1.24.(1)カ)
　　　　(但し，資本金の額が１億円以下の会社については，金１万円)
１．添　固有の添付書面は不要

前提の知識

非取締役会設置会社になった場合の代表権付与

株主総会において，取締役会設置会社の定めが廃止されると同時に，当該株主総会で定款により若しくは株主総会の決議によって代表取締役の選定をせず，又は取締役の互選によって代表取締役を定める旨の定款の定めを置かない場合には，取締役各自が株式会社を代表することとなるため（会社349Ⅰ本文・Ⅱ），代表取締役でなかった取締役全員について，「代表権付与」を原因とする代表取締役の変更登記を申請しなければならない（会社915Ⅰ・911Ⅲ⑭）。

既に代表取締役の登記がされている者については，登記すべき事項に変更が生じないので，登記の必要はない（平19.7.6日司連発294号「会社法Q＆A」Q58）。

12－2－1　代表権付与の登記の要否

前述のとおり，申請会社は，令和２年４月10日開催の臨時株主総会において，取締役会設置会社の定めを廃止しており，令和２年４月10日時点で「定款」又は「株主総会の決議」によって代表取締役の選定をしておらず，また，「取締役の互選によって代表取締役を定める」旨の定款の定めも置いていないため，取締役各自が株式会社を代表することとなる。

したがって，取締役Ｃも株式会社を代表することとなり（会社349Ⅰ本文・Ⅱ），令和２年４月10日付けで，代表権付与による代表取締役の変更の登記を申請する必要がある。

12－2－2　添付書面

取締役会設置会社の定めの廃止に伴い，代表権付与の登記を申請する場合，代表取締役の就任を承諾したことを証する書面及び印鑑証明書を添付することを要しない。

12−3 監査役Ｅ（辞任）

<申請書記載例>

１．事　監査役の変更
１．登　○年○月○日監査役○○辞任
１．税　金３万円（登録税別表1.24.(1)カ）
　　　　（但し，資本金の額が１億円以下の会社については，金１万円）
１．添　退任を証する書面　　　　　　　　１通（商登54Ⅳ）
　　　　委任状　　　　　　　　　　　　　１通（商登18）

前提の知識

①　辞任の可否

株式会社と役員及び会計監査人との関係は，委任に関する規定に従うため（会社330），役員及び会計監査人は，その任期中いつでも会社に対する一方的な意思表示によりその地位を辞任することができる。しかし，その役員が権利義務を有する（会社346Ⅰ）場合には，会社と役員は法で強制された関係にあるため，その地位を辞任することはできない。なお，会計監査人は役員ではないため，権利義務を有することはない。

②　役員としての権利義務を有する者の退任年月日

役員としての権利義務を有する者について，退任の登記をするときは，その退任年月日は，過去における任期満了又は辞任の日となる。後任者の就任に伴って退任の登記をする場合，権利義務を有する者の死亡により退任の登記をする場合のいずれの場合であっても同様である（昭31.4.6民甲746号，死亡につき昭39.10.3民甲3197号）。

問題文（答案作成に当たっての注意事項），別紙１及び２より，監査役Ｅは，平成29年２月25日に選任され，同日就任しており，選任後４年以内に終了する事業年度のうち最終のものに関する定時株主総会の終結の時まで任期があるはずであったが，別紙５より，Ｅは，令和２年４月１日付けで監査役の地位を辞任したい旨の意思を申請会社に表明しており，別紙10より，辞任届は，令和２年３月25日，申請会社に提出されている。

しかし，別紙１及び２より，申請会社は監査役設置会社であり，監査役の最低員数（１名）を欠くこととなるため（役員の概要参照），Ｅは監査役としての権利義務を有することとなる（会社346Ⅰ）。

その後，別紙８より，令和２年６月15日開催の臨時株主総会において，監査役の最低員数を満たす後任者が就任することにより（役員の概要参照)，同日をもって権利義務関係は解消する。

したがって，令和２年４月１日付けで，辞任による退任登記を申請することができる。

<添付書面>

退任を証する書面として，監査役Ｅが申請会社に提出した「辞任届」を添付する（商登54Ⅳ）。

なお，権利義務関係が解消されたことは，同時に申請する監査役Ｆの就任登記から明らかとなるため，権利義務関係が解消されたことを証する書面を，別途添付することは要しない。

12−4 代表取締役 D（退任）

<申請書記載例>

１．事　代表取締役の変更
１．登　○年○月○日代表取締役○○退任
１．税　金３万円（登録税別表1.24.(1)カ）
　　　（但し，資本金の額が１億円以下の会社については，金１万円）
１．添　株主総会議事録　　1通（商登54Ⅳ）
　　　取締役の互選書　　1通（商登54Ⅳ）
　　　就任を承諾したことを証する書面
　　　　取締役の互選書の記載を援用する
　　　委任状　　1通（商登18）

前提の知識

① **代表取締役を定めることとした場合**

取締役が各自代表権を有している会社で，取締役の中から代表取締役を定めた場合，他の取締役は会社を代表しなくなる（会社349Ⅰ但書)。この場合，選定された代表取締役については，従前から引き続き代表権を有し，登記事項に変更は生じないが，他の取締役については代表取締役としての地位を失うので，登記実務上，代表取締役の退任登記をすることとなる（平18.4.26民商1110号記録例依命通知第4節第5.4⑴参照)。

② 各自代表の取締役が代表権を喪失した場合の退任を証する書面

取締役が各自代表権を有している会社において，定款の変更により直接代表取締役を定め，又は株主総会の決議によって新たに代表取締役を定めたため，他の取締役が代表権を喪失し退任する場合には，当該株主総会議事録を添付する。

また，取締役が各自代表権を有している会社において，新たに定款に代表取締役の互選規定又は取締役会設置会社の定めを設けた上，定款に基づく取締役の互選又は取締役会の決議によって新たに代表取締役を定めたため，他の取締役が代表権を喪失し退任する場合には，当該定款変更に係る株主総会議事録を添付するほか，退任の年月日を明らかにするため，代表取締役の選定に関する書面及び就任を承諾したことを証する書面の添付も要するものと解される。

前述のとおり，申請会社においては取締役各自が代表権を有しているが，後述のとおり，令和２年６月15日の取締役の互選において，Ｃを代表取締役に選定したことにより，Ｄは，代表取締役としての地位を失うこととなる。

したがって，令和２年６月15日付けで，代表取締役の退任登記を申請することとなる。

＜添付書面＞

退任を証する書面として，代表取締役の選定方法に関する規定を設定する旨の定款変更決議をしたことを証する令和２年６月15日付けの「（臨時）株主総会議事録」及び代表取締役を選定したことを証する令和２年６月15日付けの「取締役の互選書」を添付することとなる（商登54Ⅳ）。

なお，問題文（答案作成に当たっての注意事項），別紙９及び11より，取締役の互選書には，Ｃの席上就任を承諾した旨の記載があるため，就任を承諾したことを証する書面として，令和２年６月15日付けの取締役の互選書の記載を援用する。

12−5 代表取締役C（重任・申請不要）

前提の知識

重任登記の要否

代表取締役の選定方法の変更後，従前の代表取締役が再任された場合には，当該代表取締役に登記事項の変更は生じないため，登記実務上，重任登記を要しないものとして取り扱われている。

前述のとおり，取締役会設置会社の定めの廃止に伴い，取締役各自が代表権を有しているが，令和２年６月15日の取締役の互選において従前の代表取締役のうち，Cを代表取締役に選定し，就任を承諾している。これは代表取締役の選定方法の変更後，従前の代表取締役が再任された場合に該当するため，当該代表取締役について，重任登記を要しない。

12−6 監査役 F（就任）

<申請書記載例>

１．事　監査役の変更
１．登　○年○月○日監査役○○就任
１．税　金３万円（登録税別表1.24.(1)カ）
　　　　（但し，資本金の額が１億円以下の会社については，金１万円）
１．添　株主総会議事録　１通（商登46Ⅱ）
　　　　株主の氏名又は名称，住所及び
　　　　議決権数等を証する書面　１通（商登規61Ⅲ）
　　　　就任を承諾したことを証する書面　１通（商登54Ⅰ）
　　　　本人確認証明書　１通（商登規61Ⅶ）
　　　　委任状　１通（商登18）

前提の知識

取締役及び監査役の就任登記の添付書面

取締役及び監査役の就任登記の添付書面は，原則として，（種類）株主総会議事録（商登46Ⅱ）及び就任を承諾したことを証する書面（商登54Ⅰ）である。また，取締役及び監査役の就任（再任を除く。）による変更の登記の申請書には，取締役又は監査役が就任を承諾したことを証する書面に記載した取締役又は監査役の氏名及び住所と同一の氏名及び住所が記載されている市町村長その他の公務員が職務上作成した証明書（当該取締役又は監査役が原本と相違がない旨を記載した謄本を含む。以下「本人確認証明書」という。）を添付しなければならない。ただし，登記の申請書に商業登記規則61条４項，５項又は６項の規定により，当該取締役及び監査役の印鑑につき市町村長の作成した証明書を添付する場合は，当該書面の添付は不要である（商登規61Ⅶ但書）。

なお，株主総会議事録に取締役又は監査役が席上就任を承諾した旨の記載がある場合には，当該株主総会議事録が就任を承諾したことを証する書面となるため，就任を承諾したことを証する書面を別途添付することを要しない。これは，(種類）株主総会議事録は，議事の経過の要領及びその結果を記載すべきものとされた法定の書面であること（会社318Ⅰ，会社施規72Ⅲ②），並びに議事録の不実記載については過料の対象にされていることから（会社976⑦），記載の信用性は担保されているためである。ただし，就任を承諾したことを証する書面に記載した取締役又は監査役の氏名及び住所についての本人確認証明書の添付を要する場合には，席上就任を承諾した旨の記載があり，かつ被選任者の住所の記載がされていなければ，議事録の記載を援用することはできない（平27.2.20民商18号通達）。

12－6－1　決議権限

別紙８より，株主総会において決議されているため，決議機関は適法である（会社329Ⅰ）。

12－6－2　決議形式

(1)　招集手続

別紙11より，議決権のある株主全員が出席しているため，招集手続の瑕疵の有無については，検討することを要しない。

(2)　決議要件

別紙２より，申請会社の定款には，「当会社の監査役は，株主総会において議決権を行使することができる株主の議決権の３分の１を有する株主が出席し，出席した当該株主の議決権の過半数の決議によって選任する。」旨の定めがある。

別紙８及び11より，議決権を行使することができる株主の議決権の３分の１を有する株主が出席し（全員），出席した当該株主の議決権の過半数の賛成を得ているため（満場一致），決議要件を満たしている（会社341）。

12−6−3　決議内容

別紙８より，監査役としてＦを選任している。

⑴　資格制限

資格制限に抵触する事実は示されていないため，適法である。

⑵　員数制限

別紙２より，申請会社の定款には,「当会社の監査役の員数は２名以内とする。」旨の定めがあるが，監査役の員数規定に抵触しないため，適法である。

12−6−4　就任承諾

問題文（答案作成に当たっての注意事項）及び別紙８より，被選任者は，令和２年６月15日開催の臨時株主総会において選任され，同日就任を承諾しているため，令和２年６月15日に就任の効力が生ずる。

12−6−5　添付書面

選任を証する書面として，令和２年６月15日付けの「(臨時）株主総会議事録」を添付する（商登46Ⅱ）。

登記すべき事項につき株主総会の決議を要する場合のため「株主の氏名又は名称，住所及び議決権数等を証する書面」を添付する（商登規61Ⅲ）。

Ｆの「監査役の就任を承諾したことを証する書面」を添付する（商登54Ⅰ）。

Ｆの「本人確認証明書」を添付する（商登規61Ⅶ）。

MEMO

解答例

第１欄

【登記の事由】
剰余金の資本組入れ 募集株式の発行 取締役及び代表取締役の変更 取締役会設置会社の定めの廃止 監査役の監査の範囲を会計に関するものに限定する旨の定款の定めの設定

【登記すべき事項】
令和２年４月18日変更 　資本金の額　金 9,900万円 令和２年４月20日次のとおり変更 　発行済株式の総数　1,860株 　発行済各種の株式の数　普通株式　1,660株 　　　　　　　　　　　　甲種類株式　200株 　資本金の額　金１億80万円 （以上※） 令和２年２月18日次の者退任 　取締役　A 　取締役　B 令和２年４月10日次の者代表権付与 　東京都港区芝九丁目９番９号 　　代表取締役　C 同日取締役会設置会社の定め廃止 同日設定 　監査役の監査の範囲を会計に関するものに限定する旨の定款の定めがある ※「発行済株式の総数並びに種類及び数」の柱書を記載しても，誤りではないと解される。

【登録免許税額及びその内訳】	
金11万5,600円	
内訳	
資本金の額増加分	金７万5,600円
取締役会設置会社の定めの廃止分	金３万円
役員変更分	金１万円

【添付書面の名称及び通数】	
株主総会議事録	２通
普通株式の種類株主総会議事録	１通
株主の氏名又は名称，住所及び議決権数等 を証する書面（株主リスト）	２通
引受けの申込みを証する書面	２通
払込みがあったことを証する書面	１通
資本金の額が会社法及び会社計算規則の規定に従って 計上されたことを証する書面	１通
減少に係る剰余金の額が計上されていたことを証する書面	１通
委任状	１通

第２欄

【登記の事由】
株式の併合　※ 発行可能種類株式総数及び発行する各種類の株式の内容の変更 代表取締役及び監査役の変更 ※「発行可能株式総数の変更」を記載しても，誤りではないと解される。

【登記すべき事項】
令和２年７月５日次のとおり変更 　発行済株式の総数　1,760株 　発行済各種の株式の数　普通株式　1,660株 　　　　　　　　　　　　甲種類株式　100株 　発行可能株式総数　7,500株 （以上4行 ※１・２） 同日発行可能種類株式総数及び発行する各種類の株式の内容の変更　※３ 　普通株式　7,500株 　甲種類株式　250株 　　残余財産の分配については，甲種類株主は普通株主に先立ち甲種類株式１株当たり5000円の分配を受ける。 令和２年４月１日監査役Ｅ辞任 令和２年６月15日代表取締役Ｄ退任 同日監査役Ｆ就任 ※１　「発行済株式の総数並びに種類及び数」の柱書を記載しても，誤りではないと解される。 ※２　「令和２年７月５日変更 　　　　発行済株式の総数　1,760株 　　　　発行済各種の株式の数　普通株式　1,660株 　　　　　　　　　　　　　　　甲種類株式　100株 　　　同日変更 　　　　発行可能株式総数　7,500株」 　　　と記載しても，誤りではないと解される。 ※３　「同日変更」と解答しても，誤りではないと解される。 　　　「発行可能種類株式総数及び発行する各種類の株式の内容」の柱書を記載しても，誤りではないと解される。

【登録免許税額】
金６万円

【添付書面の名称及び通数】	
株主総会議事録	１通
普通株式の種類株主総会議事録	１通
甲種類株式の種類株主総会議事録	１通
株主の氏名又は名称，住所及び議決権数等を証する書面（株主リスト）	３通
取締役の互選書	１通
代表取締役Ｃの就任を承諾したことを証する書面 　取締役の互選書の記載を援用する	
監査役Ｆの就任を承諾したことを証する書面	１通
辞任届	１通
本人確認証明書	１通
委任状	１通

第３欄

【登記することができない事項】
取締役等の会社に対する責任の免除に関する規定の設定の件
【理由】
取締役が２人以上ある監査役設置会社，監査等委員会設置会社又は指名委員会等設置会社にあっては，取締役等の会社に対する責任の免除に関する規定を定款に定めることができる。本問における申請会社は，令和２年６月15日開催の臨時株主総会において，取締役等の会社に対する責任の免除に関する規定を設定する旨の決議をしているが，申請会社には監査役の監査の範囲を会計に関するものに限定する旨の定款の定めがあり，監査役設置会社ではないため，当該規定を設定することができない。 したがって，取締役等の会社に対する責任の免除に関する規定の設定は，登記することができない事項となる。

本問題の日付は、出題当時の本試験問題に合わせておりますが、法令等については、令和７年４月１日時点において施行されているもの（本書作成時点において施行予定のものを含む。）を適用した上で、解答を作成してください。

司法書士法務直子は，平成31年１月４日に事務所を訪れたスター株式会社の代表者から，別紙１から別紙９までの書類のほか，登記申請に必要な書類の提示を受けて確認を行い，別紙12のとおり事情を聴取し，登記すべき事項や登記のための要件などを説明した。そして，司法書士法務直子は，スター株式会社の代表者から必要な登記の申請書の作成及び登記申請の代理の依頼を受けた。

また，司法書士法務直子は，同年３月18日に事務所を訪れたスター株式会社の代表者から，同月28日に開催される予定の定時株主総会で決議すべき事項及び当該株主総会の議事録の作成に関する相談を受け，別紙10の第１号議案から第４号議案までの議案のうち，第２号議案及び第４号議案が記載されていない株主総会招集通知の案の提示を受けた。司法書士法務直子は，その内容を検討し，法令遵守の観点を踏まえ，別紙10の第２号議案及び第４号議案を当該案に追加することを助言した。同月28日，スター株式会社は，当該助言に基づいて定時株主総会を開催し，別紙10を作成した。

さらに，司法書士法務直子は，同年４月３日に事務所を訪れたスター株式会社の代表者から，別紙10及び別紙11の書類のほか，登記申請に必要な書類の提示を受けて確認を行い，別紙13のとおり事情を聴取し，登記すべき事項や登記のための要件などを説明した。そして，司法書士法務直子は，スター株式会社の代表者から必要な登記の申請書の作成及び登記申請の代理の依頼を受けた。

司法書士法務直子は，これらの依頼に基づき，登記申請に必要な書類の交付を受け，管轄登記所に対し，同年１月７日及び同年４月８日にそれぞれの登記の申請をすることとした。

以上に基づき，次の問１から問４までに答えなさい。

問１　平成31年１月７日に司法書士法務直子が申請した登記のうち，東京法務局港出張所に申請する登記の申請書に記載すべき登記の事由，登記すべき事項，登録免許税額並びに添付書面の名称及び通数を答案用紙の第１欄に記載しなさい。ただし，登録免許税額の内訳については，記載することを要しない。

問２　問１の登記の申請書に添付した株主の氏名又は名称，住所及び議決権数等を証する書面（株主リスト）に記載すべき株主の氏名又は名称を答案用紙の第２欄に記載しなさい。ただし，記載する株主の人数は，法令が定める最小限の範囲とする。

問３　平成31年４月８日に司法書士法務直子が申請した登記に関し，当該登記の申請書に記載すべき登記の事由，登記すべき事項，登録免許税額並びに添付書面の名称及び通数を答案用紙の第３欄に記載しなさい。ただし，登録免許税額の内訳については，記載することを要しない。

問４　平成31年３月18日に司法書士法務直子がスター株式会社の代表者に対して助言した事項について，そのように助言した理由を答案用紙の第４欄に記載しなさい。

（答案作成に当たっての注意事項）

1　登記申請書の添付書面については，全て適式に調えられており，所要の記名・押印がされているものとする。

2　登記申請書の添付書面については，他の書面を援用することができる場合には，これを援用しなければならない。

3　登記申請書の添付書面のうち，就任承諾を証する書面を記載する場合には，資格及び氏名を特定して，記載するものとする。

4　スター株式会社及びムーン株式会社の定款には，別紙１から別紙10までに現れている以外には，会社法の規定と異なる定めは，存しないものとする。

5　スター株式会社及びムーン株式会社は，設立以来，最終事業年度に係る貸借対照表の負債の部に計上した額の合計額が200億円以上となったことはないものとする。

6　別紙中，（略）と記載されている部分には，有効な記載があるものとする。

7　被選任者及び被選定者の就任承諾は，選任され，又は選定された日に適法に得られているものとする。

8　平成31年１月７日及び同年４月８日に申請した登記に関し，官庁の許可又は官庁への届出を要する事項はないものとする。

9　申請書に会社法人等番号を記載することによる登記事項証明書の添付の省略は，しないものとする。

10　東京都港区は東京法務局港出張所，東京都品川区は東京法務局品川出張所の管轄である。

11　登記の申請に伴って必要となる印鑑の提出手続は，適式にされているものとする。

12　数字を記載する場合には，算用数字を使用すること。

13　登録免許税額の算出について，登録免許税法以外の法令による税の減免の規定の適用はないものとする。

14　訂正，加入又は削除をするときは，訂正は訂正すべき字句に線を引き，近接箇所に訂正後の字句を記載し，加入は加入する部分を明示して行い，削除は削除すべき字句に線を引いて，訂正，加入又は削除をしたことが明確に分かるように記載すること。ただし，押印や字数を記載することは要しない。

15　登記申請の懈怠については，考慮しないものとする。

別紙１
【平成30年11月20日現在のスター株式会社に係る登記記録の抜粋】

商号　スター株式会社
本店　東京都港区甲町１番地
公告をする方法　官報に掲載してする。
会社成立の年月日　平成20年７月１日
目的　１　イベントの企画
　　　２　飲食店の経営
　　　３　前各号に附帯する一切の業務
発行可能株式総数　4000株
発行済株式の総数並びに種類及び数
　発行済株式の総数　1000株
資本金の額　金４億円
株式の譲渡制限に関する規定
　当会社の株式を譲渡により取得するには，当会社の承認を要する。
役員に関する事項　取締役　A　平成29年11月15日重任
　取締役　B　平成29年11月15日重任
　取締役　F　平成29年11月15日重任
　横浜市中区丁町１番地
　代表取締役　A　平成29年11月15日重任
　監査役　P　平成29年11月15日重任
　監査役の監査の範囲を会計に関するものに限定する旨の定款の定めがある。
取締役会設置会社に関する事項　取締役会設置会社
監査役設置会社に関する事項　監査役設置会社
登記記録に関する事項　平成25年10月１日東京都新宿区乙町１番地から本店移転

別紙２
【平成30年11月20日現在のスター株式会社の定款の抜粋】

第３章　株主総会

（招集）
第９条　定時株主総会は，毎事業年度の末日の翌日から２か月以内に招集し，臨時株主総会は，その必要があるときに随時これを招集する。

（決議の方法）
第11条　株主総会の決議は，法令又はこの定款に別段の定めがある場合のほか，議決権を行使することができる株主の議決権の過半数を有する株主が出席し，出席した当該株主の議決権の過半数をもって決する。
②　会社法第309条第２項に定める株主総会の決議は，当該株主総会において議決権を行使することができる株主の議決権の過半数を有する株主が出席し，出席した当該株主の議決権の３分の２以上に当たる多数をもって決する。

第４章　取締役

（取締役の員数）
第12条　当会社の取締役は，５名以内とする。

（取締役の任期）
第14条　取締役の任期は，選任後２年以内に終了する事業年度のうち最終のものに関する定時株主総会の終結の時までとする。

第５章　監査役

（監査役の員数）
第17条　当会社の監査役は，２名以内とする。

（監査の範囲）
第18条　監査役の監査の範囲は，会計に関するものに限定する。

（監査役の任期）
第20条　監査役の任期は，選任後４年以内に終了する事業年度のうち最終のものに関する定時株主総会の終結の時までとする。

※補欠又は増員により選任された役員の任期に関する規定はない。

別紙３
【平成30年11月20日現在のムーン株式会社に係る登記記録の抜粋】

商号　ムーン株式会社
本店　東京都品川区丙町１番地
公告をする方法　官報に掲載してする。
会社成立の年月日　平成19年９月３日
目的　１　飲食店の経営
　　　２　前号に附帯する一切の業務
発行可能株式総数　1000株
発行済株式の総数並びに種類及び数
　発行済株式の総数　100株
資本金の額　金１億円
株式の譲渡制限に関する規定
　当会社の株式を譲渡により取得するには，当会社の承認を要する。
役員に関する事項　取締役　Ｈ　平成29年６月20日重任
　　　　　　　　　取締役　Ｉ　平成29年６月20日重任
　　　　　　　　　東京都渋谷区丁町１番地
　　　　　　　　　代表取締役　Ｈ　平成29年６月20日重任
　　　　　　　　　監査役　Ｑ　平成29年６月20日重任
監査役設置会社に関する事項　監査役設置会社
登記記録に関する事項　設立

別紙４
【平成30年11月20日現在のスター株式会社の株主名簿の抜粋】

取得年月日に関する記載は省略

	住所・氏名又は名称		株式数
1	横浜市中区丁町１番地	A	200株
2	さいたま市浦和区戊町１番地	B	200株
3	東京都中央区甲町１番地	C	200株
4	東京都文京区甲町１番地	D	150株
5	東京都品川区丙町１番地	ムーン株式会社	150株
6	東京都目黒区乙町１番地	E	100株

別紙5
【平成30年11月20日現在のムーン株式会社の株主名簿の抜粋】

取得年月日に関する記載は省略

	住所・氏名又は名称		株式数
1	東京都渋谷区丁町1番地	H	35株
2	大阪市北区乙町1番地	I	35株
3	東京都港区甲町1番地	スター株式会社	25株
4	東京都品川区丙町1番地	ムーン株式会社（自己株式）	5株

別紙６

【平成30年11月13日付けの吸収合併契約書】

吸収合併契約書

スター株式会社（以下「甲」という。）とムーン株式会社（以下「乙」という。）とは，次のとおり吸収合併契約（以下「本契約」という。）を締結する。

（合併の方法）

第１条　甲及び乙は合併して，甲は存続し，乙は解散するものとする。

２　本契約当事者の商号及び住所は，次のとおりである。

甲【吸収合併存続会社】

東京都港区甲町１番地

スター株式会社

乙【吸収合併消滅会社】

東京都品川区丙町１番地

ムーン株式会社

（効力発生日）

第２条　合併の効力発生日（以下「効力発生日」という。）は，平成31年１月１日とする。ただし，合併手続の進行に応じて必要があるときは，甲乙協議の上，これを変更することができる。

（合併に際して交付する株式の割当てに関する事項）

第３条　甲は，合併に際して新株を発行し，効力発生日時点の乙の株主名簿に記載された株主に対し，その所有する乙の株式１株につき，甲の株式３株の割合をもって割り当てる。ただし，甲は，効力発生日の前日までに株式１株につき２株の割合をもって株式の分割を行うものとする。

（増加する資本金及び準備金の額等）

第４条　甲が乙との合併により増加する資本金，準備金の額等は，次のとおりとする。ただし，効力発生日の前日における乙の資産及び負債の状況により，甲乙協議の上，これを変更することができる。

(1) 増加する資本金の額　　　金１億円
(2) 増加する準備金の額等　　会社計算規則の規定に従い，甲が定める。

（合併承認総会）
第５条　甲及び乙は，株主総会（以下「合併承認総会」という。）を招集し，合併の効力発生日の前日までに本契約の承認及び合併に必要な事項に関する決議を求める。

（善管注意義務）
第６条　（略）

（合併条件の変更及び本契約の解除）
第７条　（略）

（本契約の効力）
第８条　本契約は，甲及び乙の合併承認総会の承認が得られないときは，その効力を失う。

（本契約に定めのない事項）
第９条　（略）

本契約締結の証として本契約書１通を作成し，甲乙記名押印の上，甲が正本を乙がその写しをそれぞれ保有する。

平成30年11月13日

甲
【吸収合併存続会社】東京都港区甲町１番地
スター株式会社
代表取締役　A　㊞
乙
【吸収合併消滅会社】東京都品川区丙町１番地
ムーン株式会社
代表取締役　H　㊞

別紙７

【平成30年11月13日開催のスター株式会社の取締役会における議事の概要】

第１号議案　合併契約締結の件

当社が，ムーン株式会社と平成31年１月１日付けで合併する案につき説明があり，別紙の合併契約書のとおり契約を締結することについて，満場一致をもって承認可決された。

第２号議案　株式の分割の件

当社の株式を分割することについて，次のとおりの内容が諮られ，原案のとおり満場一致をもって承認可決された。

1．平成30年12月30日最終の株主名簿に記載された株主の所有株式を，株式１株につき２株の割合をもって分割する。

2．株式の分割の効力は，平成30年12月31日に生ずるものとする。

第３号議案　発行可能株式総数の変更の件

第２号議案で承認可決された株式の分割の効力が発生することを条件として，発行可能株式総数を8000株に変更することについて，満場一致をもって承認可決された。

※第１号議案の別紙は，別紙６と同一の内容である。ただし，契約日付，押印はない。

別紙８

【平成30年11月20日開催のスター株式会社の臨時株主総会における議事の概要】

第１号議案　合併契約承認の件
　別紙６のとおりの合併契約の承認が諮られ，満場一致をもって承認可決された。

第２号議案　定款変更の件
　次のとおり，定款の一部を変更することが諮られ，満場一致をもって承認可決された（下線は変更部分）。

変更前	変更後
（事業年度） 第22条　当会社の事業年度は，毎年10月１日から翌年９月30日までの年１期とする。	（事業年度） 第22条　当会社の事業年度は，毎年２月１日から翌年１月31日までの年１期とする。

第３号議案　取締役選任の件
　第１号議案の合併の効力が発生することを条件として，取締役１名を選任することが諮られ，満場一致をもって下記のとおり選任された。

取締役　Ｈ

別紙９

【平成30年12月25日開催のスター株式会社の取締役会における議事の概要】

第１号議案　代表取締役選定の件
　代表取締役を選定することが諮られ，出席取締役全員の一致をもって下記のとおり選定された。

さいたま市浦和区戊町１番地

代表取締役　B

　なお，被選定者は，席上就任を承諾した。

別紙10

【平成31年３月28日開催のスター株式会社の定時株主総会における議事の概要】

第１号議案　計算書類承認の件

計算書類の承認を求めたところ，満場一致をもって承認可決された。

第２号議案　定款変更の件

次のとおり，定款の一部を変更することが諮られ，満場一致をもって承認可決された（下線は変更部分）。

変更前	変更後
（監査の範囲） 第18条　監査役の監査の範囲は，会計に関するものに限定する。	【削除】
【新設】	第６章　会計監査人
【新設】	（会計監査人設置会社） 第26条　当会社は，会計監査人を置く。
【新設】	第27条～第29条　（略）
第６章　計　算	第７章　計　算
（事業年度） 第22条　<条文省略>	（事業年度） 第30条　<現行どおり>
以下　<条文省略>	以下　<現行どおり> （条文番号繰下げ）

第３号議案　取締役及び監査役の選任の件

取締役２名及び監査役１名を選任することが諮られ，満場一致をもって下記のとおり選任された。なお，取締役Ｊは，社外取締役の要件を満たしている。

取締役　Ｊ
取締役　Ｋ
監査役　Ｑ

第４号議案　会計監査人選任の件

会計監査人１名を選任することが諮られ，満場一致をもって下記のとおり選任された。

会計監査人　東京都港区乙町１番地　Ｒ監査法人

別紙11

【平成31年３月28日開催のスター株式会社の取締役会における議事の概要】

> 第１号議案　代表取締役選定の件
>
> 代表取締役を選定することが諮られ，出席取締役全員の一致をもって下記のとおり選定された。
>
> 千葉市中央区乙町１番地
>
> 代表取締役　K
>
> なお，被選定者は，席上就任を承諾した。

別紙12
【司法書士法務直子の聴取記録（平成31年１月４日）】

1　別紙１は，平成30年11月20日現在におけるスター株式会社の登記記録を抜粋したものである。
2　別紙２は，平成30年11月20日現在におけるスター株式会社の定款を抜粋したものである。
3　別紙３は，平成30年11月20日現在におけるムーン株式会社の登記記録を抜粋したものである。
4　別紙４は，平成30年11月20日現在におけるスター株式会社の株主名簿を抜粋したものである。
5　別紙５は，平成30年11月20日現在におけるムーン株式会社の株主名簿を抜粋したものである。
6　平成30年11月13日に開催されたスター株式会社の取締役会には，取締役の全員が出席し，その議事の概要は別紙７に記載されているとおりである。
7　平成30年11月20日に開催されたスター株式会社の臨時株主総会には，株主Ａ，Ｂ，Ｄ及びＥが出席し，第１号議案及び第２号議案に関して議決権を行使したが，第３号議案の直前に，株主Ｄは退席して第３号議案に関して議決権を行使しなかった。その議事の概要は，別紙８に記載されているとおりである。
8　平成30年11月20日に開催されたムーン株式会社の臨時株主総会には，議決権のある株主全員が出席し，別紙６のとおりの合併契約の承認が諮られ，満場一致をもって承認可決された。
9　スター株式会社及びムーン株式会社は，平成30年11月21日に，別紙６の吸収合併契約に係る吸収合併に関して，それぞれ官報公告を行い，かつ，それぞれの知れている債権者全員に対し，各別の催告を行った。なお，異議を述べた債権者は，いずれもいなかった。
　また，資本金の額は，会社法及び会社計算規則の規定に従って計上している。
10　スター株式会社は，平成30年12月10日に，別紙７の株式の分割に関して，官報公告を行った。
11　平成30年12月31日までに上記吸収合併に関する全ての手続を完了した。
12　平成30年12月20日に，Ａが死亡した。
13　平成30年12月25日に開催されたスター株式会社の取締役会には，取締役Ｂ及び同Ｆが出席し，その議事の概要は別紙９に記載されているとおりである。また，別紙９の取締役会の議事録に押されている印鑑は，全て市町村に登録されている印鑑である。

別紙13

【司法書士法務直子の聴取記録（平成31年４月３日）】

1　平成31年１月25日に，スター株式会社は，同社の株主であった亡Ａの株式を相続により取得した相続人から，株主名簿書換請求を受け，同日，当該請求に基づき株主名簿の書換えを行った。

2　東京家庭裁判所は，スター株式会社の取締役Ｆについて補助開始の審判をし，当該審判は，平成31年３月１日に，確定した。同月５日，スター株式会社は，取締役Ｆから，辞任届の提出を受けた。

3　スター株式会社の平成31年３月28日に開催された定時株主総会には，議決権のある株主全員が出席し，その議事の概要は別紙10に記載されているとおりである。

4　スター株式会社の平成31年３月28日に開催された定時株主総会の終結後直ちに開催された取締役会には，取締役及び監査役の全員が出席し，その議事の概要は別紙11に記載されているとおりである。また，別紙11の取締役会の議事録に押されている印鑑は，全て市町村に登録されている印鑑である。

MEMO

平成31年●答案用紙

第１欄

【登記の事由】

【登記すべき事項】

【登録免許税額】

【添付書面の名称及び通数】

第２欄

【株主の氏名又は名称】

第３欄

【登記の事由】
【登記すべき事項】

【登録免許税額】

【添付書面の名称及び通数】

第４欄

【理由】

[本問の重要論点一覧表]

出題範囲	重要論点	解説箇所
株式の分割	株式の分割は，取締役会設置会社においては，取締役会の決議により行う。	P376参照
発行可能株式総数の変更	株式会社（現に２以上の種類の株式を発行しているものを除く。）は，株式の分割を行う場合に，株主総会の決議によらないで，株式の分割の効力発生日における発行可能株式総数をその日の前日の発行可能株式総数に株式の分割の割合を乗じて得た数の範囲内で増加する定款の変更をすることができる。	P378参照
吸収合併による変更	税率として1,000分の1.5を乗じる「吸収合併により消滅した会社の当該吸収合併直前における資本金の額として財務省令で定めるもの」の算定根拠を明らかにするため，「登録免許税法施行規則第12条第５項の規定に関する証明書」を添付する。	P394参照
監査役の監査の範囲を会計に関するものに限定する旨の定款の定めの廃止	監査役の監査の範囲を会計に関するものに限定する旨の定款の定めの廃止による変更登記の登記すべき事項は，①監査役の監査の範囲を会計に関するものに限定する旨の定めを廃止した旨，②従前の監査役が退任した旨，③監査役が就任又は重任した旨及び④変更年月日である。	P397参照
会計監査人設置会社の定めの設定	会計監査人設置会社（監査等委員会設置会社及び指名委員会等設置会社を除く。）は，業務監査権限を有する監査役を置かなければならない。	P399参照

出題範囲	重要論点	解説箇所
役員等の変更	就任を承諾したことを証する書面として取締役会議事録の記載を援用するためには，代表取締役として選定された者が，即時に就任を承諾した旨の記載がある議事録を添付するのみでは足りず，その就任承諾をした者の印鑑についての証明書を添付しなければならない。	P403参照
	設立の登記又は取締役，監査役若しくは執行役の就任（再任を除く。）による変更の登記の申請書には，設立時取締役，設立時監査役，設立時執行役，取締役，監査役又は執行役（以下「取締役等」という。）が就任を承諾したことを証する書面に記載した氏名及び住所と同一の氏名及び住所が記載されている市町村長その他の公務員が職務上作成した証明書（当該取締役等が原本と相違がない旨を記載した謄本を含む。以下「本人確認証明書」という。）を添付しなければならない。	P406参照
	監査役の監査の範囲を会計に関するものに限定する旨の定款の定めを廃止したときは，その定款変更の効力が生じた時に監査役の任期は満了する。	P411参照

1 役員等の概要

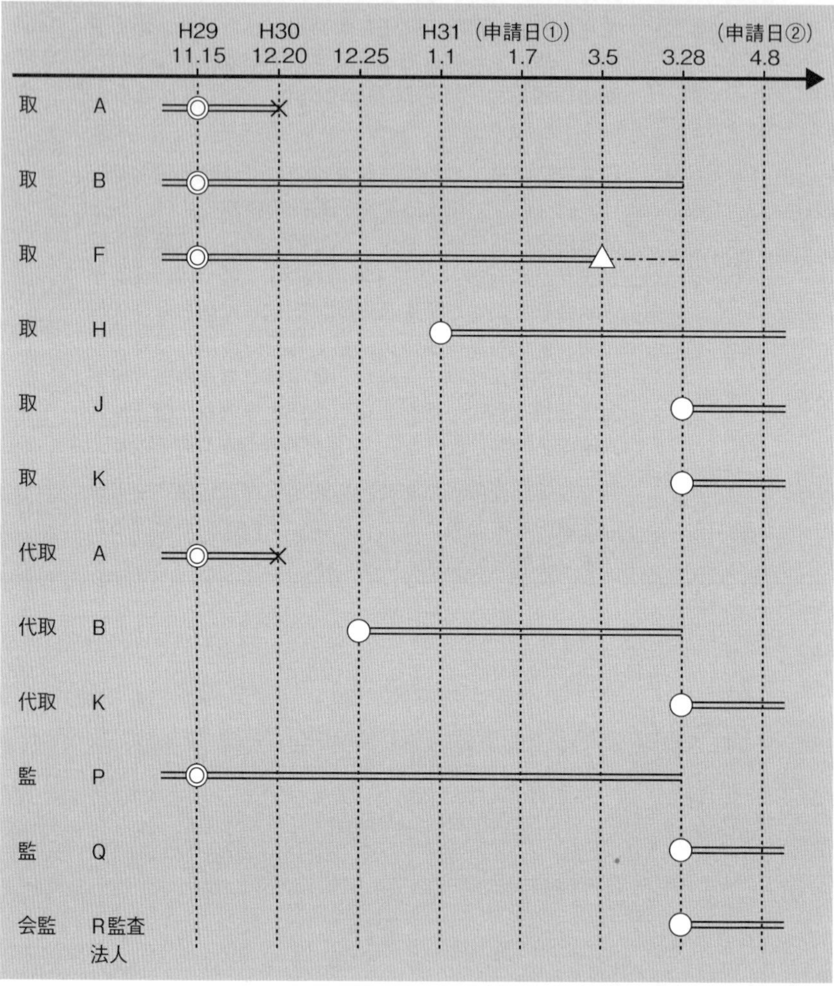

＝	任期中	◎	重任	△	辞任	□	欠格
-・-・-	権利義務	○	就任	×	死亡	■	解任

2 印鑑証明書及び本人確認証明書の通数

＜平成31年１月７日申請分＞

	印鑑証明書の添付を要する書面			本人確認証明書（商登規61条7項）
	就任承諾書（商登規61条4・5項）	選定証明書（商登規61条6項）	辞任届（商登規61条8項）	
取　A				
取　B		○		
取　F		○		
取　H				○
代取　A				
代取　B	○			
監　P				
合計	2通			1通

※　同一人のものについては，１通添付すれば足りる。

＜平成31年４月８日申請分＞

	印鑑証明書の添付を要する書面			本人確認証明書（商登規61条7項）
	就任承諾書（商登規61条4・5項）	選定証明書（商登規61条6項）	辞任届（商登規61条8項）	
取　B				
取　F				
取　H		○		
取　J		○		×（印）
取　K		○		×（印）
代取　B				
代取　K	○			
監　P				
監　Q		○		×（印）
合計	4通			0通

○…添付必要　　×…添付不要
（届）…従前からの代表取締役の届出印で押印しているため
（再）…再任のため
（印）…商登規61条４項，５項又は６項の規定により印鑑証明書を添付するため

平成31年

3 株主の氏名又は名称，住所及び議決権数等を証する書面（株主リスト）の通数

3−1 株主の氏名又は名称，住所及び議決権数等を証する書面（株主リスト）の添付を要する場合等の検討

前提の知識

① **株主総会又は種類株主総会の決議を要する場合の株主の氏名又は名称，住所及び議決権数等を証する書面（株主リスト）**

登記すべき事項につき株主総会又は種類株主総会の決議を要する場合には，申請書に，総株主（種類株主総会の決議を要する場合にあっては，その種類の株式の総株主）の議決権（当該決議において，行使することができるものに限る。）の数に対するその有する議決権の数の割合が高いことにおいて上位となる株主であって，次に掲げる人数のうちいずれか少ない人数の株主の氏名又は名称及び住所，当該株主のそれぞれが有する株式の数（種類株主総会の決議を要する場合にあっては，その種類の株式の数）及び議決権の数並びに当該株主のそれぞれが有する議決権に係る当該割合を証する書面を添付しなければならない（商登規61Ⅲ）。

⑴ 10名

⑵ その有する議決権の数の割合を当該割合の多い順に順次加算し，その加算した割合が３分の２に達するまでの人数

なお，当該決議には会社法319条１項の規定により決議があったものとみなされる場合が含まれる。

② **株主の氏名又は名称，住所及び議決権数等を証する書面（株主リスト）の通数**

株主の氏名又は名称，住所及び議決権数等を証する書面（株主リスト）は，一の登記申請で，株主総会の決議を要する複数の登記すべき事項について申請される場合には，当該登記すべき事項ごとに添付を要する（商登規61Ⅱ・Ⅲ）。

ただし，決議ごとに添付を要する当該書面に記載すべき内容が一致するときは，その旨の注記がされた当該書面が１通添付されていれば足りるとされている（平28.6.23民商98号第3.1⑵ア）。

なお，日本司法書士会連合会より，以下の見解も示されている（日司連発第790号）。

Q：複数の株主総会により，複数の登記事項が発生し，これらを一括して登記申請する場合，それぞれの株主総会議事録ごとに株主リストが必要ですか。

A：「株主リスト」に記載すべき株主は，当該株主総会において議決権を行使することができるものをいうから，複数の株主総会により，複数の登記事項が発生し，これらを一括して登記申請する場合には，登記すべき事項ごとに当該株主総会において議決権を行使することができる「株主リスト」を添付しなければならない。

ただし，一の株主総会において，複数の登記すべき事項について決議された場合において，各事項に関して株主リストに記載すべき事項が同一である場合には，その旨注記して，一の株主リストを添付すれば足りるとされている。

3−1−1　株主の氏名又は名称，住所及び議決権数等を証する書面（株主リスト）の添付を要する事項

株主の氏名又は名称，住所及び議決権数等を証する書面（株主リスト）は，登記すべき事項ごとに１通添付をすることとなるが，複数の議案につき，株主リストに記載すべき内容が一致するときは，その旨の注記がされた当該書面を１通添付すれば足りる。

第１欄

株主の氏名又は名称，住所及び議決権数等を証する書面の添付を要する株主総会	通数
＜平成30年11月20日付けスター株式会社の臨時株主総会＞ 合併契約承認の件 役員の変更の件	１通
＜平成30年11月20日付けムーン株式会社の臨時株主総会＞ 合併契約承認の件	１通
合計	２通

平成31年

第３欄

株主の氏名又は名称，住所及び議決権数等を証する書面の添付を要する株主総会	通数
＜平成31年３月28日付けスター株式会社の定時株主総会＞ 監査役の監査の範囲を会計に関するものに限定する旨の定款の定めの廃止の件 会計監査人設置会社の定めの設定の件 役員等の変更の件	１通

４ 課税標準金額・登録免許税

＜平成31年１月７日申請分＞

課税標準金額	金１億円

<table>
<tr><th colspan="2">登記事項</th><th colspan="2">登録免許税</th></tr>
<tr><td colspan="2">吸収合併による資本金の額増加分</td><td>金１億円×1.5/1,000
＝金15万円　※１</td><td>登録税別表
1.24.(1)へ</td></tr>
<tr><td colspan="2">役員変更分</td><td>金３万円　※２</td><td>登録税別表
1.24.(1)カ</td></tr>
<tr><td rowspan="2">他の変更分</td><td>株式の分割</td><td rowspan="2">金３万円</td><td rowspan="2">登録税別表
1.24.(1)ツ</td></tr>
<tr><td>発行可能株式総数の変更</td></tr>
<tr><td colspan="2">合計</td><td colspan="2">金21万円　※３</td></tr>
</table>

※１　課税標準金額のある登記と課税標準金額のない登記とを一括申請する場合には，登録免許税額の内訳を記載する。

※２　役員等変更の登録免許税額は金３万円であるが，資本金の額が１億円以下の会社の場合は金１万円である（登録税別表1.24.(1)カ）。

※３　異なる区分に属する数個の登記事項を同一の申請書で申請する場合には各登記の区分の税率を適用した計算金額の合計額となる（登録税18）。

<平成31年４月８日申請分>

登記事項		登録免許税	
役員等変更分 （監査役の監査の範囲を会計に関するものに限定する旨の定款の定めの廃止を含む）		金３万円　※１	登録税別表 1.24.(1)カ
他の変更分	会計監査人設置会社の定めの設定	金３万円	登録税別表 1.24.(1)ツ
合計		金６万円　※２	

※１　役員等変更の登録免許税額は金３万円であるが，資本金の額が１億円以下の会社の場合は金１万円である（登録税別表1.24.(1)カ）。
※２　異なる区分に属する数個の登記事項を同一の申請書で申請する場合には各登記の区分の税率を適用した計算金額の合計額となる（登録税18）。

5 株式の分割

結論

本問の場合，平成30年12月31日付けで，**発行済株式の総数を2,000株**とする株式の分割による**変更**の登記を申請することができる。

<申請書記載例；取締役会設置会社>

1．	事	株式の分割	
1．	登	○年○月○変更	
		発行済株式の総数　○○株	
1．	税	金３万円（登録税別表1.24.(1)ツ）	
1．	添	取締役会議事録	1通（商登46Ⅱ）
		委任状	1通（商登18）

平成31年

前提の知識

① **株式の分割**

株式会社は，株式の分割をしようとするときは，その都度，株主総会（取締役会設置会社にあっては，取締役会）の決議によって，次に掲げる事項を定めなければならない（会社183Ⅱ）。

(1) 株式の分割により増加する株式の総数の株式の分割前の発行済株式（種類株式発行会社にあっては，(4)の種類の発行済株式）の総数に対する割合（以下「株式の分割の割合」という。）

(2) 株式の分割に係る基準日

(3) 株式の分割がその効力を生ずる日

(4) 株式会社が種類株式発行会社である場合には，分割する株式の種類

② **株式の分割の効力発生**

基準日において株主名簿に記載され，又は記録されている株主（種類株式発行会社において種類株式を分割する場合には，当該種類株式を有する株主）は，株式の分割の効力発生日に，基準日に有する株式（種類株式発行会社において種類株式を分割する場合には，当該種類株式）の数に株式の分割の割合を乗じて得た数の株式を取得する（会社184Ⅰ）。なお，株式無償割当てと異なり，必ず同一種類の株式の数が増加し，自己株式についても分割の効果が生ずる。

5−1 決議権限

別紙1より，申請会社は取締役会設置会社であり，別紙7より，取締役会において決議されているため，決議機関は適法である（会社183Ⅱ）。

5−2 決議形式

(1) 招集手続

別紙12より，取締役の全員が出席しているため，招集手続の瑕疵の有無については，検討することを要しない。

(2) 決議要件

別紙7及び12より，議決に加わることができる取締役の過半数が出席し（全員），その過半数の賛成を得ているため（満場一致），決議要件を満たしている（会社369Ⅰ）。

5-3 決議内容

(1) 基準日の定め

別紙２より，スター株式会社の定款には，基準日に関する定めがある旨の事実は示されていないため，株式の分割に係る基準日を定める必要がある（会社183Ⅱ）。

別紙７より，基準日を平成30年12月30日と定めている。

(2) 効力発生時期

別紙７より，株式の分割の効力発生日を平成30年12月31日と定めている。

(3) 発行可能株式総数との関係

別紙７より，株式１株につき２株の割合をもって分割する旨の決議をしている。

別紙１及び４より，申請会社の従前の発行済株式の総数は，1,000株であるため，株式の分割の結果，発行済株式の総数は2,000株（1,000株×２）となり，発行可能株式総数4,000株の範囲内であるため，決議内容は適法である。

5-4 基準日の公告

別紙７より，平成30年11月13日開催の取締役会で決議された株式の分割における基準日は，同年12月30日最終の株主名簿に記載された株主と定められており，別紙12より，株式の分割に関して，官報公告が行われている。

なお，登記申請においては適法性の確認対象とはならない。

5-5 効力発生日

上述のとおり，効力発生日を平成30年12月31日と定めているため，同日に株式の分割の効力が生ずる。

5-6 登記すべき事項

変更年月日は，株式の分割の効力発生日である平成30年12月31日である。また，変更後の発行済株式の総数は2,000株となる。

5-7 添付書面

株式の分割の決議をしたことを証する書面として，平成30年11月13日付けの「取締役会議事録」を添付する（商登46Ⅱ）。

6 発行可能株式総数の変更

結論

本問の場合，**平成30年12月31日**付けで，**発行可能株式総数を8,000株**に増加する**変更**の登記を申請することができる。

<申請書記載例；取締役会設置会社・株式の分割と同時に変更する場合>

1．事	発行可能株式総数の変更	
1．登	○年○月○変更 発行可能株式総数　○○株	
1．税	金３万円（登録税別表1.24.(1)ツ）	
1．添	取締役会議事録	１通（商登46Ⅱ）
	委任状	１通（商登18）

前提の知識

発行可能株式総数の変更決議

株式会社の成立後，発行可能株式総数は，登記事項（会社911Ⅲ⑥）であるとともに，定款に記載・記録しなければならない事項であるため，その変更には，原則として株主総会の特別決議が必要となる（会社466・309Ⅱ⑪）。

しかし，例外として，株式会社（現に２以上の種類の株式を発行しているものを除く。）は，株式の分割を行う場合に，株主総会の決議によらないで，株式の分割の効力発生日における発行可能株式総数をその日の前日の発行可能株式総数に株式の分割の割合を乗じて得た数の範囲内で増加する定款の変更をすることができる（会社184Ⅱ）。この定款変更を行うべき機関は，非取締役会設置会社においては取締役の決定，取締役会設置会社においては取締役会の決議である（会社348Ⅰ・Ⅱ・362Ⅱ①，平18.3.31民商782号第2部第2.4(3)ウ）。

なお，会社法184条２項の「現に２以上の種類の株式を発行している」とは，会社が２種類以上の株式を現実に発行している場合のことであり，定款に複数の種類株式に関する定めがあるものの，いまだ１種類の株式しか発行していない場合や，かつて複数の種類株式を発行していたものの，一つの種類の株式を除き他は全て消却された場合を含まない。

6−1 決議権限

別紙１より，申請会社は取締役会設置会社であり，単一株式発行会社である。したがって，取締役会の決議で，株式の分割の効力発生日における発行可能株式総数をその日の前日の発行可能株式総数に株式の分割の割合を乗じて得た数の範囲内で増加する定款変更をすることができる（会社184Ⅱ）。

別紙７より，取締役会において決議されているため，決議機関は適法である。

6−2 決議形式

⑴ 招集手続

別紙12より，取締役の全員が出席しているため，招集手続の瑕疵の有無については，検討することを要しない。

⑵ 決議要件

別紙７及び12より，議決に加わることができる取締役の過半数が出席し（全員），その過半数の賛成を得ているため（満場一致），決議要件を満たしている（会社369Ⅰ）。

6−3 決議内容

別紙７より，発行可能株式総数を8,000株とする旨の決議をしているが，株式の分割の効力発生日における発行可能株式総数はその日の前日の発行可能株式総数に株式の分割の割合を乗じて得た数の範囲内であるため，決議内容は適法である。

6−4 効力発生日

別紙７より，株式の分割の効力発生を条件としているため，株式の分割の効力発生日である平成30年12月31日に発行可能株式総数の変更の効力が生ずる。

6−5 添付書面

発行可能株式総数の変更決議をしたことを証する書面として，平成30年11月13日付けの「取締役会議事録」を添付する（商登46Ⅱ）。

7 吸収合併

結論

本問の場合，**平成31年1月1日付けで，スター株式会社（吸収合併存続株式会社）について，ムーン株式会社を合併した旨の登記，発行済株式の総数を2,210株，資本金の額を金5億円**とする旨の**変更**の登記を申請することができる。

＜申請書記載例：吸収合併存続会社（スター株式会社）＞

1．事　吸収合併による変更
1．登　○年○月○日次のとおり変更
　　発行済株式の総数　○株
　　資本金の額　金○円
　○年○月○日○県○市○町○丁目○番○号株式会社○○を合併
1．税　増加した資本金の額×1.5/1,000（登録税別表1.24.(1)へ）
　(消滅会社の合併直前における資本金の額として財務省令で定めるものを超える資本金の額に対応する部分については7/1,000。これによって計算した税額が金3万円に満たないときは，金3万円)
1．添　株主総会議事録　1通（商登46Ⅱ）
　株主の氏名又は名称，住所及び議決権数等を証する書面　1通（商登規61Ⅲ）
　吸収合併契約書　1通（商登80①）
　公告及び催告をしたことを証する書面
　　異議を述べた債権者はいない　2通（商登80③）
　資本金の額が会社法第445条第5項の規定に従って計上されたことを証する書面　1通（商登80④）
　登録免許税法施行規則第12条第5項の規定に関する証明書　1通（登録税施規12Ⅴ）
　吸収合併消滅会社の登記事項証明書　1通（商登80⑤）
　吸収合併消滅会社の株主総会議事録　1通（商登80⑥・46Ⅱ）
　吸収合併消滅会社の株主の氏名又は名称，住所及び議決権数等を証する書面　1通（商登規61Ⅲ）

吸収合併消滅会社の公告及び催告をした ことを証する書面	1通（商登80⑧）
異議を述べた債権者はいない	
委任状	1通（商登18）

<申請書記載例：吸収合併消滅会社（ムーン株式会社）>

本問においては，解答することを要しない。

1．	事	吸収合併による解散
1．	登	○年○月○日○県○市○町○丁目○番○号株式会社○○に合併し，解散
1．	税	金３万円（登録税別表1.24.(1)レ）
1．	添	一切不要

前提の知識

吸収合併の当事会社

吸収合併とは，会社が他の会社とする合併であって，合併により消滅する会社の権利義務の全部を合併後存続する会社に承継させるものをいう（会社２㉗）。全ての種類の会社は，全ての種類の会社と合併することができ，吸収合併存続会社の種類も限定されない。ただし，特例有限会社は，吸収合併存続会社となることができない（会社整備37）。

7−1 吸収合併契約の締結

会社が，吸収合併をする場合には，吸収合併契約を締結しなければならない（会社748）。

本問の場合，別紙６の吸収合併契約書に基づき，スター株式会社を吸収合併存続株式会社とし，ムーン株式会社を吸収合併消滅株式会社とする吸収合併契約が締結されたことが分かる。

吸収合併存続会社が株式会社であるときは，吸収合併契約において，次に掲げる事項を定めなければならない（会社749）。

なお，問題文（答案作成に当たっての注意事項）より，吸収合併契約書は適法に作成されていることが分かる。以下，吸収合併契約書の記載内容等について具体的に検討する。

法定記載事項（会社749条１項）	吸収合併 契約書 （別紙６）
①　吸収合併存続株式会社及び吸収合併消滅会社の商号及び住所（会社749Ⅰ①）	冒頭 第１条第２項
②　吸収合併存続株式会社が吸収合併に際して吸収合併消滅株式会社の株主又は吸収合併消滅持分会社の社員に対してその株式又は持分に代わる金銭等を交付するときは，当該金銭等についての次に掲げる事項（会社749Ⅰ②）	
⑴　当該金銭等が吸収合併存続株式会社の株式であるときは，当該株式の数（種類株式発行会社にあっては，株式の種類及び種類ごとの数）又はその数の算定方法並びに当該吸収合併存続株式会社の資本金及び準備金の額に関する事項（会社749Ⅰ②イ）	第３条 第４条
⑵　当該金銭等が吸収合併存続株式会社の社債（新株予約権付社債についてのものを除く。）であるときは，当該社債の種類及び種類ごとの各社債の金額の合計額又はその算定方法（会社749Ⅰ②ロ）	－
⑶　当該金銭等が吸収合併存続株式会社の新株予約権（新株予約権付社債に付されたものを除く。）であるときは，当該新株予約権の内容及び数又はその算定方法（会社749Ⅰ②ハ）	－
⑷　当該金銭等が吸収合併存続株式会社の新株予約権付社債であるときは，当該新株予約権付社債についての⑵に規定する事項及び当該新株予約権付社債に付された新株予約権についての⑶に規定する事項（会社749Ⅰ②ニ）	－
⑸　当該金銭等が吸収合併存続株式会社の株式等以外の財産であるときは，当該財産の内容及び数若しくは額又はこれらの算定方法（会社749Ⅰ②ホ）	－
③　②の場合には，吸収合併消滅株式会社の株主（吸収合併消滅株式会社及び吸収合併存続株式会社を除く。）又は吸収合併消滅持分会社の社員（吸収合併存続株式会社を除く。）に対する②の金銭等の割当てに関する事項（会社749Ⅰ③）	第３条

④　吸収合併消滅株式会社が新株予約権を発行しているときは，吸収合併存続株式会社が吸収合併に際して当該新株予約権の新株予約権者に対して交付する当該新株予約権に代わる当該吸収合併存続株式会社の新株予約権又は金銭についての次に掲げる事項（会社749Ⅰ④）	－
⑴　当該吸収合併消滅株式会社の新株予約権の新株予約権者に対して吸収合併存続株式会社の新株予約権を交付するときは，当該新株予約権の内容及び数又はその算定方法（会社749Ⅰ④イ）	－
⑵　⑴の場合において，⑴の吸収合併消滅株式会社の新株予約権が新株予約権付社債に付された新株予約権であるときは，吸収合併存続株式会社が当該新株予約権付社債についての社債に係る債務を承継する旨並びにその承継に係る社債の種類及び種類ごとの各社債の金額の合計額又はその算定方法（会社749Ⅰ④ロ）	－
⑶　当該吸収合併消滅株式会社の新株予約権の新株予約権者に対して金銭を交付するときは，当該金銭の額又はその算定方法（会社749Ⅰ④ハ）	－
⑤　④の場合には，吸収合併消滅株式会社の新株予約権の新株予約権者に対する④の吸収合併存続株式会社の新株予約権又は金銭の割当てに関する事項（会社749Ⅰ⑤）	－
⑥　吸収合併の効力発生日（会社749Ⅰ⑥）	第２条

第１条について

東京都港区甲町１番地のスター株式会社を吸収合併存続株式会社，東京都品川区丙町１番地のムーン株式会社を吸収合併消滅株式会社とする吸収合併を行う旨の記載がある。

第２条について

平成31年１月１日を吸収合併の効力発生日とし，合併手続の進行に応じて必要があるときは，スター株式会社及びムーン株式会社の協議の上，これを変更することができる旨を定めている。

第３条について

スター株式会社は，合併に際して新株を発行し，効力発生日時点のムーン株式会社の株主名簿に記載された株主に対し，その所有するムーン株式会社の株式１株につき，スター株式会社の株式３株の割合をもって割り当て，効力発生日の前日までに株式１株につき２株の割合をもって株式の分割を行う旨を定めている。

第４条について

スター株式会社がムーン株式会社との合併により増加する資本金を金１億円，増加する準備金の額等を会社計算規則の規定に従い，スター株式会社が適切に定めるとしている。また，効力発生日の前日におけるムーン株式会社の資産及び負債の状況により，スター株式会社及びムーン株式会社の協議の上，これを変更することができる旨を定めている。

第５条について

スター株式会社及びムーン株式会社は，株主総会（以下「合併承認総会」という。）を招集し，合併の効力発生日の前日までに本契約の承認及び合併に必要な事項に関する決議を求める旨を定めている。

第６条及び第７条について

第６条（善管注意義務）及び第７条（合併条件の変更及び本契約の解除）の内容は省略されているが，問題文（答案作成に当たっての注意事項）より，（略）と記載されている部分には，有効な記載があるものとしている。

第８条について

本契約は，スター株式会社及びムーン株式会社の合併承認総会の承認が得られないときは，その効力を失う旨を定めている。

第９条について

第９条（本契約に定めのない事項）の内容は省略されているが，問題文（答案作成に当たっての注意事項）より，（略）と記載されている部分には，有効な記載があるものとしている。

7−2 承認決議権限（吸収合併存続株式会社となるスター株式会社）

前提の知識

吸収合併存続株式会社における吸収合併契約の承認決議

吸収合併存続株式会社は，効力発生日の前日までに，原則として，株主総会の特別決議によって，吸収合併契約の承認を受けなければならない（会社795Ⅰ・309Ⅱ⑫）。

(1) 招集手続

別紙４及び12より，議決権のある株主全員が出席しているわけではないため，招集手続の瑕疵の有無の検討を要するが，特に招集手続に瑕疵がある旨の記載もないことから，招集手続は適法にされていると解することができる。

⑵ 決議要件

別紙4，5，8及び12より，議決権を行使することができる株主の議決権（850個）の過半数（426個以上）を有する株主が出席し（A（200個）＋B（200個）＋D（150個）＋E（100個）＝650個），出席した当該株主の議決権の3分の2以上の賛成を得ているため（満場一致），決議要件を満たしている。

なお，別紙4及び5より，スター株式会社は，ムーン株式会社の株式25株を保有しており，ムーン株式会社において株主及びその保有株式に変更はないため，ムーン株式会社の総株主の議決権（95個）の4分の1以上（24個以上）の議決権を保有している。そのため，ムーン株式会社が保有するスター株式会社の株式は相互保有株式に当たり，議決権を行使することができない。

7−3 債権者保護手続（吸収合併存続株式会社となるスター株式会社）

前提の知識

① 吸収合併存続株式会社における債権者保護手続の要否・公告及び催告手続

吸収合併存続株式会社の債権者は，吸収合併存続株式会社に対し，吸収合併について異議を述べることができる（会社799Ⅰ①）。その場合，吸収合併存続株式会社は，以下に掲げる事項を官報に公告し，かつ，知れている債権者には各別に催告しなければならない（会社799Ⅱ）。

⑴ 吸収合併をする旨

⑵ 吸収合併消滅会社の商号及び住所

⑶ 吸収合併存続株式会社及び吸収合併消滅株式会社の計算書類に関する事項として法務省令で定めるもの（会社施規199）

⑷ 債権者が一定の期間内（1か月を下ることができない。）に異議を述べることができる旨

なお，上記の事項を官報のほか，定款に定めた日刊新聞紙に掲載するか，又は電子公告により公告をした場合は，知れている債権者への各別の催告は省略することができる（会社799Ⅲ）。

② 異議を述べた債権者に対する取扱い（吸収合併存続株式会社）

債権者が期間内に異議を述べない場合は吸収合併を承認したものとみなされるが（会社799Ⅳ），異議を述べた場合は，吸収合併存続株式会社は，吸収合併を行っても当該債権者を害するおそれがない場合を除き，当該債権者に対し弁済をするか，相当の担保を提供するか，当該債権者に弁済を受け

平成31年

させることを目的として信託会社等に相当の財産を信託しなければならない(会社799Ⅴ)。

(1) 債権者に対する公告及び催告

別紙12より，スター株式会社は，平成30年11月21日，会社法799条２項に定める債権者に対する異議申述の公告を，同日付の官報をもって行っており，かつ，知れている債権者全員に対し，各別の催告を行っている。

(2) 債権者への対応

別紙12より，異議を述べた債権者はいないため，会社から債権者に対して弁済をする等の特別の対応は不要である。

7-4 吸収合併存続株式会社の増加する資本金及び資本準備金

前提の知識

吸収合併存続株式会社の資本金の額の定め

吸収合併存続株式会社が吸収合併に際して吸収合併消滅株式会社の株主又は吸収合併消滅持分会社の社員に対してその株式又は持分に代わり吸収合併存続株式会社の株式を交付するときは，当該株式の数（種類株式発行会社にあっては，株式の種類及び種類ごとの数）又はその数の算定方法並びに当該吸収合併存続株式会社の資本金及び準備金の額に関する事項を吸収合併契約において定めなければならない（会社749Ⅰ②イ）。

なお，会社法においては，合併の際に，増加すべきものとされる資本金又は準備金の額の増加をしないことを認める。これは，増加しないことをもって，増加すべき資本金又は準備金の額を合併と同時に減少させることと同視した上で，合併に際しては債権者保護手続がとられることから，かかる減少を認めても差し支えないと考えられるためである。

また，吸収合併存続会社の資本金の額は，会社計算規則の規定に従う（会社445Ⅴ，会社計規35・36)。吸収合併の会計処理として支配取得に該当する場合にはパーチェス方式（時価処理）により，共通支配下の取引や逆取得の場合等には合併により承継される財産の帳簿処理により株主資本等変動額が定められる（会社計規35Ⅰ各号)。

吸収合併存続会社が合併に際し株式を交付した場合には，吸収合併後の存続会社の資本金及び資本剰余金の額は，株主資本等変動額の範囲内で，吸収合併存続会社が吸収合併契約の定めに従い定めた額とし，利益剰余金の額は変動しない（会社計規35Ⅱ本文）。なお，募集株式の発行の場合と異なり，資本金等増加限度額の２分の１以上を資本金に計上すべき旨の制約はない。
　また，資本剰余金には，資本準備金及びその他資本剰余金が含まれているため（会社計規76Ⅳ），吸収合併において，資本準備金の額を計上することができる。

　別紙６より，吸収合併契約書には，合併により増加する資本金の額を金１億円，増加する準備金の額等を会社計算規則の規定に従い，スター株式会社が適切に定めるとする旨が記載されている。
　別紙12より，吸収合併契約書で定めたスター株式会社が合併により増加する資本金は，会社法及び会社計算規則の規定に従って計上された額であるため，適法である。

7−5 承認決議（吸収合併消滅会社となるムーン株式会社）

前提の知識

吸収合併存続会社が株式会社である場合の吸収合併消滅会社における吸収合併契約の承認決議
　吸収合併消滅株式会社は，効力発生日の前日までに，原則として，株主総会の特別決議によって，吸収合併契約の承認を受けなければならない（会社783Ⅰ・309Ⅱ⑫）。

⑴　招集手続

　別紙12より，議決権のある株主全員が出席しているため，招集手続の瑕疵の有無については，検討することを要しない（最判昭60.12.20，最判昭46.6.24，昭43.8.30民甲2770号）。

⑵　決議要件

　別紙12より，議決権を行使することができる株主の議決権の過半数を有する株主が出席し（全員），出席した当該株主の議決権の３分の２以上の賛成を得ているため（満場一致），決議要件を満たしている。
　なお，別紙５より，ムーン株式会社は，自己株式を５株保有しているが，自己株式については議決権を有しない。

7−6 債権者保護手続（吸収合併消滅会社となるムーン株式会社）

前提の知識

① **吸収合併消滅株式会社における債権者保護手続の要否・公告及び催告手続**

吸収合併消滅株式会社の債権者は，吸収合併消滅株式会社に対し，吸収合併について異議を述べることができる（会社789Ⅰ①）。吸収合併消滅株式会社は，以下に掲げる事項を官報に公告し，かつ，知れている債権者には各別に催告しなければならない（会社789Ⅱ）。

(1) 吸収合併をする旨
(2) 吸収合併存続会社の商号及び住所
(3) 吸収合併消滅株式会社及び吸収合併存続株式会社の計算書類に関する事項として法務省令で定めるもの（会社施規188）
(4) 債権者が一定の期間内（１か月を下ることができない。）に異議を述べることができる旨

なお，上記の事項を官報のほか，定款に定めた日刊新聞紙に掲載するか，又は電子公告により公告をした場合は，知れている債権者への各別の催告は省略することができる（会社789Ⅲ）。

② **異議を述べた債権者に対する取扱い（吸収合併消滅会社）**

債権者が期間内に異議を述べない場合は吸収合併を承認したものとみなされるが（会社789Ⅳ），異議を述べた場合は，吸収合併消滅株式会社は，吸収合併を行っても当該債権者を害するおそれがない場合を除き，当該債権者に対し弁済をするか，相当の担保を提供するか，当該債権者に弁済を受けさせることを目的として信託会社等に相当の財産を信託しなければならない（会社789Ⅴ）。

(1) 債権者に対する公告及び催告

別紙12より，ムーン株式会社は，平成30年11月21日，会社法789条２項に定める債権者に対する異議申述の公告を，同日付の官報をもって行っており，かつ，知れている債権者全員に対し，各別の催告を行っている。

(2) 債権者への対応

別紙12より，異議を述べた債権者はいないため，会社から債権者に対して弁済する等の特別の対応は不要である。

7－7　株券提供公告の要否

前提の知識

株券提供公告
　吸収合併消滅株式会社となる会社が株券発行会社である場合には，株式の全部について株券を発行していない場合を除き，吸収合併の効力発生日までに当該株券発行会社に対し全部の株式に係る株券を提出しなければならない旨を株券提出日の1か月前までに，会社が定める公告方法に従って公告し，かつ，当該株式の株主及びその登録株式質権者には，各別にこれを通知しなければならない（会社219Ⅰ⑥）。

　問題文（答案作成に当たっての注意事項）及び別紙3より，吸収合併消滅株式会社となるムーン株式会社は，株券発行会社でないため，株券提供公告を要しない。

7－8　効力発生時期

前提の知識

①　**吸収合併の効力の発生**
　吸収合併存続株式会社は，吸収合併の効力発生日に，吸収合併消滅会社の権利義務を承継する（会社750Ⅰ）。
　吸収合併消滅株式会社の吸収合併による解散は，吸収合併の登記の後でなければ，これをもって第三者に対抗することができない（会社750Ⅱ）。
　また，吸収合併の効果は，債権者保護手続が終了していない場合又は吸収合併を中止した場合には，生じない（会社750Ⅵ）。

②　**吸収合併消滅会社の株主・社員について**
　吸収合併存続株式会社が吸収合併に際して吸収合併消滅株式会社の株主又は吸収合併消滅持分会社の社員に対してその株式又は持分に代わる金銭等を交付するとき，次に掲げる場合には，吸収合併消滅株式会社の株主又は吸収合併消滅持分会社の社員は，会社法749条1項3号に掲げる事項についての定めに従い，効力発生日に，当該各号に定める者となる（会社750Ⅲ・749Ⅰ②）。
　⑴　当該金銭等が吸収合併存続株式会社の株式であるとき…当該株式の株主（会社750Ⅲ①・749Ⅰ②イ）
　⑵　当該金銭等が吸収合併存続株式会社の社債（新株予約権付社債についてのものを除く。）であるとき…当該社債の社債権者（会社750Ⅲ②・749Ⅰ②ロ）

平成31年

(3) 当該金銭等が吸収合併存続株式会社の新株予約権（新株予約権付社債に付されたものを除く。）であるとき…当該新株予約権の新株予約権者（会社750Ⅲ③・749Ⅰ②ハ）

(4) 当該金銭等が吸収合併存続株式会社の新株予約権付社債であるとき…当該新株予約権付社債についての社債の社債権者及び当該新株予約権付社債に付された新株予約権の新株予約権者（会社750Ⅲ④・749Ⅰ②ニ）

ただし，金銭等の割当てを受けることができる株主から吸収合併消滅株式会社及び吸収合併存続株式会社は除かれている（会社749Ⅰ③参照）。

なお，吸収合併消滅株式会社の新株予約権は，効力発生日に，消滅する（会社750Ⅳ）。

また，吸収合併存続株式会社が吸収合併に際して吸収合併消滅株式会社の新株予約権の新株予約権者に対して当該新株予約権に代わる当該吸収合併存続株式会社の新株予約権を交付するときは，効力発生日に，会社法749条１項５号に掲げる事項についての定めに従い，当該吸収合併存続株式会社の新株予約権の新株予約権者となる（会社750Ⅴ・749Ⅰ④）。

別紙6より，吸収合併の効力発生日は平成31年１月１日と定められている。そして，別紙12より，吸収合併に必要な手続は，当該効力発生日までに適法に完了している。

また，前述のとおり，吸収合併存続株式会社となるスター株式会社及び吸収合併消滅株式会社となるムーン株式会社の両会社とも，債権者保護手続は，効力発生日である平成31年１月１日までに適法に終了していることが分かる。

したがって，効力発生日は，平成31年１月１日となる。

7－9 吸収合併存続株式会社の変更登記申請書

前提の知識

吸収合併の登記

会社が吸収合併をしたときは，その効力が生じた日から２週間以内に，その本店の所在地において，吸収合併により消滅する会社については解散の登記をし，吸収合併後存続する会社については変更の登記をしなければならない（会社921）。吸収合併存続株式会社の登記申請書には，資本金の額等変更が生じた登記事項のほか，合併をした旨並びに吸収合併消滅会社の商号及び本店をも記載しなければならない。この場合，変更の年月日として効力発生日も登記すべき事項となる（商登79，記録例依命通知第4節第18.2(1)）。

7−9−1　登記の事由

「吸収合併による変更」と記載する。

7−9−2　登記すべき事項

前述のとおり，吸収合併の効力発生日は平成31年１月１日であるため，同日を原因日付とし，登記すべき事項を次のとおり記載する。

吸収合併存続会社であるスター株式会社は，吸収合併に際して新株を発行し，効力発生日時点のムーン株式会社の株主名簿に記載された株主に対して，その所有するムーン株式会社の株式１株につき，スター株式会社の株式３株の割合をもって割り当てている。

別紙５より，ムーン株式会社の平成30年11月20日現在の発行済株式の総数は100株であり，その後に株式の変動があった事実は問題文に記載されていないため，吸収合併の効力発生日におけるムーン株式会社の発行済株式の総数は100株である。吸収合併存続株式会社の株式の割当てを受けることができる吸収合併消滅株式会社の株主から吸収合併消滅株式会社及び吸収合併存続株式会社は除かれているため，スター株式会社の株式の割当てを受けることができるムーン株式会社の株主は，Ｈ及びＩである。よって，スター株式会社は，Ｈ及びＩの株式の合計数70株に３株の割合を乗じた210株を発行することとなる。

したがって，吸収合併前のスター株式会社の発行済株式の総数2,000株に，新株式数210株を加えた「発行済株式の総数　2,210株」を変更後の発行済株式の総数として記載する。

別紙６より，吸収合併によりスター株式会社が増加する資本金の額は金１億円である。別紙１より，吸収合併前のスター株式会社の資本金の額は金４億円であったため，これに増加する資本金の額を加えた「金５億円」を変更後の資本金の額として記載する。

さらに，「平成31年１月１日東京都品川区丙町１番地ムーン株式会社を合併」と記載する。

7−9−3　添付書面

前提の知識

吸収合併存続株式会社がする吸収合併による変更登記の添付書面

本店の所在地における吸収合併存続株式会社の変更の登記の申請書には，次の書面を添付しなければならない（平18.3.31民商782号第5部第2.2(1)参照）。

平成31年

⑴　吸収合併契約書

効力発生日の変更があった場合には，吸収合併存続株式会社において取締役の過半数の一致があったことを証する書面又は取締役会の議事録（商登46Ⅰ・Ⅱ）及び効力発生日の変更に係る当事会社の契約書（商登24⑧参照）も添付しなければならない。

⑵　吸収合併存続株式会社の手続に関する次に掲げる書面

㈠　合併契約の承認に関する書面（商登46Ⅰ・Ⅱ）

合併契約の承認機関に応じ，株主総会，種類株主総会若しくは取締役会の議事録又は取締役の過半数の一致があったことを証する書面を添付しなければならない。

㈡　略式合併又は簡易合併の場合には，その要件を満たすことを証する書面（商登80②）

略式合併の要件を満たすことを証する書面としては，具体的には，吸収合併存続株式会社の株主名簿等がこれに該当する。

㈢　簡易合併に反対の意思の通知をした株主がある場合における会社法第796条第３項の株主総会の承認を受けなければならない場合には該当しないことを証する書面

簡易合併に反対する旨を通知した株主がある場合には，その有する総株式数が会社法施行規則197条の規定により定める数に達しないことを内容とする代表者の証明書を添付することとなる。

また，簡易合併を行う場合において，簡易合併に反対の意思を通知した株主がないときは，「反対の意思の通知をした株主はいない。」と記載する。

㈣　債権者保護手続関係書面

異議を述べた債権者があるときは，当該債権者に対し弁済し若しくは相当の担保を提供し若しくは当該債権者に弁済を受けさせることを目的として相当の財産を信託したこと又は当該吸収合併をしても当該債権者を害するおそれがないことを証する書面を添付する（商登80③）。

具体的には，債権者が作成した弁済金受領証書，債権者及び会社の代表取締役が作成した担保設定に関する証書又は信託会社の作成した信託を証する書面等を債権者の異議申立書と併せて添付することとなる。

㈤　資本金の額が会社法第445条第５項の規定に従って計上されたことを証する書面（商登80④）

(3) 吸収合併消滅会社の手続に関する次に掲げる書面

(イ) 吸収合併消滅会社の登記事項証明書（なお，作成後３か月以内のものに限る（商登規36の２）。）（商登80⑤）

ただし，以下のいずれかに該当する場合を除く。

① 当該登記所の管轄区域内に吸収合併消滅会社の本店がある場合（商登80⑤但書）

② 申請書に会社法人等番号を記載した場合その他法務省令で定める場合（商登19の３，商登規36の３）

(ロ) 吸収合併消滅会社が株式会社であるときは，合併契約の承認機関に応じ，株主総会又は種類株主総会の議事録（略式合併の場合にあっては，その要件を満たすことを証する書面及び取締役の過半数の一致があったことを証する書面又は取締役会の議事録）（商登80⑥・46Ⅰ・Ⅱ）

(ハ) 吸収合併消滅会社が持分会社であるときは，総社員の同意（定款に別段の定めがある場合にあっては，その定めによる手続）があったことを証する書面（商登80⑦）

(ニ) 債権者保護手続関係書面（合名会社又は合資会社である吸収合併消滅会社について，各別の催告をしたことを証する書面の添付を省略することはできない。）（商登80⑧）

(ホ) 当該会社が株券発行会社であるときは，株券提供公告等関係書面（商登80⑨）

(ヘ) 当該会社が新株予約権を発行しているときは，新株予約権証券提供公告等関係書面（商登80⑩）

(4) 登録免許税法施行規則第12条第５項の規定に関する証明書（平19.4.25民商971号第3.3）

(1) 吸収合併契約書

各合併当事会社により作成された「吸収合併契約書」を添付する（商登80①）。なお，効力発生日の変更があった旨の事実はないため，効力発生日の変更を証する書面の添付は要しない。

(2) 吸収合併存続株式会社の手続に関する書面

吸収合併存続会社となるスター株式会社において，吸収合併契約書の承認決議が適法にされたこと及びその内容を証するため，平成30年11月20日付けの「(臨時）株主総会議事録」を添付する（46Ⅱ）。

登記すべき事項につき株主総会の決議を要する場合のため，「株主の氏名又は名称，住所及び議決権数等を証する書面」を添付する（商登規61Ⅲ）。

債権者保護手続関係書面としては，会社法799条２項の規定による①「公告をしたことを証する書面」として，公告を掲載した官報を添付し，②「知れている債権者に異議申述の催告をしたことを証する書面」として，催告書の写し又は会社が催告をした債権者の名簿と，各債権者に対する催告書の控え１通とを合綴して，代表取締役がその文面によって名簿に記載された債権者に対して各別に催告した旨を記載し，署名又は記名押印したものを添付する（商登80③）。また，異議を述べた債権者がいない場合であるため，申請書には「異議を述べた債権者はいない」旨を記載することとなる。

別紙12より，吸収合併契約書で定めたスター株式会社が吸収合併により増加すべき資本金の額及び資本準備金の額は，会社法445条５項の規定に従って適法に計上されていることが分かる。したがって，「資本金の額が会社法第445条第５項の規定に従って計上されたことを証する書面」を添付する（商登80④）。

(3) 吸収合併消滅株式会社の手続に関する書面

問題文（答案作成に当たっての注意事項），別紙１，３及び６より，吸収合併存続株式会社となるスター株式会社の本店所在地の管轄登記所の管轄区域内に吸収合併消滅株式会社となるムーン株式会社の本店が存在しないことが分かるため，作成後３か月以内の「吸収合併消滅会社の登記事項証明書」を添付する（商登80⑤，商登規36の２）。

ムーン株式会社において吸収合併契約の承認決議が適法にされたこと及びその内容を証するため，平成30年11月20日付けの「吸収合併消滅会社の株主総会議事録」を添付する（商登80⑥・46Ⅱ）。

登記すべき事項につき株主総会の決議を要する場合のため，「株主の氏名又は名称，住所及び議決権数等を証する書面」を添付する（商登規61Ⅲ）。

会社法789条２項の規定による①「公告をしたことを証する書面」として，公告を掲載した官報を添付し，②「知れている債権者に異議申述の催告をしたことを証する書面」として，催告書の写し又は会社が催告をした債権者の名簿と，各債権者に対する催告書の控え１通とを合綴して，代表取締役がその文面によって名簿に記載された債権者に対して各別に催告した旨を記載し，署名又は記名押印したものを添付する（商登80⑧）。また，異議を述べた債権者がいない場合であるため，申請書には「異議を述べた債権者はいない」旨を記載することとなる。

(4) 登録免許税法施行規則12条５項の規定に関する証明書（平19.4.25民商971号第3.3）

税率として1,000分の1.5を乗じる「吸収合併により消滅した会社の当該吸収合併直前における資本金の額として財務省令で定めるもの」の算定根拠を明らかにするため,「登録免許税法施行規則第12条第５項の規定に関する証明書」を添付する（平19.4.25民商971号第3.3）。

7−10　吸収合併消滅会社の解散登記

前提の知識

① **吸収合併消滅会社がする吸収合併による解散登記**

吸収合併消滅会社の登記申請書には，合併により解散した旨，吸収合併存続会社の商号及び本店，吸収合併の効力発生日を記載しなければならない（会社921，商登71，記録例依命通知第4節第18.2⑵）。

吸収合併による解散の登記は吸収合併存続会社を代表すべき者が吸収合併消滅会社を代表して登記を申請する（商登82Ⅰ）。

なお，会社の代表者が数人いる場合は，そのうちの１人から登記を申請すれば，会社の登記義務は履行されたこととなる。

② **経由申請・同時申請**

吸収合併消滅会社がする吸収合併による解散の登記の申請は，当該登記所の管轄区域内に吸収合併存続会社の本店がないときは，吸収合併存続会社の本店の所在地を管轄する登記所を経由してしなければならない（商登82Ⅱ）。また，吸収合併消滅会社の解散登記と吸収合併存続会社の変更登記は同時に申請しなければならない（商登82Ⅲ）。

7−10−1　申請人

吸収合併存続株式会社であるスター株式会社の代表者が吸収合併消滅株式会社であるムーン株式会社を代表して登記を申請する。

7−10−2　添付書面

合併による解散登記については何らの添付書面も要しない（商登82Ⅳ）。

7−10−3　経由申請の要求

問題文（答案作成に当たっての注意事項），別紙１，３及び６より，吸収合併消滅株式会社となるムーン株式会社の本店所在地の管轄登記所の管轄区域内に吸収合併存続株式会社となるスター株式会社の本店が存在しないため，吸収合併消滅株式会社についての解散登記は，吸収合併存続株式会社の本店所在地を管轄する登記所を経由して申請しなければならない（商登82Ⅱ）。

7−10−4　同時申請の要求

吸収合併消滅株式会社となるムーン株式会社の解散登記と吸収合併存続株式会社となるスター株式会社の変更登記は,同時に申請しなければならない(商登82Ⅲ)。

なお，本問においては，解散の登記について解答は要求されていない。

8 監査役の監査の範囲を会計に関するものに限定する旨の定款の定めの廃止

結論

本問の場合，**平成31年３月28日**付けで，**監査役の監査の範囲を会計に関するものに限定する旨の定款の定め**を**廃止**する旨の登記を申請することができる。

なお，監査役Ｐの退任登記については後述する。

<申請書記載例>

１．事　監査役の監査の範囲を会計に関するものに限定する旨の定款の定めの廃止
１．登　○年○月○日監査役の監査の範囲を会計に関するものに限定する旨の定款の定め廃止
１．税　金３万円（登録税別表1.24.⑴カ）
　　　　（但し，資本金の額が１億円以下の会社については，金１万円）
１．添　株主総会議事録　１通（商登46Ⅱ）
　　　　株主の氏名又は名称，住所及び議決権数等を証する書面　１通（商登規61Ⅲ）
　　　　委任状　１通（商登18）

前提の知識

① **定款の定めによる監査役の監査範囲の限定**

監査役は，取締役（会計参与設置会社にあっては，取締役及び会計参与）の職務の執行を監査する（会社381Ⅰ）。ただし，非公開会社（監査役会設置会社及び会計監査人設置会社を除く。）は会社法381条１項の規定にかかわらず，その監査役の監査の範囲を会計に関するものに限定する旨を定款で定めることができる（会社389Ⅰ）。

公開会社である監査役設置会社において，監査役の監査の範囲を会計に関するものに限定することができないのは，必ずしも経営監視能力が高くない一般株主のために，監査役において取締役等による業務の適法性を監査する必

要があるからである。

② **監査役の監査の範囲に関する登記**

監査役の監査の範囲を会計に関するものに限定する旨の定款の定めがある株式会社は，監査役設置会社である旨及び監査役の氏名に加え，監査役の監査の範囲を会計に関するものに限定する旨の定款の定めがある旨の登記をしなければならない（会社911Ⅲ⑰）。また，当該定款の定めを廃止した場合には，廃止した旨を登記しなければならない。

なお，これらの変更の登記の登録免許税の額は，申請件数１件につき金３万円（資本金の額が１億円以下の会社では金１万円）である（登録税別表1.24.(1)カ）。

③ **監査役の監査の範囲を会計に関するものに限定する旨の定款の定めを廃止した場合の登記事項**

監査役の監査の範囲を会計に関するものに限定する旨の定款の定めの廃止による変更登記の登記すべき事項は，①監査役の監査の範囲を会計に関するものに限定する旨の定めを廃止した旨，②従前の監査役が退任した旨（会社336Ⅳ③参照），③監査役が就任又は重任した旨及び④変更年月日である。

8−1 決議権限

別紙10より，株主総会において決議されているため，決議機関は適法である（会社466）。

8−2 決議形式

(1) 招集手続

別紙13より，議決権のある株主全員が出席しているため，招集手続の瑕疵の有無については，検討することを要しない。

(2) 決議要件

別紙10及び13より，議決権を行使することができる株主の議決権の過半数を有する株主が出席し（全員），出席した当該株主の議決権の３分の２以上の賛成を得ているため（満場一致），決議要件を満たしている（会社309Ⅱ⑪）。

8−3 決議内容

別紙10より，監査役の監査の範囲を会計に関するものに限定する旨の定款の定めを廃止する旨の決議をしている。

8−4 登記すべき事項

登記すべき事項には,「平成31年３月28日監査役の監査の範囲を会計に関するものに限定する旨の定款の定め廃止」と記載する。

8−5 添付書面

監査役の監査の範囲を会計に関するものに限定する旨の定款の定めの廃止の決議をしたことを証する書面として，平成31年３月28日付けの「(定時) 株主総会議事録」を添付する（商登46Ⅱ)。

登記すべき事項につき株主総会の決議を要する場合のため,「株主の氏名又は名称，住所及び議決権数等を証する書面」を添付する（商登規61Ⅲ)。

9 会計監査人設置会社の定めの設定

結論

本問の場合，**平成31年３月28日**付けで，**会計監査人設置会社の定め**を**設定**する旨の登記を申請することができる。

なお，会計監査人Ｒ監査法人の就任登記についての詳細は，後述する。

<申請書記載例>

1．事	会計監査人設置会社の定めの設定	
1．登	○年○月○設定	
	会計監査人設置会社	
1．税	金３万円（登録税別表1.24.(1)ツ）	
1．添	株主総会議事録	1通（商登46Ⅱ）
	株主の氏名又は名称，住所及び議決権数等を証する書面	1通（商登規61Ⅲ）
	委任状	1通（商登18）

前提の知識

① **会計監査人設置会社**

株式会社は，定款の定めによって，会計監査人を置くことができる（会社326Ⅱ)。

会計監査人を置く株式会社又は会社法の規定により会計監査人を置かなければならない株式会社を「会計監査人設置会社」という（会社2⑪）。

会計監査人設置会社であるときは，その旨及び会計監査人の氏名又は名称が登記事項となる（会社911Ⅲ⑲）。

なお，会計監査人設置会社（監査等委員会設置会社及び指名委員会等設置会社を除く。）は，業務監査権限を有する監査役を置かなければならない（会社327Ⅲ・389Ⅰ参照）。

② 会計監査人の設置義務

大会社，監査等委員会設置会社及び指名委員会等設置会社では，公開会社か非公開会社かを問わず，会計監査人を置かなければならない（会社327Ⅴ・328）。

9−1 決議権限

別紙10より，株主総会において決議されているため，決議機関は適法である（会社466）。

9−2 決議形式

⑴ 招集手続

別紙13より，議決権のある株主全員が出席しているため，招集手続の瑕疵の有無については，検討することを要しない。

⑵ 決議要件

別紙10及び13より，議決権を行使することができる株主の議決権の過半数を有する株主が出席し（全員），出席した当該株主の議決権の３分の２以上の賛成を得ているため（満場一致），決議要件を満たしている（会社309Ⅱ⑪）。

9−3 決議内容

別紙10より，会計監査人設置会社の定めを設定する旨の定款変更決議をしている。

会計監査人設置会社（監査等委員会設置会社及び指名委員会等設置会社を除く。）は，業務監査権限を有する監査役を置かなければならないが（会社327Ⅲ・389Ⅰ），前述のとおり，同定時株主総会において，監査役の監査の範囲を会計に関するものに限定する旨の定款の定めを廃止する旨の決議をしているため，会計監査人を設置することができる。また，同定時株主総会において，会計監査人を１名選任している。

なお，前述のとおり，平成31年１月１日付けで吸収合併の効力が生じ，申請会社の資本金の額が金５億円となったことにより，平成31年３月28日開催の定時株主総会の計算書類承認時に大会社に移行しているため，会計監査人設置義務のある会社となる。

9–4　登記すべき事項

登記すべき事項には，
「平成31年３月28日設定
　　会計監査人設置会社」
と記載する。

また，後述のとおり，会計監査人Ｒ監査法人の就任登記を申請することとなる。

9–5　添付書面

会計監査人設置会社の定めの設定決議をしたことを証する書面として，平成31年３月28日付けの「(定時) 株主総会議事録」を添付する（商登46Ⅱ）。

登記すべき事項につき株主総会の決議を要する場合のため，「株主の氏名又は名称，住所及び議決権数等を証する書面」を添付する（商登規61Ⅲ）。

10 役員等の変更

結論

取締役Ａ

平成30年12月20日付けで，**死亡**により退任した旨の登記を申請することができる。

取締役Ｂ

平成31年３月28日付けで，任期満了による**退任**登記を申請することができる。

取締役Ｆ

平成31年３月５日付けで，**辞任**により退任した旨の登記を申請することができる。

取締役Ｈ

平成31年１月１日付けで，**就任**登記を申請することができる。

取締役J
平成31年３月28日付けで，**就任**登記を申請することができる。

取締役K
平成31年３月28日付けで，**就任**登記を申請することができる。

代表取締役A
平成30年12月20日付けで，**死亡**により退任した旨の登記を申請することができる。

代表取締役B
平成30年12月25日付けで，**就任**登記を申請することができる。
平成31年３月28日付けで，**退任**登記を申請することができる。

代表取締役K
平成31年３月28日付けで，**就任**登記を申請することができる。

監査役P
平成31年３月28日付けで，任期満了による**退任**登記を申請することができる。

監査役Q
平成31年３月28日付けで，**就任**登記を申請することができる。

会計監査人R監査法人
平成31年３月28日付けで，**就任**登記を申請することができる。

10−1 代表取締役である取締役A（死亡）

<申請書記載例>

1．事　取締役及び代表取締役の変更
1．登　○年○月○日代表取締役である取締役○○死亡
1．税　金３万円（登録税別表1.24.(1)カ）
　　　（但し，資本金の額が１億円以下の会社については，金１万円）
1．添　退任を証する書面　　　　　　１通（商登54Ⅳ）
　　　委任状　　　　　　　　　　　　１通（商登18）

前提の知識

死亡による退任登記の退任日付
死亡によって役員及び会計監査人と会社との委任関係は当然に消滅するので（会社330，民653①），死亡届の届出年月日や受領年月日は退任日付に何ら影響を与えない。

平成31年

問題文（答案作成に当たっての注意事項），別紙1及び2より，代表取締役である取締役Aは，平成29年11月15日に選任され，同日就任しており，選任後2年以内に終了する事業年度のうち最終のものに関する定時株主総会の終結の時まで任期があるはずであった。しかし，別紙12より，平成30年12月20日に死亡している。

したがって，平成30年12月20日付けで，代表取締役である取締役の死亡による退任登記を申請することができる。

<添付書面>

退任を証する書面として，Aの「死亡届」を添付する（商登54Ⅳ）。

10−2 代表取締役B（就任）

<申請書記載例；取締役会設置会社>

1．事　代表取締役の変更
1．登　○年○月○日次の者就任
　　　　○県○市○町○丁目○番○号
　　　　　代表取締役○○
1．税　金3万円（登録税別表1.24.(1)カ）
　　　（但し，資本金の額が1億円以下の会社については，金1万円）
1．添　取締役会議事録　　1通（商登46Ⅱ）
　　　就任を承諾したことを証する書面
　　　　取締役会議事録の記載を援用する
　　　印鑑証明書　　2通（商登規61Ⅳ・Ⅴ・Ⅵ）
　　　委任状　　1通（商登18）

前提の知識

① **取締役が3名を下回る場合の代表取締役の選定**

取締役の定数が3名の会社において，代表取締役が死亡した場合，2名の取締役が取締役会を開き後任の代表取締役を選定することができ，その場合には，その代表取締役からする代表取締役の変更登記申請は，受理して差し支えないとされている（昭40.7.13民甲1747号）。

② **代表取締役の就任登記の添付書面**

取締役会設置会社において，代表取締役の就任登記の添付書面は，取締役会議事録（商登46Ⅱ）とこれに関する印鑑証明書（商登規61Ⅵ③）及び就任を承諾したことを証する書面（商登54Ⅰ）とこれに関する印鑑証明書（商登規61Ⅴ・Ⅳ）である。

なお，取締役会議事録及び就任を承諾したことを証する書面について印鑑証明書を添付する場合，当該書面についての押印は市町村長の証明を得ることができる実印によりされていないと印鑑証明書が添付できず，申請は却下されることとなる（商登24⑦）。

そして，就任を承諾したことを証する書面について取締役会議事録の記載を援用するためには，当該議事録に代表取締役として選定された者が議場において就任承諾した旨の記載があるのみでは足らず，その者の印鑑についての証明書が添付できなければならない。しかし，就任を承諾したことを証する書面に関する印鑑証明書を添付することを要しない場合には，単に選定された者が議場において就任承諾した旨の記載があれば，取締役会議事録の記載を援用することができる。

10－2－1　決議権限

別紙９より，取締役会において決議されているため，決議機関は適法である（会社362Ⅱ③）。

10－2－2　決議形式

⑴　招集手続

別紙12より，取締役の全員（Ｂ及びＦ）が出席しているため，招集手続の瑕疵の有無については，検討することを要しない。

⑵　決議要件

別紙９及び12より，議決に加わることができる取締役の過半数が出席し（全員），その過半数の賛成を得ているため（全員の一致），決議要件を満たしている（会社369Ⅰ）。

10－2－3　決議内容

⑴　前提資格

平成30年12月25日開催の取締役会の時点において，Ｂは，取締役として任期中であり（役員等の概要参照），代表取締役としての前提資格を有しているため，適法である。

⑵　員数制限

員数制限に抵触する事実は示されていないため，適法である。

10−2−4　就任承諾

別紙９より，被選定者は，選定決議に係る取締役会において席上即時に就任を承諾しているため，平成30年12月25日に就任の効力が生ずる。

10−2−5　添付書面

⑴　選定を証する書面及びこれに関する印鑑証明書

(イ)　取締役会議事録（商登46条２項）

Ｂを代表取締役に選定した旨が記載されている平成30年12月25日付けの「取締役会議事録」を添付する。

(ロ)　印鑑証明書添付の要否（商登規61条６項３号）

別紙12より，取締役会議事録に押印されている印鑑は，全て市町村に登録された印鑑であるため，取締役会議事録に押印された印鑑についての証明書を添付することを要する。

(ハ)　印鑑証明書を添付すべき通数

問題文（答案作成に当たっての注意事項）及び別紙12より，取締役Ｂ及びＦが出席し，Ｂ及びＦの市町村に登録されている印鑑で押印されている。

したがって，取締役Ｂ及びＦ（役員等の概要参照）の「印鑑証明書」合計２通が必要である。

⑵　就任を承諾したことを証する書面及びこれに関する印鑑証明書

(イ)　就任を承諾したことを証する書面（商登54条１項）

問題文（答案作成に当たっての注意事項），別紙９及び12より，取締役会議事録には，Ｂの席上就任を承諾した旨の記載があり，また，市町村に登録されている印鑑で押印がなされていることが分かる。

したがって，就任を承諾したことを証する書面として，平成30年12月25日付けの取締役会議事録の記載を援用する。

(ロ)　印鑑証明書の添付の要否（商登規61条５項・４項）

Ｂは再任でないため（役員等の概要参照），就任を承諾したことを証する書面の印鑑についての証明書を添付することを要する。

(ハ)　印鑑証明書の添付の可否

選定を証する書面についての印鑑証明書（⑴(ハ)参照）と兼ねることとなるため，同じものを２通添付する必要はない。

10−3 取締役H（就任）

＜申請書記載例＞

1．事　取締役の変更
1．登　○年○月○日取締役○○就任
1．税　金３万円（登録税別表1.24.(1)カ）
　　　（但し，資本金の額が１億円以下の会社については，金１万円）
1．添　株主総会議事録　　　　　　　　　　　1通（商登46Ⅱ）
　　　株主の氏名又は名称，住所及び
　　　議決権数等を証する書面　　　　　　　1通（商登規61Ⅲ）
　　　就任を承諾したことを証する書面　　　1通（商登54Ⅰ）
　　　本人確認証明書　　　　　　　　　　　1通（商登規61Ⅶ）
　　　委任状　　　　　　　　　　　　　　　1通（商登18）

前提の知識

①　合併に際して就任すべき取締役等の選任

決議の内容に条件又は期限の付された株主総会決議は，その条件又は期限の設定に合理性がある限り，有効であると考えられるが，合併に際して就任すべき取締役等の選任について株主総会であらかじめ決議しておくことには通常合理性があるものと解される。

②　取締役及び監査役の就任登記の添付書面

取締役及び監査役の就任登記の添付書面は，原則として，（種類）株主総会議事録（商登46Ⅱ）及び就任を承諾したことを証する書面（商登54Ⅰ）である。また，取締役及び監査役の就任（再任を除く。）による変更の登記の申請書には，取締役又は監査役が就任を承諾したことを証する書面に記載した取締役又は監査役の氏名及び住所と同一の氏名及び住所が記載されている市町村長その他の公務員が職務上作成した証明書（当該取締役又は監査役が原本と相違がない旨を記載した謄本を含む。以下「本人確認証明書」という。）を添付しなければならない。ただし，登記の申請書に商業登記規則61条４項，５項又は６項の規定により，当該取締役及び監査役の印鑑につき市町村長の作成した証明書を添付する場合は，当該書面の添付は不要である（商登規61Ⅶ但書）。

なお，株主総会議事録に取締役又は監査役が席上就任を承諾した旨の記載がある場合には，当該株主総会議事録が就任を承諾したことを証する書面となるため，就任を承諾したことを証する書面を別途添付することを要しない。これは，(種類) 株主総会議事録は，議事の経過の要領及びその結果を記載すべきものとされた法定の書面であること（会社318 I，会社施規72 III②)，並びに議事録の不実記載については過料の対象にされていることから（会社976⑦)，記載の信用性は担保されているためである。ただし，就任を承諾したことを証する書面に記載した取締役又は監査役の氏名及び住所についての本人確認証明書の添付を要する場合には，席上就任を承諾した旨の記載があり，かつ被選任者の住所の記載がされていなければ，議事録の記載を援用することはできない（平27.2.20民商18号通達)。

③　**本人確認証明書の添付の要否**

設立の登記又は取締役，監査役若しくは執行役の就任（再任を除く。）による変更の登記の申請書には，設立時取締役，設立時監査役，設立時執行役，取締役，監査役又は執行役（以下「取締役等」という。）が就任を承諾したことを証する書面に記載した取締役等の氏名及び住所と同一の氏名及び住所が記載されている市町村長その他の公務員が職務上作成した証明書（当該取締役等が原本と相違がない旨を記載した謄本を含む。以下「本人確認証明書」という。）を添付しなければならない。ただし，登記の申請書に商業登記規則61条４項，５項又は６項の規定により，当該取締役等の印鑑につき市町村長の作成した証明書を添付する場合は，当該書面の添付は不要である（商登規61VII)。

10－3－1　決議権限

別紙８より，株主総会において決議されているため，決議機関は適法である（会社329 I)。

10－3－2　決議形式

(1)　招集手続

別紙12より，議決権のある株主全員が出席しているわけではないため，招集手続の瑕疵の有無の検討を要するが，特に招集手続に瑕疵がある旨の記載もないことから，招集手続は適法にされていると解することができる。

(2)　決議要件

別紙12より，平成30年11月20日付け臨時株主総会には，株主Ａ，Ｂ，Ｄ及び

Eが出席したが，第３号議案の直前に株主Ｄが退席しており，株主Ｄは，第３号議案である取締役選任決議に関して議決権を行使していない。

別紙４，５，８及び12より，議決権を行使することができる株主の議決権（850個）の過半数（426個以上）を有する株主が出席し（Ａ（200個）＋Ｂ（200個）＋Ｅ（100個）＝500個），出席した当該株主の議決権の過半数の賛成を得ているため（満場一致），決議要件を満たしている（会社341）。

なお，前述のとおり，ムーン株式会社が保有するスター株式会社の株式は相互保有株式に当たり，議決権を行使することができない。

10−3−3　決議内容

別紙８より，取締役としてＨを選任している。

(1)　資格制限

資格制限に抵触する事実は示されていないため，適法である。

(2)　員数制限

員数制限に抵触する事実は示されていないため，適法である。

10−3−4　就任承諾

別紙８より，合併の効力が発生することを条件として取締役を選任しており，問題文（答案作成に当たっての注意事項）より，被選任者は，選任された日に就任を承諾しているため，吸収合併の効力発生日である平成31年１月１日に就任の効力が生ずる。

10−3−5　添付書類

取締役の選任を証する書面として，平成30年11月20日付けの「（臨時）株主総会議事録」を添付する（商登46Ⅱ）。

Ｈの「取締役の就任を承諾したことを証する書面」を添付する（商登54Ⅰ）。

なお，問題文（答案作成に当たっての注意事項）より，他の書面を援用することができる場合には，これを援用する必要があるが，別紙８より，株主総会議事録にＨが席上就任承諾した旨の記載がないため，当該株主総会の記載をＨの就任を承諾したことを証する書面として援用することはできない。

10−4　取締役F（辞任）

<申請書記載例>

1．事　取締役の変更
1．登　○年○月○日取締役○○辞任
1．税　金３万円（登録税別表1.24.(1)カ）
　　　（但し，資本金の額が１億円以下の会社については，金１万円）
1．添　退任を証する書面　　　　　　１通（商登54Ⅳ）
　　　委任状　　　　　　　　　　　　１通（商登18）

前提の知識

① **取締役の欠格事由**

取締役になることができない者は以下のとおりである。

(1)　法人（会社331Ⅰ①）

(2)　会社法若しくは一般社団法人及び一般財団法人に関する法律の規定に違反し，又は以下の法律で会社法331条１項３号に規定された罪を犯し，刑に処せられ，その執行を終わり，又はその執行を受けることがなくなった日から２年を経過しない者（会社331Ⅰ③）

(イ)　金融商品取引法
(ロ)　民事再生法
(ハ)　外国倒産処理手続の承認援助に関する法律
(ニ)　会社更生法
(ホ)　破産法

(3)　(2)に掲げる法律の規定以外の法令の規定に違反し，禁錮以上の刑に処せられ，その執行を終わるまで又はその執行を受けることがなくなるまでの者（刑の執行猶予中の者を除く。）（会社331Ⅰ④）

② **辞任を証する書面**

「辞任を証する書面」としては，原則として，辞任する者が署名（記名押印）した辞任届がこれに該当する。しかし，辞任する者が株主総会又は取締役会の席上，辞任の意思表示をし，その旨が議事の経過の要領として議事録に明記されている場合には，当該議事録が辞任を証する書面となるため，別個に辞任届を提出する必要はない（昭36.10.12民四197号商決）。この場合，添付書面欄には，「辞任を証する書面は，議事録の記載を援用する」旨を記載するのが通例である。

なお，登記所に印鑑を提出した代表取締役若しくは代表執行役又は代表取締役である取締役若しくは代表執行役である執行役（以下「代表取締役等」という。）の辞任による変更の登記の申請書には，当該代表取締役等が辞任を証する書面に押印した印鑑につき市町村長の作成した証明書を添付しなければならない。ただし，当該辞任を証する書面に押印した印鑑が，当該代表取締役等が登記所に提出している印鑑であるときは，この限りでない（商登規61Ⅷ）。

③　辞任の効力発生時期

辞任の効力は，辞任の意思表示が会社に到達した時に生ずる（昭54.12.8民四6104号）。意思表示の方式について法は特段の規定を設けていないため，口頭又は電話等によりすることも可能である。しかし，辞任による変更登記を申請する場合，辞任を証する書面を添付しなければならないため，書面により辞任の意思表示をするのが通例である。

なお，辞任に期限・条件を付すことも可能である。

④　役員としての権利義務を有する者の退任年月日

役員としての権利義務を有する者について，退任の登記をするときは，その退任年月日は，過去における任期満了又は辞任の日となる。後任者の就任に伴って退任の登記をする場合，権利義務を有する者の死亡により退任の登記をする場合のいずれの場合であっても同様である（昭31.4.6民甲746号，死亡につき昭39.10.3民甲3197号）。

問題文（答案作成に当たっての注意事項），別紙１及び２より，取締役Ｆは，平成29年11月15日に選任され，同日就任しており，選任後２年以内に終了する事業年度のうち最終のものに関する定時株主総会の終結の時まで任期があるはずであったが，別紙13より，平成31年３月５日付けで取締役を辞任する旨の意思を表明し，同日，申請会社に辞任届が提出され，権限ある者に受理されている。

しかし，別紙１より，申請会社は，取締役会設置会社であり，取締役の最低員数（３名）を欠くこととなるため（役員等の概要参照），Ｆは，取締役としての権利義務を有することとなる。

その後，平成31年３月28日付けで取締役の最低員数を満たす後任者が就任することにより，取締役としての権利義務関係が解消することとなる（役員等の概要参照）。

したがって，平成31年３月５日付けで，辞任による退任登記を申請することができる。

なお，別紙13より，取締役Ｆは，平成31年３月１日に補助開始の審判が確定しているが，被補助人であることは，取締役の欠格事由には該当しないため，登記すべき事項は発生しない。

<添付書面>

退任を証する書面として，Ｆが申請会社に提出した「辞任届」を添付する（商登54Ⅳ）。

なお，権利義務関係が解消されたことは，同時に申請する後任者の就任登記から明らかとなるため，権利義務関係が解消されたことを証する書面は，別途添付することを要しない。

10−5 取締役Ｂ（任期満了）

<申請書記載例>

1．事	取締役の変更		
1．登	○年○月○日取締役○○退任		
1．税	金３万円（登録税別表1.24.⑴カ） （但し，資本金の額が１億円以下の会社については，金１万円）		
1．添	退任を証する書面	１通	（商登54Ⅳ）
	委任状	１通	（商登18）

別紙８より，平成30年11月20日開催の臨時株主総会において，事業年度を「毎年10月１日から翌年９月30日までの年１期とする。」から「毎年２月１日から翌年１月31日までの年１期とする。」旨の定款変更をしている。

問題文（答案作成に当たっての注意事項），別紙１及び２より，取締役Ｂは，平成29年11月15日に選任され，同日就任しており，選任後２年以内に終了する事業年度のうち最終のものに関する定時株主総会の終結の時である平成31年３月28日に任期が満了し退任する。

別紙１より，申請会社は取締役会設置会社であるが，同日開催の定時株主総会において，最低員数を満たす後任者が就任しているため（役員等の概要参照），取締役Ｂは権利義務を有することとはならない。

したがって，平成31年３月28日付けで，任期満了による退任登記を申請することができる。

<添付書面>

退任を証する書面として，平成31年３月28日付けの「（定時）株主総会議事録」を添付する。

なお，別紙10より，取締役が定時株主総会の終結をもって任期満了する旨が議事録に明示されていないため，定款の添付を要するとされているところ（昭53.9.18民四5003号），申請会社は取締役につき，定款によって法定任期と異なる任期を定めていないため，定款を添付せずとも，登記の申請は受理されるものと解される。

10－6 監査役P（任期満了）

<申請書記載例>

1．事　監査役の変更
1．登　○年○月○日監査役○○退任
1．税　金３万円（登録税別表1.24.(1)カ）
　　　（但し，資本金の額が１億円以下の会社については，金１万円）
1．添　退任を証する書面　　　　　　１通（商登54Ⅳ）
　　　委任状　　　　　　　　　　　　１通（商登18）

前提の知識

監査役の任期

監査役は，原則として，選任後４年以内に終了する事業年度のうち最終のものに関する定時株主総会の終結の時に退任する（会社336Ⅰ）。例外規定は，以下のとおりである。

(1) 非公開会社においては，定款によって，選任後10年以内に終了する事業年度のうち最終のものに関する定時株主総会の終結の時まで伸長することができる（会社336Ⅱ）。
(2) 定款によって，任期の満了前に退任した監査役の補欠として選任された監査役の任期を退任した監査役の任期の満了する時までとすることができる（会社336Ⅲ）。
(3) 定款変更によりその効力発生時に任期満了となる場合（会社336Ⅳ）
　(イ) 監査役を置く旨の定款の定めを廃止する定款の変更
　(ロ) 監査等委員会又は指名委員会等を置く旨の定款の変更
　(ハ) 監査役の監査の範囲を会計に関するものに限定する旨の定款の定めを廃止する定款の変更（会社389参照）
　(ニ) その発行する全部の株式の内容として譲渡による当該株式の取得について当該株式会社の承認を要する旨の定款の定めを廃止する定款の変更

問題文（答案作成に当たっての注意事項），別紙１及び２より，Ｐは，平成29年11月15日に監査役として選任され，同日就任しており，選任後４年以内に終了する事業年度のうち最終のものに関する定時株主総会の終結の時まで任期があるはずであった。しかし，別紙10より，平成31年３月28日開催の定時株主総会において，定時株主総会終結時をもって，監査役の監査の範囲を会計に関するものに限定する定款の定めを廃止したことにより，監査役Ｐは，同定時株主総会終結時に任期満了により退任する（会社336Ⅳ③）。

申請会社は，別紙１より，監査役設置会社であり，別紙２より，監査役は１名以上２名以内要するが，後述のとおり，同定時株主総会終結時において，監査役の最低員数を満たす後任者が就任しているため（役員等の概要参照），監査役Ｐは，権利義務を有することなく，退任する。

したがって，平成31年３月28日付けで，任期満了による退任登記を申請することとなる。

<添付書面>

退任を証する書面として，定款変更決議をした平成31年３月28日付けの「(定時)株主総会議事録」を添付する（商登54Ⅳ）。

10−7　代表取締役Ｂ（退任）

<申請書記載例>

１．事　代表取締役の変更
１．登　○年○月○日代表取締役○○退任
１．税　金３万円（登録税別表1.24.(1)カ）
　　　　（但し，資本金の額が１億円以下の会社については，金１万円）
１．添　委任状　　　　　　　　　　　　　　１通（商登18）

前提の知識

代表取締役の資格喪失による退任登記の添付書面

代表取締役の資格喪失による退任登記の添付書面は，退任を証する書面であり（商登54Ⅳ），具体的には，前提資格である取締役の退任を証する書面である。

通常は前提資格である取締役の退任登記も一括して申請されるため，別途添付する必要はない。しかし，取締役としては員数を欠くこととなり取締役としての権利義務を有する者になるが，代表取締役としては員数を欠くこととならず，代表取締役の資格喪失による退任登記のみ申請する場合には添付を要することとなる。

前述のとおり，代表取締役Ｂは，平成31年３月28日に代表取締役の前提資格である取締役を任期満了により退任しているため，同日をもって代表取締役としても退任する。

したがって，平成31年３月28日付けで，退任登記を申請することができる。

<添付書面>

前提資格である取締役としての退任登記と一括申請する場合であるので，別途代表取締役としての退任を証する書面（商登54Ⅳ）を添付することを要しない。

10−8 取締役Ｊ・Ｋ（就任） 監査役Ｑ（就任）

<申請書記載例>

１．事　取締役及び監査役の変更
１．登　○年○月○日次の者就任
　　　　取締役　○○
　　　　取締役　○○
　　　　監査役　○○
１．税　金３万円（登録税別表1.24.(1)カ）
　　　　（但し，資本金の額が１億円以下の会社については，金１万円）
１．添　株主総会議事録　１通（商登46Ⅱ）
　　　　株主の氏名又は名称，住所及び
　　　　議決権数等を証する書面　１通（商登規61Ⅲ）
　　　　就任を承諾したことを証する書面　３通（商登54Ⅰ）
　　　　委任状　１通（商登18）

10−8−1 決議権限

別紙10より，株主総会において決議されているため，決議機関は適法である（会社329Ⅰ）。

10−8−2 決議形式

(1) 招集手続

別紙13より，議決権のある株主全員が出席しているため，招集手続の瑕疵の有無については，検討することを要しない。

(2) 決議要件

別紙10及び13より，議決権を行使することができる株主の議決権の過半数を有する株主が出席し（全員），出席した当該株主の議決権の過半数の賛成を得ているため（満場一致），決議要件を満たしている（会社341）。

平成31年

10−8−3　決議内容

別紙10より，取締役としてＪ及びＫ，監査役としてＱを選任している。

⑴　資格制限

資格制限に抵触する事実は示されていないため，適法である。

⑵　員数制限

員数制限に抵触する事実は示されていないため，適法である。

10−8−4　就任承諾

問題文（答案作成に当たっての注意事項）及び別紙10より，被選任者は，平成31年３月28日開催の定時株主総会において選任され，同日就任を承諾しているため，平成31年３月28日に就任の効力が生ずる。

10−8−5　添付書面

取締役及び監査役の選任を証する書面として，平成31年３月28日付けの「(定時)株主総会議事録」を添付する（商登46Ⅱ)。

登記すべき事項につき株主総会の決議を要する場合のため，「株主の氏名又は名称，住所及び議決権数等を証する書面」を添付する（商登規61Ⅲ)。

Ｊ及びＫの「取締役の就任を承諾したことを証する書面」を添付する（商登54Ⅰ)。

Ｑの「監査役の就任を承諾したことを証する書面」を添付する（商登54Ⅰ)。

なお，問題文（答案作成に当たっての注意事項）より，他の書面を援用することができる場合には，これを援用する必要があるが，別紙10より，株主総会議事録にＪ，Ｋ及びＱが席上就任承諾した旨の記載がないため，当該株主総会の記載を取締役Ｊ及びＫ並びに監査役Ｑの就任を承諾したことを証する書面として援用することはできない。

また，Ｊ，Ｋ及びＱについて，商業登記規則61条６項の規定による印鑑証明書を添付する場合に該当するため，本人確認証明書の添付を要しない。

10−9 代表取締役K（就任）

<申請書記載例；取締役会設置会社>

1．事　代表取締役の変更
1．登　○年○月○日次の者就任
　　　　○県○市○町○丁目○番○号
　　　　　代表取締役○○
1．税　金３万円（登録税別表1.24.(1)カ）
　　　（但し，資本金の額が１億円以下の会社については，金１万円）
1．添　取締役会議事録　　　　　　　　１通（商登46Ⅱ）
　　　就任を承諾したことを証する書面
　　　　取締役会議事録の記載を援用する
　　　印鑑証明書　　　　　　　　　　　４通（商登規61Ⅴ・Ⅳ・Ⅵ）
　　　委任状　　　　　　　　　　　　　１通（商登18）

10−9−1 決議権限

別紙11より，取締役会において決議されているため，決議機関は適法である（会社362Ⅱ③）。

10−9−2 決議形式

(1) 招集手続

別紙13より，取締役及び監査役の全員が出席しているため，招集手続の瑕疵の有無については，検討することを要しない。

(2) 決議要件

別紙11及び13より，議決に加わることができる取締役の過半数が出席し（全員），その過半数の賛成を得ているため（満場一致），決議要件を満たしている（会社369Ⅰ）。

10−9−3 決議内容

別紙11より，代表取締役としてKを選定している。

(1) 前提資格

前述のとおり，Kは，平成31年３月28日の取締役会開催時点において，取締役として在任中であり（役員等の概要参照），代表取締役としての前提資格を有しているため，適法である。

⑵ 員数制限

員数制限に抵触する事実は示されていないため，適法である。

10－9－4 就任承諾

別紙11より，被選定者は，選定決議に係る取締役会において席上即時に就任を承諾しているため，平成31年３月28日に就任の効力が生ずる。

10－9－5 添付書面

⑴ 選定を証する書面及びこれに関する印鑑証明書

(イ) 取締役会議事録（商登46条２項）

Ｋを代表取締役に選定した旨が記載されている平成31年３月28日付けの「取締役会議事録」を添付する。

(ロ) 印鑑証明書の添付の要否（商登規61条６項３号）

別紙13より，取締役会議事録に押印されている印鑑は，全て市町村に登録された印鑑で押印しているため，取締役会議事録に押印された印鑑についての証明書を添付することを要する。

(ハ) 印鑑証明書を添付すべき通数

問題文（答案作成に当たっての注意事項），別紙11及び13より，出席義務を有する役員全員が出席し，その全員が市町村に登録した印鑑で押印している。

したがって，取締役Ｈ，Ｊ及びＫ並びに監査役Ｑ（役員等の概要参照）の「印鑑証明書」合計４通が必要である。

⑵ 就任を承諾したことを証する書面及びこれに関する印鑑証明書

(イ) 就任を承諾したことを証する書面（商登54条１項）

問題文（答案作成に当たっての注意事項），別紙11及び13より，取締役会議事録には，Ｋの席上就任を承諾した旨の記載があり，また，市町村に登録されている印鑑で押印がなされていることが分かる。

したがって，就任を承諾したことを証する書面として，平成31年３月28日付けの取締役会議事録の記載を援用する。

(ロ) 印鑑証明書添付の要否（商登規61条５項・４項）

Ｋは再任でないため（役員等の概要参照），就任を承諾したことを証する書面に押印された印鑑についての証明書を添付することを要する。

(ハ) 印鑑証明書の添付の可否

選定を証する書面についての印鑑証明書（⑴(ハ)参照）と兼ねることとなるため，同じものを２通添付する必要はない。

10−10 会計監査人R監査法人（就任）

＜申請書記載例；法人の場合・主たる事務所が本店を管轄する登記所の管轄区域内にある場合＞

1．事	会計監査人の変更		
1．登	○年○月○日会計監査人○○監査法人就任		
1．税	金３万円（登録税別表1.24.(1)カ） （但し，資本金の額が１億円以下の会社については，金１万円）		
1．添	株主総会議事録	1通	（商登46Ⅱ）
	株主の氏名又は名称，住所及び 議決権数等を証する書面	1通	（商登規61Ⅲ）
	就任を承諾したことを証する書面	1通	（商登54Ⅱ①）
	委任状	1通	（商登18）

前提の知識

会計監査人の就任による変更登記の添付書面

会計監査人の就任による変更登記の申請書には，次の書面を添付しなければならない。

(1) 会計監査人を選任した株主総会の議事録（商登46Ⅱ）
(2) 会計監査人が就任を承諾したことを証する書面（商登54Ⅱ①）
(3) 会計監査人が法人であるときは，当該法人の登記事項証明書（商登54Ⅱ②本文）

ただし，以下のいずれかに該当する場合を除く。

(イ) 申請する登記所の管轄区域内に当該法人の主たる事務所がある場合（商登54Ⅱ②但書）
(ロ) 申請書に会社法人等番号を記載した場合その他法務省令で定める場合（商登19の３，商登規36の３）

(4) 会計監査人が法人でないときは，公認会計士であることを証する書面（商登54Ⅱ③）

10−10−1 決議権限

別紙10より，株主総会において決議されているため，決議機関は適法である（会社329Ⅰ）。

10−10−2　決議形式

(1)　招集手続

別紙13より，議決権のある株主全員が出席しているため，招集手続の瑕疵の有無については，検討することを要しない。

(2)　決議要件

別紙10及び13より，議決権を行使することができる株主の議決権の過半数を有する株主が出席し（全員），出席した当該株主の議決権の過半数の賛成を得ているため（満場一致），決議要件を満たしている（会社309Ⅰ）。

10−10−3　決議内容

前述のとおり，申請会社は，平成31年３月28日開催の定時株主総会において，会計監査人設置会社の定めを設定する旨の定款の変更決議をしており，Ｒ監査法人を会計監査人として選任している。

(1)　資格制限

被選任者は監査法人であり，また，他に資格制限に抵触する事実は示されていないため，適法である。

(2)　員数制限

員数制限に抵触する事実は示されていないため，適法である。

なお，Ｒ監査法人について，その社員の中から適法な者を会計監査人の職務を行うべき者として選定し，スター株式会社に通知されている旨の記載が問題文中に明示されていないが，特に通知されていない旨の記載もないため，通知されているものと判断することができる。

10−10−4　就任承諾

問題文（答案作成に当たっての注意事項）及び別紙10より，被選任者は，平成31年３月28日開催の定時株主総会において選任され，同日就任を承諾しているため，適法である。

10−10−5　添付書面

選任を証する書面として，平成31年３月28日付けの「（定時）株主総会議事録」を添付する（商登46Ⅱ）。

登記すべき事項につき株主総会の決議を要する場合のため，「株主の氏名又は名称，住所及び議決権数等を証する書面」を添付する（商登規61Ⅲ）。

Ｒ監査法人の「会計監査人の就任を承諾したことを証する書面」を添付する（商登54Ⅱ①）。

なお，問題文（答案作成に当たっての注意事項）より，他の書面を援用することができる場合には，これを援用する必要があるが，別紙10より，株主総会議事録にR監査法人が席上就任承諾した旨の記載がないため，当該株主総会の記載をR監査法人の就任を承諾したことを証する書面として援用することはできない。

また，問題文（答案作成に当たっての注意事項），別紙１及び10より，申請する登記所の管轄区域内にR監査法人の主たる事務所があるため，「R監査法人の登記事項証明書」を添付することを要しない（商登54Ⅱ②）。

11 問２の検討

結論

問１の登記の申請書に添付した株主の氏名又は名称，住所及び議決権等を証する書面（株主リスト）に記載すべき株主の氏名又は名称は，**スター株式会社においては，A，B及びC，ムーン株式会社においては，H及びI**である。

《スター株式会社》

スター株式会社の平成30年11月20日開催の臨時株主総会における議決権を有する株主及びその議決権数を検討する。

別紙５より，スター株式会社は，ムーン株式会社の株式25株を保有しており，ムーン株式会社の総株主の議決権（95個）の４分の１以上（24個以上）の議決権を保有している。すなわち，ムーン株式会社が保有するスター株式会社の株式は相互保有株式に当たり，平成30年11月20日開催のスター株式会社の臨時株主総会において，ムーン株式会社は，議決権を行使することができない。

したがって，平成30年11月20日開催のスター株式会社の臨時株主総会における議決権を有する株主及びその議決権数は，A（200個），B（200個），C（200個），D（150個）及びE（100個）の合計850個である。

《ムーン株式会社》

ムーン株式会社の平成30年11月20日開催の臨時株主総会における議決権を有する株主及びその議決権数を検討する。

別紙５より，ムーン株式会社は自己株式を保有している。自己株式は，議決権を有しないため，平成30年11月20日開催のムーン株式会社の臨時株主総会において，ムーン株式会社は，議決権を行使することができない。

また，別紙４より，ムーン株式会社は，スター株式会社の株式150株を保有しているが，スター株式会社の総株主の議決権（850個）の４分の１以上（213個以上）の議決権を保有しておらず，スター株式会社が保有するムーン株式会社の株式は相互保有株式に該当しないため，平成30年11月20日開催のムーン株式会社の臨時株主総会において，スター株式会社は，議決権を行使することができる。

したがって，平成30年11月20日開催のムーン株式会社の臨時株主総会における議決権を有する株主及びその議決権数は，Ｈ（35個），Ｉ（35個）及びスター株式会社（25個）の合計95個である。

《株主リストに記載すべき株主の氏名又は名称》

問１の登記の申請書に添付した株主の氏名又は名称，住所及び議決権等を証する書面（株主リスト）に記載すべき株主の氏名又は名称は，スター株式会社及びムーン株式会社のそれぞれの総株主の議決権（当該決議において，行使することができるものに限る。）の数に対するその有する議決権の数の割合が高いことにおいて上位となる株主であって，次に掲げる人数のうちいずれか少ない人数の株主の氏名又は名称を記載することとなる（商登規61Ⅲ）。

⑴　10名

⑵　その有する議決権の数の割合を当該割合の多い順に順次加算し，その加算した割合が３分の２に達するまでの人数

本問の場合，スター株式会社及びムーン株式会社の株主の人数は，それぞれ10名未満であるため，⑵その有する議決権の数の割合を当該割合の多い順に順次加算し，その加算した割合が３分の２に達するまでの人数の要件を検討することとなる。

スター株式会社において，その有する議決権の数の割合を当該割合の多い順に順次加算し，その加算した割合が３分の２に達するまでの人数は，Ａ（200個）＋Ｂ（200個）＋Ｃ（200個）＝600個≧（850個×３分の２≒567個）であるため，Ａ，Ｂ及びＣを問１の登記の申請書に添付した株主リストに記載することとなる。

また，ムーン株式会社において，その有する議決権の数の割合を当該割合の多い順に順次加算し，その加算した割合が３分の２に達するまでの人数は，Ｈ（35個）＋Ｉ（35個）＝70個≧（95個×３分の２≒64個）であるため，Ｈ及びＩを問１の登記の申請書に添付した株主リストに記載することとなる。

12 問4の検討

結論

大会社は，会計監査人を置かなければならず，**会計監査人設置会社は，監査役の監査の範囲を会計に関するものに限定する旨の定款の定め**を置くことができない。

本問の場合，平成31年１月１日に吸収合併の効力が生じ，資本金の額が５億円となったことにより，申請会社は平成31年３月28日定時株主総会の計算書類の承認時に大会社に移行したことが分かる。また，別紙１及び２より，申請会社は監査役の監査の範囲を会計に関するものに限定する旨の定款の定めを置いているが，会計監査人設置会社は当該規定を置くことができない。

したがって，別紙10の第２号議案及び第４号議案を追加することを助言した理由について，大会社は会計監査人を置かなければならない旨及び会計監査人設置会社は監査役の監査の範囲を会計に関するものに限定する旨の定款の定めを置くことができない旨を記載すればよい。

第１欄

【登記の事由】
株式の分割 発行可能株式総数の変更 吸収合併による変更 取締役及び代表取締役の変更
【登記すべき事項】
平成30年12月31日変更 　発行済株式の総数　2,000株 同日変更 　発行可能株式総数　8,000株 平成31年１月１日次のとおり変更 　発行済株式の総数　2,210株 　資本金の額　金５億円 平成30年12月20日代表取締役である取締役Ａ死亡 平成30年12月25日次の者就任 　さいたま市浦和区戊町１番地 　　代表取締役　Ｂ 平成31年１月１日取締役Ｈ就任 同日東京都品川区丙町１番地ムーン株式会社を合併
【登録免許税額】
金21万円

【添付書面の名称及び通数】		
株主総会議事録	1通	※1
株主の氏名又は名称，住所及び議決権数等を 証する書面（株主リスト）	1通	※2
取締役会議事録	2通	
吸収合併契約書	1通	
公告及び催告したことを証する書面	2通	※3
異議を述べた債権者はいない		
資本金の額が会社法第445条第５項の規定に従って 計上されたことを証する書面	1通	
登録免許税法施行規則第12条第５項の規定に関する 証明書	1通	
吸収合併消滅会社の登記事項証明書	1通	
吸収合併消滅会社の株主総会議事録	1通	※1
吸収合併消滅会社の株主の氏名又は名称，住所及び 議決権数等を証する書面（株主リスト）	1通	※2
吸収合併消滅会社の公告及び催告したことを証する書面	2通	※3
異議を述べた債権者はいない		
死亡届	1通	
取締役Ｈの就任を承諾したことを証する書面	1通	
代表取締役Ｂの就任を承諾したことを証する書面		
取締役会議事録の記載を援用する		
印鑑証明書	2通	
本人確認証明書	1通	
委任状	1通	

※1　まとめて「株主総会議事録　2通」と解答してもよいと解される。
※2　まとめて「株主の氏名又は名称，住所及び議決権数等を証する書面（株主リスト）　2通」と解答してもよいと解される。
※3　まとめて「公告をしたことを証する書面　1通又は2通
催告をしたことを証する書面　2通」と解答してもよいと解される。

平成31年

第２欄

【株主の氏名又は名称】
A，B，C，H，I

第３欄

【登記の事由】
取締役，代表取締役，監査役及び会計監査人の変更 監査役の監査の範囲を会計に関するものに限定する旨の定款の定めの廃止 会計監査人設置会社の定めの設定
【登記すべき事項】
平成31年３月５日取締役Ｆ辞任 平成31年３月28日次の者退任 　取締役　Ｂ 　監査役　Ｐ 　代表取締役　Ｂ 同日次の者就任 　取締役　Ｊ 　取締役　Ｋ 　千葉市中央区乙町１番地 　　代表取締役　Ｋ 　監査役　Ｑ 　会計監査人　Ｒ監査法人 同日監査役の監査の範囲を会計に関するものに限定する旨の定款の定め廃止 同日設定 　会計監査人設置会社

【登録免許税額】	
金６万円	

【添付書面の名称及び通数】	
株主総会議事録	１通
株主の氏名又は名称，住所及び議決権数等 を証する書面（株主リスト）	１通
取締役会議事録	１通
辞任届	１通
取締役Ｊの就任を承諾したことを証する書面	１通
取締役Ｋの就任を承諾したことを証する書面	１通
代表取締役Ｋの就任を承諾したことを証する書面 　取締役会議事録の記載を援用する	
監査役Ｑの就任を承諾したことを証する書面	１通
会計監査人Ｒ監査法人の就任を承諾したことを証する書面	１通
印鑑証明書	４通
委任状	１通

第４欄

【理由】

平成31年１月１日付けで吸収合併の効力が生じ，資本金の額が５億円となったことにより，平成31年３月28日開催の定時株主総会の計算書類承認時に大会社に移行しているため，会計監査人設置義務が生ずるから。

また，会計監査人設置会社は監査役の監査の範囲を会計に関するものに限定する旨を定款で定めることはできないから。

問題　平成30年

本問題の日付は、出題当時の本試験問題に合わせておりますが、法令等については、令和７年４月１日時点において施行されているもの（本書作成時点において施行予定のものを含む。）を適用した上で、解答を作成してください。

司法書士法務道子は，平成30年５月31日に事務所を訪れたエース株式会社の代表者から，別紙１から別紙５までの書類のほか，登記申請に必要な書類の提示を受けて確認を行い，別紙８のとおり事情を聴取し，登記すべき事項や登記のための要件などを説明した。そして，司法書士法務道子は，エース株式会社の代表者から必要な登記の申請書の作成及び登記申請の代理の依頼を受けた。

また，司法書士法務道子は，同年６月29日に事務所を訪れたエース株式会社の代表者から，別紙３及び別紙５から別紙７までの書類のほか，登記申請に必要な書類の提示を受けて確認を行い，別紙９のとおり事情を聴取し，登記すべき事項や登記のための要件などを説明した。そして，司法書士法務道子は，エース株式会社の代表者から必要な登記の申請書の作成及び登記申請の代理の依頼を受けた。

司法書士法務道子は，これらの依頼に基づき，登記申請に必要な書類の交付を受け，管轄登記所に対し，同年６月１日及び同年７月２日にそれぞれの登記の申請をすることとした。

以上に基づき，次の問１から問４までに答えなさい。

問１　平成30年６月１日に司法書士法務道子が申請した登記の申請書に記載すべき登記の事由，登記すべき事項，登録免許税額並びに添付書面の名称及び通数を答案用紙の第１欄に記載しなさい。ただし，登録免許税額の内訳については，記載することを要しない。

問２　平成30年７月２日に司法書士法務道子が申請をすべき登記に関し，当該登記の申請書に記載すべき登記の事由，登記すべき事項，登録免許税額並びに添付書面の名称及び通数を答案用紙の第２欄に記載しなさい。ただし，登録免許税額の内訳については，記載することを要しない。

問３　エース株式会社の代表者から受領した書類及び聴取した内容のうち，登記することができない事項がある場合には，当該事項及びその理由を答案用紙の第３欄に記載しなさい。登記することができない事項がない場合には，答案用紙の第３欄に「なし」と記載しなさい。

問４　問３の登記することができない事項があった場合において，改めてその登記をするため，後日臨時株主総会を開催して議案の承認決議によって直ちにその事項の効力を生じさせようとするときは，司法書士法務道子は，エース株式会社の代表者に対し，当該株主総会において，どのような議案を決議すべきであると提案すればよいか，法令遵守の観点も踏まえ，その決議すべき議案を答案用紙の第４欄に記載しなさい。問３の登記することができない事項がない場合には，答案用紙の第４欄に「なし」と記載しなさい。

（答案作成に当たっての注意事項）

1　登記申請書の添付書面については，全て適式に調えられており，所要の記名・押印がされているものとする。

2　登記申請書の添付書面については，他の書面を援用することができる場合には，これを援用しなければならない。

3　エース株式会社の定款には，別紙１から別紙９までに現れている以外には，会社法の規定と異なる定めは，存しないものとする。

4　別紙中，「記載省略」と記載されている部分には，有効な記載があるものとする。

5　被選任者及び被選定者の就任承諾は，選任され，又は選定された日に適法に得られているものとする。

6　登記の申請に伴って必要となる印鑑の提出手続は，適式にされているものとする。

7　数字を記載する場合には，算用数字を使用すること。

8　訂正，加入又は削除をするときは，訂正は訂正すべき字句に線を引き，近接箇所に訂正後の字句を記載し，加入は加入する部分を明示して行い，削除は削除すべき字句に線を引いて，訂正，加入又は削除をしたことが明確に分かるように記載すること。ただし，押印や字数を記載することは要しない。

別紙１

【平成30年５月30日現在のエース株式会社に係る登記記録の抜粋】

商号　エース株式会社
本店　東京都中央区中央一丁目１番１号
公告をする方法　官報に掲載してする。
会社成立の年月日　平成13年２月１日
目的　１　コンピュータソフトウェアの開発及び販売
　　　２　前号に附帯関連する一切の事業
発行可能株式総数　3000株
発行済株式の総数並びに種類及び数
　発行済株式の総数　500株
資本金の額　金2500万円
株式の譲渡制限に関する規定
　当会社の株式を譲渡により取得するには，当会社の承認を要する。
役員に関する事項　取締役　A　平成22年２月26日重任
　　　　　　　　　取締役　B　平成22年２月26日重任
　　　　　　　　　東京都港区甲町１番地
　　　　　　　　　代表取締役　A　平成22年２月26日重任
　　　　　　　　　清算人　D　平成30年１月31日登記
　　　　　　　　　東京都中央区乙町１番地
　　　　　　　　　代表清算人　D　平成30年１月31日登記
　　　　　　　　　監査役　C　平成２年２月26日重任
支店　１　大阪市中央区北町一丁目１番１号
監査役設置会社に関する事項　監査役設置会社
解散　平成30年１月30日株主総会の決議により解散　平成30年１月31日登記
登記記録に関する事項　平成24年４月１日横浜市東区北一丁目１番１号から本店移転
平成24年４月５日登記

※下線のあるものは抹消事項であることを示す。

別紙２
【平成30年１月30日時点のエース株式会社の定款】

第１章　総　則
（商号）
第１条　当会社は，エース株式会社と称する。

（目的）
第２条　当会社は，次の事業を営むことを目的とする。
１．コンピュータソフトウェアの開発及び販売
２．前号に附帯関連する一切の事業

（本店の所在地）
第３条　当会社は，本店を東京都中央区に置く。

（機関構成）
第４条　当会社は，株主総会及び取締役のほか，監査役を置く。

（公告をする方法）
第５条　当会社の公告は，官報に掲載してする。

第２章　株　式
（発行可能株式総数）
第６条　当会社の発行可能株式総数は，3000株とする。

（株式の譲渡制限に関する規定）
第７条　当会社の株式を譲渡により取得するには，当会社の承認を要する。

（基準日）
第８条　当会社は，毎事業年度末日の最終の株主名簿に記載又は記録された議決権を有する株主をもって，その事業年度に関する定時株主総会において権利を行使することができる株主とする。

第３章　株主総会

（招集）
第９条　定時株主総会は，毎事業年度の末日の翌日から３か月以内に招集し，臨時株主総会は，その必要があるときに随時これを招集する。

（議長）
第10条　株主総会の議長は，代表取締役がこれに当たる。代表取締役に支障があるときは，他の取締役がこれに代わる。

（決議の方法）
第11条　株主総会の決議は，法令又はこの定款に別段の定めがある場合のほか，出席した議決権を行使することができる株主の議決権の過半数をもって決する。
２　会社法第309条第２項に定める株主総会の決議は，当該株主総会において議決権を行使することができる株主の議決権の３分の１以上を有する株主が出席し，出席した当該株主の議決権の３分の２以上に当たる多数をもって決する。

第４章　取締役

（取締役の員数）
第12条　当会社の取締役は，３名以内とする。

（取締役の選任の方法）
第13条　当会社の取締役は，株主総会において議決権を行使することができる株主の議決権の３分の１以上を有する株主が出席し，出席した当該株主の議決権の過半数の決議によって選任する。
２　取締役の選任については，累積投票によらない。

（取締役の任期）
第14条　取締役の任期は，選任後10年以内に終了する事業年度のうち最終のものに関する定時株主総会の終結の時までとする。
2　任期満了前に退任した取締役の補欠として，又は増員により選任された取締役の任期は，前任者又は他の在任取締役の任期の残存期間と同一とする。

（代表取締役）
第15条　取締役が２名以上ある場合は，そのうち１名を代表取締役とし，取締役の互選によってこれを定める。

（報酬等）
第16条　取締役の報酬，賞与その他の職務執行の対価として当会社から受ける財産上の利益については，株主総会の決議をもって定める。

第５章　監査役

（監査役の員数）
第17条　当会社の監査役は，３名以内とする。

（監査役の選任の方法）
第18条　当会社の監査役は，株主総会において議決権を行使することができる株主の議決権の３分の１以上を有する株主が出席し，出席した当該株主の議決権の過半数の決議によって選任する。

（監査役の任期）
第19条　監査役の任期は，選任後10年以内に終了する事業年度のうち最終のものに関する定時株主総会の終結の時までとする。
2　任期満了前に退任した監査役の補欠として選任された監査役の任期は，前任者の任期の残存期間と同一とする。

（報酬等）
第20条　監査役の報酬，賞与その他の職務執行の対価として当会社から受ける財産上の利益については，株主総会の決議をもって定める。

第６章　計　算

（事業年度）

第21条　当会社の事業年度は，毎年１月１日から同年12月31日までの年１期とする。

（剰余金の配当）

第22条　剰余金の配当は，毎事業年度末日現在における最終の株主名簿に記載又は記録された株主又は登録株式質権者に対して支払う。

２　剰余金の配当は，支払提供の日から満３年を経過しても受領されないときは，当会社はその支払義務を免れる。

第７章　附　則

（法令の準拠）

第23条　この定款に規定のない事項は，全て会社法その他の法令に従う。

別紙３

【平成30年５月30日開催のエース株式会社の臨時株主総会における議事の概要】

第１号議案　会社継続の件

本日をもって会社を継続することが諮られ，満場一致をもって可決承認された。

第２号議案　定款一部変更の件

次のとおり，定款の一部を変更することが諮られ，満場一致をもって可決承認された（下線は変更部分）。

変更前	変更後
（機関構成） 第４条　当会社は，株主総会及び取締役のほか，監査役を置く。	（機関構成） 第４条　当会社は，株主総会及び取締役のほか，次の機関を置く。 ⑴　取締役会 ⑵　監査役 ⑶　監査役会
第４章　取締役	第４章　取締役及び取締役会
（取締役の員数） 第12条　当会社の取締役は，３名以内とする。	（取締役の員数） 第12条　当会社の取締役は，３名以上７名以内とする。
（取締役の任期） 第14条　取締役の任期は，選任後10年以内に終了する事業年度のうち最終のものに関する定時株主総会の終結の時までとする。 ２<条文省略>	（取締役の任期） 第14条　取締役の任期は，選任後２年以内に終了する事業年度のうち最終のものに関する定時株主総会の終結の時までとする。 ２<現行どおり>
（代表取締役） 第15条　取締役が２名以上ある場合は，そのうち１名を代表取締役とし，取締役の互選によってこれを定める。	（代表取締役及び役付取締役） 第15条　取締役会は，その決議によって代表取締役を選定する。 ２　取締役会は，その決議によって代表取

	締役社長，取締役副社長，専務取締役及び常務取締役を選定することができる。
【新設】	（取締役会の招集通知） 第16条　取締役会は，社長が招集し，会日の３日前までに各取締役及び監査役に対して招集の通知を発するものとし，緊急の場合にはこれを短縮することができる。 ２　取締役及び監査役全員の同意があるときは，招集の手続を経ないで取締役会を開催することができる。
【新設】	（取締役会の決議） 第17条　取締役会の決議は，議決に加わることができる取締役の過半数が出席し，その過半数をもって行う。
（報酬等） 第16条　＜条文省略＞	（報酬等） 第18条　＜現行どおり＞
第５章　監査役	第５章　監査役及び監査役会
（監査役の員数） 第17条　当会社の監査役は，３名以内とする。	（監査役の員数） 第19条　当会社の監査役は，３名以上５名以内とする。
（監査役の選任の方法） 第18条　＜条文省略＞	（監査役の選任の方法） 第20条　＜現行どおり＞
（監査役の任期） 第19条　監査役の任期は，選任後10年以内に終了する事業年度のうち最終のものに関する定時株主総会の終結の時までとする。 ２　＜条文省略＞	（監査役の任期） 第21条　監査役の任期は，選任後４年以内に終了する事業年度のうち最終のものに関する定時株主総会の終結の時までとする。 ２　＜現行どおり＞
（報酬等） 第20条　＜条文省略＞	（報酬等） 第22条　＜現行どおり＞

【新設】	（常勤の監査役） 第23条　監査役会は，その決議によって，監査役の中から常勤の監査役を選定する。
【新設】	（監査役会の招集通知） 第24条　監査役会の招集通知は，会日の３日前までに各監査役に対して発する。ただし，緊急の必要があるときは，この期間を短縮することができる。 ２　監査役全員の同意があるときは，招集の手続を経ないで監査役会を開催することができる。
【新設】	（監査役会の決議） 第25条　監査役会の決議は，法令に別段の定めがある場合を除き，監査役の過半数をもって行う。
（監査役の報酬） 第20条　＜条文省略＞	（監査役の報酬） 第26条　＜現行どおり＞
以下　＜条文省略＞	以下　＜現行どおり＞ （条文番号繰下げ）

第３号議案　取締役選任の件

取締役３名を選任することが諮られ，満場一致をもって下記のとおり選任された。

取締役　A

取締役　B

取締役　E

第４号議案　監査役選任の件

監査役４名を選任することが諮られ，満場一致をもって下記のとおり選任された。

ただし，＜記載省略＞は社外監査役として選任する。

監査役　C

監査役　D

監査役　F

監査役　G

第５号議案　補欠取締役予選の件

法令又は定款で定める取締役の員数が欠けた場合に備えて，補欠取締役を下記のとおり予選することが諮られ，満場一致をもって下記のとおり選任された。

取締役候補者　H

取締役候補者　I

候補者の就任の優先順位は，第１順位をHとし，第２順位をＩとする。

別紙４
【平成30年５月30日開催のエース株式会社の取締役会における議事の概要】

第１号議案　代表取締役選定の件
　代表取締役を選定することが諮られ，出席取締役全員の一致をもって下記のとおり選定された。
　　　　　　東京都港区甲町１番地
　　　　　　代表取締役　A
　なお，被選定者は席上就任を承諾した。

第２号議案　支配人選任の件
　大阪市中央区北町一丁目１番１号の当社大阪支店の支配人として，当社の取締役であるBを選任することが諮られ，原案のとおり可決承認された。
　　　　　　支配人　大阪市中央区丙町１番地　B

別紙５
【平成30年５月30日現在のエース株式会社の株主名簿の抜粋】

取得年月日に関する記載は省略

	住所・氏名		株数
1	東京都中央区中央一丁目１番１号	クローバー株式会社	300株
2	東京都港区甲町１番地	A	90株
3	大阪市中央区丙町１番地	B	６株
4	東京都文京区丁町１番地	C	４株
5	東京都中央区中央一丁目１番１号	エース株式会社（自己株式）	100株

別紙６
【平成30年６月20日開催のエース株式会社の取締役会における議事の概要】

第１号議案　株式無償割当ての件
　下記の要領で，株式無償割当てを行うことが諮られ，出席取締役全員の一致をもって可決された。

記

１．株主に割り当てる株式の数の算定方法
　当社株式１株につき0.5株を割り当てる。なお，割り当てる株式は，全て新たに発行する。
１．効力発生日　平成30年６月27日

第２号議案　代表取締役選定の件
　代表取締役を選定することが諮られ，出席取締役全員の一致をもって下記のとおり選定された。
　大阪市中央区丙町１番地
　代表取締役　B

別紙７
【平成30年６月28日開催のエース株式会社の臨時株主総会における議事の概要】

第１号議案　定款一部変更の件
　次のとおり，定款の一部を変更することが諮られ，満場一致をもって可決承認された（下線は変更部分）。

変更前	変更後
（株式の譲渡制限に関する規定） 第７条　当会社の株式を譲渡により取得するには，当会社の承認を要する。	【削除】
（基準日） 第８条　<条文省略>	（基準日） 第７条　<現行どおり>
以下　<条文省略>	以下　<現行どおり> （条文番号繰上げ）

別紙８

【司法書士法務道子の聴取記録（平成30年５月31日）】

1　別紙１は，平成30年５月30日現在におけるエース株式会社の登記記録を抜粋したものである。

2　別紙２は，平成30年１月30日の解散時におけるエース株式会社の定款であり，その後同年５月29日まで，定款の変更に係る株主総会の決議を行ったことはない。

3　エース株式会社の平成30年５月30日に開催された臨時株主総会には，議決権のある株主全員が出席し，その議事の概要は別紙３に記載されているとおりである。

4　エース株式会社の平成30年５月30日に開催された臨時株主総会の終結後直ちに開催された取締役会には，取締役及び監査役の全員が出席し，その議事の概要は別紙４に記載されているとおりである。また，別紙４の取締役会議事録には，取締役及び監査役の全員につき市町村に登録された印鑑が押されている。

5　エース株式会社の平成30年５月30日に開催された臨時株主総会において監査役として選任されたＣ，Ｄ，Ｆ及びＧと同社等との関わりは，同日時点で以下のとおりであり，別紙１から７までから判明する事実のほか，これら以外に社外性の判断に関わる事実はない。

Ｃ　平成13年２月１日～平成14年２月28日　エース株式会社の取締役
　　平成14年２月28日～平成30年５月30日　エース株式会社の監査役
Ｄ　平成13年２月１日～平成18年２月25日　エース株式会社の取締役
　　平成30年１月30日～同年５月30日　エース株式会社の清算人
Ｆ　平成29年６月30日～平成30年５月30日　クローバー株式会社の取締役
Ｇ　平成29年６月30日～平成30年５月30日　クローバー株式会社の会計参与

6　平成30年５月30日現在におけるエース株式会社の株主名簿の抜粋は別紙５のとおりであり，その後同年６月26日まで，株主及びその有する株式数に変動はない。

別紙９
【司法書士法務道子の聴取記録（平成30年６月29日）】

1　エース株式会社の平成30年６月20日に開催された取締役会には，取締役及び監査役の全員が出席し，その議事の概要は別紙６に記載されているとおりである。また，別紙６の取締役会議事録には，Ａが登記所に提出している印鑑が押されている。
2　平成30年６月26日取締役Ｅが死亡した。
3　エース株式会社の平成30年６月28日に開催された臨時株主総会には，議決権のある株主全員が出席し，その議事の概要は別紙７に記載されているとおりである。

MEMO

平成30年●答案用紙

第１欄

【登記の事由】
【登記すべき事項】

【登録免許税額】
【添付書面の名称及び通数】

第２欄

【登記の事由】

【登記すべき事項】
【登録免許税額】

【添付書面の名称及び通数】

第３欄

第４欄

[本問の重要論点一覧表]

出題範囲	重要論点	解説箇所
会社継続並びに取締役,代表取締役及び監査役の変更	株式会社が,株主総会の決議によって解散した場合には,清算が結了するまで,株主総会の決議によって,株式会社を継続することができる。	P456参照
取締役会設置会社の定めの設定	株式会社は,定款の定めによって,取締役会を置くことができる。	P456参照
監査役会設置会社の定めの設定	監査役会設置会社においては,監査役は,3人以上で,そのうち半数以上は,社外監査役でなければならない。	P457参照
支配人選任	支配人の登記は,申請書に支配人選任の年月日を記載することを要しない。	P463参照
支配人の代理権消滅	支配人を代表取締役とする変更登記は,支配人よりも広範囲な代表権を有する代表取締役に就任した時点で,代表取締役と両立しない支配人である地位を辞任する意思表示が含まれているとみられるため,支配人の代理権消滅の登記も申請しなければならない。	P465参照
株式無償割当て	株式無償割当てにおいては,自己株式に対しては割当てがされない。	P466参照
株式の譲渡制限に関する規定の廃止	公開会社でない株式会社が定款を変更して株式の譲渡制限に関する規定を廃止し,公開会社となる場合には,当該定款変更後の発行可能株式総数は,当該定款変更が効力を生じた時における発行済株式の総数の4倍を超えることができない。	P483参照

出題範囲	重要論点	解説箇所
役員の変更	取締役及び監査役の就任（再任を除く。）による変更の登記の申請書には，本人確認証明書を添付しなければならない。ただし，商業登記規則61条４項，５項又は６項の規定により，当該取締役及び監査役の印鑑証明書を添付する場合は不要である。	P470参照
	就任を承諾したことを証する書面として取締役会議事録の記載を援用するためには，代表取締役として選定された者が，即時に就任を承諾した旨の記載がある議事録を添付するのみでは足りず，その就任承諾をした者の印鑑についての証明書を添付しなければならない。	P473参照
	補欠の会社役員（執行役を除く。）を選任する場合で，同一の会社役員（２以上の会社役員の補欠として選任した場合にあっては，当該２以上の会社役員）につき２人以上の補欠の会社役員を選任するときは，当該補欠の会社役員相互間の優先順位を定めなければならない。	P478参照

1 役員及び清算人の概要

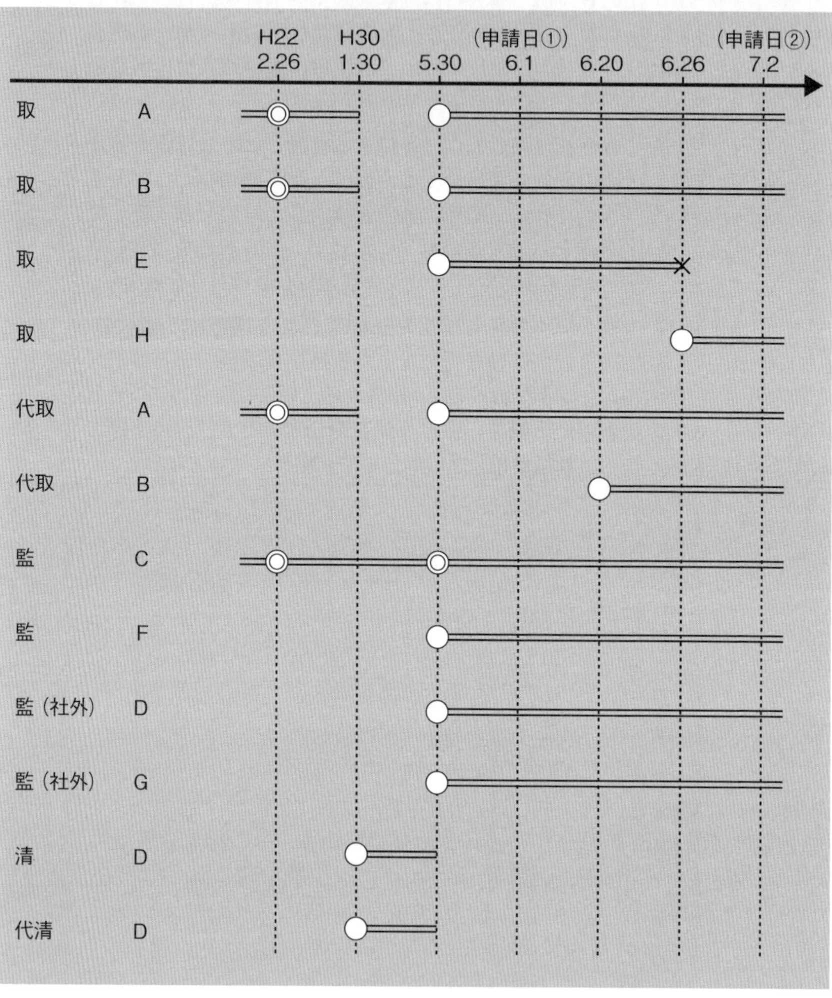

═══	任期中	◎	重任	△	辞任	□	欠格
-·-·-·-	権利義務	○	就任	×	死亡	■	解任

2 印鑑証明書及び本人確認証明書の通数

＜平成30年６月１日申請分＞

	印鑑証明書の添付を要する書面			本人確認証明書（商登規61条7項）
	就任承諾書（商登規61条4・5項）	選定証明書（商登規61条6項）	辞任届（商登規61条8項）	
取　A		○		×（印）
取　B		○		×（印）
取　E		○		×（印）
代取　A	○			
監　C		○		×（再）
監　F		○		×（印）
監（社外）D		○		×（印）
監（社外）G		○		×（印）
合計	７通 ※			０通

※　同一人のものについては，１通添付すれば足りる。

＜平成30年７月２日申請分＞

	印鑑証明書の添付を要する書面			本人確認証明書（商登規61条7項）
	就任承諾書（商登規61条4・5項）	選定証明書（商登規61条6項）	辞任届（商登規61条8項）	
取　A		×（届）		
取　B		×（届）		
取　E		×（届）		
取　H				○
代取　A				
代取　B	○			
監　C		×（届）		
監　F		×（届）		
監（社外）D		×（届）		
監（社外）G		×（届）		
合計	１通			１通

○…添付必要　　×…添付不要
（届）…従前からの代表取締役の届出印で押印しているため
（再）…再任のため
（印）…商登規61条４項，５項又は６項の規定により印鑑証明書を添付するため

平成30年

3 株主の氏名又は名称，住所及び議決権数等を証する書面（株主リスト）の通数

3−1 株主の氏名又は名称，住所及び議決権数等を証する書面（株主リスト）の添付を要する場合等の検討

前提の知識

① 株主総会又は種類株主総会の決議を要する場合の株主の氏名又は名称，住所及び議決権数等を証する書面（株主リスト）

登記すべき事項につき株主総会又は種類株主総会の決議を要する場合には，申請書に，総株主（種類株主総会の決議を要する場合にあっては，その種類の株式の総株主）の議決権（当該決議において，行使することができるものに限る。）の数に対するその有する議決権の数の割合が高いことにおいて上位となる株主であって，次に掲げる人数のうちいずれか少ない人数の株主の氏名又は名称及び住所，当該株主のそれぞれが有する株式の数（種類株主総会の決議を要する場合にあっては，その種類の株式の数）及び議決権の数並びに当該株主のそれぞれが有する議決権に係る当該割合を証する書面を添付しなければならない（商登規61Ⅲ）。

⑴ 10名

⑵ その有する議決権の数の割合を当該割合の多い順に順次加算し，その加算した割合が３分の２に達するまでの人数

なお，当該決議には会社法319条１項の規定により決議があったものとみなされる場合が含まれる。

② 株主の氏名又は名称，住所及び議決権数等を証する書面（株主リスト）の通数

株主の氏名又は名称，住所及び議決権数等を証する書面（株主リスト）は，一の登記申請で，株主総会の決議を要する複数の登記すべき事項について申請される場合には，当該登記すべき事項ごとに添付を要する（商登規61Ⅱ・Ⅲ）。

ただし，決議ごとに添付を要する当該書面に記載すべき内容が一致するときは，その旨の注記がされた当該書面が１通添付されていれば足りるとされている（平28.6.23民商98号第3.1⑵ア）。

なお，日本司法書士会連合会より，以下の見解も示されている（日司連発第790号）。

Q：複数の株主総会により，複数の登記事項が発生し，これらを一括して登記申請する場合，それぞれの株主総会議事録ごとに株主リストが必要

ですか。

A：「株主リスト」に記載すべき株主は，当該株主総会において議決権を行使することができるものをいうから，複数の株主総会により，複数の登記事項が発生し，これらを一括して登記申請する場合には，登記すべき事項ごとに当該株主総会において議決権を行使することができる「株主リスト」を添付しなければならない。

ただし，一の株主総会において，複数の登記すべき事項について決議された場合において，各事項に関して株主リストに記載すべき事項が同一である場合には，その旨注記して，一の株主リストを添付すれば足りるとされている。

3−1−1　株主の氏名又は名称，住所及び議決権数等を証する書面（株主リスト）の添付を要する事項

株主の氏名又は名称，住所及び議決権数等を証する書面（株主リスト）は，登記すべき事項ごとに１通添付をすることとなるが，複数の議案につき，株主リストに記載すべき内容が一致するときは，その旨の注記がされた当該書面を１通添付すれば足りる。

第１欄

株主の氏名又は名称，住所及び議決権数等を証する書面の添付を要する株主総会決議	通数
平成30年５月30日付け臨時株主総会 会社継続の件 取締役会設置会社の定めの設定の件 監査役会設置会社の定めの設定の件 取締役及び監査役の選任の件	１通

第２欄

株主の氏名又は名称，住所及び議決権数等を証する書面の添付を要する株主総会決議	通数
平成30年５月30日付け臨時株主総会 補欠取締役の予選の件　※	１通

※　補欠取締役の選任により直接的に登記すべき事項が発生しているわけではないため，添付不要と解する余地もある。

平成30年

4 登録免許税

＜平成30年６月１日申請分＞

登記事項	登録免許税	
取締役会設置会社の定めの設定分 監査役会設置会社の定めの設定分	金３万円	登録税別表 1.24.(1)ワ
役員変更分	金１万円　※１	登録税別表 1.24.(1)カ
支配人選任分	金３万円	登録税別表 1.24.(1)ヨ
会社継続分	金３万円	登録税別表 1.24.(1)ソ
合計	金10万円　※２	

＜平成30年７月２日申請分＞

<table>
<tr><th colspan="2">登記事項</th><th colspan="2">登録免許税</th></tr>
<tr><td colspan="2">役員変更分</td><td>金１万円　※１</td><td>登録税別表
1.24.(1)カ</td></tr>
<tr><td colspan="2">支配人の代理権消滅分</td><td>金３万円</td><td>登録税別表
1.24.(1)ヨ</td></tr>
<tr><td>他の変更分</td><td>株式無償割当て</td><td>金３万円</td><td>登録税別表
1.24.(1)ツ</td></tr>
<tr><td colspan="2">合計</td><td colspan="2">金７万円　※２</td></tr>
</table>

※１　役員等変更の登録免許税額は金３万円であるが，資本金の額が１億円以下の会社の場合は金１万円である（登録税別表1.24.(1)カ）。

※２　異なる区分に属する数個の登記事項を同一の申請書で申請する場合には各登記の区分の税率を適用した計算金額の合計額となる（登録税18）。

5 会社継続，取締役・代表取締役及び監査役の変更並びに取締役会設置会社の定めの設定，監査役会設置会社の定めの設定

結論

本問の場合，**平成30年５月30日**付けで，**会社継続**，**取締役Ａ，Ｂ**及び**Ｅ**，**代表取締役Ａ**，**監査役Ｃ，Ｄ，Ｆ**及び**Ｇ**の**就任**及び**重任**，**取締役会設置会社**の定めの**設定**，**監査役会設置会社**の定めの**設定**の登記を申請することができる。

＜申請書記載例；取締役会設置会社・監査役会設置会社・本問の場合＞

１．事　会社継続
　　　　取締役，代表取締役及び監査役の変更
　　　　取締役会設置会社の定めの設定
　　　　監査役会設置会社の定めの設定
１．登　○年○月○日会社継続
　　　　同日次の者就任
　　　　　取締役　○○
　　　　　取締役　○○
　　　　　取締役　○○
　　　　　○県○市○町○丁目○番○号
　　　　　代表取締役　○○
　　　　　監査役　○○
　　　　　監査役　○○
　　　　　監査役（社外監査役）　○○
　　　　　監査役（社外監査役）　○○
　　　　同日設定
　　　　　取締役会設置会社
　　　　同日設定
　　　　　監査役会設置会社
１．税　金７万円（資本金の額が１億円を超える会社にあっては，金９万円，登録税別表1.24.(1)ワ・カ・ソ）

平成30年

1．添	株主総会議事録	1通（商登46Ⅱ）
	株主の氏名又は名称，住所及び議決権数等を証する書面	1通（商登規61Ⅲ）
	取締役会議事録	1通（商登46Ⅱ）
	取締役の就任を承諾したことを証する書面	3通（商登54Ⅰ）
	代表取締役の就任を承諾したことを証する書面　取締役会議事録の記載を援用する	
	監査役の就任を承諾したことを証する書面	4通（商登54Ⅰ）
	印鑑証明書	7通（商登規61Ⅴ・Ⅳ）
	委任状	1通（商登18）

5−1　会社継続，取締役及び監査役の選任，取締役会設置会社の定めの設定，監査役会設置会社の定めの設定に関する検討

前提の知識

①　株式会社の継続

株式会社は，次に掲げる事由によって解散した場合には，清算が結了するまで，株主総会の特別決議によって，株式会社を継続することができる（会社473・309Ⅱ⑪）。ただし，以下の⑷については，解散したものとみなされた後３年以内に限って継続することができる（会社473括弧書）。

⑴　定款で定めた存続期間の満了
⑵　定款で定めた解散の事由の発生
⑶　株主総会の決議
⑷　休眠会社のみなし解散

②　継続の場合の役員等の選任の要否

会社が解散した場合，監査役以外の役員等は，解散と同時にその地位を喪失しており，継続の決議によってもその地位が復活するわけではない。したがって，継続後の会社の機関設計に応じた役員等を新たに選任しなければならない。

③　取締役会設置会社

株式会社は，定款の定めによって，取締役会を置くことができる（会社326Ⅱ）。そして，取締役会を置く株式会社又は会社法の規定により取締役会を置かなければならない株式会社を「取締役会設置会社」という（会社２⑦）。取締役会設置会社であるときは，その旨が登記事項となる（会社911Ⅲ⑮）。

なお，公開会社，監査役会設置会社，監査等委員会設置会社及び指名委員会等設置会社は，取締役会を置かなければならない（会社327Ⅰ）。

さらに，取締役会設置会社の定めの設定と同時に新たに取締役に就任した者の就任を承諾したことを証する書面に係る印鑑証明書の添付については，取締役会設置会社では代表取締役の就任を承諾したことを証する書面に押印した印鑑証明書の添付が求められるため不要となる（商登規61Ⅴ・Ⅳ）。

④　**監査役会設置会社**

監査役会を置く株式会社又は会社法の規定により監査役会を置かなければならない株式会社を「監査役会設置会社」という（会社２⑩）。

監査役会設置会社は，取締役会を置かなければならない（会社327Ⅰ②）。

監査役会設置会社においては，監査役は，３人以上で，そのうち半数以上は，社外監査役でなければならない（会社335Ⅲ）。

⑤　**社外監査役の要件**

株式会社の監査役であって，次に掲げる要件のいずれにも該当するものをいう（会社２⑯）。

⑴　その就任の前10年間当該株式会社又はその子会社の取締役，会計参与（会計参与が法人であるときは，その職務を行うべき社員。⑵において同じ。）若しくは執行役又は支配人その他の使用人であったことがないこと。

⑵　その就任の前10年内のいずれかの時において当該株式会社又はその子会社の監査役であったことがある者にあっては，当該監査役への就任の前10年間当該株式会社又はその子会社の取締役，会計参与若しくは執行役又は支配人その他の使用人であったことがないこと。

⑶　当該株式会社の親会社等（自然人であるものに限る。）又は親会社等の取締役，監査役若しくは執行役若しくは支配人その他の使用人でないこと。

⑷　当該株式会社の親会社等の子会社等（当該株式会社及びその子会社を除く。）の業務執行取締役等でないこと。

⑸　当該株式会社の取締役若しくは支配人その他の重要な使用人又は親会社等（自然人であるものに限る。）の配偶者又は２親等内の親族でないこと。

⑥　**社外監査役である旨の登記**

社外監査役である旨の登記は，就任する監査役が社外監査役である場合で，かつ，監査役会設置会社であるとき（会社911Ⅲ⑱）にする。

なお，監査役が社外監査役である旨の登記を申請する場合においては，監査役が社外監査役であることを証する書面を特に添付する必要はない（平14.4.25民商1067号，平15.1.10民商86号，平18.3.31民商782号）。

［図１］社外監査役の要件についての検討

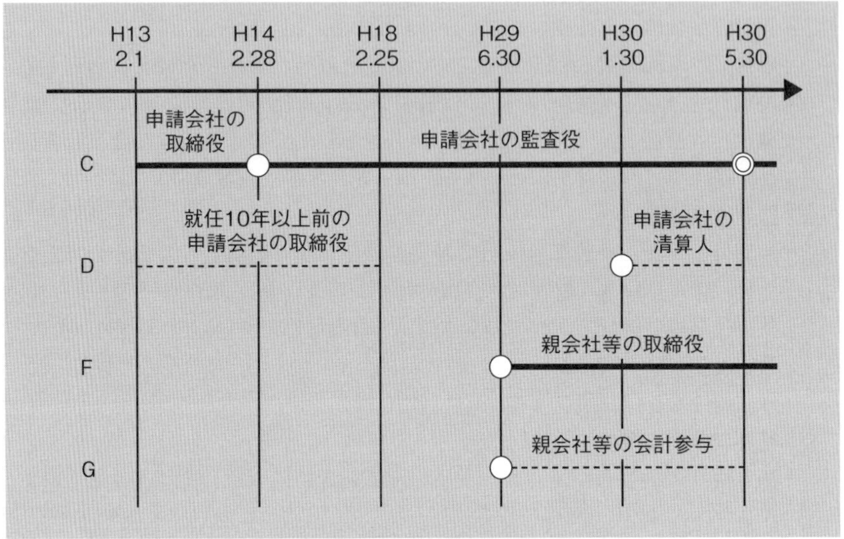

5−1−1　決議権限

別紙３より，会社継続，取締役及び監査役の選任，取締役会設置会社の定めの設定並びに監査役会設置会社の定めの設定の決議は，株主総会において決議されているため，決議機関は適法である。

5−1−2　決議形式

⑴　招集手続

別紙８より，議決権のある株主全員が出席しているため，招集手続の瑕疵の有無については，検討することを要しない（最判昭60.12.20，最判昭46.6.24，昭43.8.30民甲2770号）。

⑵　決議要件

別紙２より，申請会社は，定款において，「会社法第309条第２項に定める株主総会の決議は，当該株主総会において議決権を行使することができる株主の議決権の３分の１以上を有する株主が出席し，出席した当該株主の議決権の３分の２以上に当たる多数をもって決する。」旨，「当会社の取締役は，株主総会において議決権を行使することができる株主の議決権の３分の１以上を有する株主が出席し，出席した当該株主の議決権の過半数の決議によって選任する。」旨及び「当会社の監査役は，株主総会において議決権を行使することができる株主の議決権の３分の１以上を有する株主が出席し，出席した当該株主の議決権の過半数の決議によって選任する。」旨を定めている。

(イ) 会社継続，取締役会設置会社の定めの設定，監査役会設置会社の定めの設定

別紙３及び８より，議決権を行使することができる株主の議決権の３分の１以上を有する株主が出席し（全員），出席した当該株主の議決権の３分の２以上の賛成を得ているため（満場一致），決議要件を満たしている。

(ロ) 取締役及び監査役の選任

別紙３及び８より，議決権を行使することができる株主の議決権の３分の１以上を有する株主が出席し（全員），出席した当該株主の議決権の過半数の賛成を得ているため（満場一致），決議要件を満たしている。

5−1−3 決議内容

(1) 会社継続

別紙３より，会社を継続する旨の決議をしている。

別紙１より，平成30年１月30日付けで株主総会の決議により解散しており，また,清算結了をした旨の事実もないため,継続することができる（会社473･471③）。

(2) 取締役及び監査役の選任

別紙３より,会社継続に伴い,取締役としてＡ，Ｂ及びＥ,監査役としてＣ，Ｄ，Ｆ及びＧを選任している。

なお，詳細については後述の<役員の変更>参照。

(3) 取締役会設置会社の定めの設定

別紙３より，取締役会設置会社の定めを設定する旨の決議をしている。

後述のとおり，平成30年５月30日開催の臨時株主総会において，取締役を３名選任しており(役員及び清算人の概要参照),取締役の必要員数を満たしている。

したがって，決議内容は適法である。

(4) 監査役会設置会社の定めの設定

別紙３より，平成30年５月30日開催の臨時株主総会において，監査役会設置会社の定めを設定する旨の決議をしている。

以下の点についての検討を要する。

(イ) 機関についての検討

監査役会設置会社は取締役会を置かなければならず，また，監査役を置かなければならない（会社327Ⅰ②・Ⅱ）。

別紙1より，申請会社は監査役設置会社であり，また，上述のとおり，平成30年5月30日開催の臨時株主総会において取締役会設置会社の定めの設定の決議をしている。

(ロ) 監査役及び社外監査役についての検討

監査役会設置会社においては，監査役は，3人以上で，そのうち半数以上は，社外監査役でなければならない（会社335Ⅲ）。

(i) 監査役の員数についての検討

別紙1及び3より，平成30年5月30日開催の臨時株主総会開催時点において，監査役の員数は1名であったが，同臨時株主総会において監査役を4名選任しており（役員及び清算人の概要参照），監査役の必要員数を満たしている。

(ii) 社外監査役の要件についての検討（[図1] 参照）

別紙8において，平成30年5月30日時点での被選任者と申請会社等との関わりが記載されている。

Cは，平成14年2月28日付けで申請会社の監査役に就任しているが，当該就任日の前10年以内である平成13年2月1日から平成14年2月28日までの間，申請会社の取締役であった。

Dは，平成13年2月1日から平成18年2月25日まで申請会社の取締役であったが，退任後10年以上経過している。また，Dは平成30年1月30日から同年5月30日まで申請会社の清算人であったが，清算人は，会社法2条16号(イ)に掲げる者に該当しない。

Fは，平成30年5月30日時点で申請会社の親会社であるクローバー株式会社の取締役であることが分かる。

Gは，平成29年6月30日から平成30年5月30日まで，申請会社の親会社であるクローバー株式会社の会計参与であるが，親会社の会計参与は会社法2条16号(ハ)に掲げる者に該当しない。

なお，親会社の会計参与を子会社の監査役に選任することは可能である（会社335Ⅱ参照）が，子会社の監査役であることは，会計参与の欠格事由に該当するため（会社333Ⅲ①），Gは，申請会社の親会社の会計参与の地位を失うことになると考えられる。

よって，C及びFは社外監査役の要件を満たしていないが，D及びGは社外監査役の要件を満たしていると判断することができる。

したがって，監査役の半数以上に当たる2名（監査役D及びG）が社外監査役に該当している（役員及び清算人の概要参照）ため，決議内容は適法である。

5−1−4　添付書面

会社継続決議，取締役及び監査役の選任決議，取締役会設置会社の定めの設定決議，監査役会設置会社の定めの設定決議をしたことを証する書面として，平成30年５月30日付けの「(臨時) 株主総会議事録」を添付する（商登46Ⅱ）。

登記すべき事項につき株主総会の決議を要する場合のため，「株主の氏名又は名称，住所及び議決権数等を証する書面」を添付する（商登規61Ⅲ）。

取締役及び監査役の選任に関する添付書面については，<役員の変更>参照。

5−2　代表取締役の選定に関する検討

前提の知識

①　**代表取締役の前提資格**

代表取締役とは，「株式会社を代表する取締役」をいう（会社47Ⅰ括弧書）。

代表取締役は，その前提として必ず取締役でなければならない（会社349Ⅲ・362Ⅲ）。したがって，代表取締役はその前提資格である取締役の地位を失うことにより資格を喪失し，退任する。取締役の資格は，取締役としての権利義務を有する者及び仮取締役（会社346Ⅰ・Ⅱ），職務代行者（会社352Ⅰ）でも差し支えない。

②　**代表取締役の選定機関**

取締役会設置会社においては，取締役会は，取締役の中から代表取締役を選定しなければならない（会社362Ⅲ）。

上述のとおり，申請会社は，会社継続に際して取締役会設置会社となるため，取締役会の決議により，代表取締役を選定しなければならない（会社362Ⅲ）。

別紙４より，取締役会において代表取締役としてＡが選定されている。

なお，詳細については<役員の変更>参照。

5−3　清算人及び代表清算人の退任に関する検討

前提の知識

①　**継続の登記に伴う職権抹消**

会社法473条の規定による継続の登記がされたときは，次に掲げる登記は職権で抹消する記号が記録される（商登規73）。

(1)　解散の登記

(2)　清算人会設置会社である旨の登記

(3)　清算人及び代表清算人に関する登記

② **清算人及び代表清算人の登記の職権抹消**

会社の継続により，清算人及び代表清算人は当然に退任するが，上述のとおり，これらの登記は登記官が職権で抹消する記号を記録するため，これらの退任登記を申請する必要はない（商登規73）。

問題文（答案作成に当たっての注意事項），別紙１及び８より，清算人Ｄ及び代表清算人Ｄは，平成30年１月30日に就任しており，会社が継続した平成30年５月30日までに退任原因となる事実は示されていない。

会社法473条の規定により会社を継続することとなったときは，清算人及び代表清算人は当然に退任するものと解されるため，以後それらを登記記録に公示しておくのは好ましくない。

したがって，継続登記を実行する際，登記官が職権をもって清算人及び代表清算人の登記を抹消する記号を記録する（商登規73）。

以上の検討より，継続登記の申請と同時に上記の者の退任登記を申請する必要はない。

6 支配人選任

結論

本問の場合，**支配人の氏名及び住所　大阪市中央区丙町１番地　Ｂ**，**支配人を置いた営業所　大阪市中央区北町一丁目１番１号**とする**支配人選任**の登記を申請することができる。

<申請書記載例>

１．事　支配人選任
１．登　支配人の氏名及び住所
　　　　○県○市○町○丁目○番○号　○○
　　　支配人を置いた営業所
　　　　○県○市○町○丁目○番○号
１．税　金３万円（登録税別表1.24.(1)ヨ）
１．添　取締役会議事録　　１通（商登46Ⅱ）
　　　委任状　　１通（商登18）

前提の知識

① **支配人の選任機関**

支配人の選任は，業務執行機関の決定により行う。取締役会設置会社においては，取締役会が支配人を選任し（会社362Ⅱ①・Ⅳ③参照），それ以外の会社においては，取締役が支配人を選任する（会社348Ⅰ・Ⅲ①参照）。ただし，取締役が２人以上ある場合には，定款に別段の定めがある場合を除き，取締役の過半数をもって選任する（会社348Ⅱ）。

② **支配人の選任登記**

会社が支配人を選任し，又はその代理権が消滅したときは，本店の所在地において，その登記をしなければならない（会社918）。

申請書には登記すべき事項として，支配人の氏名及び住所，支配人を置いた営業所を記載する（商登44Ⅱ）。なお，申請書に支配人選任の年月日を記載することを要しない。

また，支配人の就任を承諾したことを証する書面については，実体上，被選任者の就任承諾が問題とならないため，商業登記法上添付書面とはされておらず，添付する必要はない。したがって，添付書面としては支配人の選任を証する書面（商登45Ⅰ）のみで足りる。

6−1 決議権限

前述のとおり，申請会社は，会社継続に際して取締役会設置会社となるため，取締役会の決議により，支配人を選任しなければならない（会社362Ⅳ③）。

別紙４より，取締役会において決議されているため，決議機関は適法である。

6−2 決議形式

(1) 招集手続

別紙８より，取締役及び監査役の全員が出席しているため，招集手続の瑕疵の有無については，検討することを要しない。

(2) 決議要件

別紙４及び８より，議決に加わることができる取締役の過半数が出席しているが（全員），その過半数の賛成を得ているかについては明らかとなっていない。しかし，特に決議要件に瑕疵がある旨の記載もないため，決議要件を満たしていると判断することができる。

平成30年

6-3 決議内容

別紙4より，大阪市中央区北町一丁目１番１号の大阪支店の支配人としてＢを選任している。

なお，Ｂについては，選任決議の時点において取締役の地位を有しているが，取締役が支配人を兼任することは可能であり，また，他に兼任禁止等に抵触する事実は示されていない。

6-4 登記すべき事項

登記すべき事項には，

「支配人の氏名及び住所

　　大阪市中央区丙町１番地　Ｂ

　支配人を置いた営業所

　　大阪市中央区北町一丁目１番１号」

と記載する。

6-5 添付書面

支配人の選任決議をしたことを証する書面として，平成30年５月30日付けの「取締役会議事録」を添付する（商登45Ⅰ・46Ⅱ）。

7 支配人の代理権消滅

本問の場合，**平成30年６月20日**付けで，大阪市中央区北町一丁目１番１号の大阪支店の**支配人Ｂ**について，**辞任**による**支配人の代理権消滅**の登記を申請することができる。

＜申請書記載例＞

1．事	支配人の代理権消滅		
1．登	○年○月○日支配人○○辞任		
1．税	金３万円（登録税別表1.24.(1)ヨ）		
1．添	支配人の代理権の消滅を証する書面	1通	（商登45Ⅱ）
	委任状	1通	（商登18）

前提の知識

支配人を代表取締役に選定する場合の登記

支配人を代表取締役に選定した場合，支配人よりも広範囲な代表権を有する代表取締役への就任承諾の意思表示に，代表取締役と両立しない支配人である地位を辞任する意思表示が含まれているとみられるため，支配人の代理権消滅の登記も申請しなければならない。

7－1　代理権の消滅

問題文（答案作成に当たっての注意事項）及び別紙6より，Bは，平成30年6月20日開催の取締役会において，代表取締役に選定され，同日就任を承諾している。Bは選定決議時点で，申請会社の大阪支店の支配人であり，支配人を代表取締役に選定した場合，支配人よりも広範囲な代表権を有する代表取締役への就任承諾の意思表示に，代表取締役と両立しない支配人である地位を辞任する意思表示が含まれているものとみられる。

したがって，同日付けで辞任による支配人の代理権消滅の効力が生ずる。

7－2　添付書面

支配人の代理権の消滅を証する書面として，Bの「代表取締役の就任を承諾したことを証する書面」を援用する（商登45Ⅱ）。

8　株式無償割当て

結論

本問の場合，**平成30年6月27日**付けで，**発行済株式の総数**を**700株**とする株式無償割当てによる**変更**の登記を申請することができる。

<申請書記載例>

1．事　株式無償割当て
1．登　○年○月○変更
　　　　発行済株式の総数　○○株
1．税　金3万円（登録税別表1.24.(1)ツ）
1．添　取締役会議事録　　　　　　　1通（商登46Ⅱ）
　　　　委任状　　　　　　　　　　　1通（商登18）

平成30年

前提の知識

① **株式無償割当て**

株式無償割当てとは，株式会社が，株主（種類株式発行会社にあっては，ある種類の種類株主）に対して，新たに払込みをさせないで，当該株式会社の株式の割当てをするものである（会社185）。株式会社が，株式無償割当てをしようとするときは，その都度，次に掲げる事項を株主総会（取締役会設置会社にあっては，取締役会）の決議によって定めなければならない（会社186Ⅰ・Ⅲ）。ただし，定款に別段の定めがある場合は，この限りではない（会社186Ⅲ但書）。

⑴ 株主に割り当てる株式の数（種類株式発行会社にあっては，株式の種類及び種類ごとの数）又はその数の算定方法
⑵ 株式無償割当てがその効力を生ずる日
⑶ 株式会社が種類株式発行会社である場合には，株式無償割当てを受ける株主の有する株式の種類

会社は株式を発行せずに自己株式を交付することができ，新株を発行して交付した分だけ発行済株式の総数（及び種類ごとの数）が増加する。

株式無償割当てを受けた株主は，株式無償割当ての効力発生日に，割り当てられた株式の株主となり（会社187Ⅰ），株式会社は，効力発生日後遅滞なく，株主（種類株式発行会社にあっては，株式無償割当てを受ける種類株主）及びその登録株式質権者に対し，当該株主が割当てを受けた株式の数（種類株式発行会社にあっては，株式の種類及び種類ごとの数）を通知しなければならない（会社187Ⅱ）。

なお，自己株式に対しては，株式無償割当てを行うことはできない（会社186Ⅱ）。

② **株式無償割当てと株式の分割の相違点**

株式無償割当てと株式の分割の違いは，以下のとおりである。

⑴ 株式無償割当てにおいては，同一又は異種の株式の交付が可能であるのに対し，株式の分割においては，同一の種類の株式の数が増加する。
⑵ 株式無償割当てにおいては，自己株式に対しては割当てがされないのに対し，株式の分割においては，自己株式についても数が増加する。
⑶ 株式無償割当てにおいては，自己株式の交付も可能であるのに対し，株式の分割においては，自己株式の交付をすることはできない。

8－1 決議権限

前述のとおり，申請会社は，会社継続に際して取締役会設置会社となるため，取締役会の決議により，株式無償割当ての決議をしなければならない（会社186Ⅲ）。

別紙6より，取締役会において決議されているため，決議機関は適法である。

8－2 決議形式

(1) 招集手続

別紙9より，取締役及び監査役の全員が出席しているため，招集手続の瑕疵の有無については，検討することを要しない。

(2) 決議要件

別紙6及び9より，議決に加わることができる取締役の過半数が出席し（全員），その過半数の賛成を得ているため（全員），決議要件を満たしている。

8－3 決議内容

(1) 割り当てる株式の数又はその算定方法

別紙6より，申請会社の株式1株につき0.5株を無償で割り当てる旨を定めている。

別紙5より，平成30年5月30日現在における申請会社の発行済株式の総数は500株であり，そのうち100株は自己株式として保有している。また，別紙8より，平成30年6月26日まで，株主及びその有する株式数に変動はない旨の記載がある。

自己株式に対しては，割当てをすることができないため，割当てを受ける対象となる発行済株式の数は，400株（500株－100株）となる。

したがって，株主に割り当てる株式の数は200株（400株×0.5）となる。

(2) 発行可能株式総数との関係

別紙1より，申請会社の発行可能株式総数は3,000株，発行済株式の総数は500株であり，新株予約権は発行されていないことが分かる。さらに，上述のとおり，申請会社は自己株式を100株保有している。

したがって，申請会社が適法に株式無償割当てをすることができる最大の数は2,600株（3,000株－500株＋100株）となるが，割り当てられる株式の数200株は，適法に割り当てることができる株式の数の範囲内であることが分かる。

(3) 効力発生日

別紙６より，効力発生日を平成30年６月27日と定めている。

8－4 発行済株式の総数

上述のとおり，申請会社は自己株式として100株を保有しているが，別紙６に，割り当てる株式は，全て新たに発行する旨の記載があるため，当該無償割当てにより，新たに200株を発行することとなる。

したがって，無償割当て後の発行済株式の総数は，従前の発行済株式の総数（500株）に，新たに発行する株式数（200株）を加えた700株となる。

8－5 登記すべき事項

登記すべき事項には，

「平成30年６月27日変更

　　発行済株式の総数　700株」

と記載する。

8－6 添付書面

株式無償割当ての決議をしたことを証する書面として，平成30年６月20日付けの「取締役会議事録」を添付する（商登46Ⅱ）。

9 役員の変更

結論

取締役A

平成30年５月30日付けで，**就任**登記を申請することができる。

取締役B

平成30年５月30日付けで，**就任**登記を申請することができる。

取締役E

平成30年５月30日付けで，**就任**登記を申請することができる。

平成30年６月26日付けで，**死亡**により退任した旨の登記を申請することができる。

取締役H

平成30年６月26日付けで，**就任**登記を申請することができる。

代表取締役A

平成30年５月30日付けで，**就任**登記を申請することができる。

代表取締役B

平成30年６月20日付けで，**就任**登記を申請することができる。

監査役C

平成30年５月30日付けで，**重任**登記を申請することができる。

監査役F

平成30年５月30日付けで，**就任**登記を申請することができる。

監査役（社外監査役）D

平成30年５月30日付けで，**就任**登記を申請することができる。

監査役（社外監査役）G

平成30年５月30日付けで，**就任**登記を申請することができる。

9－1　取締役A・B・E（就任），監査役F（就任）社外監査役D・G（就任）

＜申請書記載例＞

1．事　取締役及び監査役の変更
1．登　○年○月○日次の者就任
　　　取締役　○○
　　　取締役　○○
　　　取締役　○○
　　　監査役　○○
　　　監査役（社外監査役）　○○
　　　監査役（社外監査役）　○○
1．税　金３万円（登録税別表1.24.(1)カ）
　　　（但し，資本金の額が１億円以下の会社については，金１万円）
1．添　株主総会議事録　１通（商登46Ⅱ）
　　　株主の氏名又は名称，住所及び
　　　議決権数等を証する書面　１通（商登規61Ⅲ）
　　　就任を承諾したことを証する書面　６通（商登54Ⅰ）
　　　委任状　１通（商登18）

前提の知識

① **監査役の任期**

監査役は，原則として，選任後４年以内に終了する事業年度のうち最終のものに関する定時株主総会の終結の時に退任する（会社336Ⅰ）。例外規定は，以下のとおりである。

⑴ 非公開会社においては，定款によって，選任後10年以内に終了する事業年度のうち最終のものに関する定時株主総会の終結の時まで伸長することができる（会社336Ⅱ）。

⑵ 定款によって，任期の満了前に退任した監査役の補欠として選任された監査役の任期を退任した監査役の任期の満了する時までとすることができる（会社336Ⅲ）。

⑶ 定款変更によりその効力発生時に任期満了となる場合（会社336Ⅳ）

㈠ 監査役を置く旨の定款の定めを廃止する定款の変更

㈡ 監査等委員会又は指名委員会等を置く旨の定款の変更

㈢ 監査役の監査の範囲を会計に関するものに限定する旨の定款の定めを廃止する定款の変更（会社389参照）

㈣ その発行する全部の株式の内容として譲渡による当該株式の取得について当該株式会社の承認を要する旨の定款の定めを廃止する定款の変更

② **本人確認証明書の添付の要否**

設立の登記又は取締役，監査役若しくは執行役の就任（再任を除く。）による変更の登記の申請書には，設立時取締役，設立時監査役，設立時執行役，取締役，監査役又は執行役（以下「取締役等」という。）が就任を承諾したことを証する書面に記載した取締役等の氏名及び住所と同一の氏名及び住所が記載されている市町村長その他の公務員が職務上作成した証明書（当該取締役等が原本と相違がない旨を記載した謄本を含む。以下「本人確認証明書」という。）を添付しなければならない。ただし，登記の申請書に商業登記規則61条４項，５項又は６項の規定により，当該取締役等の印鑑につき市町村長の作成した証明書を添付する場合は，当該書面の添付は不要である（商登規61Ⅶ）。

9−1−1　決議権限

別紙３より，株主総会において決議されているため，決議機関は適法である(会社329Ⅰ)。

9−1−2 決議形式

⑴ 招集手続

別紙８より，株主の全員が出席しているため，招集手続の瑕疵の有無については，検討することを要しない。

⑵ 決議要件

別紙２より，申請会社は，定款において，「当会社の取締役は，株主総会において議決権を行使することができる株主の議決権の３分の１以上を有する株主が出席し，出席した当該株主の議決権の過半数の決議によって選任する。」旨及び「当会社の監査役は，株主総会において議決権を行使することができる株主の議決権の３分の１以上を有する株主が出席し，出席した当該株主の議決権の過半数の決議によって選任する。」旨を定めている。

別紙３及び８より，議決権を行使することができる株主の議決権の３分の１以上を有する株主が出席し（全員），出席した当該株主の議決権の過半数の賛成を得ているため（満場一致），決議要件を満たしている。

9−1−3 決議内容

⑴ 取締役選任

別紙３より，取締役としてＡ，Ｂ及びＥを選任している。

㈠ 資格制限

いずれの者も，資格制限に抵触する事実は示されていないため，適法である。

㈡ 員数制限

前述のとおり，取締役会設置会社の定めの設定をしており，また，別紙３より，取締役の員数を３名以上７名以内とする旨の定款変更決議をしているが，取締役３名を選任しているため，適法である。

⑵ 監査役選任

別紙３より，監査役としてＤ，Ｆ及びＧを選任している。

㈠ 資格制限

いずれの者も，資格制限に抵触する事実は示されていないため，適法である。

㈡ 員数制限

前述のとおり，監査役会設置会社の定めの設定をしており，また，別紙３より，監査役の員数を３名以上５名以内とする旨の定款変更決議をしているが，後述のＣを含む監査役４名を選任しているため，適法である。

9−1−4 就任承諾

問題文（答案作成上の注意事項）及び別紙3より，被選任者は，平成30年5月30日開催の臨時株主総会において選任され，同日就任を承諾しているため，平成30年5月30日に就任の効力が生ずる。

9−1−5　社外監査役である旨の登記の要否

社外監査役である旨については，監査役会設置会社である旨の登記をする場合に登記をすることを要する（会社911Ⅲ⑱）。

前述のとおり，申請会社は，会社継続に際して監査役会設置会社となるため，D及びGの監査役の就任登記については，社外監査役である旨の登記をすることを要する。

なお，監査役の社外性の詳細については，前述のとおりである。

9−1−6　添付書面

取締役及び監査役の選任決議をしたことを証する書面として，平成30年5月30日付けの「(臨時) 株主総会議事録」を添付する（商登46Ⅱ）。

登記すべき事項につき株主総会の決議を要する場合のため，「株主の氏名又は名称，住所及び議決権数等を証する書面」を添付する（商登規61Ⅲ）。

また，取締役A，B及びE並びに監査役D，F及びGの「就任を承諾したことを証する書面」合計6通を添付する（商登54Ⅰ）。

なお，代表取締役を選定したことを証する書面に押印された印鑑についての証明書を添付するため，本人確認証明書を添付することを要しない。

9−2　代表取締役A（就任）

<申請書記載例；取締役会設置会社>

1．事　代表取締役の変更
1．登　○年○月○日次の者就任
　　　○県○市○町○丁目○番○号
　　　　代表取締役○○
1．税　金3万円（登録税別表1.24.(1)カ）
　　　(但し，資本金の額が1億円以下の会社については，金1万円)
1．添　取締役会議事録　　1通（商登46Ⅱ）
　　　就任を承諾したことを証する書面
　　　　取締役会議事録の記載を援用する
　　　印鑑証明書　　7通（商登規61Ⅴ・Ⅳ・Ⅵ）
　　　委任状　　1通（商登18）

前提の知識

代表取締役の就任登記の添付書面

取締役会設置会社において，代表取締役の就任登記の添付書面は，取締役会議事録（商登46Ⅱ）とこれに関する印鑑証明書（商登規61Ⅵ③）及び就任を承諾したことを証する書面（商登54Ⅰ）とこれに関する印鑑証明書（商登規61Ⅴ・Ⅳ）である。

なお，取締役会議事録及び就任を承諾したことを証する書面について印鑑証明書を添付する場合，当該書面についての押印は市町村長の証明を得ることができる実印によりされていないと印鑑証明書が添付できず，申請は却下されることとなる（商登247⑦）。

そして，就任を承諾したことを証する書面について取締役会議事録の記載を援用するためには，当該議事録に代表取締役として選定された者が議場において就任承諾した旨の記載があるのみでは足らず，その者の印鑑についての証明書が添付できなければならない。しかし，就任を承諾したことを証する書面に関する印鑑証明書を添付することを要しない場合には，単に選定された者が議場において就任承諾した旨の記載があれば，取締役会議事録の記載を援用することができる。

9−2−1　決議権限

前述のとおり，申請会社は，会社継続に際して取締役会設置会社となるため，取締役会の決議により，代表取締役を選定しなければならない（会社362Ⅲ）。

別紙４より，取締役会において決議されているため，決議機関は適法である。

9−2−2　決議形式

⑴　招集手続

別紙８より，取締役及び監査役の全員が出席しているため，招集手続の瑕疵の有無については，検討することを要しない。

⑵　決議要件

別紙４及び８より，議決に加わることができる取締役の過半数が出席し（全員），その過半数の賛成を得ているため（全員），決議要件を満たしている（会社369Ⅰ）。

9−2−3　決議内容

別紙４より，代表取締役としてＡを選定している。

Ａは，平成30年５月30日開催の取締役会に先立って，同日開催の臨時株主総会において取締役として選任され，同日就任を承諾している。

この点，代表取締役の選定の決議までに，Ａが取締役への就任を承諾しているかは明らかとなっていないが，問題文（答案作成に当たっての注意事項）の「被選任者及び被選定者の就任承諾は，選任され，又は選定された日に適法に得られているものとする。」という記載から当該取締役会の開催までに適法に就任を承諾していると判断することができる。

したがって，取締役として在任中であり（役員及び清算人の概要参照），代表取締役としての前提資格を有しているため，適法であると考えられる。

9－2－4　就任承諾

別紙４より，被選定者は，選定決議に係る取締役会において席上即時に就任を承諾しているため，平成30年５月30日に就任の効力が生ずる。

9－2－5　添付書面

⑴　選定を証する書面及びこれに関する印鑑証明書

㈠　取締役会議事録（商登46条２項）

Ａを代表取締役に選定した旨が記載されている平成30年５月30日付けの「取締役会議事録」を添付する。

㈡　印鑑証明書添付の要否（商登規61条６項３号）

別紙８より，取締役会議事録には取締役及び監査役の全員につき市町村に登録された印鑑で押印しているため，取締役会議事録に押印された印鑑についての証明書を添付することを要する。

㈧　印鑑証明書を添付すべき通数・添付の可否

問題文（答案作成に当たっての注意事項）及び別紙８より，取締役及び監査役全員が出席し，その全員が記名押印している。

したがって，取締役Ａ，Ｂ及びＥ並びに監査役Ｃ，Ｄ，Ｆ及びＧ（役員及び清算人の概要参照）の「印鑑証明書」合計７通が必要である。

⑵　就任を承諾したことを証する書面及びこれに関する印鑑証明書

㈠　就任を承諾したことを証する書面（商登54条１項）

問題文（答案作成に当たっての注意事項）より，「他の書面を援用することができる場合には，これを援用しなければならない。」旨の記載がある。

別紙４より，取締役会議事録には，被選定者は，席上その就任を承諾した旨の記載があり，また，問題文（答案作成に当たっての注意事項）より，当該議事録には適法に記名押印がされていることが分かる。

したがって，就任を承諾したことを証する書面として，平成30年５月30日付けの取締役会議事録の記載を援用する。

㈡　印鑑証明書の添付の要否（商登規61条５項・４項）

Aは再任でないため（役員及び清算人の概要参照），就任を承諾したことを証する書面に押印した印鑑についての証明書を添付することを要する。

⒣　**印鑑証明書の添付の可否**

選定を証する書面についての印鑑証明書（⑴⒣参照）と兼ねることとなるため，同じものを２通添付する必要はない。

9－3　監査役Ｃ（重任）

＜申請書記載例＞

1．事	監査役の変更		
1．登	○年○月○日監査役○○重任		
1．税	金３万円（登録税別表1.24⑴カ） （但し，資本金の額が１億円以下の会社については，金１万円）		
1．添	株主総会議事録	1通	（商登46Ⅱ）
	株主の氏名又は名称，住所及び議決権数等を証する書面	1通	（商登規61Ⅲ）
	就任を承諾したことを証する書面	1通	（商登54Ⅰ）
	委任状	1通	（商登18）

前提の知識

①　**清算株式会社の監査役の退任**

清算株式会社の監査役は，当該清算株式会社が次に掲げる定款の変更をした場合には，当該定款の変更の効力が生じたときに退任する（会社480Ⅰ）。

⑴　監査役を置く旨の定款の定めを廃止する定款の変更

⑵　監査役の監査の範囲を会計に関するものに限定する旨の定款の定めを廃止する定款の変更

なお，清算株式会社の監査役については，会社法480条２項にて，同法336条の監査役の任期の上限に関する規定を排除している。よって，定款で任期を定めている場合を除き，清算株式会社の監査役の退任事由に関して，任期満了を考慮する必要はない。

② **任期の変更**

定款に定められた役員の任期は，株主総会の特別決議により変更することができる。変更決議時に存在した役員及び変更後に就任した役員は，反対の意思表示をするなど特段の事情がない限り，変更後の任期が適用される。変更後の定款が唯一の定款規定となるため，それに従わなければならない役員の忠実義務を考慮し，既存役員の任期も変更されると解すべきだからである（昭30.9.12民甲1886号）。

よって，定款を変更して役員の任期を短縮した場合には，現任の役員の任期も短縮され，定款変更時において既に変更後の任期が満了していることとなるときは，当該役員は退任することとなる（平18.3.31民商782号第2部第3.3⑴ウ㈦）。なお，この場合，現任の役員を解任したのと同様の結果となるが，退任事由は，任期満了による退任となる。

また，定款を変更して役員の任期を伸長した場合には，現任の役員の任期も伸長され，伸長後の任期満了時まで，退任しないこととなる。

問題文（答案作成に当たっての注意事項），別紙１及び２より，監査役Ｃは，平成22年２月26日に選任され，同日就任を承諾しており，本来であれば，選任後10年以内に終了する事業年度のうち最終のものに関する定時株主総会の終結の時に任期が満了し退任するはずであったが，平成30年５月30日開催の臨時株主総会において，監査役の任期は，選任後４年以内に終了する事業年度のうち最終のものに関する定時株主総会の終結の時までとする旨の監査役の任期を短縮する定款変更が行われたことにより，監査役Ｃの任期は既に満了していることとなるため，定款変更の効力発生日である平成30年５月30日をもって退任するが，前述のとおり，同臨時株主総会において，再度監査役に選任され，同日就任を承諾しているため，同日付けで重任登記を申請することができる。

＜添付書面＞

退任を証する書面及び選任を証する書面として，定款変更決議をした平成30年５月30日付けの「（臨時）株主総会議事録」を添付する（商登54Ⅳ・46Ⅱ）。登記すべき事項につき株主総会の決議を要する場合のため，「株主の氏名又は名称，住所及び議決権数等を証する書面」を添付する（商登規61Ⅲ）。

Ｃの「監査役の就任を承諾したことを証する書面」を添付する（商登54Ⅰ）。

また，Ｃは再任であるため（役員及び清算人の概要参照），本人確認証明書の添付は要しない。

9－4 取締役 E（死亡）

＜申請書記載例＞

1．事	取締役の変更		
1．登	○年○月○日取締役○○死亡		
1．税	金３万円（登録税別表1.24.(1)カ） （但し，資本金の額が１億円以下の会社については，金１万円）		
1．添	退任を証する書面	1通	（商登54Ⅳ）
	委任状	1通	（商登18）

前提の知識

死亡により退任した旨の登記の退任日付

死亡によって役員及び会計監査人と会社との委任関係は当然に消滅するので（会社330，民653①），死亡届の届出年月日や受領年月日は退任日付に何ら影響を与えない。

前述のとおり，取締役Eは，平成30年５月30日に選任され，同日就任しており，選任後２年以内に終了する事業年度のうち最終のものに関する定時株主総会の終結の時まで任期があるはずであったが，別紙９より，平成30年６月26日に死亡している。

したがって，平成30年６月26日付けで，死亡により退任した旨の登記を申請することができる。

＜添付書面＞

退任を証する書面として，「死亡届」を添付する（商登54Ⅳ）。

9－5 取締役 H（就任）

＜申請書記載例＞

1．事	取締役の変更		
1．登	○年○月○日取締役○○就任		
1．税	金３万円（登録税別表1.24.(1)カ） （但し，資本金の額が１億円以下の会社については，金１万円）		
1．添	株主総会議事録	1通	（商登46Ⅱ）
	株主の氏名又は名称，住所及び議決権数等を証する書面	1通	（商登規61Ⅲ）
	就任を承諾したことを証する書面	1通	（商登54Ⅰ）

本人確認証明書　　　　　　　　　　　　　　1通（商登規61Ⅶ）
委任状　　　　　　　　　　　　　　　　　　1通（商登18）

前提の知識

① **補欠の役員**

役員及び会計監査人は，株主総会の決議によって選任する（会社329Ⅰ）。この場合には，法務省令で定めるところにより，役員が欠けた場合又は会社法若しくは定款で定めた役員の員数を欠くこととなるときに備えて補欠の役員を選任することができる（会社329Ⅲ）。

また，補欠の会社役員（執行役を除く。）を選任する場合には，次に掲げる事項も併せて決定しなければならない（会社施規96Ⅱ）。

⑴　当該候補者が補欠の会社役員である旨
⑵　当該候補者を補欠の社外取締役として選任するときは，その旨
⑶　当該候補者を補欠の社外監査役として選任するときは，その旨
⑷　当該候補者を１人又は２人以上の特定の会社役員の補欠の会社役員として選任するときは，その旨及び当該特定の会社役員の氏名（会計参与である場合にあっては，氏名又は名称）
⑸　同一の会社役員（２以上の会社役員の補欠として選任した場合にあっては，当該２以上の会社役員）につき２人以上の補欠の会社役員を選任するときは，当該補欠の会社役員相互間の優先順位
⑹　補欠の会社役員について，就任前にその選任の取消しを行う場合があるときは，その旨及び取消しを行うための手続

② **補欠役員選任決議の有効期間**

補欠の会社役員の選任に係る決議が効力を有する期間は，定款に別段の定めがある場合を除き，当該決議後最初に開催する定時株主総会の開始の時までである。ただし，株主総会（当該補欠の会社役員を会社法108条１項９号に掲げる事項についての定めに従い種類株主総会の決議によって選任する場合にあっては，当該種類株主総会）の決議によってその期間を短縮することを妨げない（会社施規96Ⅲ）。また，定款により，当該期間を伸長することも可能である。

③ **補欠役員の就任要件**

補欠役員は，「役員が欠けた場合又はこの法律若しくは定款で定めた役員の員数を欠くこととなるとき」に，役員として選任の効力が生ずる（会社329Ⅲ）。

「この法律…で定めた役員の員数」とは，会社法上当該員数が規定されている場合における当該最低員数を指す。例えば，取締役会設置会社における取締役の最低員数（３名，会社331Ⅴ），監査役会設置会社における監査役の最低員数（３名，会社335Ⅲ）がこれに当たる。

9−5−1　決議権限

別紙３より，株主総会において決議されているため，決議機関は適法である（会社329Ⅰ）。

9−5−2　決議形式

⑴　招集手続

別紙８より，議決権のある株主全員が出席しているため，招集手続の瑕疵の有無については，検討することを要しない。

⑵　決議要件

別紙２より，申請会社は，定款において，「当会社の取締役は，株主総会において議決権を行使することができる株主の議決権の３分の１以上を有する株主が出席し，出席した当該株主の議決権の過半数の決議によって選任する。」旨を定めている。

別紙３及び８より，議決権を行使することができる株主の議決権の３分の１以上を有する株主が出席し（全員），出席した当該株主の議決権の過半数の賛成を得ているため（満場一致），決議要件を満たしている。

9−5−3　決議内容

別紙３より，法令又は定款で定める取締役の員数が欠けた場合に備えて，Ｈ及びＩを補欠取締役として選任し，Ｈを第１順位，Ｉを第２順位としている。

⑴　資格制限

資格制限に抵触する事実は示されていないため，適法である。

⑵　員数制限

員数制限に抵触する事実は示されていないため，適法である。

9−5−4　就任承諾

別紙３より，平成30年５月30日開催の臨時株主総会において，Ｈ及びＩを補欠取締役として選任しており，優先順位は，第１順位をＨ，第２順位をＩと定めている。また，問題文（答案作成に当たっての注意事項）より，Ｈ及びＩは，同日就任を承諾している。

その後，上述のとおり，取締役Eが平成30年6月26日に死亡により退任したことによって,法令及び定款所定の取締役の最低員数（3名）を欠くことになるため（役員及び清算人の概要参照），補欠取締役H及びIのうち，第1順位であるHが，同日付けで取締役として就任することとなる。Hの取締役への就任は，補欠役員の選任に係る決議の有効期間内であり，適法である（会社施規96Ⅲ）。

9−5−5　添付書面

選任を証する書面として，平成30年5月30日付けの「(臨時）株主総会議事録」を添付する（商登46Ⅱ）。

登記すべき事項につき株主総会の決議を要する場合のため，「株主の氏名又は名称，住所及び議決権数等を証する書面」を添付する（商登規61Ⅲ）。

Hの「取締役の就任を承諾したことを証する書面」を添付する（商登54Ⅰ）。

Hの「本人確認証明書」を添付する（商登規61Ⅶ）。

9−6　代表取締役 B（就任）

<申請書記載例；取締役会設置会社>

1．	事	代表取締役の変更	
1．	登	○年○月○日次の者就任 　○県○市○町○丁目○番○号 　　代表取締役○○	
1．	税	金3万円（登録税別表1.24.(1)カ） （但し，資本金の額が1億円以下の会社については，金1万円）	
1．	添	取締役会議事録	1通（商登46Ⅱ）
		就任を承諾したことを証する書面	1通（商登54Ⅰ）
		印鑑証明書	1通（商登規61Ⅴ・Ⅳ）
		委任状	1通（商登18）

前提の知識

印鑑証明書添付の例外（取締役会設置会社の場合）

取締役会設置会社における代表取締役の就任登記の添付書面である印鑑証明書の添付については次の例外がある。

取締役会議事録についての印鑑証明書は，適法な代表者の交替を担保するものであり，代表者の「変更」の場合にのみ添付を要するが，変更前の代表取締役が権限をもって取締役会に出席し，届出印を押印している場合には添付不要である（商登規61Ⅵ但書）。

就任を承諾したことを証する書面についての印鑑証明書は，虚無人代表者の発生を防止するためのものであり，合併又は組織変更による設立の場合及び再任の場合には添付を要しない（商登規61Ⅴ・Ⅳ括弧書）。これらの例外に該当する場合には，当該議事録への届出印以外の押印，就任を承諾したことを証する書面への押印は，認印で足りることとなる。なお，「再任」には，代表取締役の権利義務を有する者が代表取締役に就任した場合も含まれる。

9－6－1　決議権限

前述のとおり，申請会社は，取締役会設置会社であるため，取締役会の決議により，代表取締役を選定しなければならない（会社362Ⅱ③）。

別紙6より，取締役会において決議されているため，決議機関は適法である。

9－6－2　決議形式

⑴　招集手続

別紙9より，取締役及び監査役の全員が出席しているため，招集手続の瑕疵の有無については，検討することを要しない。

⑵　決議要件

別紙6及び9より，議決に加わることができる取締役の過半数が出席し（全員），その過半数の賛成を得ているため（全員），決議要件を満たしている。

9－6－3　決議内容

別紙6より，代表取締役としてBを選定している。

⑴　前提資格

前述のとおり，Bは，平成30年6月20日の取締役会開催時点において，取締役として在任中であり（役員及び清算人の概要参照），代表取締役としての前提資格を有しているため，適法である。

⑵　員数制限

員数制限に抵触する事実は示されていないため，適法である。

9－6－4　就任承諾

問題文（答案作成に当たっての注意事項）及び別紙6より，被選定者は，平成30年6月20日開催の取締役会において選定され，同日就任を承諾しているため，平成30年6月20日に就任の効力が生ずる。

9−6−5　添付書面

⑴　選定を証する書面及びこれに関する印鑑証明書

(イ)　取締役会議事録（商登46条２項）

Ｂを代表取締役に選定している旨が記載されている平成30年６月20日付けの「取締役会議事録」を添付する。

(ロ)　印鑑証明書の添付の要否（商登規61条６項３号）

別紙９より，取締役会議事録には従前からの代表取締役であるＡの届出印が押印されているため，取締役会議事録に押印された印鑑についての証明書を添付することを要しない（商登規61Ⅵ但書）。

⑵　就任を承諾したことを証する書面及びこれに関する印鑑証明書

(イ)　就任を承諾したことを証する書面（商登54条１項）

Ｂの「代表取締役の就任を承諾したことを証する書面」を添付する（商登54Ⅰ）。

なお，問題文（答案作成に当たっての注意事項）より，他の書面を援用することができる場合には，これを援用する必要があるが，別紙６より，取締役会議事録にＢが席上就任承諾した旨の記載がないため，当該取締役会議事録の記載をＢの就任を承諾したことを証する書面として援用することはできない。

(ロ)　印鑑証明書添付の要否（商登規61条５項・４項）

Ｂは再任でないため（役員及び清算人の概要参照），就任を承諾したことを証する書面に押印された印鑑についての証明書を添付することを要する。

10　問３の検討

結論

本問の場合，株式の譲渡制限に関する規定を廃止する旨の登記を申請することはできない。なぜなら，**公開会社でない株式会社が定款を変更して株式の譲渡制限に関する規定を廃止し，公開会社となる場合には，当該定款変更後の発行可能株式総数は，当該定款変更が効力を生じた時における発行済株式の総数の４倍を超えることができない**からである。

前提の知識

会社法113条３項における発行可能株式総数と発行済株式の総数との関係

株式会社が，次に掲げる定款変更を行う場合，当該定款変更後の発行可能株式総数は，当該定款の変更が効力を生じた時における発行済株式の総数の４倍を超えることができない。

⑴　公開会社が発行可能株式総数を増加する場合（会社113Ⅲ①）

⑵　公開会社でない株式会社が公開会社となる場合（会社113Ⅲ②）

なお，非公開会社が，発行可能株式総数を増加する定款変更を行う場合には，発行済株式の総数の４倍を超えることができる。

10−1　決議権限

別紙７より，株主総会において決議されているため，決議機関は適法である（会社466）。

10−2　決議形式

⑴　招集手続

別紙９より，議決権のある株主全員が出席しているため，招集手続の瑕疵の有無については，検討することを要しない。

⑵　決議要件

別紙２より，申請会社は，定款において，「会社法第309条第２項に定める株主総会の決議は，当該株主総会において議決権を行使することができる株主の議決権の３分の１以上を有する株主が出席し，出席した当該株主の議決権の３分の２以上に当たる多数をもって決する。」旨を定めている。

別紙７及び９より，議決権を行使することができる株主の議決権の３分の１以上を有する株主が出席し（全員），出席した当該株主の議決権の３分の２以上の賛成を得ているため（満場一致），決議要件を満たしている。

10−3　決議内容

別紙７より，株式の譲渡制限に関する規定を廃止する旨の決議をしている。しかし，前述のとおり，株式無償割当ての効力発生により，株式の譲渡制限に関する規定の廃止の定款変更の効力が生ずる時点における，申請会社の発行済株式の総数は700株，発行可能株式総数は3,000株であり，発行可能株式総数が発行済株式の総数の４倍を超えることとなるため，法令に違反し，無効である。

したがって，登記することができない事項として，株式の譲渡制限に関する規定の廃止の件を指摘し，その理由とともに答案用紙第３欄に記載する（解答例参照)。

11 問４の検討

結論

前述のとおり，株式無償割当ての効力発生により，申請会社の発行済株式の総数は700株となる。また，株式の譲渡制限に関する規定を廃止する旨の決議により，非公開会社から公開会社に移行するため，発行可能株式総数は当該発行済株式の総数の４倍である2,800株以下でなければならない。しかし，別紙１より，申請会社の発行可能株式総数は3,000株である。

本問の場合，問３の登記することができない事項について，改めてその登記をするため，後日臨時株主総会を開催して，株式の譲渡制限に関する規定を廃止する旨の決議の効力を直ちに生じさせようとするときは，司法書士法務道子は，エース株式会社の代表者に対し，**発行可能株式総数を変更する決議**をすべきであると提案すればよい。

なお，株式の譲渡制限に関する規定の廃止の効力が生ずることによって申請会社が公開会社に移行することに伴い，役員の任期が満了するため，後任者の選任決議をすべきことを併せて提案するものとも考えられる。

さらに，株式の譲渡制限に関する規定の廃止決議を改めてすべきと提案してもよいものと思われる。

MEMO

第１欄

【登記の事由】
会社継続 取締役，代表取締役及び監査役の変更 支配人選任 取締役会設置会社の定めの設定 監査役会設置会社の定めの設定
【登記すべき事項】
平成30年５月30日会社継続 同日監査役Ｃ重任 同日次の者就任 　取締役　Ａ 　取締役　Ｂ 　取締役　Ｅ 　東京都港区甲町１番地 　　代表取締役　Ａ 　監査役　Ｆ 　監査役（社外監査役）　Ｄ 　監査役（社外監査役）　Ｇ 支配人の氏名及び住所 　大阪市中央区丙町１番地　Ｂ 支配人を置いた営業所 　大阪市中央区北町一丁目１番１号 平成30年５月30日設定 　取締役会設置会社 同日設定 　監査役会設置会社

【登録免許税額】	
金10万円	

【添付書面の名称及び通数】	
株主総会議事録	1通
株主の氏名又は名称，住所及び議決権数等を証する書面（株主リスト）	1通
取締役会議事録	1通
取締役の就任を承諾したことを証する書面	3通
代表取締役の就任を承諾したことを証する書面 　取締役会議事録の記載を援用する	
監査役の就任を承諾したことを証する書面	4通
印鑑証明書	7通
委任状	1通

第２欄

【登記の事由】
株式無償割当て 取締役及び代表取締役の変更 支配人の代理権消滅

【登記すべき事項】

平成30年６月27日変更
　発行済株式の総数　700株

平成30年６月20日次の者就任
　大阪市中央区丙町１番地
　　代表取締役　B
平成30年６月26日取締役Ｅ死亡
同日取締役Ｈ就任

平成30年６月20日支配人Ｂ辞任

【登録免許税額】

金７万円

【添付書面の名称及び通数】

株主総会議事録	１通
株主の氏名又は名称，住所及び議決権数等を証する書面（株主リスト）	１通
取締役会議事録	１通
取締役の就任を承諾したことを証する書面	１通
代表取締役の就任を承諾したことを証する書面	１通
支配人の辞任を証する書面	
代表取締役の就任を承諾したことを証する書面を援用する	
死亡届	１通
印鑑証明書	１通
本人確認証明書	１通
委任状	１通

第３欄

株式の譲渡制限に関する規定の廃止の件

非公開会社が株式の譲渡制限に関する規定を廃止する旨の定款変更をして公開会社となる場合には，当該定款変更後の発行可能株式総数は，当該定款変更が効力を生じた時における発行済株式の総数の４倍を超えることができない。

本問における申請会社は，平成30年６月28日開催の臨時株主総会において，株式の譲渡制限に関する規定を廃止する旨の定款変更決議をしているが，当該定款変更の効力発生時における発行可能株式総数は3,000株であり，発行済株式の総数は700株である。

よって，発行可能株式総数が発行済株式の総数の４倍を超えているため，株式の譲渡制限に関する規定を廃止することはできない。

したがって，株式の譲渡制限に関する規定の廃止は，登記することができない。

第４欄

発行可能株式総数の変更

※　役員の変更，株式の譲渡制限に関する規定の廃止決議を記載してもよいと解される。

問題　平成29年

本問題の日付は、出題当時の本試験問題に合わせておりますが、法令等については、令和７年４月１日時点において施行されているもの（本書作成時点において施行予定のものを含む。）を適用した上で、解答を作成してください。

司法書士法務太郎は，平成29年５月16日に事務所を訪れた第一電器株式会社の代表者から，別紙１から別紙７までの書類のほか，登記申請に必要な書類の提示を受けて確認を行い，別紙８のとおり事情を聴取し，登記すべき事項や登記のための要件などを説明した。そして，司法書士法務太郎は，第一電器株式会社の代表者から必要な登記の申請書の作成及び登記申請の代理の依頼を受けた。

また，司法書士法務太郎は，同年６月30日に事務所を訪れた第一電器株式会社の代表者から，登記申請に必要な書類の提示を受けて確認を行い，別紙９のとおり事情を聴取し，登記すべき事項や登記のための要件などを説明した。そして，司法書士法務太郎は，第一電器株式会社の代表者から必要な登記の申請書の作成及び登記申請の代理の依頼を受けた。

司法書士法務太郎は，これらの依頼に基づき，登記申請に必要な書類の交付を受け，管轄登記所に対し，同年５月17日及び同年７月３日にそれぞれの登記の申請をすることとした。

以上に基づき，次の問１から問３までに答えなさい。

問１　平成29年５月17日に司法書士法務太郎が申請した登記の申請書に記載すべき登記の事由，登記すべき事項，登録免許税額並びに添付書面の名称及び通数を答案用紙の第１欄に記載しなさい。ただし，登録免許税額の内訳については，記載することを要しない。

問２　平成29年７月３日に司法書士法務太郎が申請をすべき登記に関し，当該登記の申請書に記載すべき登記の事由，登記すべき事項，登録免許税額並びに添付書面の名称及び通数を答案用紙の第２欄に記載しなさい。ただし，登録免許税額の内訳については，記載することを要しない。

問３　第一電器株式会社の代表者から受領した書類及び聴取した内容のうち，登記することができない事項がある場合には，当該事項及びその理由を答案用紙の第３欄に記載しなさい。登記することができない事項がない場合には，答案用紙の第３欄に「なし」と記載しなさい。

（答案作成に当たっての注意事項）

1　登記申請書の添付書面については，全て適式に調えられており，所要の記名・押印がされているものとする。

2　登記申請書の添付書面については，他の書面を援用することができる場合には，これを援用しなければならない。

3　第一電器株式会社の定款には，別紙1から別紙9までに現れている以外には，会社法の規定と異なる定めは，存しないものとする。

4　第一電器株式会社は，設立以来，最終事業年度に係る貸借対照表の負債の部に計上した額の合計額が200億円以上となったことはないものとする。

5　東京都中央区は東京法務局の管轄である。

6　登記の申請に伴って必要となる印鑑の提出手続は，適式にされているものとする。

7　数字を記載する場合には，算用数字を使用すること。

8　訂正，加入又は削除をするときは，訂正は訂正すべき字句に線を引き，近接箇所に訂正後の字句を記載し，加入は加入する部分を明示して行い，削除は削除すべき字句に線を引いて，訂正，加入又は削除をしたことが明確に分かるように記載すること。ただし，押印や字数を記載することは要しない。

9　登記申請の懈怠については，考慮しないものとすること。

別紙１

【平成29年３月10日現在の第一電器株式会社に係る登記記録の抜粋】

商号　第一電器株式会社
本店　東京都中央区西京橋一丁目１番１号
公告をする方法　官報に掲載してする。
会社成立の年月日　平成４年６月26日
目的　１．家庭用電器製品の製造及び販売
　　　２．文房具，玩具の販売
　　　３．前各号に附帯関連する一切の事業
発行可能株式総数　8000株
発行済株式の総数並びに種類及び数
　発行済株式の総数　2400株
　各種の株式の数　普通株式　2400株
資本金の額　金１億2000万円
発行可能種類株式総数及び発行する各種類の株式の内容
　普通株式　6000株
　甲種株式　2000株
　　甲種株式は，毎事業年度において，普通株式に先立ち年３％の剰余金の配当を受けるものとする。
株式の譲渡制限に関する規定
　当会社の普通株式及び甲種株式を譲渡により取得するには，当会社の承認を要する。
役員に関する事項　取締役　A　平成27年５月20日重任
　　　　　　　　　取締役　B　平成27年５月20日重任
　　　　　　　　　取締役　C　平成27年５月20日重任
　　　　　　　　　東京都渋谷区北渋谷九丁目８番７号
　　　　　　　　　代表取締役　A　平成27年５月20日重任
　　　　　　　　　監査役　D　平成28年５月25日就任
支配人に関する事項　東京都新宿区下新宿七丁目８番９号
　　　　　　　　　　E
　　　　　　　　　　営業所　東京都中央区西京橋一丁目１番１号
支店　１　東京都中央区築地台八丁目９番１号

存続期間　会社成立の日から満25年
取締役会設置会社に関する事項　取締役会設置会社
監査役設置会社に関する事項　監査役設置会社
登記記録に関する事項　平成24年６月１日横浜市西区平沼八丁目８番８号から本店移転

別紙２
【平成29年３月10日現在の第一電器株式会社の定款】

第１章　総　則

（商号）
第１条　当会社は，第一電器株式会社と称する。

（目的）
第２条　当会社は，次の事業を営むことを目的とする。
　１．家庭用電器製品の製造及び販売
　２．文房具，玩具の販売
　３．前各号に附帯関連する一切の事業

（本店の所在地）
第３条　当会社は，本店を東京都中央区に置く。

（公告をする方法）
第４条　当会社の公告は，官報に掲載してする。

（存続期間）
第５条　当会社の存続期間は，会社成立の日から満25年とする。

第２章　株　式

（発行可能株式総数）
第６条　当会社の発行可能株式総数は，8000株とする。

（発行可能種類株式総数及び発行する各種類の株式の内容）
第７条　当会社の発行可能種類株式総数及び発行する各種類の株式の内容は，次のとおりとする。
　普通株式　6000株
　甲種株式　2000株

甲種株式は，毎事業年度において，普通株式に先立ち年３％の剰余金の配当を受けるものとする。

（株券の不発行）
第８条　当会社の株式については，株券を発行しない。

（株式の譲渡制限に関する規定）
第９条　当会社の普通株式及び甲種株式を譲渡により取得するには，当会社の承認を要する。

（基準日）
第10条　当会社は，毎事業年度末日の最終の株主名簿に記載又は記録された議決権を有する株主をもって，その事業年度に関する定時株主総会において権利を行使することができる株主とする。

第３章　株主総会

（招集）
第11条　定時株主総会は，毎事業年度の末日の翌日から３か月以内に招集し，臨時株主総会は，その必要があるときに随時これを招集する。

（議長）
第12条　株主総会の議長は，代表取締役がこれに当たる。代表取締役に支障があるときは，他の取締役がこれに代わる。

（決議の方法）
第13条　株主総会の決議は，法令又はこの定款に別段の定めがある場合のほか，出席した議決権を行使することができる株主の議決権の過半数をもって決する。
2　会社法第309条第２項に定める株主総会の決議は，当該株主総会において議決権を行使することができる株主の議決権の３分の１以上を有する株主が出席し，出席した当該株主の議決権の３分の２以上に当たる多数をもって決する。

（種類株主総会）
第14条　種類株主総会の決議は，法令又はこの定款に別段の定めがある場合のほか，出席した議決権を行使することができる種類株主の議決権の過半数をもって決する。
2　会社法第324条第２項に定める種類株主総会の決議は，当該種類株主総会において議決権を行使することができる株主の議決権の３分の１以上を有する株主が出席し，出席した当該株主の議決権の３分の２以上に当たる多数をもって決する。
3　第12条の規定は，種類株主総会にこれを準用する。

第４章　取締役及び取締役会
（取締役会設置会社）
第15条　当会社には取締役会を置く。

（取締役の員数）
第16条　当会社の取締役は３名以上とする。

（取締役の選任の方法）
第17条　当会社の取締役は，株主総会において議決権を行使することができる株主の議決権の３分の１以上を有する株主が出席し，出席した当該株主の議決権の過半数の決議によって選任する。
2　取締役の選任については，累積投票によらない。

（取締役の任期）
第18条　取締役の任期は，選任後２年以内に終了する事業年度のうち最終のものに関する定時株主総会の終結の時までとする。

（報酬等）
第19条　取締役の報酬，賞与その他の職務執行の対価として当会社から受ける財産上の利益については，株主総会の決議をもって定める。

第５章　監査役
（監査役設置会社）
第20条　当会社には監査役を置く。

（監査役の員数）
第21条　当会社の監査役は１名以上とする。

（監査役の選任方法）
第22条　当会社の監査役は，株主総会において議決権を行使することができる株主の議決権の３分の１以上を有する株主が出席し，出席した当該株主の議決権の過半数の決議によって選任する。

（監査役の任期）
第23条　監査役の任期は，選任後４年以内に終了する事業年度のうち最終のものに関する定時株主総会の終結の時までとする。

（報酬等）
第24条　監査役の報酬，賞与その他の職務執行の対価として当会社から受ける財産上の利益については，株主総会の決議をもって定める。

第６章　計　算

（事業年度）
第25条　当会社の事業年度は，毎年４月１日から翌年３月31日までの年１期とする。

（剰余金の配当）
第26条　剰余金の配当は，毎事業年度末日現在における最終の株主名簿に記載又は記録された株主又は登録株式質権者に対して支払う。
2　剰余金の配当は，支払提供の日から満３年を経過しても受領されないときは，当会社はその支払義務を免れる。

第７章　附　則

（法令の準拠）
第27条　この定款に規定のない事項は，全て会社法その他の法令に従う。

別紙３

【平成29年３月11日開催の第一電器株式会社の臨時株主総会における議事の概要】

第１号議案　定款一部変更の件

定款第７条を下記のとおりに変更することが諮られ，満場一致をもって承認可決された。

（発行可能種類株式総数及び発行する各種類の株式の内容）

第７条　当会社の発行可能種類株式総数及び発行する各種類の株式の内容は，次のとおりとする。

普通株式　6000株

甲種株式　2000株

乙種株式　1000株

甲種株式は，毎事業年度において，普通株式に先立ち年３％の剰余金の配当を受けるものとする。

乙種株式は，毎事業年度において，普通株式に先立ち年６％の剰余金の配当を受けるものとする。ただし，乙種株式は株主総会において一切の議決権を有しない。

第２号議案　監査役１名選任の件

監査役１名を選任することが諮られ，満場一致をもって下記のとおり選任された。

監査役　F

別紙４
【平成29年３月11日開催の第一電器株式会社の普通株主を構成員とする種類株主総会における議事の概要】

第１号議案　定款一部変更の件
　定款第７条を下記のとおりに変更することが諮られ，満場一致をもって承認可決された。

（発行可能種類株式総数及び発行する各種類の株式の内容）
第７条　当会社の発行可能種類株式総数及び発行する各種類の株式の内容は，次のとおりとする。
　　　普通株式　6000株
　　　甲種株式　2000株
　　　乙種株式　1000株
　　　　甲種株式は，毎事業年度において，普通株式に先立ち年３％の剰余金の配当を受けるものとする。
　　　　乙種株式は，毎事業年度において，普通株式に先立ち年６％の剰余金の配当を受けるものとする。ただし，乙種株式は株主総会において一切の議決権を有しない。

別紙５

【Ｆの就任承諾書】

<table>
<tr><td>

就任承諾書

私は，来たる平成29年３月11日に開催される臨時株主総会において選任されることを条件に，貴社の監査役に就任することを承諾いたします。

平成29年３月８日

住所　東京都世田谷区南世田谷三丁目４番５号
氏名　Ｆ　　　　　㊞

第一電器株式会社　御中

</td></tr>
</table>

別紙６
【平成29年５月15日開催の第一電器株式会社の定時株主総会における議事の概要】

第１号議案　計算書類承認の件

計算書類の承認を求めたところ，満場一致をもって承認可決された。

第２号議案　取締役３名選任の件

取締役３名を選任することが諮られ，満場一致をもって下記のとおり選任された。
取締役　A
取締役　B
取締役　C
なお，被選任者はいずれも席上就任を承諾した。

別紙7

【平成29年5月15日開催の第一電器株式会社の取締役会における議事の概要】

第1号議案　本店移転に関する件

本店を移転することが諮られ，出席取締役全員の一致をもって下記のとおり決定した。

新本店所在場所　　東京都中央区築地台八丁目9番1号

本店移転日　　平成29年5月15日

第2号議案　代表取締役選定の件

代表取締役を選定することが諮られ，出席取締役全員の一致をもって下記のとおり選定した。

東京都渋谷区北渋谷九丁目8番7号

代表取締役　A

なお，被選定者は席上就任を承諾した。

別紙８
【司法書士法務太郎の聴取記録（平成29年５月16日）】

1　別紙１は，平成29年３月10日現在における第一電器株式会社の登記記録を抜粋したものである。
2　別紙２は，平成29年３月10日現在における第一電器株式会社の定款である。
3　平成29年３月10日現在における第一電器株式会社の株主はW，X，Y及びZの４名であり，それぞれの有する議決権の数は，W1200個，X700個，Y400個，Z100個である。また，その後平成29年５月16日まで，株主及びその有する議決権数に変動はない。
4　第一電器株式会社の平成29年３月11日に開催された臨時株主総会に出席した株主はWのみであり，その議事の概要は別紙３に記載されているとおりである。
5　第一電器株式会社の平成29年３月11日に開催された普通株主を構成員とする種類株主総会に出席した株主はWのみであり，その議事の概要は別紙４に記載されているとおりである。
6　第一電器株式会社の平成29年５月15日に開催された定時株主総会には，株主全員が出席し，その議事の概要は別紙６に記載されているとおりである。
7　平成29年５月15日に開催された定時株主総会の終結後直ちに開催された取締役会には，取締役及び監査役の全員が出席し，その議事の概要は別紙７に記載されているとおりである。また，別紙７の取締役会議事録には，Aが登記所に提出している印鑑が押されている。
8　第一電器株式会社の本店は，平成29年５月15日に現実に移転した。

別紙９
【司法書士法務太郎の聴取記録（平成29年６月30日）】

1　第一電器株式会社の取締役Ｂは，平成29年６月26日死亡した。

2　Ｅ（住所　東京都新宿区下新宿七丁目８番９号）は，第一電器株式会社に対し，平成29年６月29日に，同日付けで支配人を辞任する旨の届出書を提出した。

3　第一電器株式会社は，平成29年６月30日に，同日付けで東京都中央区築地台八丁目９番１号の支店を廃止する旨を適法に決定した。

MEMO

平成29年●答案用紙

第１欄

【登記の事由】
【登記すべき事項】

【登記すべき事項（続き）】

【登録免許税額】

【添付書面の名称及び通数】

第２欄

【登記の事由】
【登記すべき事項】

【登録免許税額】
【添付書面の名称及び通数】

第３欄

解説　平成29年

[本問の重要論点一覧表]

出題範囲	重要論点	解説箇所
発行可能種類株式総数及び発行する各種類の株式の内容の変更	発行可能種類株式総数及び発行する各種類の株式の内容の変更をするためには，定款を変更することを要し，株主総会の特別決議を要する。また，ある種類の株式の種類株主に損害を及ぼすおそれがあるときは，その種類の株式の種類株主を構成員とする種類株主総会の特別決議を要する。	P518参照
	種類株式発行会社が，ある種類の株式についてのみ株式の譲渡制限に関する規定を設定しており，現実には譲渡制限付きの種類株式しか発行していない場合でも，譲渡制限に関する規定の設定されていない他の種類株式を発行することができる会社であるため，その会社は公開会社となる。	P518参照
本店移転	会社が本店を支店の所在場所と同一の場所に移転した場合でも，当該支店を廃止しない限り，支店廃止の登記は不要であると解されている。	P522参照
支配人を置いた営業所の移転	本店の移転に伴って，支配人を置いた営業所が移転した場合，支配人を置いた営業所の移転登記を申請することとなるが，この申請は，会社の支配人を置いた本店の移転登記と同時にしなければならない。	P525参照
役員の変更	役員が欠けた場合又は会社法若しくは定款で定めた役員の員数が欠けた場合には，任期の満了又は辞任により退任した役員は，新たに選任された役員が就任するまで，なお役員としての権利義務を有する。	P529参照
存続期間満了による解散	存続期間の満了により解散する場合は，会社の登記記録によって存続期間の満了が明らかになるため，解散事由の発生を証する書面の添付を要しない。	P527参照
清算人及び代表清算人の就任	清算人として，定款で定める者及び株主総会の決議によって選任された者がいない場合は，取締役が清算人となる。	P540参照
	株式会社の最初の清算人の登記の申請書には，必ず定款を添付しなければならない。	P543参照

出題範囲	重要論点	解説箇所
支配人の代理権消滅	営業主である会社の解散は，支配人の代理権の消滅原因である。	P544参照
支店廃止	清算人会を置かない清算株式会社において，支店廃止は，定款に別段の定めがある場合を除き，清算人の過半数をもって決定する。	P545参照

1 役員及び清算人の概要

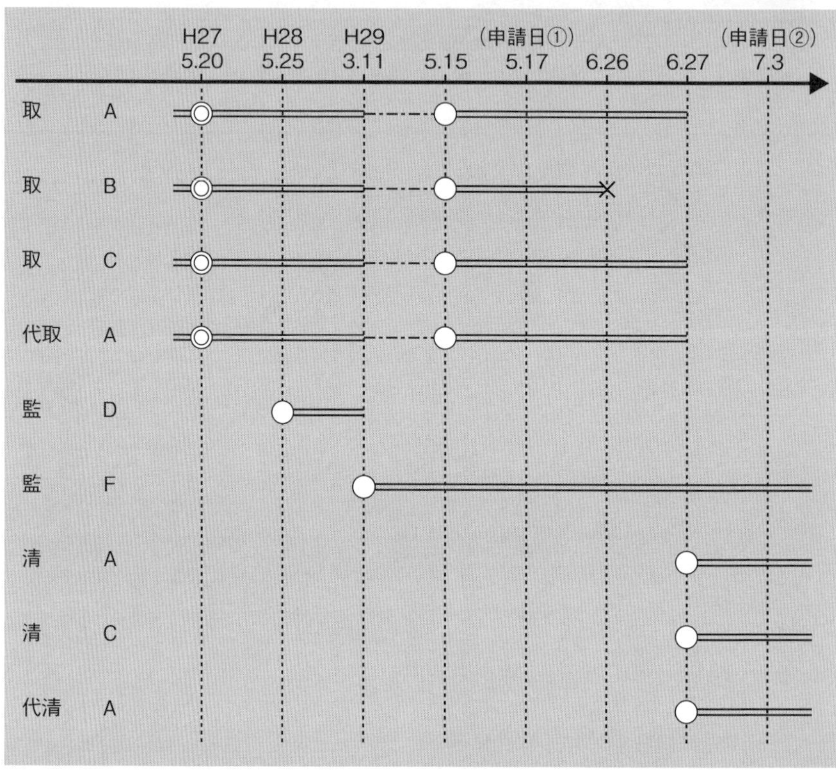

═══	任期中	◎	重任	△	辞任	□ 欠格
-·-·-·	権利義務	○	就任	×	死亡	■ 解任

印鑑証明書及び本人確認証明書の通数

＜平成29年５月17日申請分＞

	印鑑証明書の添付を要する書面			本人確認証明書（商登規61条7項）
	就任承諾書（商登規61条4・5項）	選定証明書（商登規61条6項）	辞任届（商登規61条8項）	
取　A		×（届）		×（再）
取　B		×（届）		×（再）
取　C		×（届）		×（再）
代取　A	×（再）			
監　D				
監　F		×（届）		○
合計	0通			1通

○…添付必要
×…添付不要
（届）…従前からの代表取締役の届出印で押印しているため
（再）…再任のため
（印）…商登規61条４項，５項及び６項の規定により印鑑証明書を添付するため

3 株主の氏名又は名称，住所及び議決権数等を証する書面（株主リスト）の通数

3−1 株主の氏名又は名称，住所及び議決権数等を証する書面（株主リスト）の添付を要する場合等の検討

前提の知識

① **株主総会又は種類株主総会の決議を要する場合の株主の氏名又は名称，住所及び議決権数等を証する書面（株主リスト）**

登記すべき事項につき株主総会又は種類株主総会の決議を要する場合には，申請書に，総株主（種類株主総会の決議を要する場合にあっては，その種類の株式の総株主）の議決権（当該決議において，行使することができるものに限る。）の数に対するその有する議決権の数の割合が高いことにおいて上位となる株主であって，次に掲げる人数のうちいずれか少ない人数の株主の氏名又は名称及び住所，当該株主のそれぞれが有する株式の数（種類株主総会の決議を要する場合にあっては，その種類の株式の数）及び議決権の数並びに当該株主のそれぞれが有する議決権に係る当該割合を証する書面を添付しなければならない（商登規61Ⅲ）。

⑴ 10名

⑵ その有する議決権の数の割合を当該割合の多い順に順次加算し，その加算した割合が３分の２に達するまでの人数

なお，当該決議には会社法319条１項の規定により決議があったものとみなされる場合が含まれる。

② **株主の氏名又は名称，住所及び議決権数等を証する書面（株主リスト）の通数**

株主の氏名又は名称，住所及び議決権数等を証する書面（株主リスト）は，一の登記申請で，株主総会の決議を要する複数の登記すべき事項について申請される場合には，当該登記すべき事項ごとに添付を要する（商登規61Ⅱ・Ⅲ）。

ただし，決議ごとに添付を要する当該書面に記載すべき内容が一致するときは，その旨の注記がされた当該書面が１通添付されていれば足りるとされている（平28.6.23民商98号第3.1⑵ア）。

なお，日本司法書士会連合会より，以下の見解も示されている（日司連発第790号）。

Q：複数の株主総会により，複数の登記事項が発生し，これらを一括して登記申請する場合，それぞれの株主総会議事録ごとに株主リストが必要ですか。

A：「株主リスト」に記載すべき株主は，当該株主総会において議決権を行使することができるものをいうから，複数の株主総会により，複数の登記事項が発生し，これらを一括して登記申請する場合には，登記すべき事項ごとに当該株主総会において議決権を行使することができる「株主リスト」を添付しなければならない。

ただし，一の株主総会において，複数の登記すべき事項について決議された場合において，各事項に関して株主リストに記載すべき事項が同一である場合には，その旨注記して，一の株主リストを添付すれば足りるとされている。

3−1−1　株主の氏名又は名称，住所及び議決権数等を証する書面（株主リスト）の添付を要する事項

株主の氏名又は名称，住所及び議決権数等を証する書面（株主リスト）は，以下の登記すべき事項ごとに１通添付をすることとなるが，複数の議案につき，株主リストに記載すべき内容が一致するときは，その旨の注記がされた当該書面を１通添付すれば足りる。

第１欄

株主の氏名又は名称，住所及び議決権数等を証する書面の添付を要する株主総会決議
平成29年３月11日付け臨時株主総会 発行可能種類株式総数及び発行する各種類の株式の内容の変更の件 監査役の選任の件
平成29年３月11日付け普通株主を構成員とする種類株主総会 発行可能種類株式総数及び発行する各種類の株式の内容の変更の件
平成29年５月15日付け定時株主総会 取締役の選任の件

なお，一の登記申請ごとに添付するときは２通，株主総会ごとに添付するときは３通添付することとなる。

4 登録免許税

＜平成29年５月17日申請分＞

<table>
<tr><th colspan="2">登記事項</th><th colspan="2">登録免許税</th></tr>
<tr><td colspan="2">本店移転分</td><td>金３万円</td><td>登録税別表
1.24.(1)ヲ</td></tr>
<tr><td colspan="2">役員変更分</td><td>金３万円　※１</td><td>登録税別表
1.24.(1)カ</td></tr>
<tr><td rowspan="2">他の変更分</td><td>発行可能種類株式総数
及び
発行する各種類の株式の
内容の変更</td><td rowspan="2">金３万円</td><td rowspan="2">登録税別表
1.24.(1)ツ</td></tr>
<tr><td>支配人を置いた
営業所の移転</td></tr>
<tr><td colspan="2">合計</td><td colspan="2">金９万円　※２</td></tr>
</table>

※１　役員等変更の登録免許税額は金３万円であるが，資本金の額が１億円以下の会社の場合は金１万円である（登録税別表1.24.(1)カ）。

※２　異なる区分に属する数個の登記事項を同一の申請書で申請する場合には各登記の区分の税率を適用した計算金額の合計額となる（登録税18）。

＜平成29年７月３日申請分＞

登記事項		登録免許税	
存続期間の満了による解散分		金３万円	登録税別表1.24.(1)レ
（代表）清算人就任分		金9,000円	登録税別表1.24.(3)イ
役員変更分		金３万円　※１	登録税別表1.24.(1)カ
他の変更分	支店廃止	金３万円	登録税別表1.24.(1)ツ
合計		金９万9,000円　※２	

※１　役員等変更の登録免許税額は金３万円であるが，資本金の額が１億円以下の会社の場合は金１万円である（登録税別表1.24.(1)カ）。
※２　異なる区分に属する数個の登記事項を同一の申請書で申請する場合には各登記の区分の税率を適用した計算金額の合計額となる（登録税18）。

5 発行可能種類株式総数及び発行する各種類の株式の内容の変更

結論

本問の場合，**平成29年３月11日**付けで，**発行可能種類株式総数及び発行する各種類の株式の内容**を，以下のとおりとする**変更**登記を申請することができる。

「**普通株式　6000株**
甲種株式　2000株
乙種株式　1000株
甲種株式は，毎事業年度において，普通株式に先立ち年３％の剰余金の配当を受けるものとする。
乙種株式は，毎事業年度において，普通株式に先立ち年６％の剰余金の配当を受けるものとする。ただし，乙種株式は株主総会において一切の議決権を有しない。」

<申請書記載例；定足数についての定款の別段の定めがある場合>

1．事　発行可能種類株式総数及び発行する各種類の株式の内容の変更
1．登　○年○月○日発行可能種類株式総数及び発行する各種類の株式の内容の変更
　　○○株式　○株
　　○○株式　○株
　　1．剰余金の配当に関する定め
　　　　○○○○…
1．税　金３万円（登録税別表1.24.(1)ツ）
1．添　定款　1通（商登規61Ⅰ）
　　株主総会議事録　1通（商登46Ⅱ）
　　種類株主総会議事録　1通（商登46Ⅱ）
　　株主の氏名又は名称，住所及び議決権数等を証する書面　2通（商登規61Ⅲ）
　　委任状　1通（商登18）

前提の知識

① **発行可能種類株式総数及び発行する各種類の株式の内容の設定（変更）**

発行可能種類株式総数及び発行する各種類の株式の内容は定款で定めることを要する（会社108Ⅰ・Ⅱ）ため，発行可能種類株式総数及び発行する各種類の株式の内容の設定（変更）をするためには，株主総会の特別決議を要する（会社466・309Ⅱ⑪）ほか，ある種類の株式の種類株主に損害を及ぼすおそれがあるときは，種類株主総会（当該種類株主に係る株式の種類が２以上ある場合にあっては，当該２以上の株式の種類別に区分された種類株主を構成員とする各種類株主総会）の決議がなければ，その効力を生じない（会社322Ⅰ）。

ただし，当該種類株主総会において議決権を行使することができる種類株主が存しない場合は，上記の種類株主総会の決議を要しない（会社322Ⅰ柱書但書）。

② **公開会社・非公開会社の定義**

公開会社とは，その発行する全部又は一部の株式の内容として譲渡による当該株式の取得について株式会社の承認を要する旨の定款の定めを設けていない株式会社をいう（会社２⑤）。よって，種類株式発行会社が，ある種類の株式についてのみ株式の譲渡制限に関する規定を設定しており，現実に

は譲渡制限付きの種類株式しか発行していない場合でも，譲渡制限に関する規定の設定されていない他の種類株式を発行することができる会社であるため，その会社は公開会社となる。

非公開会社とは，発行する全ての株式につき，譲渡制限が付されている会社のことであり，株式を上場しているか否かは，会社法における公開会社と非公開会社の区別をする際の判断基準とはならない。

5−1 決議権限

別紙３より，株主総会において決議されているため，決議機関は適法である（会社466）。

5−2 決議形式

⑴ 招集手続

別紙８より，議決権を有する株主全員が出席しているわけではないため，招集手続の瑕疵の有無の検討を要するが，特に招集手続に瑕疵がある旨の記載もないことから，招集手続は適法にされていると解することができる。

⑵ 決議要件

別紙３より，乙種株式の株主は，株主総会において議決権を有しない議決権制限株式であるため，平成29年３月11日開催の臨時株主総会第１号議案における総株主の議決権数は以下のとおりとなる。

株主名	普通株式	甲種株式	議決権数
W	1,200株	0株	1,200個
X	700株	0株	700個
Y	400株	0株	400個
Z	100株	0株	100個
合計	2,400株	0株	2,400個

別紙２より，申請会社は，定款（第13条第２項）において，「会社法第309条第２項に定める株主総会の決議は，当該株主総会において議決権を行使することができる株主の議決権の３分の１以上を有する株主が出席し，出席した当該株主の議決権の３分の２以上に当たる多数をもって決する。」旨を定めている。

別紙3及び8より，議決権を行使することができる株主の議決権（2,400個）の3分の1以上（800個以上）を有する株主が出席したことから（W（1,200個）），株主総会の議案を審議することができる法令及び定款上の定足数を充当しており，出席した当該株主の議決権の3分の2以上（800個以上）の賛成を得ているため（1,200個），決議要件を満たしている（会社309Ⅱ）。

5−3 決議内容

別紙3より，発行可能種類株式総数及び発行する各種類の株式の内容として，

「普通株式　6000株
甲種株式　2000株
乙種株式　1000株
甲種株式は，毎事業年度において，普通株式に先立ち年3％の剰余金の配当を受けるものとする。
乙種株式は，毎事業年度において，普通株式に先立ち年6％の剰余金の配当を受けるものとする。ただし，乙種株式は株主総会において一切の議決権を有しない。」

とする旨の定めを設定する定款変更決議をしているが，決議内容は適法である。

5−4 種類株主総会決議の要否

別紙3より，新たに乙種株式を追加する旨の定款変更決議を行っている。乙種株式の内容は普通株式及び甲種株式に対しての剰余金の配当の優先株式であるため，普通株式及び甲種株式に損害を及ぼすおそれがあると判断できる（会社322Ⅰ）。

以下，種類株主総会決議の可否を検討する。

＜普通株主を構成員とする種類株主総会の検討＞

別紙4及び8より普通株主を構成員とする種類株主総会が開催されていることが分かる。

(1) 招集手続

別紙8より，議決権を有する株主全員が出席しているわけではないため，招集手続の瑕疵の有無の検討を要するが，特に招集手続に瑕疵がある旨の記載もないことから，招集手続は適法にされていると解することができる。

(2) 決議要件

別紙2より，申請会社は，定款（第14条第2項）において，「会社法第324条第2項に定める種類株主総会の決議は，当該種類株主総会において議

決権を行使することができる株主の議決権の３分の１以上を有する株主が出席し，出席した当該株主の議決権の３分の２以上に当たる多数をもって決する。」旨を定めている。

別紙４及び８より，議決権を行使することができる株主の議決権（2,400個）の３分の１以上（800個以上）を有する株主が出席しており（W（1,200個）），出席した当該株主の議決権の３分の２以上（800個以上）の賛成を得ているため（1,200個），決議要件を満たしている（会社324Ⅱ）。

<甲種株式を構成員とする種類株主総会の検討>

別紙１より，甲種株式は議決権を行使することができる種類株主が存しないことが分かるため，甲種株式の種類株主総会は要しない（会社322Ⅰ柱書但書）。したがって，普通株主を構成員とする種類株主総会を要する。

5−5 登記すべき事項

設定後の発行可能種類株式総数及び発行する各種類の株式の内容を全て記載する。

5−6 添付書面

株主総会及び種類株主総会の特別決議について，定足数を軽減する旨の定款規定を証する書面として「定款」を添付する（商登規61Ⅰ）。

発行可能種類株式総数及び発行する各種類の株式の内容の変更決議をしたことを証する書面として，平成29年３月11日付けの「（臨時）株主総会議事録」を添付する（商登46Ⅱ）。

種類株主総会の承認決議をしたことを証する書面として，普通株式の「種類株主総会議事録」を添付する（商登46Ⅱ）。

登記すべき事項につき株主総会及び種類株主総会の決議を要する場合のため，「株主の氏名又は名称，住所及び議決権数等を証する書面」２通を添付する（商登規61Ⅲ）。

6 本店移転

結論

本問の場合，**平成29年５月15日**付けで，**本店を東京都中央区築地台八丁目９番１号へ移転**する旨の登記を申請することができる。

<申請書記載例>

1．事	本店移転		
1．登	○年○月○日本店移転 　本店　○県○市○町○丁目○番○号		
1．税	金３万円（登録税別表1.24.(1)ヲ）		
1．添	取締役会議事録	１通（商登46Ⅱ）	
	委任状	１通（商登18）	

前提の知識

① **本店移転の決議権限の分配**

本店の所在地は，定款の記載・記録事項であるため（会社27③），従前の本店の所在していた最小行政区画以外の地に本店を移転するには，株主総会の特別決議による定款の変更が必要である（会社466・309Ⅱ⑪）。

また，本店の具体的な所在場所をどこにするか，移転時期をいつにするかは，重要な業務執行行為であるから，定款に別段の定めがある場合を除き，取締役の決定（取締役が２人以上ある場合には，取締役の過半数の決定，又は取締役会設置会社においては，取締役会の決議）により行う（会社348Ⅰ・Ⅱ・362Ⅱ①）。

② **支店所在場所への本店移転**

会社が本店を支店の所在場所と同一の場所に移転した場合でも，当該支店を廃止しない限り，支店廃止の登記は要しない（登記研究321）。

6－1 決議権限

別紙２より，申請会社の定款（第３条）には，「当会社は，本店を東京都中央区に置く。」旨の定めがあり，別紙７より，従前の本店の所在していた最小行政区画内で本店を移転する場合であるので，株主総会の特別決議による定款の変更は不要である。

したがって，別紙７より，取締役会において決議されており，決議機関は適法である（会社362Ⅱ①）。

6－2 決議形式

⑴ 招集手続

別紙８より，取締役及び監査役の全員が出席しているため，招集手続の瑕疵の有無については，検討することを要しない。

⑵ 決議要件

別紙７及び８より，議決に加わることができる取締役の過半数が出席し（全員），その過半数の賛成を得ているため（全員），決議要件を満たしている。

6－3 決議内容

別紙７より，本店を東京都中央区築地台八丁目９番１号へ移転する旨の決議をしている。

なお，別紙１より，本店移転先である東京都中央区築地台八丁目９番１号には，既に支店が存在することが分かるが，会社が本店を支店の所在場所と同一の場所に移転した場合でも，当該支店を廃止しない限り，支店廃止の登記は不要であるため，本店移転先の東京都中央区築地台八丁目９番１号の支店廃止の登記を申請する必要はない。

6－4 本店移転の可否

問題文上，第一電器株式会社の本店移転先である「東京都中央区築地台八丁目９番１号」に，同一商号かつ同一本店所在場所の会社が存在するという事実は示されていないため，第一電器株式会社は当該本店移転先に本店を移転することができる。

6－5 効力発生日

上述のとおり，平成29年５月15日に本店を移転する旨の決議をしており，別紙８より，平成29年５月15日に，現実に移転が完了したことが分かる。

したがって，効力発生日は，平成29年５月15日となる。

6-6 登記すべき事項

登記すべき事項には，
「平成29年５月15日本店移転
　　本店　東京都中央区築地台八丁目９番１号」
と記載する。

6-7 添付書面

本店移転の決定をしたことを証する書面として，平成29年５月15日付けの「取締役会議事録」を添付する（商登46Ⅱ）。

支配人を置いた営業所の移転

結論

本問の場合，**平成29年５月15日付けで，東京都中央区西京橋一丁目１番１号の支配人Ｅを置いた営業所**を，**東京都中央区築地台八丁目９番１号**に**移転**する旨の登記を申請することができる。

＜申請書記載例＞

1．事　支配人を置いた営業所の移転
1．登　○年○月○日○県○市○町○丁目○番○号の支配人○を置いた営業所の移転
　　　支配人○を置いた営業所
　　　　○県○市○町○丁目○番○号
1．税　金３万円（登録税別表1.24.(1)ツ）
1．添　委任状　　　　　　　　　　　　　　１通（商登18）

前提の知識

支配人を置いた営業所の移転

支配人は，本店又は支店に置かれる。支配人は，支配人自らが置かれた営業所の事業に関してのみ会社を代理することができる。よって，支配人が有する代理権は，その支配人が置かれた本店又は支店以外の営業所の事業に関する代理権には及ばない。したがって，営業所と代理権が結びついている結果，本店又は支店が移転した場合，それに伴って，そこに置かれている支配人を置いた営業所も移転することとなる。

本店又は支店の移転に伴って，支配人を置いた営業所が移転した場合，支配人を置いた営業所の移転登記を申請することとなるが，この申請は，会社の支配人を置いた本店又は支店の移転登記と同時にしなければならない（商登規58）。

本店に支配人を置いていた場合で，管轄外に本店を移転する場合には，本店の旧所在地における本店移転の登記の申請及び支配人を置いた営業所の移転の登記の申請と本店の新所在地における本店移転の登記の申請とを同時にしなければならない（商登51Ⅱ，商登規58）が，本店の新所在地において，支配人を置いた営業所の移転の登記をすることは要しない（平18.3.31民商782号第7部第4.3(2)）。

支配人を置いた営業所の移転登記は，本店又は支店の移転の登記と同時申請される関係上，実体形成手続を立証するための添付書面は別段要求されていない。

7－1　登記すべき事項

登記すべき事項には，
「平成29年５月15日東京都中央区西京橋一丁目１番１号の支配人Ｅを置いた
　営業所の移転
　　支配人Ｅを置いた営業所
　　　東京都中央区築地台八丁目９番１号」
と記載する。

7－2　添付書面

支配人を置いた営業所の移転の登記については，本店の移転の登記と同時申請されるため，実体形成手続を立証するための添付書面は不要である。

7－3　同時申請の要否

別紙１より，本店の支配人としてＥが選任されており，前述のとおり，東京都中央区西京橋一丁目１番１号の本店が移転するため，支配人を置いた営業所の移転登記も同時に申請しなければならない（商登規58）。

8　存続期間の満了による解散

結論

本問の場合，**平成29年６月27日**付けで，**存続期間の満了により解散**する旨の登記を申請することができる。

<申請書記載例>

１．事　解散
１．登　○年○月○日存続期間の満了により解散
１．税　金３万円（登録税別表1.24.(1)レ）
１．添　委任状　　　　　　　　　　　　　　　１通（商登18）

前提の知識

① **株式会社の解散の事由**

株式会社は，次に掲げる事由により解散する（会社471・472）。

(1) 定款で定めた存続期間の満了
(2) 定款で定めた解散の事由の発生
(3) 株主総会の特別決議（会社309Ⅱ⑪）
(4) 合併（合併により当該株式会社が消滅する場合に限る。）
(5) 破産手続開始の決定
(6) 解散を命ずる裁判（会社824Ⅰ・833Ⅰ）
(7) 休眠会社のみなし解散

このうち，休眠会社とみなされることによる解散では，解散登記が職権（商登72）でされ，解散命令及び解散判決による場合には，裁判所書記官が解散登記を嘱託（会社937Ⅰ①リ・Ⅰ③ロ）し，破産の場合には，破産手続開始の登記（解散の登記はされない。）が裁判所書記官の嘱託によってされることとなる（破産257Ⅰ）。これらを除いた解散の場合，解散の旨，その事由及び年月日の登記を申請しなければならない（会社926，商登71Ⅰ）。

② **存続期間の満了による解散**

株式会社は，定款に定めた存続期間が満了したときに解散する（会社471①）。この場合の解散の日は，存続期間の満了日の翌日である。

存続期間の定めは，定款の記載・記録事項である（会社29・471①）と同時に，登記事項とされている（会社911Ⅲ④）。

8－1 効力発生時期

存続期間の満了による解散の効力発生時期は，存続期間の満了日の翌日である。

別紙1より，申請会社は，存続期間を「会社成立の日から満25年」と定めているため，会社の成立日である平成4年6月26日の翌日を起算日とし（民140本文），25年後の応当日である平成29年6月27日の前日6月26日の24時の時点で満25年の期間が満了するため（民143Ⅱ本文），平成29年6月27日（0時）に解散の効力が生ずることとなる。

8－2 登記すべき事項

解散登記における登記事項は，解散の旨並びにその事由及び年月日である（商登71Ⅰ）。

上述のとおり，平成29年６月27日に解散の効力が生ずるため，同日付けで存続期間の満了による解散の旨を登記申請する。

8－3 添付書面

存続期間は，定款の記載・記録事項であると同時に，登記事項である（会社29・471Ⅰ・911Ⅲ④）。

したがって，存続期間の満了は，登記記録から明らかであるため，解散事由の発生を証する書面の添付を要しない。

9 役員の変更

結論

取締役A・C

平成29年３月11日付けで，任期満了による**退任**登記を申請することができる。

平成29年５月15日付けで，**就任**登記を申請することができる。

平成29年６月27日に申請会社が存続期間の満了により解散しているため，同日をもって退任する。取締役の登記には，登記官が職権で抹消する記号を記録するため，会社が退任登記を申請する必要はない。

取締役B

平成29年３月11日付けで，任期満了による**退任**登記を申請することができる。

平成29年５月15日付けで，**就任**登記を申請することができる。

平成29年６月26日に**死亡**により退任した旨の登記を申請することができる。

代表取締役A

平成29年３月11日付けで，**退任**登記を申請することができる。

平成29年５月15日付けで，**就任**登記を申請することができる。

平成29年６月27日に申請会社が存続期間の満了により解散しているため，同日をもって退任する。代表取締役の登記には，登記官が職権で抹消する記号を記録するため，会社が退任登記を申請する必要はない。

監査役D

平成29年３月11日付けで，任期満了による**退任**登記を申請することができる。

監査役F

平成29年３月11日付けで，**就任**登記を申請することができる。

なお，清算人，代表清算人については，後述する。

9－1　取締役A・B・C（任期満了），監査役D（任期満了）

＜申請書記載例＞

1．事　取締役及び監査役の変更		
1．登　○年○月○日次の者退任		
取締役　○○		
監査役　○○		
1．税　金３万円（登録税別表1.24.(1)カ）		
（但し，資本金の額が１億円以下の会社については，金１万円）		
1．添　退任を証する書面	１通（商登54Ⅳ）	
委任状	１通（商登18）	

前提の知識

権利義務を有する者の退任登記

役員（監査等委員会設置会社においては，監査等委員である取締役若しくはそれ以外の取締役又は会計参与）が欠けた場合又は会社法若しくは定款で定めた役員の員数が欠けた場合には，任期の満了又は辞任により退任した役員は，新たに選任された役員（一時役員の職務を行うべき者を含む。）が就任するまで，なお役員としての権利義務を有する（会社346Ⅰ）。

また，権利義務を有する者の退任登記は，原則として，員数を満たした後任者が就任するまで申請することができない。

欠員の補充が一部にすぎない場合は，依然として，退任した役員全員が役員としての権利義務を有する者にとどまり，就任登記は受理されるが，退任登記は受理されない（昭30.5.23民甲1008号）。

(1)　取締役A，B及びC

本問では，取締役A，B及びCの選任日は，問題文上示されていないため，就任日に選任決議がされていると判断することとする。

別紙１より，取締役A，B及びCは，令和27年５月20日に選任され，同日就任しており，それぞれ選任後２年以内に終了する事業年度のうち最終のものに関する定時株主総会の終結の時まで任期があるはずであったが，前述のとおり，平成29年３月11日開催の臨時株主総会において，発行可能種類株式総数及び発行する各種類の株式の内容の変更をしたことにより公開会社となるため，当該定款変更の効力発生時に，任期満了により退任する。

もっとも，別紙１より，申請会社は取締役会設置会社であり，取締役は３名以上要するが，当該定款変更の効力発生時において，取締役の最低員数（３名）を欠くこととなるため（役員及び清算人の概要参照），Ａ，Ｂ及びＣは取締役としての権利義務を有することとなる。

その後，後述のとおり，平成29年５月15日に取締役の後任者が就任したことにより，取締役の権利義務関係が解消する。

したがって，平成29年３月11日付けで，任期満了により退任した旨の登記を申請することができる。

(2) 監査役Ｄ

本問では，監査役Ｄの選任日は，問題文上示されていないため，就任日に選任決議がされていると判断することとする。

別紙１より，監査役Ｄは，平成28年５月25日に選任され，同日就任しており，選任後４年以内に終了する事業年度のうち最終のものに関する定時株主総会の終結の時まで任期があるはずであったが，前述のとおり，平成29年３月11日開催の臨時株主総会において，発行可能種類株式総数及び発行する各種類の株式の内容の変更をしたことにより公開会社となるため，当該定款変更の効力発生時に，任期満了により退任する。

別紙１より，申請会社は監査役設置会社であり，監査役は１名以上要するが，後述のとおり，同臨時株主総会において，監査役の最低員数を満たす後任者が就任しているため，Ｄは，監査役としての権利義務を有することなく，退任する。

したがって，平成29年３月11日付けで，任期満了による退任登記を申請することができる。

＜添付書面＞

退任を証する書面として，定款変更決議をした平成29年３月11日付けの「(臨時)株主総会議事録」及び「種類株主総会議事録」を添付する（商登54Ⅳ）。

なお，取締役の権利義務関係が解消されたことは，同時に申請する取締役の就任登記から明らかとなるため，権利義務関係が解消されたことを証する書面を，別途添付することを要しない。

9－2　取締役A・B・C（就任）

<申請書記載例>

1．事　取締役の変更
1．登　○年○月○日次の者就任
　　　取締役○○
　　　取締役○○
　　　取締役○○
1．税　金３万円（登録税別表1.24.(1)カ）
　　　（但し，資本金の額が１億円以下の会社については，金１万円）
1．添　株主総会議事録　1通（商登46Ⅱ）
　　　株主の氏名又は名称，住所及び議決権数等を
　　　証する書面　1通（商登規61Ⅲ）
　　　就任を承諾したことを証する書面　○通（商登54Ⅰ）
　　　委任状　1通（商登18）

9－2－1　決議権限

別紙６より，株主総会において決議されているため，決議機関は適法である（会社329Ⅰ）。

9－2－2　決議形式

⑴　招集手続

別紙８より，株主全員が出席しているため，招集手続の瑕疵の有無については，検討することを要しない（最判昭60.12.20，最判昭46.6.24，昭43.8.30民甲2770号）。

⑵　決議要件

別紙６及び８より，議決権を行使することができる株主の議決権の過半数を有する株主が出席し（全員），出席した当該株主の議決権の過半数の賛成を得ているため（全員），決議要件を満たしている。

9－2－3　決議内容

別紙６より，取締役としてA，B及びCを選任している。

⑴　資格制限

資格制限に抵触する事実は示されていないため，適法である。

⑵ 員数制限

員数制限に抵触する事実は示されていないため，適法である。

9−2−4 就任承諾

別紙6より，被選任者は，選任決議に係る定時株主総会において席上即時に就任を承諾しているため，平成29年５月15日に就任の効力が生ずる。

9−2−5 添付書面

選任を証する書面として，平成29年５月15日付けの「(定時) 株主総会議事録」を添付する（商登46Ⅱ）。

登記すべき事項につき株主総会の決議を要する場合のため，「株主の氏名又は名称，住所及び議決権数等を証する書面」１通を添付する（商登規61Ⅲ）。

就任を承諾したことを証する書面として，席上即時に就任を承諾した旨の記載がある平成29年５月15日付けの株主総会議事録の記載を援用する（商登54Ⅰ）。

なお，A，B及びCは再任であるため（役員及び清算人の概要参照)，本人確認証明書を添付することを要しない。

9−3 取締役Ｂ（死亡）

<申請書記載例>

１．事　取締役の変更
１．登　○年○月○日取締役○○死亡
１．税　金３万円（登録税別表1.24.⑴カ）
　　　　（但し，資本金の額が１億円以下の会社については，金１万円）
１．添　退任を証する書面　　　　　　　　１通（商登54Ⅳ）
　　　　委任状　　　　　　　　　　　　　１通（商登18）

前提の知識

死亡による退任登記の退任日付

死亡によって役員及び会計監査人と会社との委任関係は当然に消滅するので（会社330，民653①)，死亡届の届出年月日や受領年月日は退任日付に何ら影響を与えない。

上述のとおり，取締役Ｂは，平成29年５月15日に選任され，同日就任しており，選任後２年以内に終了する事業年度のうち最終のものに関する定時株主総会の終結の時まで任期があるはずであったが，別紙９より，平成29年６月26日に死亡した。

したがって，平成29年６月26日付けで，死亡による退任登記を申請することができる。

＜添付書面＞

退任を証する書面として，「死亡を証する書面」を添付する（商登54Ⅳ）。

9－4　代表取締役Ａ（退任）

＜申請書記載例；代表取締役の退任登記のみを申請する場合＞

1．事	代表取締役の変更		
1．登	○年○月○日代表取締役○○退任		
1．税	金３万円（登録税別表1.24.⑴カ） （但し，資本金の額が１億円以下の会社については，金１万円）		
1．添	前提資格の喪失を証する書面	１通	（商登54Ⅳ）
	委任状	１通	（商登18）

前提の知識

代表取締役の資格喪失による退任登記の添付書面

代表取締役の資格喪失による退任登記の添付書面は，退任を証する書面であり（商登54Ⅳ），具体的には，前提資格である取締役の退任を証する書面である。通常は前提資格である取締役の退任登記も一括して申請されるため，別途添付する必要はない。しかし，取締役としては員数を欠くこととなり取締役としての権利義務を有する者になるが，代表取締役としては員数を欠くこととならず，代表取締役の資格喪失による退任登記のみ申請する場合には添付を要することとなる。

本問では，代表取締役Ａの選定日は，問題文上示されていないため，就任日に選定決議がされていると判断することとする。

別紙１より，代表取締役Ａは，平成27年５月20日に就任しているが，上述のとおり，平成29年３月11日に代表取締役の前提資格である取締役を任期満了により退任しているため，同日をもって代表取締役としても退任する。

しかし，その時点においては，代表取締役Ａの退任により代表取締役が存在しなくなり（役員及び清算人の概要参照），上述のとおり，Ａは，前提資格となる取締役の権利義務を有しているため，代表取締役の権利義務を有することとなる。

その後，後述のとおり，平成29年５月15日に代表取締役の後任者が就任したことにより，代表取締役の権利義務関係が解消する。

したがって，平成29年３月11日付けで，退任登記を申請することができる。

<添付書面>

前提資格である取締役としての退任登記と一括申請する場合であるので，別途代表取締役としての退任を証する書面（商登54Ⅳ）を添付することを要しない。

9－5 代表取締役A（就任）

<申請書記載例；取締役会設置会社>

1．事　代表取締役の変更
1．登　○年○月○日次の者就任
　　　○県○市○町○丁目○番○号
　　　　代表取締役○○
1．税　金３万円（登録税別表1.24.⑴カ）
　　　（但し，資本金の額が１億円以下の会社については，金１万円）
1．添　取締役会議事録　１通（商登46Ⅱ）
　　　就任を承諾したことを証する書面　○通（商登54Ⅰ）
　　　委任状　１通（商登18）

前提の知識

印鑑証明書添付の例外（取締役会設置会社の場合）

取締役会設置会社における代表取締役の就任登記の添付書面である印鑑証明書の添付については次の例外がある。

取締役会議事録についての印鑑証明書は，適法な代表者の交替を担保するものであり，代表者の「変更」の場合にのみ添付を要するが，変更前の代表取締役が権限をもって取締役会に出席し，届出印を押印している場合には添付不要である（商登規61Ⅵ但書）。

就任を承諾したことを証する書面についての印鑑証明書は，虚無人代表者の発生を防止するためのものであり，合併又は組織変更による設立の場合及び再任の場合には添付を要しない（商登規61Ⅴ・Ⅳ括弧書）。これらの例外に該当する場合には，当該議事録への届出印以外の押印，就任を承諾したことを証する書面への押印は，認印で足りることとなる。なお，「再任」には，代表取締役の権利義務を有する者が代表取締役に就任した場合も含まれる。

9－5－1 決議権限

別紙１より，申請会社は取締役会設置会社であり，別紙７より，取締役会において決議されているため，決議機関は適法である（会社362Ⅱ③）。

9−5−2 決議形式

⑴ 招集手続

別紙８より，取締役及び監査役の全員が出席しているため，招集手続の瑕疵の有無については，検討することを要しない。

⑵ 決議要件

別紙７及び８より,議決に加わることができる取締役の過半数が出席し（全員），その過半数の賛成を得ているため（全員），決議要件を満たしている。

9−5−3 決議内容

別紙７より，代表取締役としてＡを選定している。

⑴ 前提資格

前述のとおり，Ａは，平成29年５月15日の取締役会開催時点において，取締役として任期中であり（役員及び清算人の概要参照），代表取締役としての前提資格を有しているため，適法である。

⑵ 員数制限

員数制限に抵触する事実は示されていないため，適法である。

9−5−4 就任承諾

別紙７より，被選定者は，選定決議に係る取締役会において席上即時に就任を承諾しているため，平成29年５月15日に就任の効力が生ずる。

9−5−5 添付書面

⑴ 選定を証する書面及びこれに関する印鑑証明書

㈠ 取締役会議事録（商登46条２項）

Ａを代表取締役に選定している旨が記載されている平成29年５月15日付けの「取締役会議事録」を添付する。

㈡ 印鑑証明書の添付の要否（商登規61条６項３号）

別紙８より，取締役会議事録には従前からの代表取締役の届出印が押印されているため，取締役会議事録の印鑑についての証明書を添付することを要しない（商登規61Ⅵ但書）。

⑵ 就任を承諾したことを証する書面及びこれに関する印鑑証明書

㈠ 就任を承諾したことを証する書面（商登54条１項）

別紙７より，取締役会議事録には，被選定者が席上即時に就任を承諾した旨の記載があり，また，問題文（答案作成に当たっての注意事項）より，当該議事録に押された印鑑証明書を添付することもできる。したがって，就任を承諾したことを証する書面として，平成29年５月15日付けの取締役会議事録の記載を援用する。

(ロ)　印鑑証明書添付の要否（商登規61条５項・４項）

Ａは再任のため（役員及び清算人の概要参照），就任を承諾したことを証する書面の印鑑に押印した証明書を添付することは要しない。

9−6　取締役Ａ・Ｃ（職権抹消），代表取締役Ａ（職権抹消）

前提の知識

①　解散の登記に伴う職権抹消

会社法471条（４号及び５号を除く。）又は同法472条１項本文の規定による解散の登記がされたときは，次に掲げる登記は職権で抹消する記号が記録される（商登規59・72）。

(1)　取締役会設置会社である旨の登記並びに取締役，代表取締役及び社外取締役に関する登記

(2)　特別取締役による議決の定めがある旨の登記及び特別取締役に関する登記

(3)　会計参与設置会社である旨の登記及び会計参与に関する登記

(4)　会計監査人設置会社である旨の登記及び会計監査人に関する登記

(5)　監査等委員会設置会社である旨の登記，監査等委員である取締役に関する登記及び重要な業務執行の決定の取締役への委任についての定款の定めがある旨の登記

(6)　指名委員会等設置会社である旨の登記並びに委員，執行役及び代表執行役に関する登記

(7)　会社の支配人の登記

②　取締役，代表取締役，会計参与及び会計監査人の登記の職権抹消

会社の解散により，取締役，代表取締役，会計参与及び会計監査人は当然に退任するが，上述のとおり，これらの登記は登記官が職権で抹消する記号を記録するため，これらの退任登記を申請する必要はない（商登規72Ⅰ）。なお，会社の解散により監査役は当然には退任しない。

前述のとおり，取締役Ａ及びＣは，平成29年５月15日に就任しており，別紙２より，申請会社の定款には，取締役の任期は，選任後２年以内に終了する事業年度のうち最終のものに関する定時株主総会の終結の時までとする規定が設けられている

ため，平成29年６月27日時点で任期中であり，さらに，退任原因となる事実は示されていない。

会社が解散して会社法475条の規定により清算をする株式会社になったときは，取締役及び代表取締役は当然に退任するものと解されるので，以後それらを登記記録に公示しておくのは好ましくない。したがって，解散登記を実行する際，登記官が職権をもって取締役及び代表取締役の登記を抹消する記号を記録する（商登規72Ⅰ①）。

以上の検討より，解散登記の申請と同時に上記の者の退任登記を申請する必要はない。

9−7　監査役Ｆ（就任）

<申請書記載例；定足数についての定款の別段の定めがある場合>

１．事	監査役の変更		
１．登	○年○月○日監査役○○就任		
１．税	金３万円（登録税別表1.24.⑴カ） （但し，資本金の額が１億円以下の会社については，金１万円）		
１．添	定款	１通	（商登規61Ⅰ）
	株主総会議事録	１通	（商登46Ⅱ）
	株主の氏名又は名称，住所及び議決権数等を証する書面	１通	（商登規61Ⅲ）
	就任を承諾したことを証する書面	１通	（商登54Ⅰ）
	本人確認証明書	１通	（商登規61Ⅶ）
	委任状	１通	（商登18）

前提の知識

取締役及び監査役の就任登記の添付書面

取締役及び監査役の就任登記の添付書面は，原則として，株主総会議事録（商登46Ⅱ）と就任を承諾したことを証する書面（商登54Ⅰ）である。また，取締役及び監査役の就任（再任を除く。）による変更の登記の申請書には，取締役又は監査役が就任を承諾したことを証する書面に記載した取締役又は監査役の氏名及び住所と同一の氏名及び住所が記載されている市町村長その他の公務員が職務上作成した証明書（当該取締役又は監査役が原本と相違がない旨を記載した謄本を含む。以下「本人確認証明書」という。）を添付しなければならない。ただし，登記の申請書に商業登記規則61条４項，５項又は６項の規定により，当該取締役及び監査役の印鑑につき市町村長の作成した証明書を添付する場合は，当該書面の添付は不要である（商登規61Ⅶ但書）。

なお，就任を承諾したことを証する書面については，必ずしも独立の書面でなくともよく，被選任者が総会当日出席していて，その本人が総会場において就任を承諾したことが明らかである議事録でも十分であるとされる。これは，株主総会議事録は，議事の経過の要領及びその結果を記載すべきものとされた法定の書面であること（会社318Ⅰ，会社施規72Ⅲ③），並びに議事録の不実記載については過料の対象にされていることから（会社976⑦），記載の信用性は担保されているためである。ただし，就任を承諾したことを証する書面に記載した取締役又は監査役の氏名及び住所についての本人確認証明書の添付を要する場合には，席上承諾の旨の記載があり，かつ被選任者の住所の記載がされていなければ，議事録の記載を援用することはできない（平27.2.20民商18号通達）。

9−7−1　決議権限

別紙３より，株主総会において決議されているため，決議機関は適法である（会社329Ⅰ）。

9−7−2　決議形式

(1)　招集手続

別紙８より，議決権を有する株主全員が出席しているわけではないため，招集手続の瑕疵の有無の検討を要するが，特に招集手続に瑕疵がある旨の記載もないことから，招集手続は適法にされていると解することができる。

(2)　決議要件

前述のとおり，乙種株式の株主は，株主総会において議決権を有しない議決権制限株式であるため，別紙８より，平成29年３月11日開催の臨時株主総会第２号議案における総株主の議決権数は以下のとおりとなる。

株主名	普通株式	甲種株式	議決権数
W	1,200株	0株	1,200個
X	700株	0株	700個
Y	400株	0株	400個
Z	100株	0株	100個
合計	2,400株	0株	2,400個

別紙２より，申請会社は，定款（第22条）において，「当会社の監査役は，株主総会において議決権を行使することができる株主の議決権の３分の１以上を有する株主が出席し，出席した当該株主の議決権の過半数の決議によって選任する。」旨を定めている。

別紙３及び８より，議決権を行使することができる株主の議決権（2,400個）の３分の１以上（800個以上）を有する株主が出席したことから（W（1,200個）），株主総会の議案を審議することができる法令及び定款上の定足数を充当しており，出席した当該株主の議決権の過半数（601個以上）の賛成を得ているため（1,200個），決議要件を満たしている（会社341）。

9−7−3　決議内容

別紙３より，監査役としてFを選任している。

⑴　資格制限

資格制限に抵触する事実は示されていないため，適法である。

⑵　員数制限

員数制限に抵触する事実は示されていないため，適法である。

9−7−4　就任承諾

別紙５より，就任承諾書には，「私は，来たる平成29年３月11日に開催される臨時株主総会において選任されることを条件に，貴社の監査役に就任することを承諾いたします。」旨の記載があるが，このような事前承諾であっても就任承諾書として認められる。したがって，平成29年３月11日付けで就任の効力が生ずる。

9−7−5　添付書面

株主総会の特別決議について，定足数を軽減する旨の定款規定を証する書面として「定款」を添付する（商登規61Ⅰ）。

選任を証する書面として，平成29年３月11日付けの「（臨時）株主総会議事録」を添付する（商登46Ⅱ）。

登記すべき事項につき株主総会の決議を要する場合のため，「株主の氏名又は名称，住所及び議決権数等を証する書面」１通を添付する（商登規61Ⅲ）。

Fの「監査役の就任を承諾したことを証する書面」を添付する（商登54Ⅰ）。

Fの「本人確認証明書」を添付する（商登規61Ⅶ）。

10 清算人及び代表清算人の就任

結論

本問の場合，**清算人Ａ**，**Ｃ**及び**代表清算人Ａ**が**就任**した旨の登記を申請することができる。

<申請書記載例；最初の法定清算人・法定代表清算人が就任した場合>

1．事	○年○月○日清算人及び代表清算人の就任	
1．登	清算人　○○ 清算人　○○ ○県○市○町○丁目○番○号 　代表清算人　○○	
1．税	金9,000円（登録税別表1.24.(3)イ）	
1．添	定款	1通（商登73Ⅰ）
	委任状	1通（商登18）

10−1 清算人，代表清算人として就任すべき者

前提の知識

① **清算人の就任**

株式会社が解散したときは，原則として，取締役はその地位を失って，清算人が清算業務の遂行に当たることとなる。

清算株式会社には，１人又は２人以上の清算人を置かなければならない（会社477Ⅰ）。次に掲げる者は，清算株式会社の清算人となる。

(1) 定款で定める者（会社478Ⅰ②）

(2) 株主総会の決議（普通決議）によって選任された者（会社478Ⅰ③・309Ⅰ）

(3) 上記のいずれにも該当しない場合は，解散時の取締役が清算人となる(監査等委員会設置会社であった清算株式会社では，監査等委員である取締役以外の取締役，指名委員会等設置会社であった清算株式会社では，監査委員以外の取締役。)（会社478Ⅰ①・Ⅴ・Ⅵ，法定清算人)。

(4) 上記(1)から(3)の清算人が存在しない場合は，利害関係人の申立てにより裁判所が選任した者が清算人となる（会社478Ⅱ)。

(5)　上記(1)から(4)までにかかわらず，解散を命ずる裁判（会社824Ⅰ・833Ⅰ）によって解散した清算株式会社については，裁判所は，利害関係人若しくは法務大臣の申立てにより又は職権で，清算人を選任する（会社478Ⅲ）。

(6)　上記(1)から(4)までにかかわらず，会社法475条２号又は３号に掲げる場合に該当することとなった清算株式会社については，裁判所は，利害関係人の申立てにより，清算人を選任する（会社478Ⅳ）。

法定清算人は，解散と同時に就任する。なお，法定清算人となるべき解散時の取締役には，取締役としての権利義務を有する者も含むと解されている（昭49.11.15民四5938号）。なぜなら，取締役の権利義務を有するものは，任期満了又は辞任によって取締役の地位を退任しているというものの，法律の規定に基づき取締役と全く同一の職務権限等が与えられているのみならず，これを行使すべき義務を負っているのであって，引き続いて退任後も取締役の地位にあるのと実質的に何ら異なるところがないからである。また，取締役が死亡したり，前任者の退任に伴い後任者が選任されている等，取締役の変更があったにもかかわらず，その登記がされていない場合は，清算人就任登記の前提として，取締役の変更登記を行わなければならない（同先例）。

②　代表清算人の選定機関

清算人会が置かれていない清算株式会社は，定款，定款の定めに基づく清算人（裁判所によって選任された者を除く。）の互選又は株主総会の決議によって，清算人の中から代表清算人を定めることができる（会社483Ⅲ）。また，取締役が法定清算人となる場合において，代表取締役を定めていたときには，当該代表取締役が代表清算人となる（会社483Ⅳ）。このほか，裁判所は，会社法478条２項から４項までの規定により，清算人を選任する場合には，その清算人の中から代表清算人を定めることができる（会社483Ⅴ）。

なお，清算人会設置会社においては，清算人会は，清算人の中から代表清算人を選定しなければならない。ただし，他に代表清算人があるときは，この限りでない（会社489Ⅲ）。

問題文（答案作成に当たっての注意事項）及び別紙２より，申請会社の定款には，清算人又は代表清算人に関する規定は定められておらず，株主総会で清算人を選任した事実も示されていない。また，別紙２より，清算人会を置く旨の規定も定められていない。そして，前述のとおり，解散時の取締役としてＡ，Ｃ及び代表取締役としてＡが存在していたことが分かる（役員及び清算人の概要参照）。

したがって，Ａ及びＣが法定清算人となる。そして，取締役が法定清算人となる場合において，代表取締役を定めていたときに該当するため，解散時の代表取締役であるAが法定代表清算人となる。

10−2 登記の事由

前提の知識

最初の清算人の登記事項について

取締役が法定清算人となったときは，解散の日から本店の所在地においては2週間以内に，清算人の登記をしなければならない（会社928Ⅰ）。

また，最初の清算人については，その就任年月日及び就任の旨は，登記事項とされていない（昭41.8.24民甲2441号）。しかし，清算人の登記に登記期間の定めがある点から（会社928Ⅰ参照），登記期間の起算日を明確にする必要上，登記の事由欄に清算人就任の年月日を記載することとなる。

登記の事由として（代表）清算人の「就任」と記載するか「選任」と記載するかについては，文献により見解が異なるが，ここでは次の区分に従っている。

「就任」と記載する場合	・定款で定めた清算人の場合 ・法定清算人の場合
「選任」と記載する場合	・株主総会により選任した場合 ・裁判所が選任した場合

最初の法定清算人及び法定代表清算人に関する登記であるため，登記の事由に，

「平成29年6月27日清算人及び代表清算人の就任」

と記載する。

10−3 登記すべき事項

最初の清算人及び代表清算人については，その就任年月日は登記事項とならず，登記すべき事項欄への記載を要しない。

したがって，登記すべき事項には，

「清算人　A

清算人　C

東京都渋谷区北渋谷九丁目8番7号

代表清算人　A」

と記載する。

10−4 添付書面

前提の知識

① 就任を承諾したことを証する書面の添付の要否

法定清算人及び裁判所が選任した清算人を除いて，就任を承諾したことを証する書面の添付が必要である（商登73Ⅱ）。これは，法定清算人の場合，取締役と会社との間に存在した委任関係は，会社の解散及び清算の開始によって当然に消滅することなく，清算人と会社との間に存続することとなり，改めて清算人に就任することについての承諾をすることを要しないと解釈されることによる。また，裁判所が清算人を選任する場合には，その承諾を得てから選任していることによる。法定代表清算人及び裁判所が代表清算人の選定をした場合も，同様に扱われる。

<最初の清算人の就任登記の添付書面>

清算人の就任又は選任方法	法定清算人	定款規定	株主総会の選任	裁判所の選任
就任承諾書	不要	必要	必要	不要
その他の書面	定款	定款	定款 株主総会議事録	定款 選任決定書

② 定款の添付の要否

株式会社においては，解散後最初にする清算人の登記を申請する場合，常に定款を添付しなければならない（商登73Ⅰ）。

清算株式会社は，定款に定めることによって清算人会を置くことができると規定され（会社477Ⅱ），一部の場合を除いて，法律上清算株式会社に清算人会の設置が義務付けられているわけではない。よって，清算人会が置かれているかどうかを公示する必要が生じたため，清算人会設置会社である旨が登記事項とされている（会社928Ⅰ③）。それに伴い，清算人会設置の有無を定款により確認する必要があるため，最初の清算人の就任登記申請において，常に定款が添付書面とされている。

③ 印鑑証明書の添付の要否

代表清算人については，代表取締役についての商業登記規則61条6項が準用されていない。したがって，代表清算人の変更登記につき，清算人会議事録等に押印した印鑑につき印鑑証明書の添付は問題とならない（昭43.2.16民甲303号）。

また，商業登記規則61条４項・５項についての準用もない。したがって，清算人及び代表清算人の就任を承諾したことを証する書面に押印した印鑑の印鑑証明書の添付は問題とならず，就任を承諾したことを証する書面に実印を押印する必要がなくなるため，選定決議において席上就任承諾をすれば，常にその議事録をもって就任を承諾したことを証する書面として援用することができる。

解散後，最初にする清算人の登記を申請する場合であるため，「定款」を添付する（商登73Ⅰ）。

なお，法定清算人及び法定代表清算人の就任であるため，就任を承諾したことを証する書面を添付することを要しない（商登73Ⅱ参照）。

支配人の代理権消滅

結論

本問の場合，辞任による支配人Ｅの代理権消滅の登記を申請することはできない。なぜなら，**Ｅは，平成29年６月27日に営業主である会社が解散し，同日支配人の代理権は消滅しており，平成29年６月29日時点においてＥは支配人でないため，辞任することができない**からである。

前提の知識

支配人の代理権消滅原因

支配人の代理権の消滅原因としては以下のものがある。

・辞任
・解任
・営業主が破産手続開始の決定を受けたこと
・営業又は営業所の廃止
・支配人の死亡又は支配人が破産手続開始の決定若しくは後見開始の審判を受けたこと

※　営業主が個人商人の場合，営業主の死亡は支配人の代理権消滅の原因とはならない（大判大5.1.29）。

・会社が営業主であるときは会社の解散

支配人については取締役の欠格事由に関する会社法331条１項に相当する規定は存在しないので，保佐開始の審判の確定は，支配人の代理権消滅事由とはならない。

別紙９より，Ｅは，平成29年６月29日付けで支配人を辞任したい旨の届出書を申請会社に提出している。しかし，前述のとおり，平成29年６月27日の時点において，営業主である申請会社が解散したことにより，Ｅの支配人の代理権はすでに消滅しているため，辞任をすることはできない。

したがって，辞任による支配人Ｅの代理権の消滅は，登記することができない事項であるため，答案用紙の第３欄にその理由とともに記載する（解答例参照）。

なお，会社の解散の登記が申請されると，支配人の登記は職権で抹消されるため，解散による支配人Ｅの代理権の消滅の登記は申請することは要しない。

12 支店廃止

結論

本問の場合，**平成29年６月30日**付けで，**東京都中央区築地台八丁目９番１号**の**支店廃止**の登記を申請することができる。

<申請書記載例>

1．事	支店廃止		
1．登	○年○月○日○県○市○町○丁目○番○号の支店廃止		
1．税	金３万円（登録税別表1.24.(1)ツ）		
1．添	清算人の過半数の一致があったこと証する書面	1通	（商登46Ⅰ）
	委任状	1通	（商登18）

前提の知識

清算株式会社における支店廃止の決議権限

支店廃止は，業務執行機関の決定により行う。清算人会設置会社においては，清算人会が支店廃止の決議をし（会社489Ⅵ④），それ以外の会社においては，清算人が支店廃止の決定をする（会社482Ⅰ）。ただし，清算人が２人以上ある場合には，定款に別段の定めがある場合を除き，清算人の過半数をもって決定する（会社482Ⅱ）。なお，清算人（清算人会設置会社においては清算人会）は，支店廃止についての決定を各清算人に委任することはできない（会社482Ⅲ②・489Ⅵ④）。

12−1 決定権限

別紙2及び前述のとおり，申請会社は清算人会を置かない清算株式会社であり，また，定款に別段の定めのないため，清算株式会社の業務は，清算人の過半数の一致をもって決定される（会社482Ⅱ）。

したがって，別紙9より，適法に決定した旨の記載があるため，清算人の過半数の一致により決定されたものと判断することができる。

なお，清算人会を置かない清算株式会社の場合は，株主総会の決議により定めることもできるため，株主総会の普通決議により決定したと考える余地もある。

12−2 決定形式

⑴ 招集手続

別紙9より，適法に決定した旨の記載があるため，招集手続に瑕疵はないものと判断することができる。

⑵ 決議要件

別紙9より，適法に決定した旨の記載があるため，決議要件を満たしていると判断することができる。

12−3 決定内容

別紙9より，平成29年6月30日付けで，東京都中央区築地台八丁目9番1号の支店を廃止する旨の決定をしている。

12−4 効力発生日

別紙9より，平成29年6月30日付けで支店を廃止する旨を適法に決定している。したがって，平成29年6月30日に支店廃止の効力が生ずる。

12−5 登記すべき事項

登記すべき事項には，
「平成29年6月30日東京都中央区築地台八丁目9番1号の支店廃止」
と記載する。

12−6 添付書面

支店廃止の決定をしたことを証する書面として，「清算人の過半数の一致があったことを証する書面」を添付する（商登46 I）。

株主総会の決議により決定したと考える場合は,「株主総会議事録」１通及び「株主の氏名又は名称,住所及び議決権数等を証する書面」１通を添付する（商登46 II,商登規61 III）。

第１欄

【登記の事由】
本店移転 発行可能種類株式総数及び発行する各種類の株式の内容の変更 取締役，代表取締役及び監査役の変更 支配人を置いた営業所の移転
【登記すべき事項】
平成29年５月15日本店移転 　本店　東京都中央区築地台八丁目９番１号 平成29年３月11日発行可能種類株式総数及び発行する各種類の株式の内容の変更 　普通株式　6000株 　甲種株式　2000株 　乙種株式　1000株 　　甲種株式は，毎事業年度において，普通株式に先立ち年３％の剰余金の配当を受けるものとする。 　　乙種株式は，毎事業年度において，普通株式に先立ち年６％の剰余金の配当を受けるものとする。ただし，乙種株式は株主総会において一切の議決権を有しない。 同日次の者退任 　取締役　A 　取締役　B 　取締役　C 　監査役　D 　代表取締役　A 同日監査役Ｆ就任 平成29年５月15日次の者就任 　取締役　A 　取締役　B 　取締役　C 　東京都渋谷区北渋谷九丁目８番７号 　　代表取締役　A

【登記すべき事項（続き）】	
同日東京都中央区西京橋一丁目１番１号の支配人Ｅを置いた営業所の移転 　支配人Ｅを置いた営業所 　　東京都中央区築地台八丁目９番１号	
【登録免許税額】	
金９万円	
【添付書面の名称及び通数】	
定款	１通
株主総会議事録	２通
種類株主総会議事録	１通
株主の氏名又は名称，住所及び議決権数等を証する書面（株主リスト）	４通　※
取締役会議事録	１通
取締役の就任を承諾したことを証する書面 　株主総会議事録の記載を援用する	
代表取締役の就任を承諾したことを証する書面 　取締役会議事録の記載を援用する	
監査役の就任を承諾したことを証する書面	１通
本人確認証明書	１通
委任状	１通
※　「２通又は３通」と解答してもよいと解される。	

平成29年

第２欄

【登記の事由】
取締役の変更 解散 平成29年６月27日清算人及び代表清算人の就任 支店廃止
【登記すべき事項】
平成29年６月26日取締役Ｂ死亡 平成29年６月27日存続期間の満了により解散 清算人　Ａ 清算人　Ｃ 東京都渋谷区北渋谷九丁目８番７号 　代表清算人　Ａ 平成29年６月30日東京都中央区築地台八丁目９番１号の支店廃止

【登録免許税額】	
金９万9,000円	

【添付書面の名称及び通数】	
定款	１通
清算人の過半数の一致があったことを証する書面	１通　※
死亡を証する書面	１通
委任状	１通
※「株主総会議事録	１通
株主の氏名又は名称，住所及び議決権数等を証する書面	１通」
と解答してもよいと解される。	

第３欄

支配人Ｅの辞任の件

　会社の支配人の代理権は，営業主である会社の解散によって消滅する。
　Ｅは，申請会社に対し，平成29年６月29日に同日付けで支配人を辞任する旨の届出書を提出しているが，平成29年６月27日時点において，営業主である申請会社は解散したことにより，Ｅの支配人の代理権は消滅しているため，辞任することはできない。
　よって，辞任による支配人の代理権の消滅は登記することができない事項となる。

問題 平成28年

本問題の日付は、出題当時の本試験問題に合わせておりますが、法令等については、令和７年４月１日時点において施行されているもの（本書作成時点において施行予定のものを含む。）を適用した上で、解答を作成してください。

司法書士法務朝子は，平成28年６月１日に事務所を訪れたワンツー株式会社の代表者から，別紙１から３までの書類のほか，登記申請に必要な書類の提示を受けて確認を行い，別紙８のとおり事情を聴取し，登記すべき事項や登記のための要件などを説明した。そして，司法書士法務朝子は，ワンツー株式会社の代表者から必要な登記の申請書の作成及び登記申請の代理の依頼を受けた。

また，司法書士法務朝子は，同年７月１日に事務所を訪れたスリー株式会社の代表者及びワンツー株式会社の代表者から，別紙２及び４から７までの書類のほか，登記申請に必要な書類の提示を受けて確認を行い，別紙９のとおり事情を聴取し，登記すべき事項や登記のための要件などを説明した。そして，司法書士法務朝子は，スリー株式会社の代表者及びワンツー株式会社の代表者から必要な登記の申請書の作成及び登記申請の代理の依頼を受けた。

司法書士法務朝子は，これらの依頼に基づき，登記申請に必要な書類の交付を受け，管轄登記所に対し，会社法の定める登記申請期間内である，同年６月２日及び同年７月４日にそれぞれの登記の申請をすることとした。

以上に基づき，次の問１から問３までに答えなさい。

問１　平成28年６月２日に司法書士法務朝子が申請をした登記の申請書に記載すべき登記の事由，登記すべき事項，登録免許税額並びに添付書面の名称及び通数を答案用紙の第１欄に記載しなさい。ただし，登録免許税額の内訳については，記載することを要しない。

問２　平成28年７月４日に司法書士法務朝子が申請をすべき登記のうち，スリー株式会社に関する登記の申請書に記載すべき登記の事由，登記すべき事項，登録免許税額並びに添付書面の名称及び通数を答案用紙の第２欄に記載しなさい。ただし，登録免許税額の内訳については，記載することを要しない。

なお，同時に申請すべきワンツー株式会社に関する登記については，記載することを要しない。

問３　ワンツー株式会社及びスリー株式会社の代表者から受領した書面及び聴取した内容のうち，登記することができない事項がある場合には，当該事項及びその理由を答案用紙の第３欄に記載しなさい。

（答案作成に当たっての注意事項）

1　登記申請書の添付書面については，全て適式に調えられており，所要の記名・押印がされているものとする。

2　登記申請書の添付書面については，他の書面を援用することができる場合でも，援用しないものとする。

3　解答欄の各欄に記載すべき事項がない場合には，該当の欄に「なし」と記載すること。

4　ワンツー株式会社及びスリー株式会社の定款には，別紙１から９までに現れている以外には，会社法の規定と異なる定めは，存しないものとする。

5　別紙中，（記載省略）又は（以下省略）と記載されている部分は，いずれも，有効な記載があるものとする。

6　被選任者及び被選定者の就任承諾は，選任され，又は選定された日に適法に得られているものとする。

7　平成28年６月２日に申請をした登記及び同年７月４日に申請すべき登記に関し，官庁の許可又は官庁への届出を要する事項はないものとする。

8　添付書面の名称及び通数欄の解答においては，商業登記規則第61条第２項及び第３項の書面（いわゆる株主リスト）の記載を要しないものとする。

9　申請書に会社法人等番号を記載することによる登記事項証明書の添付の省略は，しないものとする。

10　東京都中央区は東京法務局，大阪市中央区は大阪法務局の管轄である。

11　登記の申請に伴って必要となる印鑑の提出手続は，適式にされているものとする。

12　数字を記載する場合には，算用数字を使用すること。

13　訂正，加入又は削除をしたときは，押印や字数を記載することを要しない。ただし，訂正は訂正すべき字句に線を引き，近接箇所に訂正後の字句を記載し，加入は加入する部分を明示して行い，削除は削除すべき字句に線を引いて，訂正，加入又は削除をしたことが明確に分かるように記載すること。

14　ワンツー株式会社は，金融商品取引法（昭和23年法律第25号）第２条第16項に規定する金融商品取引所に上場されている株式を発行している株式会社には該当しないものとする。

別紙1
【平成28年５月30日現在のワンツー株式会社に係る登記記録の抜粋】

商号　ワンツー株式会社
本店　東京都中央区中央一丁目１番１号
公告をする方法　電子公告の方法により行う。
　　　　　　　　http://www.onetwo○○.co.jp/
会社成立の年月日　平成15年４月１日
目的　１　不動産の売買及びその仲介
　　　２　衣料品の販売
　　　３　前各号に附帯する一切の業務
発行可能株式総数　２万株
発行済株式の総数　5000株
資本金の額　金５億円
役員に関する事項　取締役　Ａ　平成27年５月30日重任
　　　　　　　　　取締役　Ｂ　平成27年５月30日重任
　　　　　　　　　取締役　Ｃ　平成27年５月30日就任
　　　　　　　　　東京都新宿区甲町１番地
　　　　　　　　　代表取締役　Ａ　平成27年５月30日重任
　　　　　　　　　監査役　Ｄ　平成25年５月28日重任
　　　　　　　　　監査役（社外監査役）　Ｅ　平成25年５月28日就任
　　　　　　　　　監査役（社外監査役）　Ｆ　平成25年５月28日就任
　　　　　　　　　会計監査人　さくら花子　平成27年５月30日重任
第１回新株予約権
　新株予約権の数
　　100個
　新株予約権の目的たる株式の種類及び数又はその算定方法
　　普通株式　100株
　募集新株予約権の払込金額若しくはその算定方法又は払込を要しないとする旨
　　１個当たり金１万円
　新株予約権の行使に際して出資される財産の価額又はその算定方法
　　１個当たり金９万円

新株予約権を行使することができる期間
　平成26年６月１日から平成28年５月31日まで
新株予約権の行使の条件
　なし
会社が新株予約権を取得することができる事由及び取得の条件
　なし

平成24年６月１日発行

取締役会設置会社に関する事項　取締役会設置会社
監査役設置会社に関する事項　監査役設置会社
監査役会設置会社に関する事項　監査役会設置会社
会計監査人設置会社に関する事項　会計監査人設置会社
登記記録に関する事項　設立

別紙２

【平成28年５月30日開催のワンツー株式会社の定時株主総会における議事の概要】

［報告事項］

1　第13期（平成27年４月１日から平成28年３月31日まで）事業報告及び計算書類報告の件

　上記の内容につき詳細な報告があった。

2　第13期（平成27年４月１日から平成28年３月31日まで）計算書類報告の件

　上記の内容につき詳細な報告があった。

［決議事項］

第１号議案　定款一部変更の件

　次のとおり，定款の一部変更を求めたところ，可決承認された（下線は変更部分）。

変更前	変更後
（機関構成） 第４条　当会社は，株主総会及び取締役のほか，次の機関を置く。 ⑴　取締役会 ⑵　監査役 ⑶　監査役会 ⑷　会計監査人	（機関構成） 第４条　当会社は，株主総会及び取締役のほか，次の機関を置く。 ⑴　取締役会 ⑵　監査等委員会 【削る】 ⑶　会計監査人
（取締役の員数） 第17条　当会社の取締役は，10名以内とする。 【新設】	（取締役の員数） 第17条　当会社の取締役（監査等委員である取締役を除く。）は，10名以内とする。 ②当会社の監査等委員である取締役は，８名以内とする。
（選任方法） 第18条　取締役は，株主総会の決議によって選任する。 ②＜条文省略＞ ③＜条文省略＞	（選任方法） 第18条　取締役は，監査等委員である取締役とそれ以外の取締役とを区別して，株主総会の決議によって選任する。 ②＜現行どおり＞ ③＜現行どおり＞

（取締役の任期） 第19条　取締役の任期は，選任後２年以内に終了する事業年度のうち最終のものに関する定時株主総会終結の時までとする。	（取締役の任期） 第19条　取締役（監査等委員である取締役を除く。）の任期は，選任後１年以内に終了する事業年度のうち最終のものに関する定時株主総会終結の時までとする。
【新設】	②監査等委員である取締役の任期は，選任後２年以内に終了する事業年度のうち最終のものに関する定時株主総会終結の時までとする。
【新設】	③任期の満了前に退任した監査等委員である取締役の補欠として選任された監査等委員である取締役の任期は，退任した監査等委員である取締役の任期の満了する時までとする。
【新設】	（重要な業務執行の決定の委任） 第23条　取締役会は，会社法第399条の13第６項の規定により，その決議によって重要な業務執行（同条第5項各号に掲げる事項を除く。）の決定の全部又は一部を取締役に委任することができる。
第30条（監査役の員数）から 第37条（監査役会の議事録）まで	【削除】
【新設】	（監査等委員会の招集通知） 第38条　監査等委員会の招集通知は，会日の３日前までに各監査等委員に対して発する。ただし，緊急に招集する必要があるときは，この期間を短縮することができる。 ②監査等委員会は，監査等委員の全員の同意があるときは，招集の手続を経ないで開催することができる。

第２号議案　取締役（監査等委員である取締役を除く。）３名選任の件
取締役３名を選任することが諮られ，下記のとおり選任された。

取締役　A

取締役　B

取締役　G　（社外取締役）

なお，被選任者は，いずれも席上就任を承諾した。

第３号議案　監査等委員である取締役３名選任の件
監査等委員である取締役３名を選任することが諮られ，下記のとおり選任された。

監査等委員である取締役　D

監査等委員である取締役　E　（社外取締役）

監査等委員である取締役　F　（社外取締役）

なお，被選任者は，いずれも席上就任を承諾した。

第４号議案　吸収分割契約承認の件
別紙（※別紙４）の吸収分割契約を承認することが諮られ，原案どおり可決承認された。

別紙３
【平成28年５月30日開催のワンツー株式会社の取締役会における議事の概要】

第１号議案　代表取締役選定の件
　代表取締役を選定することが諮られ，下記のとおり選定された。
　　　　　　東京都新宿区甲町１番地　代表取締役　A
　なお，被選定者は，席上就任を承諾した。

別紙４
【平成28年５月13日付けの吸収分割契約書の抜粋】

スリー株式会社（以下「甲」という。）及びワンツー株式会社（以下「乙」という。）は，次のとおり吸収分割契約を締結する。

第１条（吸収分割の方法）
甲は，吸収分割により，乙から乙の婦人服販売事業に関する権利義務を承継し，乙は，甲にこれを承継させる。

第２条（効力発生日）
効力発生日は，平成28年７月１日とする。

第３条（承継する権利義務）
吸収分割により，甲が乙から承継する権利義務は，後記「承継する権利義務等の明細」に定めるところによる。なお，乙は，効力発生日をもって，甲が承継する一切の債務につき，併存的債務引受をする。

第４条（分割対価の交付）
甲は，吸収分割に際して株式1000株を発行し，その全てを乙に対して交付する。

第５条（資本金等の額）
甲が吸収分割により増加する資本金及び準備金の額については，下記のとおりとする。
⑴増加する資本金の額　　　　金2500万円
⑵増加する資本準備金の額　　金2500万円

（以下省略）

「承継する権利義務等の明細」
１．承継する資産　　　　（記載省略）
２．承継する負債　　　　（記載省略）
３．雇用契約等　　　　　（記載省略）

（以下省略）

別紙５
【平成28年６月28日現在のスリー株式会社に係る登記記録の抜粋】

商号　スリー株式会社
本店　大阪市中央区中央一丁目１番１号
公告をする方法　官報に掲載してする。
会社成立の年月日　平成20年９月１日
目的　１　飲食店の経営
　　　２　衣料品の販売
　　　３　前各号に附帯する一切の業務
発行可能株式総数　２万株
発行済株式の総数　1000株
資本金の額　金5000万円
株式の譲渡制限に関する規定　当会社の株式を譲渡により取得するには，取締役会の承認を要する。
役員に関する事項　取締役　Ｈ　平成26年８月25日重任
　取締役　Ｉ　平成26年８月25日重任
　取締役　Ｊ　平成26年８月25日就任
　大阪市北区乙町１番地
　代表取締役　Ｈ　平成26年８月25日重任
　監査役　Ｋ　平成26年８月25日重任
　監査役の監査の範囲を会計に関するものに限定する旨の定めがある。
取締役会設置会社に関する事項　取締役会設置会社
監査役設置会社に関する事項　監査役設置会社
登記記録に関する事項　設立

別紙６
【平成28年６月28日開催のスリー株式会社の臨時株主総会における議事の概要】

第１号議案　定款一部変更の件
　次のとおり，定款の一部変更を求めたところ，可決承認された（下線は変更部分）。

変更前	変更後
（監査役の設置及び監査役の員数） 第34条　当会社は，監査役を置く。ただし，監査役の権限は会計に関するものに限定する。 ②＜条文省略＞	（監査役の設置及び監査役の員数） 第34条　当会社は，監査役を置く。 ②＜現行どおり＞

第２号議案　吸収分割契約承認の件
　別紙（※別紙４）の吸収分割契約を承認することが諮られ，原案どおり可決承認された。

第３号議案　取締役１名選任の件
　第２号議案で承認された吸収分割の効力が発生することを条件として，取締役１名を選任することが諮られ，下記のとおり選任された。
　　　取締役　A
　　　就任日　平成28年７月１日

第４号議案　監査役１名選任の件
　監査役１名を選任することが諮られ，下記のとおり選任された。
　　　監査役　L
　なお，被選任者は，席上就任を承諾した。

別紙７
【平成28年６月28日開催のスリー株式会社の取締役会における議事の概要】

第１号議案　代表取締役選定の件
本日の臨時株主総会で承認された吸収分割の効力が発生することを条件として，代表取締役を選定することが諮られ，下記のとおり選定された。
東京都新宿区甲町１番地　代表取締役　A
就任日　平成28年７月１日

別紙８
【司法書士法務朝子の聴取記録（平成28年６月１日）】

1　平成28年５月30日，ワンツー株式会社の定時株主総会は東京都中央区内において開催され，適法に成立した。その議事の概要は別紙２のとおりである。

2　平成28年５月30日，ワンツー株式会社の定時株主総会終結後に開催された取締役会には，監査等委員である取締役及びそれ以外の取締役全員が出席した。別紙３の取締役会の議事録には，Ａが登記所に提出している印鑑が押印されている。

3　平成28年５月30日開催のワンツー株式会社の定時株主総会で選任された取締役のうちＧ並びに監査等委員である取締役のうちＥ及びＦは，いずれも社外取締役の要件を満たしている。

4　平成28年５月１日から平成28年５月31日までの間に，ワンツー株式会社の第１回新株予約権者のうち３名が，次のとおり新株予約権を有効に行使した。当該行使時における第１回新株予約権の帳簿価額は，新株予約権１個当たり金１万円であった。なお，ワンツー株式会社は設立から現在まで自己株式を有したことはない。

行使した日	行使した新株予約権者	行使した新株予約権個数
平成28年５月６日	甲	30個
平成28年５月16日	乙	20個
平成28年５月31日	丙	40個

5　第１回新株予約権の行使により増加する資本金の額は，資本金等増加限度額の２分の１の金額とすることが，第１回新株予約権の募集事項に係る取締役会決議において決定されていた。

6　いずれの登記についても，登記懈怠がない形で登記の申請をしてほしい。

別紙９

【司法書士法務朝子の聴取記録（平成28年７月１日）】

1　平成28年６日28日，スリー株式会社の臨時株主総会は大阪市内において開催され，適法に成立した。その議事の概要は別紙６のとおりである。

2　平成28年６月28日，スリー株式会社の臨時株主総会終結後に開催された取締役会には，取締役及び監査役全員が出席した。別紙７の取締役会議事録には，Hが登記所に提出している印鑑が押印されている。

3　別紙４の吸収分割契約において，吸収分割の対価とされたのは，第４条に記載された株式のみである。また，同吸収分割における株主資本等変動額は，5000万円である。

4　別紙４の吸収分割契約に係る吸収分割において，債権者の保護手続は，法令上必要とされる範囲で適法に行われ，当該吸収分割に対して異議を述べた債権者はいなかった。なお，当該吸収分割をするに当たり，ワンツー株式会社及びスリー株式会社には，知れている債権者があった。

5　会社分割に伴う労働契約の承継等に関する法律に基づく所要の手続は，適法に完了していることを確認した。

平成28年●答案用紙

第１欄

【登記の事由】
【登記すべき事項】

【登録免許税額】
【添付書面の名称及び通数】

第２欄

【登記の事由】
【登記すべき事項】

【登録免許税額】
【添付書面の名称及び通数】

第３欄

【登記することができない事項】
【理由】

[本問の重要論点一覧表]

出題範囲	重要論点	解説箇所
監査役設置会社の定めの廃止	監査等委員会設置会社及び指名委員会等設置会社は，監査役を置いてはならない。	P579参照
監査役会設置会社の定めの廃止	監査役会設置会社の定めを廃止した場合，原則として，監査役会設置会社の定めを廃止した旨，監査役会設置会社の定めの廃止により社外監査役の登記を抹消する旨及び変更年月日を登記することとなる。	P580参照
監査等委員会設置会社の定めの設定	監査等委員会は，３人以上の取締役から構成され，その過半数は社外取締役でなければならない。また，代表取締役は，監査等委員である取締役以外の取締役の中から選定する必要があるため，最低４人の取締役が必要となる。	P583参照
重要な業務執行の決定の取締役への委任についての定めの設定	監査等委員会設置会社においては，取締役の過半数が社外取締役である場合，又は定款の定めがある場合には，取締役会の決議によって，重要な業務執行（会社399条の13第５項各号に列挙されている事項を除く。）の決定の全部又は一部を取締役に委任することができる。	P585参照
新株予約権の行使	新株予約権の行使があった場合の変更の登記は，行使があった月の末日から２週間以内にすれば足りる。	P587参照
新株予約権の行使期間満了	行使期間を過ぎた新株予約権については，新株予約権の行使期間の満了により新株予約権が消滅した旨の登記を申請しなければならない。	P591参照
監査役の監査の範囲を会計に関するものに限定する旨の定款の定めの廃止	監査役の監査の範囲を会計に関するものに限定する旨の定款の定めを廃止した場合には，その旨の登記をしなければならない。	P592参照

出題範囲	重要論点	解説箇所
吸収分割	吸収分割承継株式会社が吸収分割に際して吸収分割会社に対してその事業に関する権利義務の全部又は一部に代わる吸収分割承継株式会社の株式を交付するときは，当該株式の数又はその数の算定方法並びに当該吸収分割承継株式会社の資本金及び準備金の額に関する事項を吸収分割契約において定めなければならない。	P599参照
役員の変更	監査役の監査の範囲を会計に関するものに限定する旨の定款の定めを廃止したときは，その定款変更の効力が生じた時に監査役の任期は満了する。	P607参照
	監査等委員会設置会社の定めの設定により，従前の取締役が退任と同時に監査等委員である取締役に就任した場合の登記原因は，退任及び就任であるが，退任と同時に監査等委員である取締役以外の取締役に就任した場合の登記原因は，重任である。	P613参照

1 役員等の概要（ワンツー株式会社）

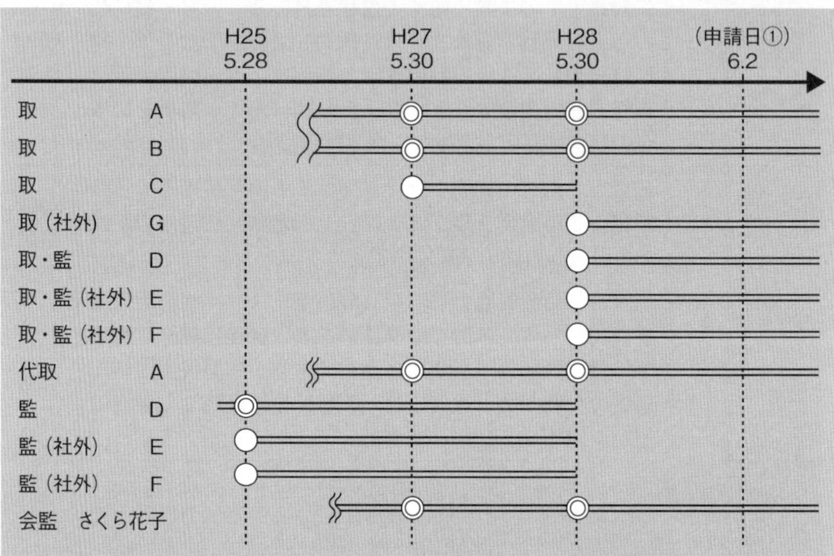

2 役員の概要（スリー株式会社）

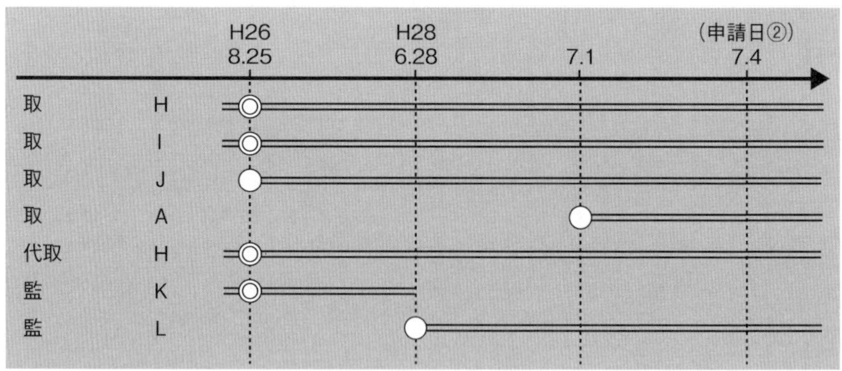

═══	任期中	◎	重任	△	辞任	□	欠格
-・-・-・-	権利義務	○	就任	×	死亡	■	解任

3 印鑑証明書及び本人確認証明書の通数

＜平成28年６月２日申請分＞

	印鑑証明書の添付を要する書面			本人確認証明書（商登規61条7項）
	就任承諾書（商登規61条4・5項）	選定証明書（商登規61条6項）	辞任届（商登規61条8項）	
取　A		×（届）		×（再）
取　B		×（届）		×（再）
取　C		×（届）		×（再）
取（社外）　G				○
取・監　D				○
取・監（社外）E				○
取・監（社外）F				○
代取　A	×（再）			
監（社外）　E		×（届）		
監（社外）　F		×（届）		
合計	０通			４通

○…添付必要
×…添付不要
（届）…従前からの代表取締役の届出印で押印しているため
（再）…再任のため
（印）…商登規61条４項，５項又は６項の規定により印鑑証明書を添付するため

<平成28年7月4日申請分>

	印鑑証明書の添付を要する書面			本人確認証明書（商登規61条7項）
	就任承諾書（商登規61条4・5項）	選定証明書（商登規61条6項）	辞任届（商登規61条8項）	
取　H				
取　I				
取　J				
取　A				○
代取　H				
監　K				
監　L				○
合計	0通			2通

○…添付必要
×…添付不要
（届）…従前からの代表取締役の届出印で押印しているため
（再）…再任のため
（印）…商登規61条4項，5項又は6項の規定により印鑑証明書を添付するため

4 株主の氏名又は名称，住所及び議決権数等を証する書面（株主リスト）の検討

4−1 株主の氏名又は名称，住所及び議決権数等を証する書面（株主リスト）の添付を要する場合等の検討

前提の知識

① **株主総会の決議を要する場合の株主の氏名又は名称，住所及び議決権数等を証する書面（株主リスト）**

登記すべき事項につき株主総会の決議を要する場合には，申請書に，総株主の議決権（当該決議において，行使することができるものに限る。）の数に対するその有する議決権の数の割合が高いことにおいて上位となる株主であって，次に掲げる人数のうちいずれか少ない人数の株主の氏名又は名称及び住所，当該株主のそれぞれが有する株式の数及び議決権の数並びに当該株主のそれぞれが有する議決権に係る当該割合を証する書面を添付しなければならない（商登規61Ⅲ）。

⑴ 10名

⑵ その有する議決権の数の割合を当該割合の多い順に順次加算し，その加算した割合が３分の２に達するまでの人数

なお，当該決議には会社法319条１項の規定により決議があったものとみなされる場合が含まれる。

② **株主又は種類株主の全員の同意を要する場合の株主の氏名又は名称，住所及び議決権数等を証する書面（株主リスト）**

登記すべき事項につき株主全員又は種類株主の全員の同意を要する場合には，申請書に，株主又は種類株主について，それぞれ次に掲げる事項を証する書面を添付しなければならない（商登規61Ⅱ）。

⑴ 株主　株主全員の氏名又は名称及び住所並びに各株主が有する株式の数（種類株式発行会社にあっては，株式の種類及び種類ごとの数を含む。）及び議決権の数

⑵ 種類株主　当該種類株主全員の氏名又は名称及び住所並びに当該種類株主のそれぞれが有する当該種類の株式の数及び当該種類の株式にかかる議決権の数

③ **株主の氏名又は名称，住所及び議決権数等を証する書面（株主リスト）の通数**

株主の氏名又は名称，住所及び議決権数等を証する書面は，株主総会決議を要する登記事項ごとに作成する必要がある。ただし，一の株主総会において，複数の議案で各株主の議決権数が変わらない場合は，その旨記載の上，1通を提出すれば足りる。

4－1－1　株主の氏名又は名称，住所及び議決権数等を証する書面（株主リスト）の添付を要する事項

第1欄

株主の氏名又は名称，住所及び議決権数等を証する書面の添付を要する株主総会決議
平成28年5月30日付けワンツー株式会社の定時株主総会 　監査役設置会社の定めの廃止の件 　監査役会設置会社の定めの廃止の件 　監査等委員会設置会社の定めの設定の件 　重要な業務執行の決定の取締役への委任についての定めの設定の件 　役員変更の件

第2欄

株主の氏名又は名称，住所及び議決権数等を証する書面の添付を要する株主総会決議
平成28年5月30日付けワンツー株式会社の定時株主総会 　吸収分割契約の承認の件
平成28年6月28日付けスリー株式会社の臨時株主総会 　監査役の監査の範囲を会計に関するものに限定する旨の定款の定めの廃止の件 　吸収分割契約の承認の件 　役員変更の件

5 課税標準金額・登録免許税

＜平成28年６月２日申請分＞

課税標準金額	金450万円

<table>
<tr><th colspan="2">登記事項</th><th colspan="2">登録免許税</th></tr>
<tr><td colspan="2">資本金の額増加分</td><td>金450万円×７/1,000
＝金３万1,500円　※１</td><td>登録税別表
1.24.(1)ニ</td></tr>
<tr><td colspan="2">監査役会設置会社の
定めの廃止分</td><td rowspan="2">金３万円</td><td rowspan="2">登録税別表
1.24.(1)ワ</td></tr>
<tr><td colspan="2">監査等委員会設置会社の
定めの設定分</td></tr>
<tr><td colspan="2">役員等変更分</td><td>金３万円　※２</td><td>登録税別表
1.24.(1)カ</td></tr>
<tr><td rowspan="3">他の変更分</td><td>監査役設置会社の定めの廃止</td><td rowspan="3">金３万円</td><td rowspan="3">登録税別表
1.24.(1)ツ</td></tr>
<tr><td>重要な業務執行の決定の取締役
への委任についての定めの設定</td></tr>
<tr><td>新株予約権の行使期間満了</td></tr>
<tr><td colspan="2">合計</td><td colspan="2">金12万1,500円　※３</td></tr>
</table>

※１　課税標準金額のある登記と課税標準金額のない登記とを一括申請する場合には，登録免許税額の内訳を記載する。

※２　役員等変更の登録免許税額は金３万円であるが，資本金の額が１億円以下の会社の場合は金１万円である（登録税別表1.24.(1)カ）。

※３　異なる区分に属する数個の登記事項を同一の申請書で申請する場合には各登記の区分の税率を適用した計算金額の合計額となる（登録税18）。

＜平成28年７月４日申請分＞

課税標準金額	金2,500万円

登記事項	登録免許税	
吸収分割による資本金の額増加分	金2,500万円×７/1,000 ＝金17万5,000円　※１	登録税別表 1.24.⑴チ
監査役の監査の範囲を会計に関するものに限定する旨の定款の定めの廃止分 役員変更分	金１万円　※２	登録税別表 1.24.⑴カ
合計	金18万5,000円　※３	

※１　課税標準金額のある登記と課税標準金額のない登記とを一括申請する場合には，登録免許税額の内訳を記載する。

※２　役員等変更の登録免許税額は金３万円であるが，資本金の額が１億円以下の会社の場合は金１万円である（登録税別表1.24.⑴カ）。

※３　異なる区分に属する数個の登記事項を同一の申請書で申請する場合には各登記の区分の税率を適用した計算金額の合計額となる（登録税18）。

6 監査役設置会社の定めの廃止（ワンツー株式会社）

結論

本問の場合，**平成28年５月30日**付けで，**監査役設置会社の定め**を**廃止**する旨の登記を申請することができる。

なお，監査役の退任登記については，後述する。

＜申請書記載例＞

１．事　監査役設置会社の定めの廃止
１．登　○年○月○日監査役設置会社の定め廃止
１．税　金３万円（登録税別表1.24.⑴ツ）
１．添　株主総会議事録　　　　　　　　　　１通（商登46Ⅱ）
　　　　委任状　　　　　　　　　　　　　　１通（商登18）

前提の知識

① **監査役の設置義務**

取締役会設置会社（監査等委員会設置会社及び指名委員会等設置会社を除く。）は，監査役を置かなければならない。ただし，公開会社でない会計参与設置会社については，この限りでない（会社327Ⅱ）。監査等委員会設置会社及び指名委員会等設置会社は，監査役を置いてはならない（会社327Ⅳ）。

会計監査人設置会社（監査等委員会設置会社及び指名委員会等設置会社を除く。）は，監査役を置かなければならない（会社327Ⅲ）。

② **監査役設置会社の定めを廃止した場合の登記事項**

監査役設置会社の定めの廃止による変更の登記の登記すべき事項は，監査役設置会社の定めを廃止した旨，監査役が退任した旨及び変更年月日である（平18.3.31民商782号第2部第3.7(2)イ(ア)）。

6－1 決議権限

別紙２より，株主総会において決議されているため，決議機関は適法である（会社466）。

6－2 決議形式

問題文より，招集手続及び決議要件について明らかとなっていないが，別紙８より，平成28年５月30日に開催された定時株主総会は適法に成立した旨の記載があるため，招集手続は適法にされ，また，株主総会の特別決議の要件を満たし，適法に可決承認されたと判断することができる。

6－3 決議内容

別紙２より，監査役設置会社の定めを廃止する旨の決議をしている。

別紙１より，ワンツー株式会社は，公開会社である取締役会設置会社であるが，後述のとおり，平成28年５月30日付けで，監査等委員会設置会社の定めの設定をしているため，監査役を置くことができない。したがって，監査役設置会社の定めを廃止することができる。

6－4 登記すべき事項

登記すべき事項には，

「平成28年５月30日監査役設置会社の定め廃止」

と記載する。

6－5 添付書面

監査役設置会社の定めの廃止決議をしたことを証する書面として，平成28年５月30日付けの「(定時) 株主総会議事録」を添付する（商登46Ⅱ)。

7 監査役会設置会社の定めの廃止（ワンツー株式会社）

結論

本問の場合，**平成28年５月30日**付けで，**監査役会設置会社の定め**を**廃止**する旨の登記を申請することができる。

なお，監査役の退任登記については，後述する。

<申請書記載例>

1．事	監査役会設置会社の定めの廃止		
1．登	○年○月○日監査役会設置会社の定め廃止		
1．税	金３万円（登録税別表1.24.(1)ワ)		
1．添	株主総会議事録	1通	（商登46Ⅱ)
	委任状	1通	（商登18)

前提の知識

① **監査役会の設置義務**

大会社（公開会社でないもの，監査等委員会設置会社及び指名委員会等設置会社を除く。）は，監査役会及び会計監査人を置かなければならない（会社328Ⅰ)。

② **監査役会設置会社の定めを廃止した場合の登記事項**

監査役会設置会社の定めを廃止した場合，監査役会設置会社の定めを廃止した旨，監査役会設置会社の定めの廃止により社外監査役の登記を抹消する旨及び変更年月日を登記することとなる。

7－1 決議権限

別紙２より，株主総会において決議されているため，決議機関は適法である（会社466)。

7－2 決議形式

問題文より，招集手続及び決議要件について明らかとなっていないが，別紙８より，平成28年５月30日に開催された定時株主総会は適法に成立した旨の記載があるため，招集手続は適法にされ，また，株主総会の特別決議の要件を満たし，適法に可決承認されたと判断することができる。

7－3 決議内容

別紙２より，監査役会設置会社の定めを廃止する旨の決議をしている。

別紙１より，ワンツー株式会社は大会社である公開会社であるが，後述のとおり，平成28年５月30日付けで，監査等委員会設置会社の定めの設定をしているため，監査役会を置くことができない。したがって，監査役会設置会社の定めを廃止することができる。

7－4 登記すべき事項

登記すべき事項には，

「平成28年５月30日監査役会設置会社の定め廃止」

と記載する。

7－5 添付書面

監査役会設置会社の定めの廃止の決議をしたことを証する書面として，平成28年５月30日付けの「（定時）株主総会議事録」を添付する（商登46Ⅱ）。

8 監査等委員会設置会社の定めの設定（ワンツー株式会社）

結論

本問の場合，**平成28年５月30日**付けで，**監査等委員会設置会社の定め**を**設定**する旨の登記を申請することができる。

また，監査等委員会設置会社の定めの設定に伴い，監査等委員である取締役及びそれ以外の取締役の就任登記並びに監査役の退任登記を申請する必要があるが，詳細については，後述する。

<申請書記載例>

1．事　取締役，監査等委員である取締役，代表取締役及び監査役の変更
　　　監査等委員会設置会社の定めの設定
1．登　○年○月○日次の者退任
　　　　監査役　○○
　　　　監査役（社外監査役）　○○
　　　○年○月○日次の者重任
　　　　取締役　○○
　　　○県○市○町○丁目○番○号
　　　　代表取締役　○○
　　　同日次の者就任
　　　　監査等委員である取締役　○○
　　　　監査等委員である取締役（社外取締役）　○○
　　　　監査等委員である取締役（社外取締役）　○○
　　　同日設定
　　　　監査等委員会設置会社
1．税　金６万円（登録税別表1.24.(1)ワ，カ）
1．添　株主総会議事録　　　　　　　　　１通（商登46Ⅱ）
　　　取締役会議事録　　　　　　　　　１通（商登46Ⅱ）
　　　就任を承諾したことを証する書面　○通（商登54Ⅰ）
　　　本人確認証明書　　　　　　　　　○通（商登規61Ⅶ）
　　　委任状　　　　　　　　　　　　　１通（商登18）

前提の知識

① **監査等委員会設置会社の機関**

監査等委員会設置会社とは，監査等委員会を置く株式会社をいい（会社２⑪の２），取締役会及び会計監査人を置かなければならず（会社327Ⅰ③・Ⅴ），定款の定めによって，会計参与を置くことはできるが（会社326Ⅱ），監査役を置くことはできない（会社327Ⅳ）。また，指名委員会等設置会社は，監査等委員会を置いてはならない（会社327Ⅵ）。

監査等委員会は，３人以上の取締役から構成され，その過半数は社外取締役でなければならない（会社331Ⅵ・399の２Ⅱ）。

代表取締役は，監査等委員である取締役以外の取締役の中から選定する必要があるため，最低４人の取締役が必要となる（会社399の13Ⅲ）。

② **監査等委員会設置会社の登記**

監査等委員会設置会社の登記事項は次のとおりである（会社911Ⅲ㉒）。

（１）監査等委員会設置会社である旨

（２）監査等委員である取締役及びそれ以外の取締役の氏名

（３）取締役のうち社外取締役であるものについて，社外取締役である旨

（４）重要な業務執行の決定の全部又は一部を取締役への委任することができる旨の定款の定めがあるときは，その旨

8−1 決議権限

別紙２より，株主総会において決議されているため，決議機関は適法である（会社466）。

8−2 決議形式

問題文より，招集手続及び決議要件について明らかとなっていないが，別紙８より，平成28年５月30日に開催された定時株主総会は適法に成立した旨の記載があるため，招集手続は適法にされ，また，株主総会の特別決議の要件を満たし，適法に可決承認されたと判断することができる。

8−3 決議内容

別紙２より，監査等委員会設置会社の定めを設定する旨の決議をしているが，本問においては，以下の点についての検討を要する。

⑴　監査等委員会設置会社の機関についての検討

監査等委員会設置会社は，取締役会及び会計監査人を置かなければならないが，別紙１より，取締役会及び会計監査人を設置している。また，監査等委員会設置会社は，監査役を置くことはできないが，前述のとおり，ワンツー株式会社は，監査役設置会社の定めを廃止している。

⑵　取締役の選任についての検討

監査等委員会設置会社においては，取締役の選任は，監査等委員である取締役とそれ以外の取締役とを区別してしなければならないが，別紙２より，ワンツー株式会社は，監査等委員である取締役と監査等委員である取締役以外の取締役を区別して選任している。

㈠　監査等委員である取締役の選任

監査等委員である取締役は，３人以上でなければならないが，別紙２より，監査等委員である取締役として，D，E及びFの３名を選任しているため，最低員数を満たしている（役員等の概要（ワンツー株式会社）参照）。

また，監査等委員の過半数は，社外取締役でなければならないが，別紙８より，E及びFは，社外取締役の要件を満たしていることが分かる。以上より，在任する監査等委員である取締役（３名）の過半数（２名）が社外取締役に該当するため，社外取締役の必要員数を満たしている。

㈡　監査等委員である取締役以外の取締役の選任

別紙２より，監査等委員である取締役以外の取締役としてA，B及びGを選任している。

8−4　登記すべき事項

登記すべき事項には，

「平成28年５月30日設定

　　監査等委員会設置会社」

と記載するが，後述のとおり，監査等委員である取締役及びそれ以外の取締役の就任登記を申請することとなる。

8−5　添付書面

監査等委員会設置会社の定めの設定決議をしたことを証する書面として，平成28年５月30日付けの「(定時）株主総会議事録」を添付する（商登46Ⅱ）。

9 重要な業務執行の決定の取締役への委任についての定めの設定（ワンツー株式会社）

結論

本問の場合，**平成28年５月30日**付けで，**重要な業務執行の決定の取締役への委任に関する規定**を**設定**する旨の登記を申請することができる。

<申請書記載例>

1．事　重要な業務執行の決定の取締役への委任についての定めの設定
1．登　○年○月○日設定
　　重要な業務執行の決定の取締役への委任に関する規定
　　　重要な業務執行の決定の取締役への委任についての定款の定めがある
1．税　金３万円（登録税別表1.24.(1)ツ）
1．添　株主総会議事録　　1通（商登46Ⅱ）
　　　委任状　　1通（商登18）

前提の知識

重要な業務執行の決定の取締役への委任

監査等委員会設置会社においては，①取締役の過半数が社外取締役である場合，又は，②定款の定めがある場合には，取締役会の決議によって，重要な業務執行（会社399の13Ⅴ各号に列挙されている事項を除く。）の決定の全部又は一部を取締役に委任することができる（会社399の13Ⅴ・Ⅵ）。取締役に委任することが可能な重要な業務執行の事項の範囲は，指名委員会等設置会社において執行役への委任が可能な範囲（会社416Ⅳ）と実質的に同じである。

また，上記②の定款の定めがある場合には，重要な業務執行の決定の取締役への委任についての定款の定めがある旨が登記事項となる。

なお，上記①及び②の場合には，特別取締役による議決の定めを設定することはできない（会社373Ⅰ括弧書）。

9−1 決議権限

別紙２より，株主総会において決議されているため，決議機関は適法である（会社466）。

9−2 決議形式

問題文より，招集手続及び決議要件について明らかとなっていないが，別紙８より，平成28年５月30日に開催された定時株主総会は適法に成立した旨の記載があるため，招集手続は適法にされ，また，株主総会の特別決議の要件を満たし，適法に可決承認されたと判断することができる。

9−3 決議内容

別紙２より，重要な業務執行の決定の取締役への委任に関する規定を設定する旨の決議をしている。

前述のとおり，平成28年５月30日開催の定時株主総会において，監査等委員会設置会社の定めを設定する旨の決議をしているため，重要な業務執行の決定の取締役への委任に関する規定を設定することができる。

9−4 登記すべき事項

登記すべき事項には，

「平成28年５月30日設定

　　重要な業務執行の決定の取締役への委任に関する規定

　　　重要な業務執行の決定の取締役への委任についての定款の定めがある」

と記載する。

9−5 添付書面

重要な業務執行の決定の取締役への委任に関する規定の設定決議をしたことを証する書面として，平成28年５月30日付けの「（定時）株主総会議事録」を添付する（商登46Ⅱ）。

10 新株予約権の行使（ワンツー株式会社）

結論

本問の場合，**平成28年５月31日**付けで，**発行済株式の総数**を**5,090株**，**資本金の額**を**金５億450万円**，**第１回新株予約権の数**を**10個**，**前記新株予約権の目的たる株式の種類及び数又はその算定方法**を**普通株式10株**とする**変更**登記を申請することができる。

<申請書記載例>

1．事　新株予約権の行使
1．登　○年○月○日次のとおり変更
　　発行済株式の総数　○株
　　資本金の額　金○円
　　第○回新株予約権の数　○個
　　前記新株予約権の目的たる株式の種類及び数又はその算定方法
　　　○株
1．税　増加した資本金の額×７／1000（登録税別表1.24.(1)ニ）
　　（但し，計算額が３万円未満のときは金３万円）
1．添　取締役会議事録　１通（商登46Ⅱ）
　　新株予約権の行使があったことを証する書面　○通（商登57①）
　　払込みがあったことを証する書面　○通（商登57②）
　　資本金の額が会社法及び会社計算規則の規定に
　　従って計上されたことを証する書面　１通（商登規61Ⅸ）
　　委任状　１通（商登18）

前提の知識

① **新株予約権の行使**

新株予約権の行使は，その行使に係る新株予約権の内容及び数，新株予約権を行使する日を明らかにしてしなければならない（会社280Ⅰ）。

金銭を新株予約権の行使に際してする出資の目的とするときは，新株予約権者は，行使の日に，株式会社が定めた銀行等の払込みの取扱いの場所において，その行使に係る新株予約権について会社法236条１項２号の価額の全額を払い込まなければならない（会社281Ⅰ）。また，募集事項として行使時の現物出資事項が定められた場合には，新株予約権者は，行使の日に，募集事項で定められた財産（当該財産の価額が行使価額に足りないときは，差額に相当する金銭を含む。）を給付しなければならない（会社281Ⅱ）。

新株予約権を行使した新株予約権者は，当該新株予約権を行使した日に，当該新株予約権の目的である株式の株主となる（会社282Ⅰ）。

なお，新株予約権の行使による変更の登記は，本店所在地において，毎月末日現在により２週間以内にすれば足りる（会社915Ⅲ①）。そのため，月の末日までに行使された新株予約権についてまとめて変更の登記をする場合には，その変更年月日は月の末日であるが，新株予約権の行使の都度変更の登記をする場合には，その変更年月日は各新株予約権の行使日である。

② 新株予約権の行使における資本金等増加限度

新株予約権の行使により会社が株式を発行して新株予約権者に交付した場合には，原則として，資本金の額が増加する。増加する資本金の額は，会社法に別段の定めがある場合を除き，株式の発行に際して株主となる者が当該株式会社に対して「払込み又は給付をした財産の額（資本金等増加限度額）」である（会社445Ⅰ）。

資本金等増加限度額は会社計算規則17条１項の定めるところによる。

具体的には，①行使時における当該新株予約権の帳簿価額及び②現実に行使の際に払込み又は給付を受けた財産の価額の合計額から，③新株予約権の行使に応じて行う株式の交付に係る費用の額のうち，会社が資本金等増加限度額から減ずるべきとして定めた額を減じて得た額に，④株式発行割合（交付する株式の総数に占める新たに発行する株式の数の割合）を乗じて得た額を算出し，そこから⑤自己株式の処分差損を減じて得た額が資本金等増加限度額となる（会社計規17Ⅰ）。

なお，新株予約権の行使に応じて行う株式の交付に係る費用の額のうち，株式会社が資本金等増加限度額から減ずるべきとして定めた額は，当分の間，零とされている（会社計規附則11）。

{(①＋②－③）×④}－⑤＝資本金等増加限度額

以上により資本金等増加限度額として算出された額のうち，２分の１を超えない額は，募集事項等の決定に際し定めることにより資本金として計上しないことができ（会社445Ⅱ・236Ⅰ⑤），その分は資本準備金として計上することとなる（会社445Ⅲ）。この場合，その決定機関に応じ，株主総会（種類株主総会，取締役会）の議事録又は取締役の過半数の一致があったことを証する書面を添付する。

新株予約権の行使による変更登記の際，資本金の額を証するため，「資本金の額が会社法及び会社計算規則の規定に従って計上されたことを証する書面」を添付する（商登規61Ⅸ）。

※ 自己株式の処分差損は，イに掲げる額からロに掲げる額を減じて得た額が零以上であるときに，当該額を考慮することを要する。

イ 当該募集に際して処分する自己株式の帳簿価額

ロ ①及び②の合計額から③に掲げる額を減じて得た額（零未満である場合にあっては，零）に自己株式処分割合（１から株式発行割合を減じて得た割合をいう。）を乗じて得た額

③　登記すべき事項

新株予約権の行使による変更の登記の登記すべき事項は，以下の事項につき変更があった旨及びその年月日である。

⑴　発行済株式の総数並びに種類及び数

⑵　資本金の額

⑶　新株予約権の数

⑷　新株予約権の目的たる株式の種類及び数

新株予約権の全部が行使されたときは，⑶及び⑷に代え，新株予約権全部行使の旨及びその年月日が，登記すべき事項となる（平14.3.29民商724号）。

10－1　行使

別紙１より，ワンツー株式会社においては，第１回新株予約権が発行されている。別紙８より，平成28年５月６日に，新株予約権者である甲は，保有する第１回新株予約権30個を，平成28年５月16日に，新株予約権者である乙は，保有する第１回新株予約権20個を，平成28年５月31日に，新株予約権者である丙は，保有する第１回新株予約権40個を有効に行使した。

別紙１及び８より，当該行使は，新株予約権を行使することができる期間内にされている。

10－2　発行済株式の総数

別紙１より，第１回新株予約権100個の目的である株式の種類及び数は，普通株式100株と定められているため，新株予約権１個を行使した際のその目的である普通株式の数は１株（100株÷100個）となる。また，別紙８より，ワンツー株式会社は，自己株式を保有していないため，平成28年５月６日の甲，平成28年５月16日の乙及び平成28年５月31日の丙からの第１回新株予約権計90個の行使に際し，新株予約権者に対して普通株式90株（90個×１株）を新たに発行することとなる。

10－3　資本金の額

別紙８より，平成28年５月１日から平成28年５月31日までの間に，新株予約権を有効に行使した旨の記載から，新株予約権の行使に際して出資すべき金銭の全額について，適法に払込みがされていると解される。

別紙１より，新株予約権の行使に際して出資される財産の価額又はその算定方法は「１個当たり金９万円」と定められている。また，別紙８より，第１回新株予約権の行使時における当該新株予約権１個当たりの帳簿価額は金１万円であり，会社計算規則17条１項４号に規定する「新株予約権の行使に応じて行う株式の交付に係る費用の額のうち，株式会社が資本金等増加限度額から減ずるべき額」についての記載はないが，定められていないと解される。

したがって，資本金等増加限度額は金900万円｛行使時における新株予約権の帳簿価額金90万円（90個×金１万円）＋行使の際に払込みを受けた財産の価格（90個×金９万円)｝となり，別紙８より，新株予約権の発行決議をした取締役会において，第１回新株予約権の行使により増加する資本金の額は，資本金等増加限度額の２分の１を乗じて得た額とする旨が定められていた。

したがって，第１回新株予約権の行使により，資本金の額は，金900万円×１／２＝金450万円増加する。

10－4 変更年月日

新株予約権を行使した甲，乙及び丙は，それぞれ，行使の日である平成28年５月６日，平成28年５月16日及び平成28年５月31日に当該新株予約権の目的である株式の株主となる（会社282Ⅰ)。

別紙８より，登記懈怠がない形で登記を申請する旨の記載から，当該行使のあった月の末日から，本店所在地において，２週間以内に登記を申請することとなる（会社915Ⅲ①)。

したがって，変更年月日は，「平成28年５月31日」と記載する。

10－5 登記すべき事項

登記すべき事項には，

「平成28年５月31日次のとおり変更

　　発行済株式の総数　5,090株

　　資本金の額　金５億450万円

　　第１回新株予約権の数　10個

　　前記新株予約権の目的たる株式の種類及び数又はその算定方法

　　　普通株式　10株」

と記載する。

10－6 添付書面

募集事項の決定に際し資本金として計上しない額を定めていることを証する書面として，「取締役会議事録」を添付する（商登46Ⅱ)。

新株予約権の行使があったことを証する書面（商登57①）及び「払込みがあったことを証する書面」を添付する（商登57②）。

また，会社計算規則17条により，資本金に計上すべき額に関する規律が設けられているため，「資本金の額が会社法及び会社計算規則の規定に従って計上されたことを証する書面」を添付する（商登規61Ⅸ）。

11 新株予約権の行使期間満了（ワンツー株式会社）

結論

本問の場合，**平成28年６月１日**付けで，**第１回新株予約権の行使期間満了**の登記を申請することができる。

<申請書記載例>

１．事　新株予約権の行使期間満了
１．登　○年○月○日第○回新株予約権の行使期間満了
１．税　金３万円（登録税別表1.24.⑴ツ）
１．添　委任状　　　　　　　　　　　　　　　　　　１通（商登18）

前提の知識

新株予約権の行使期間満了

新株予約権の募集事項として行使期間の終期を定めた場合（会社236Ⅰ④）において，当該行使期間が満了したときは，新株予約権は消滅し，その旨の登記を申請しなければならない。この場合の新株予約権の消滅の効力発生日は，登記された行使期間の満了日の翌日である。例えば，平成28年５月１日までと定められた場合には，同年同月２日（の到来時）に新株予約権の消滅の効力が生ずる。

11－1 行使期間満了

別紙１より，第１回新株予約権の行使期間は，平成28年５月31日までである。

したがって，満了日の翌日である平成28年６月１日付けで，第１回新株予約権の行使期間満了の登記を申請することができる。

11－2 登記すべき事項

登記すべき事項には，
「平成28年６月１日第１回新株予約権の行使期間満了」
と記載する。

11－3 添付書面

新株予約権の行使期間は登記事項であり（会社911Ⅲ⑫ロ），行使期間が経過したことは登記記録上明らかであるため，委任状以外の添付書面を添付する必要はない。

⑫ 監査役の監査の範囲を会計に関するものに限定する旨の定款の定めの廃止(スリー株式会社)

結論

本問の場合，**平成28年６月28日**付けで，**監査役の監査の範囲を会計に関するものに限定する旨の定款の定め**を**廃止**する旨の登記を申請することができる。

＜申請書記載例＞

1．	事	監査役の監査の範囲を会計に関するものに限定する旨の定款の定めの廃止	
1．	登	○年○月○日監査役の監査の範囲を会計に関するものに限定する旨の定款の定め廃止	
1．	税	金３万円（登録税別表1.24.(1)カ）	
1．	添	株主総会議事録	１通（商登46Ⅱ）
		委任状	１通（商登18）

前提の知識

監査役の監査の範囲に関する登記

監査役の監査の範囲を会計に関するものに限定する旨の定款の定めがある株式会社は，監査役設置会社である旨及び監査役の氏名に加え，監査役の監査の範囲を会計に関するものに限定する旨の定款の定めがある旨の登記をしなければならない（会社911Ⅲ⑰）。また，当該定款の定めを廃止した場合には，廃止した旨を登記しなければならない。

なお，これらの変更の登記の登録免許税の額は，申請件数１件につき金３万円

（資本金の額が１億円以下の会社では金１万円）である（登録税別表1.24.⑴カ）。

12－1 決議権限

別紙６より，株主総会において決議されているため，決議機関は適法である（会社466）。

12－2 決議形式

問題文より，招集手続及び決議要件について明らかとなっていないが，別紙９より，平成28年６月28日に開催された臨時株主総会は適法に成立した旨の記載があるため，招集手続は適法にされ，また，株主総会の特別決議の要件を満たし，適法に可決承認されたと判断することができる。

12－3 決議内容

別紙６より，監査役の監査の範囲を会計に関するものに限定する旨を廃止する決議をしている。

12－4 登記すべき事項

登記すべき事項には，

「平成28年６月28日監査役の監査の範囲を会計に関するものに限定する旨の定款の定め廃止」

と記載する。

12－5 添付書面

監査役の監査の範囲を会計に関するものに限定する旨の定款の定めの廃止決議をしたことを証する書面として，平成28年６月28日付けの「（臨時）株主総会議事録」を添付する（商登46Ⅱ）。

13 吸収分割

結論

吸収分割の効力発生日である**平成28年７月１日**までに必要となる手続は，全て適法に終了しているため，スリー株式会社（吸収分割承継株式会社）については，ワ

ンツー株式会社（吸収分割株式会社）**から**の**分割**により，婦人服販売事業に関する権利義務を承継した旨の登記，**発行済株式の総数**を**2,000株**，**資本金の額**を**金7,500万円**とする**変更**登記を申請することができる。

ワンツー株式会社（吸収分割株式会社）については，**スリー株式会社**（吸収分割承継株式会社）**に**，婦人服販売事業に関する権利義務を**分割**した旨の登記を申請することができる。

<申請書記載例；吸収分割承継株式会社・本問の場合>

1．事　吸収分割による変更
1．登　○年○月○日次のとおり変更
　　発行済株式の総数　○株
　　資本金の額　金○円
　同日○県○市○町○丁目○番○号株式会社○○から分割
1．税　増加した資本金の額×1,000分の7（登録税別表1.24.(1)チ）
　（計算した税額が金３万円に満たないときは，金３万円）

1．添	株主総会議事録	1通（商登46Ⅱ）
	吸収分割契約書	1通（商登85①）
	公告及び催告をしたことを証する書面	2通（商登85③）
	異議を述べた債権者はいない	
	資本金の額が会社法第445条第５項の規定に従って計上されたことを証する書面	1通（商登85④）
	吸収分割会社の登記事項証明書	1通（商登85⑤）
	吸収分割会社の株主総会議事録	1通（商登85⑥・46Ⅱ）
	委任状	1通（商登18）

<申請書記載例；吸収分割承継株式会社・本問の場合>

1．事　吸収分割による変更
1．登　○年○月○日○県○市○町○丁目○番○号株式会社○○に分割
1．税　金３万円（登録税別表1.24.(1)ツ）
1．添　委任状　1通（商登18）

13－1　吸収分割契約の締結

会社が，吸収分割をする場合には，吸収分割承継会社である会社との間で吸収分割契約を締結しなければならない（会社757）。

本問の場合，別紙4の吸収分割契約書に基づき，スリー株式会社を吸収分割承継株式会社とし，ワンツー株式会社を吸収分割株式会社とする吸収分割契約が適法に締結されている。

吸収分割承継会社が株式会社であるときは，吸収分割契約において，次に掲げる事項を定めなければならない（会社758各号）。

以下，別紙4の吸収分割契約書の記載内容等について具体的に検討する。

法定記載事項（会社758条各号）	吸収分割契約書（別紙4）
①　吸収分割会社及び吸収分割承継株式会社の商号及び住所（会社758①）	冒　頭（以下省略）箇所
②　吸収分割承継株式会社が吸収分割により吸収分割会社から承継する資産，債務，雇用契約その他の権利義務（吸収分割株式会社及び吸収分割承継株式会社の株式並びに吸収分割株式会社の新株予約権に係る義務を除く。）に関する事項（会社758②）	第1条
③　吸収分割により吸収分割株式会社又は吸収分割承継株式会社の株式を吸収分割承継株式会社に承継させるときは，当該株式に関する事項（会社758③）	—
④　吸収分割承継株式会社が吸収分割に際して吸収分割会社に対してその事業に関する権利義務の全部又は一部に代わる金銭等を交付するときは，当該金銭等についての次に掲げる事項（会社758④）	第4条
(1)　当該金銭等が吸収分割承継株式会社の株式であるときは，当該株式の数（種類株式発行会社にあっては，株式の種類及び種類ごとの数）又はその数の算定方法並びに当該吸収分割承継株式会社の資本金及び準備金の額に関する事項（会社758④イ）	第4条 第5条
(2)　当該金銭等が吸収分割承継株式会社の社債（新株予約権付社債についてのものを除く。）であるときは，当該社債の種類及び種類ごとの各社債の金額の合計額又はその算定方法（会社758④ロ）	—
(3)　当該金銭等が吸収分割承継株式会社の新株予約権（新株予約権付社債に付されたものを除く。）であるときは，当該新株予約権の内容及び数又はその算定方法（会社758④ハ）	—

⑷　当該金銭等が吸収分割承継株式会社の新株予約権付社債であるときは，当該新株予約権付社債についての④⑵に掲げる事項及び当該新株予約権付社債に付された新株予約権についての④⑶に掲げる事項（会社758④ニ）	—
⑸　当該金銭等が吸収分割承継株式会社の株式等以外の財産であるときは，当該財産の内容及び数若しくは額又はこれらの算定方法（会社758④ホ）	—
⑤　吸収分割承継株式会社が吸収分割に際して吸収分割株式会社の新株予約権の新株予約権者に対して当該新株予約権に代わる当該吸収分割承継株式会社の新株予約権を交付するときは，当該新株予約権についての次に掲げる事項（会社758⑤）	—
⑴　吸収分割契約新株予約権の内容（会社758⑤イ）	—
⑵　吸収分割契約新株予約権の新株予約権者に対して交付する吸収分割承継株式会社の新株予約権の内容及び数又はその算定方法（会社758⑤ロ）	—
⑶　吸収分割契約新株予約権が新株予約権付社債に付された新株予約権であるときは，吸収分割承継株式会社が当該新株予約権付社債についての社債に係る債務を承継する旨並びにその承継に係る社債の種類及び種類ごとの各社債の金額の合計額又はその算定方法（会社758⑤ハ）	—
⑥　⑤の場合には，吸収分割契約新株予約権の新株予約権者に対する⑤の吸収分割承継株式会社の新株予約権の割当てに関する事項（会社758⑥）	—
⑦　吸収分割がその効力を生ずる日（会社758⑦）	第２条
⑧　吸収分割株式会社が効力発生日に次に掲げる行為をするときは，その旨（会社758⑧）	—
⑴　会社法171条１項の規定による株式の取得（取得対価が吸収分割承継株式会社の株式（吸収分割株式会社が吸収分割をする前から有するものを除き，吸収分割承継株式会社の株式に準ずるものとして法務省令で定めるものを含む。⑧⑵において同じ。）のみであるものに限る。）（会社758⑧イ）	—
⑵　剰余金の配当（配当財産が吸収分割承継株式会社の株式のみであるものに限る。）（会社758⑧ロ）	—

冒頭・第1条について

ワンツー株式会社は，婦人服販売事業に関する権利義務を分割し，スリー株式会社にこれを承継する旨の記載がある。

第2条について

平成28年7月1日を吸収分割の効力発生日と定めている。

第3条について

スリー株式会社がワンツー株式会社から承継する権利義務について，後記「承継する権利義務等の明細」に定めるところによるとする旨の記載があるが，問題文（答案作成に当たっての注意事項）より，当該吸収分割契約に有効な記載がされていることから，当該権利義務の範囲が特定されていると判断することができる。

また，スリー株式会社がワンツー株式会社から承継する雇用契約等について，別紙9より，会社分割に伴う労働契約の承継等に関する法律に基づく所要の手続は，効力発生日までに全て適法に完了している。

なお，債務の承継に関しては，スリー株式会社が承継する一切の債務につき，併存的債務引受けをする旨の記載がある。

第4条について

吸収分割承継株式会社となるスリー株式会社は，吸収分割に際してワンツー株式会社に新たに発行する1,000株を交付する旨の記載がある。

別紙5より，スリー株式会社の発行済株式の総数は1,000株，発行可能株式総数は2万株であり，発行可能株式総数の範囲内での発行である。

第5条について

吸収分割によりスリー株式会社の増加する資本金の額を2,500万円，増加する資本準備金の額を2,500万円とする旨の記載がある。

13−2 承認決議（吸収分割承継株式会社となるスリー株式会社）

前提の知識

吸収分割承継株式会社における吸収分割契約の承認決議

吸収分割承継株式会社は，効力発生日の前日までに，原則として，株主総会の特別決議によって，吸収分割契約の承認を受けなければならない（会社795Ⅰ・309Ⅱ⑫）。

別紙6及び9より，平成28年6月28日開催の臨時株主総会は適法に成立した旨の記載があるため，吸収分割契約が適法に承認されたと判断することができる。

13−3　債権者保護手続（吸収分割承継株式会社となるスリー株式会社）

前提の知識

債権者保護手続の要否・公告及び催告手続

吸収分割承継株式会社の債権者は，吸収分割承継株式会社に対し，吸収分割について異議を述べることができる（会社799Ⅰ②）。吸収分割承継株式会社は，以下に掲げる事項を官報に公告し，かつ，知れている債権者には各別に催告しなければならない（会社799Ⅱ）。

⑴　吸収分割をする旨

⑵　吸収分割会社の商号及び住所

⑶　吸収分割承継株式会社及び吸収分割株式会社の計算書類に関する事項として法務省令で定めるもの（会社施規199）

⑷　債権者が一定の期間内（１か月を下ることができない。）に異議を述べることができる旨

なお，上記の事項を官報のほか，定款に定めた時事に関する事項を掲載する日刊新聞紙に掲載するか，又は電子公告により公告をした場合は，知れている債権者への各別の催告は省略することができる（会社799Ⅲ）。

⑴　債権者保護手続の要否

別紙４より，スリー株式会社は吸収分割承継株式会社であるため，債権者の異議申述の権利を保障する債権者保護手続が必要となる。

⑵　債権者に対する公告及び催告

別紙９より，債権者保護手続は，法令上必要とされる範囲で適法に行われている。別紙５より，スリー株式会社の公告方法は，官報に掲載してすると定められており，知れている債権者への催告を省略できる場合には該当しないため，原則どおり，官報に公告し，かつ，各別に催告を行ったと判断することができる。

⑶　債権者への対応

別紙９より，異議を述べた債権者はいない。したがって，会社は債権者に対して弁済する等の特別の対応は不要である。

13−4 吸収分割承継株式会社の増加する資本金及び資本準備金の額

前提の知識

吸収分割承継株式会社の資本金の額の定め

吸収分割承継株式会社が吸収分割に際して吸収分割会社に対してその事業に関する権利義務の全部又は一部に代わる吸収分割承継株式会社の株式を交付するときは，当該株式の数（種類株式発行会社にあっては，株式の種類及び種類ごとの数）又はその数の算定方法並びに当該吸収分割承継株式会社の資本金及び準備金の額に関する事項を吸収分割契約において定めなければならない（会社758④イ）。

別紙４及び９より，吸収分割契約書第５条には，吸収分割によりスリー株式会社の資本金の額を2,500万円，資本準備金の額を2,500万円増加する旨が記載されており，当該増加する資本金の額は，株主資本等変動額の範囲内である。

13−5 承認決議（吸収分割株式会社となるワンツー株式会社）

前提の知識

吸収分割株式会社における吸収分割契約の承認決議

吸収分割株式会社は，効力発生日の前日までに，原則として，株主総会の特別決議によって，吸収分割契約の承認を受けなければならない（会社783Ⅰ・309Ⅱ⑫）。

また，種類株式発行会社が吸収分割によりある種類の株式の種類株主に損害を及ぼすおそれがある場合には，原則として，種類株主総会の特別決議がなければ，その効力を生じない（会社322Ⅰ⑧・324Ⅱ④）。

別紙２及び８より，平成28年５月30日開催の定時株主総会は適法に成立した旨の記載があるため，吸収分割契約が適法に承認されたと判断することができる。

13−6 債権者保護手続（吸収分割株式会社となるワンツー株式会社）

前提の知識

債権者保護手続の要否

株式会社が吸収分割をする場合，吸収分割後，吸収分割株式会社に対して債務の履行（当該債務の保証人として吸収分割承継会社と連帯して負担する保証債務の履行を含む。）を請求することができない吸収分割株式会社の債権者は，吸収分割株式会社に対し，吸収分割について異議を述べることができる（会社789Ⅰ②）。

また，吸収分割会社が吸収分割の効力発生日に，吸収分割承継株式会社の株式を対価として，全部取得条項付種類株式を取得する場合又は剰余金の配当を行う旨の定めがある場合には，吸収分割会社の財産が減少するので，分割後も吸収分割会社に対して債務の履行を請求することができる債権者であっても，吸収分割について異議を述べることができる（会社789Ⅰ②括弧書）。

別紙4より，吸収分割契約書第3条において，ワンツー株式会社は，スリー株式会社が承継する一切の債務について，吸収分割の効力発生日をもって併存的に債務を引き受ける旨が定められている。よって，吸収分割後，吸収分割株式会社に対して債務の履行を請求することができない債権者はいないこととなる。

したがって，債権者の異議申述の権利を保障する債権者保護手続は不要となる。

13−7 吸収分割の効果

前提の知識

① **権利義務の承継**

吸収分割承継株式会社は，吸収分割の効力発生日に，吸収分割契約の定めに従い，吸収分割会社の権利義務を承継する（会社759Ⅰ）。

ただし，吸収分割について異議を述べることができる吸収分割会社の債権者であって，各別の催告を受けなかった債権者（吸収分割会社が，官報公告に加え分割会社の定款の定めに従い，時事に関する事項を掲載する日刊新聞紙又は電子公告により，公告した場合にあっては，不法行為により生じた債務の債権者に限る。）は，吸収分割契約において吸収分割後に吸収分割会社に対して債務の履行を請求することができないものとされているときであっても，吸収分割会社に対して，吸収分割会社が効力発生日に有していた財産の価額を限度として，当該債務の履行を請求することができる（会社759Ⅱ）。また，当該債権者は，吸収分割契約において吸収分割後に吸収分割承継株式会社に対して債務の履行を請求することができないものとされているときであっても，吸収分割承継株式会社に対して，承継した財産の価額を限度として，当該債務の履行を請求することができる（会社759Ⅲ）。

② **対価の交付等**

吸収分割の効力発生日に，吸収分割会社は，吸収分割契約の定めに従い，吸収分割承継株式会社の株主，社債権者，新株予約権者，新株予約権付社債権者となる（会社759Ⅷ）。

また，吸収分割会社の新株予約権の新株予約権者に吸収分割承継株式会社の新株予約権を交付すると定めたときは，吸収分割の効力発生日に吸収分割契約新株予約権は消滅し，当該新株予約権を有していた者は，吸収分割承継株式会社の新株予約権者となる（会社759Ⅸ）。

上述のとおり，本件吸収分割について必要となる手続は，所定の効力発生日までに全て適法に終了していることが分かる。

また，吸収分割株式会社と吸収分割承継株式会社との合意により，吸収分割の効力発生日を変更した旨の事実は示されていない。

したがって，効力発生日は，平成28年７月１日となる。

13−8　吸収分割承継会社の変更登記申請書

13−8−1　登記の事由

「吸収分割による変更」と記載する。

13−8−2　登記すべき事項

前提の知識

吸収分割承継株式会社がする吸収分割による変更登記の登記事項

吸収分割承継会社の登記申請書には，資本金の額等変更が生じた登記事項のほか，分割をした旨並びに吸収分割会社の商号及び本店をも記載しなければならない（商登84Ⅰ）。この場合，変更の年月日として効力発生日も登記すべき事項となる（記録例依命通知第4節第19.2⑴）。

また，吸収分割に際して吸収分割株式会社の新株予約権者に対し，新株予約権に代わる吸収分割承継株式会社の新株予約権を交付したときは，その新株予約権発行に関する事項を登記事項として登記する必要がある。この場合，吸収分割の日を変更年月日として，「年月日発行」とする。

登記すべき事項には，

「平成28年７月１日次のとおり変更

　発行済株式の総数　2,000株

　資本金の額　金7,500万円

同日東京都中央区中央一丁目１番１号ワンツー株式会社から分割」と記載する。

13−8−3　添付書面

前提の知識

吸収分割承継株式会社がする吸収分割による変更登記の添付書面

本店の所在地における吸収分割承継株式会社の変更の登記の申請書には，次の書面を添付しなければならない（商登85，平18.3.31民商第782号第5部第3.2⑴参照）。

⑴　吸収分割契約書

効力発生日の変更があった場合には，吸収分割承継株式会社において取締役の過半数の一致があったことを証する書面又は取締役会の議事録（商登46Ⅰ・Ⅱ）及び効力発生日の変更に係る当事会社の契約書（商登24⑧参照）も添付しなければならない。

⑵　吸収分割承継株式会社の手続に関する次に掲げる書面

(イ)　分割契約の承認に関する書面（商登46Ⅰ・Ⅱ）

分割契約承認機関に応じ，株主総会，種類株主総会若しくは取締役会の議事録又は取締役の過半数の一致があったことを証する書面を添付しなければならない。

(ロ)　略式分割又は簡易分割の場合には，その要件を満たすことを証する書面

略式分割の要件を満たすことを証する書面としては，具体的には，吸収分割承継株式会社の株主名簿等がこれに該当する。

(ハ)　債権者保護手続関係書面

(ニ)　資本金の額が会社法445条５項の規定に従って計上されたことを証する書面

⑶　吸収分割会社の手続に関する次に掲げる書面

(イ)　吸収分割会社の登記事項証明書（なお，作成後３か月以内のものに限る（商登規36の２）。）（商登85⑤）

ただし，以下のいずれかに該当する場合を除く。

①　当該登記所の管轄区域内に吸収分割会社の本店がある場合（商登85⑤但書）

②　申請書に会社法人等番号を記載した場合その他法務省令で定める場合（商登19の３，商登規36の３）

(ロ)　吸収分割会社が株式会社であるときは，分割契約の承認機関に応じ，

株主総会又は種類株主総会の議事録（略式分割又は簡易分割の場合にあっては，その要件を満たすことを証する書面及び取締役の過半数の一致があったことを証する書面又は取締役会の議事録）

(ハ) 吸収分割会社が合同会社であるときは，総社員の同意（定款に別段の定めがある場合にあっては，その定めによる手続）があったことを証する書面（当該合同会社がその権利義務の一部を承継させる場合にあっては，社員の過半数の一致があったことを証する書面）

(ニ) 債権者保護手続関係書面（不法行為によって生じた吸収分割会社の債務の債権者に対する各別の催告をしたことを証する書面を省略することはできない。）

(ホ) 吸収分割株式会社が新株予約権を発行している場合において，その新株予約権者に対して当該新株予約権に代わる吸収分割承継株式会社の新株予約権を交付するときは，新株予約権証券提供公告等関係書面

(1) 吸収分割契約書

別紙４の吸収分割契約書を添付する。なお，効力発生日の変更があった旨の事実はないため，効力発生日の変更を証する書面の添付を要しない。

(2) 吸収分割承継株式会社の手続に関する次に掲げる書面

吸収分割承継株式会社において吸収分割契約の承認決議が適法にされたことを証するため，平成28年６月28日付けのスリー株式会社の「(臨時) 株主総会議事録」を添付する（商登46Ⅱ）。

債権者保護手続関係書面としては，会社法799条２項の規定により，①「公告をしたことを証する書面」として，公告を掲載した官報及び②「知れている債権者に異議申述の催告をしたことを証する書面」として，催告書の写し又は会社が催告をした債権者の名簿と，各債権者に対する催告書の控え１通とを合綴して，代表取締役がその文面によって名簿に記載された債権者に対して各別に催告した旨を記載し，署名又は記名押印したものを添付する。したがって，通数の記載方法としては，①及び②を合わせて，「２通」と記載する（商登85③）。

さらに，異議を述べた債権者がいないため，申請書には「異議を述べた債権者はいない」旨を記載する。

問題文より，会社法第445条第５項の規定に従って計上されている旨の記載はないが，吸収分割効力発生後のスリー株式会社の資本金の額については，適法に計上されているものと解されるため「資本金の額が会社法第445条第５項の規定に従って計上されたことを証する書面」を添付する（商登85④）。

⑶　吸収分割株式会社の手続に関する次に掲げる書面

問題文（答案作成に当たっての注意事項），別紙1及び5より，吸収分割承継株式会社の本店所在地を管轄する登記所の管轄区域内には，吸収分割株式会社の本店が存在せず，また，会社法人等番号を記載することによる登記事項証明書の添付を省略しない旨の記載から，「吸収分割会社の登記事項証明書」（商登85⑤）を添付する。

吸収分割株式会社において吸収分割契約の承認決議が適法にされたことを証するため，平成28年5月30日付けのワンツー株式会社の「（定時）株主総会議事録」を添付する（商登85⑥・46Ⅱ）。

13-8-4　申請人

吸収分割承継株式会社であるスリー株式会社が申請人となり，その代表者であるHが会社を代表して登記の申請を行うこととなる。

13-9　吸収分割会社の変更登記申請書

本問においては，ワンツー株式会社についての解答は要求されていないが，吸収分割による変更登記の申請内容は以下のとおりとなる。

13-9-1　登記の事由

「吸収分割による変更」と記載する。

13-9-2　登記すべき事項

前提の知識

① **吸収分割会社がする吸収分割による変更登記の登記事項**

吸収分割会社の登記申請書には，分割をした旨，吸収分割承継会社の商号及び本店，吸収分割の効力発生日を記載しなければならない（会社923，商登84Ⅱ，記録例依命通知第4節第19.2⑵）。

吸収分割承継会社が，吸収分割会社の新株予約権者に対して当該新株予約権に代わる吸収分割承継会社の新株予約権を交付した結果，吸収分割会社の新株予約権が消滅した場合（会社758⑤・759Ⅸ），新株予約権が消滅した旨及びその年月日も登記しなければならない。

② **吸収分割会社がする吸収分割による変更登記の申請**

吸収分割会社がする吸収分割による変更の登記の申請は，当該登記所の管轄区域内に吸収分割承継会社の本店がないときは，吸収分割承継会社の本店の所在地を管轄する登記所を経由してしなければならない（商登87Ⅰ）。

この場合，分割会社がする吸収分割による変更登記の申請人は分割会社であり，その代表取締役が分割会社を代表して登記を申請する（平13.3.1民商599号）。

また，吸収分割会社がする変更登記と吸収分割承継会社がする変更登記は，同時に申請しなければならない（商登87Ⅱ）。

上述のとおり，吸収分割の効力発生日は平成28年７月１日である。

したがって，登記すべき事項には，

「平成28年７月１日大阪市中央区中央一丁目１番１号スリー株式会社に分割」

と記載する。

13−9−3　添付書面

司法書士法務朝子の代理権限を証する「委任状」（商登18）を添付する。

13−9−4　申請人

吸収分割株式会社であるワンツー株式会社が申請人となり，その代表者であるAが会社を代表して登記の申請を行うこととなる。

13−9−5　経由・同時申請

⑴　経由申請の要求

吸収分割会社であるワンツー株式会社の本店所在地を管轄する登記所の管轄区域内に，吸収分割承継会社であるスリー株式会社の本店が存しないため，吸収分割会社における吸収分割による変更登記は，吸収分割承継会社の本店所在地を管轄する登記所を経由して申請しなければならない（商登87Ⅰ）。

⑵　同時申請の要求

吸収分割会社であるワンツー株式会社がする変更登記と吸収分割承継会社であるスリー株式会社がする変更登記は，同時に申請しなければならない（商登87Ⅱ）。

14 役員等の変更（ワンツー株式会社）

結論

取締役A・B

平成28年５月30日付けで，重任登記を申請することができる。

取締役C

平成28年５月30日付けで，退任登記を申請することができる。

取締役（社外取締役）G

平成28年５月30日付けで，就任登記を申請することができる。

監査等委員である取締役D

平成28年５月30日付けで，就任登記を申請することができる。

監査等委員である取締役（社外取締役）E・F

平成28年５月30日付けで，就任登記を申請することができる。

代表取締役A

平成28年５月30日付けで，重任登記を申請することができる。

監査役D・監査役（社外監査役）E・F

平成28年５月30日付けで，退任登記を申請することができる。

会計監査人さくら花子

平成28年５月30日付けで，重任登記を申請することができる。

14−1 取締役C，監査役D，社外監査役E・F（任期満了）

＜申請書記載例；後任役員の就任登記も同時に申請する場合・本問の場合＞

1．事　取締役及び監査役の変更
1．登　○年○月○日次の者退任
　　取締役　○○
　　監査役　○○
　　監査役（社外監査役）　○○
　　監査役（社外監査役）　○○
1．税　金３万円（登録税別表1.24.(1)カ）
　　（但し，資本金の額が１億円以下の会社については，金１万円）
1．添　退任を証する書面　１通（商登54Ⅳ）
　　委任状　１通（商登18）

前提の知識

① **取締役の任期**

取締役は，原則として，選任後２年以内に終了する事業年度のうち最終のものに関する定時株主総会の終結の時に退任する（会社332Ⅰ）。例外規定は，以下のとおりである。

(1) 定款又は株主総会の決議によって，その任期を短縮することができる(会社332Ⅰ但書)。

(2) 非公開会社(監査等委員会設置会社及び指名委員会等設置会社を除く。)においては，定款によって，選任後10年以内に終了する事業年度のうち最終のものに関する定時株主総会の終結の時まで伸長することができる(会社332Ⅱ)。

(3) 監査等委員会設置会社の取締役（監査等委員であるものを除く。）は，選任後１年以内に終了する事業年度のうち最終のものに関する定時株主総会の終結の時に退任する（会社332Ⅲ）。

(4) 監査等委員である取締役は，定款又は株主総会の決議によって，その任期を短縮することができない（会社332Ⅳ）。

(5) 定款によって，任期の満了前に退任した監査等委員である取締役の補欠として選任された監査等委員である取締役の任期を退任した監査等委員である取締役の任期の満了する時までとすることができる（会社332Ⅴ）。

(6) 指名委員会等設置会社の取締役は，選任後１年以内に終了する事業年度のうち最終のものに関する定時株主総会の終結の時に退任する（会社332Ⅵ）。

(7) 定款変更によりその効力発生時に任期満了となる場合（会社332Ⅶ）

(イ) 監査等委員会又は指名委員会等を置く旨の定款の変更

(ロ) 監査等委員会又は指名委員会等を置く旨の定款の定めを廃止する定款の変更

(ハ) その発行する株式の全部の内容として譲渡による当該株式の取得について当該株式会社の承認を要する旨の定款の定めを廃止する定款の変更（監査等委員会設置会社及び指名委員会等設置会社がするものを除く。）

② **監査役の任期**

監査役は，原則として，選任後４年以内に終了する事業年度のうち最終のものに関する定時株主総会の終結の時に退任する（会社336Ⅰ）。例外規定は，以下のとおりである。

⑴　非公開会社においては，定款によって，選任後10年以内に終了する事業年度のうち最終のものに関する定時株主総会の終結の時まで伸長することができる（会社336Ⅱ）。

⑵　定款によって，任期の満了前に退任した監査役の補欠として選任された監査役の任期を退任した監査役の任期の満了する時までとすることができる（会社336Ⅲ）。

⑶　定款変更によりその効力発生時に任期満了となる場合（会社336Ⅳ）

㈠　監査役を置く旨の定款の定めを廃止する定款の変更

㈡　監査等委員会又は指名委員会等を置く旨の定款の変更

㈢　監査役の監査の範囲を会計に関するものに限定する旨の定款の定めを廃止する定款の変更（会社389参照）

㈣　その発行する全部の株式の内容として譲渡による当該株式の取得について当該株式会社の承認を要する旨の定款の定めを廃止する定款の変更

問題文（答案作成に当たっての注意事項）及び別紙１より，取締役Ｃは，平成27年５月30日に選任され，同日就任しており，選任後２年以内に終了する事業年度のうち最終のものに関する定時株主総会の終結の時まで任期があるはずであった。

しかし，前述のとおり，平成28年５月30日開催の定時株主総会において，監査等委員会設置会社の定めを設定する旨の決議をしているため，当該定款変更の効力発生時に取締役Ｃは，任期満了により退任することとなる。なお，後述のとおり，同定時株主総会において，取締役の最低員数を満たす後任者が就任しているため，取締役Ｃは，権利義務を有することとはならない（役員等の概要（ワンツー株式会社）参照）。

また，問題文（答案作成に当たっての注意事項）及び別紙１より，監査役Ｄ，監査役（社外監査役）Ｅ及びＦは，平成25年５月28日に選任され，同日就任しており，それぞれ選任後４年以内に終了する事業年度のうち最終のものに関する定時株主総会の終結の時まで任期があるはずであった。

しかし，前述のとおり，平成28年５月30日開催の定時株主総会において，監査等委員会設置会社の定めを設定し，また，監査役設置会社の定めを廃止する旨の決議をしているため，当該定款変更の効力発生時に監査役Ｄ，監査役（社外監査役）Ｅ及びＦは，任期満了により退任することとなる。

したがって，平成28年５月30日付けで，任期満了による退任登記を申請することができる。

<添付書面>

退任を証する書面として，定款変更決議をした平成28年５月30日付けの「(定時)株主総会議事録」を添付する（商登54Ⅳ・46Ⅱ)。

14－2 社外取締役Ｇ（就任）

<申請書記載例；監査等委員会設置会社・監査等委員である取締役以外の取締役の場合>

1．事	取締役の変更		
1．登	○年○月○日取締役（社外取締役）○○就任		
1．税	金３万円（登録税別表1.24.(1)カ） (但し，資本金の額が１億円以下の会社については，金１万円)		
1．添	株主総会議事録	1通	(商登46Ⅱ)
	就任を承諾したことを証する書面	1通	(商登54Ⅰ)
	本人確認証明書	1通	(商登規61Ⅶ)
	委任状	1通	(商登18)

前提の知識

① **社外取締役の要件**

株式会社の取締役であって，次に掲げる要件のいずれにも該当するものをいう（会社２⑮)。

(1) 当該株式会社又はその子会社の業務執行取締役（株式会社の363条１項各号に掲げる取締役及び当該株式会社の業務を執行したその他の取締役をいう。以下同じ。）若しくは執行役又は支配人その他の使用人（以下「業務執行取締役等」という。）でなく，かつ，その就任の前10年間当該株式会社又はその子会社の業務執行取締役等であったことがないこと。

(2) その就任の前10年内のいずれかの時において当該株式会社又はその子会社の取締役，会計参与（会計参与が法人であるときは，その職務を行うべき社員）又は監査役であったことがある者（業務執行取締役等であったことがあるものを除く。）にあっては，当該取締役，会計参与又は監査役への就任の前10年間当該株式会社又はその子会社の業務執行取締役等であったことがないこと。

(3) 当該株式会社の親会社等（自然人であるものに限る。）又は親会社等の取締役若しくは執行役若しくは支配人その他の使用人でないこと。

(4) 当該株式会社の親会社等の子会社等（当該株式会社及びその子会社を除く。）の業務執行取締役等でないこと。

(5) 当該株式会社の取締役若しくは執行役若しくは支配人その他の重要な使用人又は親会社等（自然人であるものに限る。）の配偶者又は２親等内の親族でないこと。

② 社外取締役である旨の登記

社外取締役である旨は，原則として登記する必要はない。例外として，以下の場合には社外取締役である旨の登記をしなければならない（会社911Ⅲ㉑・㉒・㉓）。

(1) 特別取締役による議決の定めがある場合

(2) 監査等委員会設置会社である場合

(3) 指名委員会等設置会社である場合

③ 取締役及び監査役の就任登記の添付書面

取締役及び監査役の就任登記の添付書面は，原則として，（種類）株主総会議事録（商登46Ⅱ）と就任を承諾したことを証する書面（商登54Ⅰ）である。また,取締役及び監査役の就任（再任を除く。）による変更の登記の申請書には,取締役又は監査役が就任を承諾したことを証する書面に記載した取締役又は監査役の氏名及び住所と同一の氏名及び住所が記載されている市町村長その他の公務員が職務上作成した証明書（当該取締役又は監査役が原本と相違がない旨を記載した謄本を含む。以下「本人確認証明書」という。）を添付しなければならない。ただし，登記の申請書に商業登記規則61条４項，５項又は６項の規定により，当該取締役及び監査役の印鑑につき市町村長の作成した証明書を添付する場合は，当該書面の添付は不要である（商登規61Ⅶ但書）。

なお，就任を承諾したことを証する書面については，必ずしも独立の書面でなくともよく，被選任者が総会当日出席していて，その本人が総会場において就任を承諾したことが明らかである議事録でも十分であるとされる。これは,（種類）株主総会議事録は，議事の経過の要領及びその結果を記載すべきものとされた法定の書面であること（会社318Ⅰ，会社施規72Ⅲ②），並びに議事録の不実記載については過料の対象にされていることから（会社976⑦），記載の信用性は担保されているためである。ただし，就任を承諾したことを証する書面に記載した取締役又は監査役の氏名及び住所についての本人確認証明書の添付を要する場合には，席上承諾の旨の記載があり，かつ被選任者の住所の記載がされていなければ，議事録の記載を援用することはできない（平27.2.20民商18号通達）。

14－2－1　決議権限

別紙２より，株主総会において決議されているため，決議機関は適法である（会社329Ⅰ）。

14－2－2　決議形式

問題文より，招集手続及び決議要件について明らかとなっていないが，別紙８より，平成28年５月30日に開催された定時株主総会は適法に成立した旨の記載があるため，招集手続は適法にされ，また，株主総会の普通決議の要件を満たし，適法に可決承認されたと判断することができる。

14－2－3　決議内容

別紙２より，監査等委員である取締役以外の取締役（社外取締役）としてＧを選任している。

⑴　資格制限

資格制限に抵触する事実は示されていないため，適法である。

⑵　員数制限

員数制限に抵触する事実は示されていないため，適法である。

14－2－4　就任承諾

別紙２より，被選任者は，選任決議に係る定時株主総会において，席上即時に就任を承諾しているため，平成28年５月30日に就任の効力が生ずる。

14－2－5　社外取締役である旨の登記の要否

前述のとおり，ワンツー株式会社は，平成28年５月30日付けで，監査等委員会設置会社となっており，また，別紙８より，Ｇは社外取締役の要件を満たしているため，社外取締役である旨の登記をすることを要する。

14－2－6　添付書面

選任を証する書面として，平成28年５月30日付けの「(定時）株主総会議事録」を添付する（商登46Ⅱ）。

Ｇの「取締役の就任を承諾したことを証する書面」を添付する（商登54Ⅰ）。

Ｇの「本人確認証明書」を添付する（商登規61Ⅶ）。

14−3　監査等委員である取締役D，監査等委員である取締役（社外取締役）E・F（就任）

<申請書記載例については監査等委員会設置会社の定めの設定を参照>

前提の知識

監査等委員である取締役の選任

監査等委員である取締役は，株主総会の決議によって選任する（会社329Ⅰ）。また，監査等委員会設置会社においては，取締役の選任は，監査等委員である取締役とそれ以外の取締役とを区別してしなければならない（会社329Ⅱ）。

なお，取締役は，監査等委員である取締役の選任に関する議案を株主総会に提出するには，監査等委員会の同意を得なければならない（会社344の２Ⅰ）。

14−3−1　決議権限

別紙２より，株主総会において決議されているため，決議機関は適法である（会社329Ⅰ）。

14−3−2　決議形式

問題文より，招集手続及び決議要件について明らかとなっていないが，別紙８より，平成28年５月30日に開催された定時株主総会は適法に成立した旨の記載があるため，招集手続は適法にされ，また，株主総会の普通決議の要件を満たし，適法に可決承認されたと判断することができる。

14−3−3　決議内容

別紙２より，監査等委員である取締役としてD，E及びFを選任している。

⑴　資格制限

資格制限に抵触する事実は示されていないため，適法である。

⑵　員数制限

員数制限に抵触する事実は示されていないため，適法である。

14−3−4　就任承諾

別紙２より，D，E及びFは，選任決議に係る定時株主総会において，席上就任を承諾しているため，平成28年５月30日に就任の効力が生ずる。

14−3−5　社外取締役である旨の登記の要否

前述のとおり，ワンツー株式会社は，平成28年５月30日付けで，監査等委員会設置会社となっており，Ｅ及びＦは，社外取締役の要件を満たしているため，Ｅ及びＦの監査等委員である取締役の就任登記については，社外取締役である旨の登記をすることを要する。

14−3−6　添付書面

選任を証する書面として，平成28年５月30日付けの「(定時）株主総会議事録」を添付する（商登46Ⅱ)。

Ｄ，Ｅ及びＦの「監査等委員である取締役の就任を承諾したことを証する書面」３通を添付する（商登54Ⅰ)。

Ｄ，Ｅ及びＦの「本人確認証明書」３通を添付する（商登規61Ⅶ)。

なお，取締役の社外性については，添付書面を要しない。

14−4｜取締役Ａ・Ｂ（重任）

＜申請書記載例＞

1．事　取締役の変更
1．登　○年○月○日次の者重任
　　　　取締役　○○
　　　　取締役　○○
1．税　金３万円（登録税別表1.24.⑴カ）
　　　（但し，資本金の額が１億円以下の会社については，金１万円)
1．添　株主総会議事録　１通（商登46Ⅱ)
　　　就任を承諾したことを証する書面　○通（商登54Ⅰ)
　　　委任状　１通（商登18)

前提の知識

重任

任期満了と同時に再選され就任した場合を，登記の実務上「重任」という。したがって，このような場合には，退任の旨及び就任した旨を重ねて記載するのではなく，重任した旨を記載することとなる。

株式譲渡制限の定めを廃止する定款変更により取締役が退任した場合において，当該株主総会で同一人が取締役に再任されたときの登記の原因は，「重任」としてよい（平18.6.14日司連発279号「会社法等の施行に伴う商業登記実務についてのＱ＆Ａ」Ｑ11)。

また，監査等委員会設置会社の定めの設定により，従前の取締役が，退任と同時に監査等委員である取締役に就任した場合の登記原因は，退任及び就任であるが，退任と同時に監査等委員である取締役以外の取締役に就任した場合の登記原因は，重任である（平27.2.6民商13号通達）。

14－4－1　決議権限

別紙２より，株主総会において決議されているため，決議機関は適法である（会社329Ⅰ）。

14－4－2　決議形式

問題文より，招集手続及び決議要件について明らかとなっていないが，別紙８より，平成28年５月30日に開催された定時株主総会は適法に成立した旨の記載があるため，招集手続は適法にされ，また，株主総会の普通決議の要件を満たし，適法に可決承認されたと判断することができる。

14－4－3　決議内容

別紙２より，取締役としてＡ及びＢを選任している。

⑴　資格制限

資格制限に抵触する事実は示されていないため，適法である。

⑵　員数制限

員数制限に抵触する事実は示されていないため，適法である。

⑶　重任の可否

問題文（答案作成に当たっての注意事項）及び別紙１より，取締役Ａ及びＢは，平成27年５月30日に選任され，同日就任しており，選任後２年以内に終了する事業年度のうち最終のものに関する定時株主総会の終結の時に任期が満了し退任するはずであったが，別紙２より，任期中の平成28年５月30日開催の定時株主総会において，監査等委員会設置会社の定めを設定する旨の決議をしているため，当該定款変更の効力発生時に取締役Ａ及びＢは，任期満了により退任することとなる。しかし，取締役Ａ及びＢは同日開催の定時株主総会において，再び取締役に選任され，席上就任を承諾しているため，同日付けで，重任登記を申請することができる。

14－4－4　就任承諾

別紙２より，Ａ及びＢは，選任決議に係る定時株主総会において，席上就任を承諾しているため，平成28年５月30日に就任の効力が生ずる。

14－4－5　添付書面

選任及び退任を証する書面として，平成28年５月30日付けの「(定時) 株主総会議事録」を添付する（商登46Ⅱ）。

Ａ及びＢの「取締役の就任を承諾したことを証する書面」２通を添付する（商登54Ⅰ）。

14－5　代表取締役Ａ（重任）

<申請書記載例>

１．事　代表取締役の変更	
１．登　○年○月○日次の者重任	
○県○市○町○丁目○番○号	
代表取締役　○○	
１．税　金３万円（登録税別表1.24.(1)カ）	
（但し，資本金の額が１億円以下の会社については，金１万円）	
１．添　取締役会議事録	１通（商登46Ⅱ）
就任を承諾したことを証する書面	１通（商登54Ⅰ）
委任状	１通（商登18）

前提の知識

印鑑証明書添付の例外（取締役会設置会社の場合）

取締役会議事録についての印鑑証明書は，適法な代表者の交替を担保するものであり，代表者の「変更」の場合にのみ添付を要するが，変更前の代表取締役が権限をもって取締役会に出席し，届出印を押印している場合には添付不要である（商登規61Ⅵ但書）。

就任を承諾したことを証する書面についての印鑑証明書は，虚無人代表者の発生を防止するためのものであり，合併又は組織変更による設立の場合及び再任の場合には添付を要しない（商登規61Ⅴ・Ⅳ括弧書）。これらの例外に該当する場合には，当該議事録への届出印以外の押印，就任を承諾したことを証する書面への押印は，認印で足りることとなる。なお，「再任」には，代表取締役の権利義務を有する者が代表取締役に就任した場合も含まれる。

14−5−1　決議権限

別紙1より，ワンツー株式会社は取締役会設置会社であり，別紙3より，取締役会において決議されているため，決議機関は適法である（会社362Ⅱ③）。

14−5−2　決議形式

(1)　招集手続

別紙8より，監査等委員である取締役及びそれ以外の取締役全員が出席しているため，招集手続の瑕疵の有無については，検討することを要しない。

(2)　決議要件

別紙8より，議決に加わることができる取締役の過半数が出席しているが（全員），その過半数の賛成を得ているかについては明らかとなっていない。しかし，特に決議要件に瑕疵がある旨の記載もないため，決議要件を満たしていると判断することができる。

14−5−3　決議内容

別紙3より，代表取締役としてAを選定している。

(1)　前提資格

前述のとおり，平成28年5月30日開催の取締役会の時点において，Aは，取締役として任期中であり（役員等の概要（ワンツー株式会社）参照），代表取締役としての前提資格を有しているため，適法である。

(2)　員数制限

員数制限に抵触する事実は示されていないため，適法である。

(3)　重任の可否

前述のとおり，代表取締役Aは，代表取締役の前提資格である取締役を平成28年5月30日に任期満了により退任しているため，同日をもって代表取締役としても退任する。しかし，平成28年5月30日付けで取締役を重任し，さらに，同日開催の取締役会において，再び代表取締役に選定され，席上即時に就任を承諾しているため，同日付けで重任登記を申請することができる。

なお，代表取締役の前提資格である取締役を退任してから，代表取締役として再任するまで若干時間が空いているが，この場合も重任登記を申請することができる。

14－5－4　就任承諾

別紙３より，被選定者は，選定決議に係る取締役会において席上就任を承諾しているため，平成28年５月30日に就任の効力が生ずる。

14－5－5　添付書面

⑴　退任を証する書面（商登54条４項）

前提資格である取締役としての重任登記と一括申請する場合であるので，別途代表取締役としての退任を証する書面を添付することを要しない。

⑵　選定を証する書面及びこれに関する印鑑証明書

㈠　取締役会議事録（商登46条２項）

Ａを代表取締役に選定している旨が記載されている平成28年５月30日付けの「取締役会議事録」を添付する。

㈡　印鑑証明書の添付の要否（商登規61条６項３号）

別紙８より，取締役会議事録には従前からの代表取締役Ａの届出印が押印されているため，取締役会議事録の印鑑についての証明書を添付することを要しない。

⑶　就任を承諾したことを証する書面及びこれに関する印鑑証明書

㈠　就任を承諾したことを証する書面（商登54条１項）

Ａの「代表取締役の就任を承諾したことを証する書面」を添付する。

㈡　印鑑証明書の添付の要否（商登規61条５項・４項）

Ａは再任であるため（役員等の概要（ワンツー株式会社）参照），就任を承諾したことを証する書面に押印した印鑑についての証明書を添付することを要しない。

14－6　会計監査人さくら花子（重任）

<申請書記載例；法人でない場合・再任みなしの場合>

1．事　会計監査人の変更		
1．登　○年○月○日会計監査人○○重任		
1．税　金３万円（登録税別表1.24.⑴カ）		
（但し，資本金の額が１億円以下の会社については，金１万円）		
1．添　株主総会議事録	1通	（商登54Ⅳ・46Ⅱ）
公認会計士であることを証する書面	1通	（商登54Ⅱ③）
委任状	1通	（商登18）

前提の知識

会計監査人の再任みなし

会計監査人が退任する定時株主総会で別段の決議がされなかったときは，会計監査人は当該定時株主総会で再任されたものとみなされる（会社338Ⅱ）。この場合の重任登記の申請書には，資格を証する書面（商登54Ⅱ②・③）及び当該定時株主総会の議事録（商登54Ⅳ）を添付すれば足り，会計監査人が就任を承諾したことを証する書面の添付は要しない（平18.3.31民商782号第2部第3.9⑵イ㈠b）。

14－6－1　決議の有無

問題文（答案作成に当たっての注意事項）及び別紙1より，会計監査人さくら花子は，平成27年5月30日付けで重任登記がされており，選任後1年以内に終了する事業年度のうち最終のものに関する定時株主総会の終結の時である平成28年5月30日に任期が満了し退任する。しかし，別紙2より，会計監査人さくら花子の任期が満了する平成28年5月30日開催の定時株主総会において，別段の決議がされていないため，会計監査人さくら花子は，同定時株主総会において再任されたものとみなされる。

したがって，平成28年5月30日付けで，重任登記を申請することができる。

⑴　資格制限

別紙1より，さくら花子は公認会計士である。また，他に資格制限に抵触する事実は示されていないため，適法である。

⑵　員数制限

員数制限に抵触する事実は示されていないため，適法である。

14－6－2　添付書面

退任（重任）を証する書面として，平成28年5月30日付けの「（定時）株主総会議事録」を添付する（商登54Ⅳ・46Ⅱ）。

また，資格を証する書面として，「公認会計士であることを証する書面」を添付する（商登54Ⅱ③）。

なお，就任を承諾したことを証する書面（商登54Ⅱ①）は，添付することを要しない（平18.3.31民商782号第2部第3.9⑵イ㈠b）。

15 役員の変更（スリー株式会社）

結論

取締役A

平成28年７月１日付けで，**就任**登記を申請することができる。

監査役K

平成28年６月28日付けで，**退任**登記を申請することができる。

監査役L

平成28年６月28日付けで，**就任**登記を申請することができる。

A

平成28年６月28日開催の取締役会において，吸収分割の効力発生を条件として，Aを**代表取締役として選定しているが，代表取締役の選定時と条件成就による選定の効力発生時における取締役会の構成員が異なる**ため，Aの代表取締役の選定は効力を生じない。

したがって，登記することができない事項となる。

その他の役員について，登記事由は発生していない。

15－1 監査役K（任期満了）

<申請書記載例>

1．事	監査役の変更	
1．登	○年○月○日監査役○○退任	
1．税	金３万円（登録税別表1.24.(1)カ） （但し，資本金の額が１億円以下の会社については，金１万円）	
1．添	退任を証する書面	１通（商登54Ⅳ）
	委任状	１通（商登18）

問題文（答案作成に当たっての注意事項）及び別紙５より，監査役Kは，平成26年８月25日に選任され，同日就任しており，選任後４年以内に終了する事業年度のうち最終のものに関する定時株主総会の終結の時まで任期があるはずであったが，前述のとおり，平成28年６月28日開催の臨時株主総会において，監査役の監査の範囲を会計に関するものに限定する旨の定款の定めを廃止したため，当該定款変更の効力発生時に任期が満了し，退任する（会社336Ⅳ③）。なお，後述のとおり，同臨時株主総会において，監査役の最低員数を満たす後任者が就任しているため，監査役Kは，権利義務を有することとはならない（役員の概要（スリー株式会社）参照）。

したがって，平成28年６月28日付けで，任期満了による退任登記を申請することができる。

<添付書面>

退任を証する書面として，監査役の監査の範囲を会計に関するものに限定する旨の定款の定めを廃止する定款変更決議をした平成28年６月28日付けの「(臨時）株主総会議事録」を添付する（商登54Ⅳ）。

15−2　監査役Ｌ（就任）

＜申請書記載例＞

1．事	監査役の変更		
1．登	○年○月○日監査役○○就任		
1．税	金３万円（登録税別表1.24.(1)カ） （但し，資本金の額が１億円以下の会社については，金１万円）		
1．添	株主総会議事録	1通	（商登46Ⅱ）
	就任を承諾したことを証する書面	○通	（商登54Ⅰ）
	本人確認証明書	○通	（商登規61Ⅶ）
	委任状	1通	（商登18）

15−2−1　決議権限

別紙６より，株主総会において決議されているため，決議機関は適法である（会社329Ⅰ）。

15−2−2　決議形式

問題文より，招集手続及び決議要件について明らかとなっていないが，別紙９より，平成28年６月28日に開催された臨時株主総会は適法に成立した旨の記載があるため，招集手続は適法にされ，また，株主総会の普通決議の要件を満たし，適法に可決承認されたと判断することができる。

15−2−3　決議内容

別紙６より，監査役としてＬを選任している。

(1)　資格制限

資格制限に抵触する事実は示されていないため，適法である。

(2)　員数制限

員数制限に抵触する事実は示されていないため，適法である。

15−2−4　就任承諾

別紙６より，Ｌは，選任決議に係る臨時株主総会において，席上就任を承諾しているため，平成28年６月28日に就任の効力が生ずる。

15−2−5　添付書面

選任を証する書面として，平成28年６月28日付けの「(臨時）株主総会議事録」を添付する（商登46Ⅱ）。

Lの「監査役の就任を承諾したことを証する書面」を添付する（商登54Ⅰ）。
Lの「本人確認証明書」を添付する（商登規61Ⅶ）。

15−3 取締役A（就任）

<申請書記載例>

1．事	取締役の変更		
1．登	○年○月○日取締役○○就任		
1．税	金３万円（登録税別表1.24.⑴カ） （但し，資本金の額が１億円以下の会社については，金１万円）		
1．添	株主総会議事録	１通	（商登46Ⅱ）
	就任を承諾したことを証する書面	○通	（商登54Ⅰ）
	本人確認証明書	○通	（商登規61Ⅶ）
	委任状	１通	（商登18）

15−3−1 決議権限

別紙６より，株主総会において決議されているため，決議機関は適法である（会社329Ⅰ）。

15−3−2 決議形式

問題文より，招集手続及び決議要件について明らかとなっていないが，別紙９より，平成28年６月28日に開催された臨時株主総会は適法に成立した旨の記載があるため，招集手続は適法にされ，また，株主総会の普通決議の要件を満たし，適法に可決承認されたと判断することができる。

15−3−3 決議内容

別紙６より，取締役としてAを吸収分割の効力が発生することを条件として選任している。

⑴ 資格制限

資格制限に抵触する事実は示されていないため，適法である。

⑵ 員数制限

員数制限に抵触する事実は示されていないため，適法である。

15−3−4 就任承諾

問題文（答案作成に当たっての注意事項）より，被選任者及び被選定者の就任承諾は，選任され，又は選定された日に適法に得られており，また，別紙６より，吸収分割の効力発生を条件として選任されているため，吸収分割の効力が生ずる平成28年７月１日に就任の効力が生ずる。

15－3－5　添付書面

選任を証する書面として，平成28年６月28日付けの「(臨時）株主総会議事録」を添付する（商登46Ⅱ）。

Aの「取締役の就任を承諾したことを証する書面」を添付する（商登54Ⅰ）。

Aの「本人確認証明書」を添付する（商登規61Ⅶ）。

15－4　A（代表取締役就任・申請不可）

＜申請書記載例；取締役会設置会社＞

１．事　代表取締役の変更
１．登　○年○月○日次の者就任
　　　　○県○市○町○丁目○番○号
　　　　代表取締役　○○
１．税　金３万円（登録税別表1.24.(1)カ）
　　　　(但し，資本金の額が１億円以下の会社については，金１万円)
１．添　取締役会議事録　　　　　　　　　１通（商登46Ⅱ）
　　　　就任を承諾したことを証する書面　１通（商登54Ⅰ）
　　　　印鑑証明書　　　　　　　　　　　○通（商登規61Ⅴ・Ⅳ・Ⅵ）
　　　　委任状　　　　　　　　　　　　　１通（商登18）

前提の知識

代表取締役の条件又は期限付き選定決議

取締役会は全ての取締役で組織される（会社362Ⅰ)。また，取締役会は，取締役の中から,代表取締役を選定しなければならない（会社362Ⅲ)。したがって，現に取締役でない者を取締役会の構成員とすること，また，現に取締役でない者を代表取締役に選定することは認められていない。

ただし，在任している取締役の全員が将来的に重任する場合には，重任の前後で取締役会の構成員に変更がないため，その重任後に取締役会を開催して選定すべき代表取締役を，取締役の重任前にあらかじめ取締役会において選定することも合理的な範囲内であれば，認められる（昭41.1.20民事甲271号回答)。

15−4−1　決議権限

別紙7より，取締役会において決議されているため，決議機関は適法である（会社362Ⅱ③）。

15−4−2　決議形式

(1)　招集手続

別紙9より，取締役及び監査役全員が出席しているため，招集手続の瑕疵の有無については，検討することを要しない。

(2)　決議要件

別紙9より，議決に加わることができる取締役の過半数が出席しているが（全員），その過半数の賛成を得ているかについては明らかとなっていない。しかし，特に決議要件に瑕疵がある旨の記載もないため，決議要件を満たしていると判断することができる。

15−4−3　決議内容

別紙7より，Aについて，吸収分割の効力が発生することを条件として，代表取締役に選定する旨が，平成28年6月28日に決議されているため，代表取締役の選定決議であることが分かる。

取締役会における代表取締役の選定が有効であるためには，選定時と条件成就による選定の効力発生時における取締役会の構成員に変動がないことが必要である。

本問の場合，選定時と条件成就による選定の効力発生時における取締役会の構成員に変動があるため（役員の概要（スリー株式会社）参照），Aを代表取締役として選定する決議は効力を生じない。

したがって，登記することができない事項として，Aの代表取締役の就任の件を指摘し，その理由とともに答案用紙の第3欄に記載する（解答例参照）。

なお，登記することができない事項の理由として，取締役でない者を代表取締役に選定することはできない旨を記載しても誤りでないと解される。

MEMO

第１欄

【登記の事由】

取締役，監査等委員である取締役，代表取締役，監査役及び会計監査人の変更
新株予約権の行使
新株予約権の行使期間満了
監査役設置会社の定めの廃止
監査役会設置会社の定めの廃止
監査等委員会設置会社の定めの設定
重要な業務執行の決定の取締役への委任についての定めの設定

【登記すべき事項】

平成28年５月30日次の者退任
　取締役　C
　監査役　D
　監査役（社外監査役）　E
　監査役（社外監査役）　F
同日次の者重任
　取締役　A
　取締役　B
　東京都新宿区甲町１番地
　　代表取締役　A
　会計監査人　さくら花子
同日次の者就任
　取締役（社外取締役）G
　監査等委員である取締役　D
　監査等委員である取締役（社外取締役）　E
　監査等委員である取締役（社外取締役）　F

平成28年５月31日次のとおり変更
　発行済株式の総数　5,090株
　資本金の額　金５億450万円
　第１回新株予約権の数　10個
　前記新株予約権の目的たる株式の種類及び数又はその算定方法
　　普通株式　10株

平成28年６月１日第１回新株予約権の行使期間満了

平成28年５月30日設定
　重要な業務執行の決定の取締役への委任に関する規定
　　重要な業務執行の決定の取締役への委任についての定款の定めがある

同日監査役設置会社の定め廃止
同日監査役会設置会社の定め廃止
同日設定
　監査等委員会設置会社

【登録免許税額】	
金12万1,500円	
【添付書面の名称及び通数】	
株主総会議事録	１通
取締役会議事録	２通
取締役の就任を承諾したことを証する書面	３通
監査等委員である取締役の就任を承諾したことを証する書面	３通
代表取締役の就任を承諾したことを証する書面	１通
公認会計士であることを証する書面	１通
本人確認証明書	４通
新株予約権を行使したことを証する書面	１通又は３通
払込みがあったことを証する書面	１通
資本金の額が会社法及び会社計算規則の規定に従って計上されたことを証する書面	１通
委任状	１通

第２欄

【登記の事由】	
取締役及び監査役の変更 監査役の監査の範囲を会計に関するものに限定する旨の定款の定めの廃止 吸収分割による変更	
【登記すべき事項】	
平成28年６月28日監査役Ｋ退任 同日監査役Ｌ就任 同日監査役の監査の範囲を会計に関するものに限定する旨の定款の定め廃止 平成28年７月１日取締役Ａ就任 同日次のとおり変更 　発行済株式の総数　2,000株 　資本金の額　金7,500万円 同日東京都中央区中央一丁目１番１号ワンツー株式会社から分割	
【登録免許税額】	
金18万5,000円	
【添付書面の名称及び通数】	
株主総会議事録	１通
取締役の就任を承諾したことを証する書面	１通
監査役の就任を承諾したことを証する書面	１通
本人確認証明書	２通
吸収分割契約書	１通
公告及び催告をしたことを証する書面 　異議を述べた債権者はいない	２通
資本金の額が会社法第445条第５項の規定に従って 計上されたことを証する書面	１通
吸収分割会社の登記事項証明書	１通
吸収分割会社の株主総会議事録	１通
委任状	１通

第３欄

【登記することができない事項】

Ａの代表取締役就任の件（スリー株式会社）

【理由】※

代表取締役については，合理的な期間内であれば，取締役会において，条件付きで選定することができるが，選定時と条件の成就による選定の効力発生時における取締役会の構成員が異なる場合は，その効力は生じない。

本問の場合，平成28年６月28日開催の取締役会において，吸収分割の効力発生を条件として，Ａを代表取締役に選定しているが，代表取締役の選定時と条件の成就による選定の効力発生時における取締役会の構成員が異なるため，Ａの代表取締役の選定は効力を生じない。

したがって，Ａの代表取締役の就任は，登記することができない事項となる。

※　取締役でない者を代表取締役に選定することはできない旨を記載しても誤りでないと解される。

問題　平成27年

本問題の日付は、出題当時の本試験問題に合わせておりますが、法令等については、令和７年４月１日時点において施行されているもの（本書作成時点において施行予定のものを含む。）を適用した上で、解答を作成してください。

司法書士法務太郎は，平成27年５月22日に事務所を訪れた株式会社甲山商事の代表者から，別紙１から７までの書類のほか，登記申請に必要な書類の提示を受けて確認を行い，別紙９のとおり事情を聴取し，登記すべき事項や登記のための要件などを説明した。そして，司法書士法務太郎は，株式会社甲山商事の代表者から必要な登記の申請書の作成及び登記申請の代理の依頼を受けた。

また，司法書士法務太郎は，同年７月３日に事務所を訪れた株式会社甲山商事の代表者から，別紙３及び５から８までの書類のほか，登記申請に必要な書類の提示を受けて確認を行い，別紙10のとおり事情を聴取し，登記すべき事項や登記のための要件などを説明した。そして，司法書士法務太郎は，株式会社甲山商事の代表者から，登記の申請手続等について代理することの依頼を受けた。

司法書士法務太郎は，これらの依頼に基づき，登記申請に必要な書類の交付を受け，管轄登記所に対し，同年５月22日及び同年７月６日にそれぞれの登記の申請をすることとした。

以上に基づき，次の問１から問４までに答えなさい。

問１　平成27年５月22日に司法書士法務太郎が申請をした登記の申請書に記載すべき登記の事由，登記すべき事項，登録免許税額並びに添付書面の名称及び通数を答案用紙の第１欄に記載しなさい。ただし，登録免許税額の内訳については，記載することを要しない。

問２　平成27年７月６日に司法書士法務太郎が申請をすべき登記に関し，当該登記の申請書に記載すべき登記の事由，登記すべき事項，登録免許税額並びに添付書面の名称及び通数を答案用紙の第２欄に記載しなさい。ただし，登録免許税額の内訳については，記載することを要しない。

問３　平成27年６月５日付けでＦが乙川商会株式会社の取締役を辞任したこと（別紙10聴取記録の第１項）について，考えられる理由を答案用紙の第３欄に記載しなさい。

問４　平成27年６月５日付けで乙川商会株式会社がその保有する自己株式の全部を消却したこと（別紙10聴取記録の第３項）について，考えられる理由を答案用紙の第４欄に記載しなさい。

（答案作成に当たっての注意事項）

1　登記申請書の添付書面については，全て適式に調えられており，所要の記名・押印がされているものとする。

2　登記申請書の添付書面については，他の書面を援用することができる場合でも，援用しないものとする。

3　株式会社甲山商事及び乙川商会株式会社の定款には，別紙１から10までに現れている以外には，会社法の規定と異なる定めは，存しないものとする。

4　東京都中央区は東京法務局，横浜市中区は横浜地方法務局の管轄である。

5　登記の申請に伴って必要となる印鑑の提出手続は，適式にされているものとする。

6　添付書面の名称及び通数欄の解答においては，商業登記規則第61条第２項及び第３項の書面（いわゆる株主リスト）の記載を要しないものとする。

7　申請書に会社法人等番号を記載することによる登記事項証明書の添付の省略は，しないものとする。

8　数字を記載する場合には，算用数字を使用すること。

9　訂正，加入又は削除をしたときは，押印や字数を記載することを要しない。ただし，訂正は訂正すべき字句に線を引き，近接箇所に訂正後の字句を記載し加入は加入する部分を明示して行い，削除は削除すべき字句に線を引いて，訂正，加入又は削除をしたことが明確に分かるように記載すること。

10　土休日については考慮しないものとする。

別紙１

【平成27年５月19日現在の株式会社甲山商事に係る登記記録の抜粋】

商号　株式会社甲山商事

本店　横浜市中区甲町１番地

公告をする方法　官報に掲載してする。

会社成立の年月日　平成21年７月17日

目的　１　次に定める事業及びこれに関連する事業を営む会社の株式又は持分を保有することによる当該会社の事業活動の支配及び管理

⑴　時計，宝石，貴金属及び眼鏡の販売及び修理

２　不動産の賃貸及び管理

３　前各号に附帯関連する一切の事業

発行可能株式総数　800株

発行済株式の総数　200株

資本金の額　金1000万円

株式の譲渡制限に関する定め　当会社の株式を譲渡により取得するには，当会社の承認を受けなければならない。

役員に関する事項　取締役Ａ（就任又は重任年月日の記録なし）

取締役Ｂ（就任又は重任年月日の記録なし）

取締役Ｃ（就任又は重任年月日の記録なし）

平成24年５月22日辞任

取締役Ｄ　平成24年５月22日就任

横浜市中区甲町１番地

代表取締役Ａ（就任又は重任年月日の記録なし）

別紙２
【平成27年５月19日現在の株式会社甲山商事の定款】

第１章　総　則
（商号）
第１条　当会社は，株式会社甲山商事と称する。

（目的）
第２条　当会社は，次の事業を営むことを目的とする。
　1　次に定める事業及びこれに関連する事業を営む会社の株式又は持分を保有することによる当該会社の事業活動の支配及び管理
　　(1)　時計，宝石，貴金属及び眼鏡の販売及び修理
　2　不動産の賃貸及び管理
　3　前各号に附帯関連する一切の事業

（本店の所在地）
第３条　当会社は，本店を神奈川県横浜市に置く。

（機関）
第４条　当会社は，株主総会及び取締役以外の機関を設置しない。

（公告をする方法）
第５条　当会社の公告は，官報に掲載してする。

第２章　株　式
（発行可能株式総数）
第６条　当会社の発行可能株式総数は，800株とする。

（株券の不発行）
第７条　当会社の株式については，株券を発行しない。

（株式の譲渡制限）
第８条　当会社の株式を譲渡により取得するには，当会社の承認を受けなければならない。

（基準日）
第９条　当会社は，毎事業年度末日の最終の株主名簿に記載又は記録された議決権を有する株主をもって，その事業年度に関する定時株主総会において権利を行使することができる株主とする。

第３章　株主総会

（招集）
第10条　定時株主総会は，毎事業年度の末日の翌日から３ヶ月以内に招集し，臨時株主総会は，その必要があるときに随時これを招集する。

（議長）
第11条　株主総会の議長は，代表取締役がこれに当たる。代表取締役に支障があるときは，他の取締役がこれに代わる。

（決議の方法）
第12条　株主総会の決議は，法令又はこの定款に別段の定めがある場合の他，出席した議決権を行使することができる株主の議決権の過半数をもって決する。
２　会社法第309条第２項に定める株主総会の決議は，議決権を行使することができる株主の議決権の３分の１以上を有する株主が出席し，出席した当該株主の議決権の３分の２以上に当たる多数をもって決する。

第４章　取締役

（取締役の員数）
第13条　当会社の取締役は３名以上とする。

（取締役の選任の方法）
第14条　当会社の取締役は，株主総会において議決権を行使することができる株主の議決権の３分の１以上を有する株主が出席し，出席した当該株主の議決権の過半数の決議によって選任する。
２　取締役の選任については，累積投票によらない。

（取締役の任期）
第15条　取締役の任期は，選任後５年以内に終了する事業年度のうち最終のものに関する定時株主総会の終結の時までとする。

（代表取締役）
第16条　当会社に代表取締役１名を置き，取締役の互選をもって取締役の中からこれを選定する。

（報酬等）
第17条　取締役の報酬，賞与その他の職務執行の対価として当会社から受ける財産上の利益については，株主総会の決議をもって定める。

第５章　計　算

（事業年度）
第18条　当会社の事業年度は，毎年４月１日から翌年３月31日までの年１期とする。

（剰余金の配当）
第19条　剰余金の配当は，毎事業年度末日現在における最終の株主名簿に記載又は記録された株主又は登録株式質権者に対して支払う。
2　剰余金の配当は，支払提供の日から満３年を経過しても受領されないときは，当会社はその支払義務を免れる。

第６章　附　則

（法令の準拠）
第20条　この定款に規定のない事項は，全て会社法その他の法令に従う。

別紙３

【平成27年５月20日開催の株式会社甲山商事の定時株主総会における議事の概要】

第１号議案　計算書類承認の件

計算書類の承認を求めたところ，可決承認された。

第２号議案　定款一部変更の件

次のとおり，定款の一部変更を求めたところ，可決承認された（下線は変更部分）。

変更前	変更後
（機関） 第４条　当会社は，株主総会及び取締役以外の機関を設置しない。	（機関） 第４条　当会社は，株主総会及び取締役のほか，次の機関を設置する。 １．取締役会 ２．監査役
（発行可能株式総数） 第６条　当会社の発行可能株式総数は，800株とする。	（発行可能株式総数） 第６条　当会社の発行可能株式総数は，２万株とする。
第４章　取締役	第４章　取締役及び取締役会
（取締役の任期） 第15条　取締役の任期は，選任後５年以内に終了する事業年度のうち最終のものに関する定時株主総会の終結の時までとする。	（取締役の任期） 第15条　取締役の任期は，選任後２年以内に終了する事業年度のうち最終のものに関する定時株主総会の終結の時までとする。
（代表取締役） 第16条　当会社に代表取締役１名を置き，取締役の互選をもって取締役の中からこれを選定する。	（代表取締役） 第16条　代表取締役は，取締役会の決議によってこれを選定する。
【新設】	（取締役会の招集及び議長） 第17条　条文省略
【新設】	（決議の方法） 第18条　条文省略

【新設】	（取締役会の決議の省略） 第19条　条文省略
【新設】	（取締役会議事録） 第20条　条文省略
（取締役の報酬等） 第17条　条文省略	（取締役の報酬等） 第21条　条文省略（現行と同じ）
【新設】	第５章　監査役
【新設】	（監査役の員数） 第22条　当会社の監査役は２名以内とする。
【新設】	（監査役の選任の方法） 第23条　当会社の監査役は，株主総会において議決権を行使することができる株主の議決権の３分の１以上を有する株主が出席し，出席した当該株主の議決権の過半数の決議によって選任する。
【新設】	（監査役の任期） 第24条　監査役の任期は，選任後４年以内に終了する事業年度のうち最終のものに関する定時株主総会の終結の時までとする。
【新設】	（監査役の報酬等） 第25条　条文省略
第５章　計算	第６章　計算
（事業年度） 第18条　条文省略	（事業年度） 第26条　条文省略（現行と同じ）
以下　条文省略	以下　条文省略（条文番号繰下げ）

第３号議案　株式交換契約承認の件

別紙５の株式交換契約を承認することが諮られ，原案どおり可決承認された。

第４号議案　取締役３名選任の件
　取締役３名を選任することが諮られ，下記のとおり選任された。
　　　　　　横浜市中区甲町１番地　取締役　A
　　　　　　東京都港区丙町１番地　取締役　D
　　　　　　東京都渋谷区丁町１番地　取締役　E
　なお，被選任者は，いずれも席上就任を承諾した。

第５号議案　監査役１名選任の件
　監査役１名を選任することが諮られ，下記のとおり選任された。
　　　　　　東京都目黒区戊町１番地　監査役　F
　なお，被選任者は，席上就任を承諾した。

別紙４

【平成27年５月20日開催の株式会社甲山商事の取締役会における議事の概要】

第１号議案　代表取締役選定の件
　代表取締役を選定することが諮られ，下記のとおり選定された。
　　　　　　　東京都渋谷区丁町１番地　代表取締役　E
　なお，被選定者は，席上就任を承諾した。

別紙５
【平成27年５月19日付けの株式交換契約書の抜粋】

株式会社甲山商事（以下「甲」という。）と乙川商会株式会社（以下「乙」という。）は，次のとおり株式交換契約（以下「本契約」という。）を締結する。

第１条（株式交換）
甲及び乙は，甲を乙の完全親会社とし，乙を甲の完全子会社とする株式交換（以下「本株式交換」という。）を行い，甲は株式交換の効力発生日に乙の発行済株式の全部を取得する。

第２条（効力発生日）
本株式交換の効力発生日は，平成27年６月22日とする。ただし，本株式交換手続の進行に応じ必要がある場合，甲乙協議の上，会社法第790条に定めるところに従い，これを変更することができる。

第３条（株式交換対価の交付及び割当等）
甲は，効力発生日において，効力発生日の前日の最終の乙の株主名簿に記載又は記録された株主が所有する乙の株式数の合計に0.1を乗じた数の甲の株式を発行し，効力発生日の前日の最終の乙の株主名簿に記載又は記録された株主に対し，その所有する乙の株式１株につき甲の株式0.1の割合をもって割り当て，交付する。

第４条（資本金等の額）
甲が本株式交換により増加する資本金及び準備金の額については，下記のとおりとする。
⑴増加する資本金の額　　　　金3000万円
⑵増加する資本準備金の額　　株主資本等変動額から⑴を減じた額

（以下省略）

別紙６

【平成27年５月21日現在の乙川商会株式会社に係る登記記録の抜粋】

商号　乙川商会株式会社

本店　東京都中央区乙町１番地

公告をする方法　官報に掲載してする。

会社成立の年月日　昭和39年５月８日

目的　１　時計，宝石，貴金属及び眼鏡の販売及び修理

　　　２　前号に附帯関連する一切の事業

発行可能株式総数　32万株

発行済株式の総数　８万株

株券を発行する旨の定め　当会社の株式については，株券を発行する。

資本金の額　金4000万円

株式の譲渡制限に関する定め　当会社の株式を譲渡するには，取締役会の承認を受けなければならない。

役員に関する事項　取締役Ａ　平成26年11月26日重任

　取締役Ｅ　平成26年11月26日重任

　取締役Ｆ　平成26年11月26日重任

　取締役Ｇ　平成26年11月26日就任

　東京都渋谷区丁町１番地

　代表取締役Ｅ　平成26年11月26日重任

　監査役Ｈ　平成24年11月21日重任

取締役会設置会社に関する事項　取締役会設置会社

監査役設置会社に関する事項　監査役設置会社

別紙７

【平成27年５月22日現在の乙川商会株式会社の株主名簿】

取得年月日に関する記載は省略

	住所・氏名	株数	株券
1	横浜市中区甲町１番地 A	40,000株	株券不所持申出により不発行
2	東京都渋谷区丁町１番地 E	20,000株	株券不所持申出により不発行
3	東京都目黒区戊町１番地 F	10,000株	株券不所持申出により不発行
4	東京都文京区己町１番地 G	5,000株	株券不所持申出により不発行
5	東京都中央区乙町１番地 乙川商会株式会社	5,000株	株券番号１～５

別紙８

【平成27年６月30日開催の株式会社甲山商事の臨時株主総会における議事の概要】

第１号議案　定款一部変更の件

次のとおり，定款の一部変更を求めたところ，可決承認された（下線は変更部分）。

変更前	変更後
（発行可能株式総数） 第６条　当会社の発行可能株式総数は，2万株とする。	（発行可能株式総数） 第６条　当会社の発行可能株式総数は，2万株とし，そのうち１万8000株を普通株式の発行可能株式総数とし，2000株を優先株式の発行可能株式総数とする。
【新設】	（優先株式） 第10条　当会社は，剰余金の配当を行うときは，優先株式を有する株主に対し，普通株式を有する株主に先立ち，優先株式１株につき金2500円の優先配当金を支払う。 ２　優先株式を有する株主は，株主総会において議決権を行使することができない。
（招集） 第10条　条文省略	（招集） 第11条　条文省略（現行と同じ）
以下　条文省略	以下　条文省略（条文番号繰り下げ）

第２号議案　募集株式の発行の件

次のとおり，募集株式の発行をすることについて，可決承認された。

(1)　募集株式の種類及び数　　普通株式　200株

(2)　払込金額　　１株につき金20万円

(3)　払込期日　　平成27年７月２日

(4)　増加する資本金及び資本準備金の額

払込金額の２分の１を資本金とし，その他を資本準備金とする。

(5)　割当て方法　次の者から，下記のとおり引受けの申込みがあることを条件に，下記のとおり割り当てる。

①　東京都渋谷区丁町１番地

　　E　普通株式　150株

②　東京都豊島区庚町１番地

　　K　普通株式　 50株

別紙９
【司法書士法務太郎の聴取記録（平成27年５月22日）】

1　株式会社甲山商事の平成26年３月31日に終了する事業年度に関する定時株主総会は，同年５月21日に開催され，計算書類の承認に関する議案のみが決議された。

2　株式会社甲山商事の取締役Ｂは，平成27年５月11日付けで辞任の意思表示をし，当該意思表示は，同日，株式会社甲山商事に到達した。

3　株式会社甲山商事の平成27年５月19日現在の定款は，別紙２のとおりであり，会社成立のときから一切変更されていない。

4　平成27年５月20日現在の株式会社甲山商事の株主は，Ａであり，その持株数は200株である。また，同日開催の株式会社甲山商事の定時株主総会には，株主Ａが出席している。

5　平成27年５月20日開催の株式会社甲山商事の取締役会には，取締役及び監査役の全員が出席した。別紙４の取締役会の議事録には，Ａが登記所に提出している印鑑が押されている。

6　司法書士法務太郎は，株式会社甲山商事の代表者から必要な登記申請の依頼を受けるに当たって，株式会社甲山商事と乙川商会株式会社との間で別紙５の株式交換の効力が発生することによって生じる会社法上の問題点について相談に応じた。

別紙10

【司法書士法務太郎の聴取記録（平成27年7月3日）】

1　司法書士法務太郎との相談（別紙9の第6項）を踏まえ，乙川商会株式会社の取締役Fは，平成27年6月5日に同社の取締役を辞任した。

2　株式会社甲山商事と乙川商会株式会社が締結した別紙5の株式交換契約において，株式交換の対価とされたのは，第3条に記載された株式のみである。また，同株式交換における株主資本等変動額は，15億円である。

3　乙川商会株式会社は，平成27年6月5日に株主総会を適法に開催し，別紙5の株式交換契約を承認する議案を可決した。また，同社は，同日，取締役会を適法に開催し，自己株式5,000株を全て消却し，当該株式に係る株券を全て廃棄した。なお，同年5月22日から同年6月21日までの間，乙川商会株式会社の発行済株式の総数，株主及びその保有する株式の数については，上記自己株式の消却によるもののほかには変更はない。

4　平成27年6月21日現在の株式会社甲山商事の株主は，Aであり，その持株数は200株である。なお，乙川商会株式会社は，会社成立の日から同月21日までの間，新株予約権を一切発行していない。

5　乙川商会株式会社の平成27年6月21日現在の登記記録は，取締役Fの辞任に関する事項及び自己株式5,000株の消却に伴う発行済株式総数の減少に関する事項を除き，同年5月21日現在の登記記録から変更はなく，この間に定款の変更はしていない。

6　募集株式の引受人であるE及びKは，平成27年6月30日に株式会社甲山商事に対して，別紙8のとおりの募集株式の引受けの申込みをした。同日，株式会社甲山商事は，E及びKに対して割当ての通知をした。

7　Eは，平成27年7月1日に，引き受けた株式につき払込金額の全額を払込取扱金融機関に払い込み，株式会社甲山商事の当該払込取扱金融機関の預金通帳には，当該払込みの事実が記載されているが，同月2日が経過するまでに，Kからは同人が引き受けた株式についての払込みがなされなかった。

8　平成27年7月3日，株式会社甲山商事と株主F及び株主Gは，同人らが有する株式会社甲山商事の株式の全部を，優先株式に変更する旨の合意をし，その旨の合意書を取り交わした。また，株主F及び株主G以外の株主全員は，当該合意について同意する旨の文書を株式会社甲山商事に対して同日交付した。

MEMO

平成27年●答案用紙

第１欄

【登記の事由】
【登記すべき事項】

【登録免許税額】

【添付書面の名称及び通数】

第２欄

【登記の事由】

【登記すべき事項】

【登録免許税額】

【添付書面の名称及び通数】

第３欄

第４欄

解説　平成27年

[本問の重要論点一覧表]

出題範囲	重要論点	解説箇所
発行可能株式総数の変更	非公開会社においては，発行可能株式総数を発行済株式の総数の４倍を超えて増加することができる。	P658参照
取締役会設置会社の定めの設定	株式会社は，定款の定めによって，取締役会を置くことができる。	P660参照
監査役設置会社の定めの設定	非公開会社である会計参与設置会社を除き，取締役会設置会社（監査等委員会設置会社及び指名委員会等設置会社を除く。）は監査役を置かなければならない。	P662参照
株式交換	株式交換完全子会社が株券発行会社である場合であっても，現に株券を発行していない場合には，株券提供公告等の手続を要しない。	P669参照
発行可能種類株式総数及び発行する各種類の株式の内容の設定	発行可能種類株式総数及び発行する各種類の株式の内容の設定をするためには，定款を変更することを要し，株主総会の特別決議を要する。	P676参照
募集株式の発行	種類株式発行会社が，第三者割当てにより募集株式の発行をする場合において，募集株式の種類が譲渡制限株式であるときは，当該種類の株式に関する募集事項の決定は，当該種類の株式を引き受ける者の募集について当該種類の株式の種類株主を構成員とする種類株主総会の決議を要しない旨の定款の定めがある場合を除き，当該種類株主総会の特別決議がなければ，その効力を生じない。	P679参照
発行済株式の種類及び種類ごとの数の変更	発行済株式の一部を他の種類の株式とするには，株式の内容の変更に応ずる個々の株主と会社との合意及び株式の内容の変更に応ずる株主と同じ種類に属する他の株主（変更前の内容の株式の株主にとどまる者）全員の同意が必要である。	P682参照

出題範囲	重要論点	解説箇所
役員の変更	役員が権利義務を有する場合には，会社と役員は法で強制された関係にあるため，その地位を辞任することはできない。	P687 参照
	定款を変更して取締役の任期を短縮した場合には，現任の取締役の任期も短縮され，定款変更時において既に変更後の任期が満了していることとなるときは，当該取締役は当該定款変更時に退任することとなる。	P693 参照

1 役員の概要

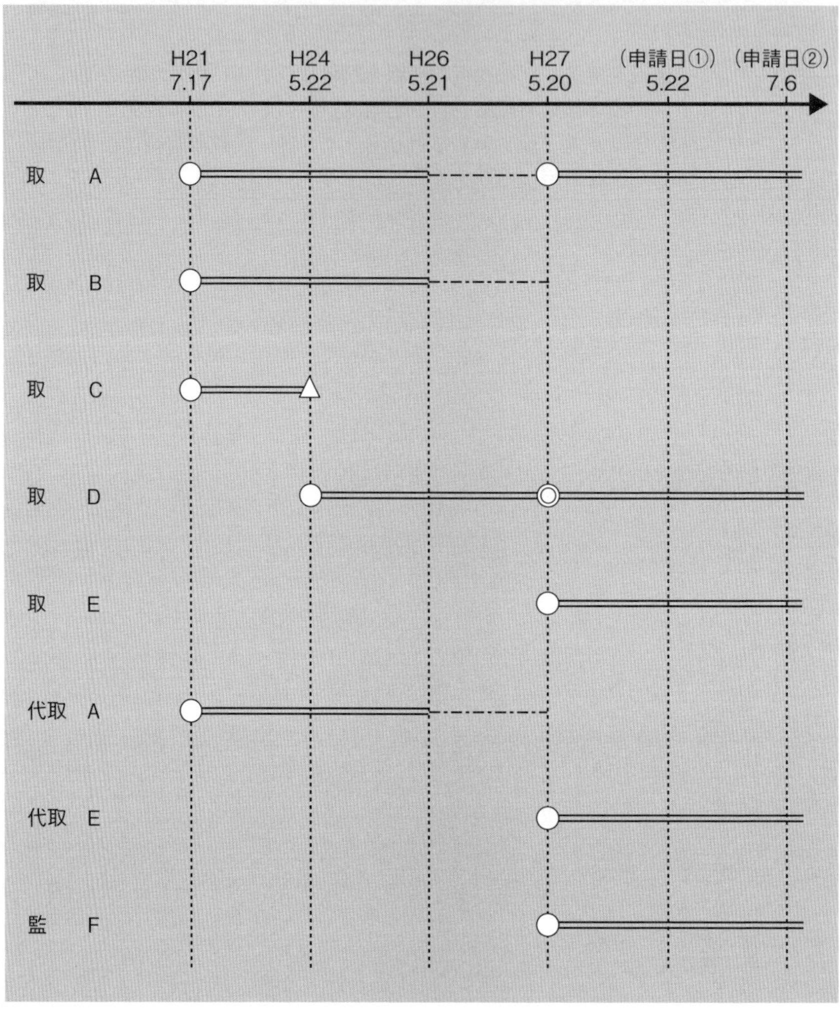

═══	任期中	◎	重任	△	辞任	□	欠格
-・-・-	権利義務	○	就任	×	死亡	■	解任

2 印鑑証明書及び本人確認証明書の通数

<平成27年５月22日申請分>

	印鑑証明書の添付を要する書面			本人確認証明書（商登規61条7項）
	就任承諾書（商登規61条4・5項）	選定証明書（商登規61条6項）	辞任届（商登規61条8項）	
取　A		×（届）		×（再）
取　B		×（届）		
取　C		×（届）		
取　D		×（届）		×（再）
取　E		×（届）		×（印）
代取　A				
代取　E	○			
監　F		×（届）		○
合計	１通			１通

○…添付必要
×…添付不要
（届）…従前からの代表取締役の届出印で押印しているため
（再）…再任のため
（印）…商登規61条４項，５項又は６項の規定により印鑑証明書を添付するため

3 株主の氏名又は名称，住所及び議決権数等を証する書面（株主リスト）の検討

3−1 株主の氏名又は名称，住所及び議決権数等を証する書面（株主リスト）の添付を要する場合等の検討

前提の知識

① **株主総会又は種類株主総会の決議を要する場合の株主の氏名又は名称，住所及び議決権数等を証する書面（株主リスト）**

登記すべき事項につき株主総会又は種類株主総会の決議を要する場合には，申請書に，総株主（種類株主総会の決議を要する場合にあっては，その種類の株式の総株主）の議決権（当該決議において，行使することができるものに限る。）の数に対するその有する議決権の数の割合が高いことにおいて上位となる株主であって，次に掲げる人数のうちいずれか少ない人数の株主の氏名又は名称及び住所，当該株主のそれぞれが有する株式の数（種類株主総会の決議を要する場合にあっては，その種類の株式の数）及び議決権の数並びに当該株主のそれぞれが有する議決権に係る当該割合を証する書面を添付しなければならない（商登規61Ⅲ）。

⑴ 10名

⑵ その有する議決権の数の割合を当該割合の多い順に順次加算し，その加算した割合が３分の２に達するまでの人数

なお，当該決議には会社法319条１項の規定により決議があったものとみなされる場合が含まれる。

② **株主又は種類株主の全員の同意を要する場合の株主の氏名又は名称，住所及び議決権数等を証する書面（株主リスト）**

登記すべき事項につき株主全員又は種類株主の全員の同意を要する場合には，申請書に，株主又は種類株主について，それぞれ次に掲げる事項を証する書面を添付しなければならない（商登規61Ⅱ）。

⑴ 株主　株主全員の氏名又は名称及び住所並びに各株主が有する株式の数（種類株式発行会社にあっては，株式の種類及び種類ごとの数を含む。）及び議決権の数

⑵ 種類株主　当該種類株主全員の氏名又は名称及び住所並びに当該種類株主のそれぞれが有する当該種類の株式の数及び当該種類の株式にかかる議決権の数

③　株主の氏名又は名称，住所及び議決権数等を証する書面（株主リスト）の通数

株主の氏名又は名称，住所及び議決権数等を証する書面は，株主総会決議を要する登記事項ごとに作成する必要がある。ただし，一の株主総会において，複数の議案で各株主の議決権数が変わらない場合は，その旨記載の上，１通を提出すれば足りる。

3－1－1　株主の氏名又は名称，住所及び議決権数等を証する書面（株主リスト）の添付を要する事項

第１欄

株主の氏名又は名称，住所及び議決権数等を証する書面の添付を要する株主総会決議
平成27年５月20日付け株式会社甲山商事の定時株主総会 取締役会設置会社の定めの設定の件 監査役設置会社の定めの設定の件 発行可能株式総数の変更の件 役員変更の件

第２欄

株主の氏名又は名称，住所及び議決権数等を証する書面の添付を要する株主全員の同意及び株主総会決議
発行済株式の種類及び種類ごとの数の変更に関する株式会社甲山商事の普通株式の株主全員の同意　※
平成27年５月20日付け株式会社甲山商事の定時株主総会 株式交換契約の承認の件
平成27年６月30日付け株式会社甲山商事の臨時株主総会 発行可能種類株式総数及び発行する各種類の株式の内容の設定の件
平成27年６月５日付け乙川商会株式会社の株主総会 株式交換契約の承認の件

※　発行済株式の一部を他の種類の株式とするには，株式の内容の変更に応ずる個々の株主と会社との合意及び株式の内容の変更に応ずる株主と同じ種類に属する他の株主（変更前の内容の株式の株主にとどまる者）全員の同意が必要であるが，登記すべき事項につき種類株主全員の同意を要する場合に該当すると解されるため，株主リストの添付を要する。

4 発行可能株式総数の変更

結論

本問の場合，**平成27年５月20日**付けで，**発行可能株式総数**を**２万株**とする発行可能株式総数の**変更**の登記を申請することができる。

<申請書記載例>

1．事	発行可能株式総数の変更	
1．登	○年○月○日変更 発行可能株式総数　○株	
1．税	金３万円（登録税別表1.24.(1)ツ）	
1．添	株主総会議事録	１通（商登46Ⅱ）
	委任状	１通（商登18）

前提の知識

① **発行可能株式総数の変更決議**

株式会社の成立後，発行可能株式総数は，登記事項（会社911Ⅲ⑥）であるとともに，定款に記載・記録しなければならない事項である（会社37Ⅰ・98）ため，その変更には，原則として株主総会の特別決議が必要となる（会社466・309Ⅱ⑪）。

② **会社法113条３項における発行可能株式総数と発行済株式の総数との関係**

株式会社が，次に掲げる定款変更を行う場合，当該定款変更後の発行可能株式総数は，当該定款の変更が効力を生じた時における発行済株式の総数の４倍を超えることができない。

(1)　公開会社が発行可能株式総数を増加する場合（会社113Ⅲ①）

(2)　公開会社でない株式会社が公開会社となる場合（会社113Ⅲ②）

なお，非公開会社が，発行可能株式総数を増加する定款変更を行う場合には，発行済株式の総数の４倍を超えることができる。

4−1 決議権限

別紙３より，株主総会において決議されているため，決議機関は適法である（会社466）。

4−2 決議形式

(1) 招集手続

別紙９より，議決権を行使することができる株主全員（Ａのみ）が出席しているため，招集手続の瑕疵の有無については，検討することを要しない（最判昭60.12.20，最判昭46.6.24，昭43.8.30民甲2770号）。

(2) 決議要件

別紙３及び９より，株主の全員（Ａのみ）が出席したことから，株主総会の議案を審議することができる法令及び定款上の定足数を充足しており，可決承認されているため，決議要件を満たしている（会社309Ⅱ）。

4−3 決議内容

別紙３より，発行可能株式総数を２万株と定めている。別紙１及び２より，申請会社は非公開会社であるため，適法である。

4−4 効力発生日

別紙３より，決議の効力発生に期限，条件が付されていないため，決議された平成27年５月20日付けで発行可能株式総数の変更の効力が生ずる。

4−5 添付書面

発行可能株式総数の変更の決議をしたことを証する書面として，平成27年５月20日付けの「(定時）株主総会議事録」を添付する（商登46Ⅱ）。

5 取締役会設置会社の定めの設定

結論

本問の場合，**平成27年５月20日**付けで，**取締役会設置会社の定め**を**設定**する旨の登記を申請することができる。

<申請書記載例>

1．事	取締役会設置会社の定めの設定
1．登	○年○月○日設定 取締役会設置会社
1．税	金３万円（登録税別表1.24.(1)ワ）
1．添	株主総会議事録　　　　1通（商登46Ⅱ） 委任状　　　　1通（商登18）

前提の知識

取締役会設置会社

株式会社は，定款の定めによって，取締役会を置くことができる（会社326Ⅱ）。そして，取締役会を置く株式会社又は会社法の規定により取締役会を置かなければならない株式会社を「取締役会設置会社」という（会社２⑦）。取締役会設置会社であるときは，その旨が登記事項となる（会社911Ⅲ⑮）。

なお，公開会社，監査役会設置会社，監査等委員会設置会社，指名委員会等設置会社では，取締役会を置かなければならない（会社327Ⅰ）。

5−1　決議権限

別紙３より，株主総会において決議されているため，決議機関は適法である（会社466）。

5−2　決議形式

⑴　招集手続

別紙９より，議決権を行使することができる株主全員（Aのみ）が出席しているため，招集手続の瑕疵の有無については，検討することを要しない。

⑵　決議要件

別紙３及び９より，株主の全員（Aのみ）が出席したことから，株主総会の議案を審議することができる法令及び定款上の定足数を充足しており，可決承認されているため，決議要件を満たしている。

5−3 決議内容

別紙３より，取締役会設置会社の定めを設定する旨の決議をしている。

また，後述のとおり，平成27年５月20日開催の定時株主総会で取締役を３名選任しており，取締役は３名以上（役員の概要参照）存在していることが分かる。

したがって，決議内容は適法である。

5−4 効力発生日

別紙３より，決議の効力発生に期限，条件が付されていないため，決議された平成27年５月20日付けで取締役会設置会社の定めの設定の効力が生ずる。

5−5 添付書面

取締役会設置会社の定めの設定決議をしたことを証する書面として，平成27年５月20日付けの「(定時）株主総会議事録」を添付する（商登46Ⅱ）。

6 監査役設置会社の定めの設定

結論

本問の場合，**平成27年５月20日付けで**，**監査役設置会社の定め**を**設定**する旨の登記を申請することができる。

<申請書記載例>

1．事	監査役設置会社の定めの設定		
1．登	○年○月○日設定 　監査役設置会社		
1．税	金３万円（登録税別表1.24.⑴ツ）		
1．添	株主総会議事録	1通	（商登46Ⅱ）
	委任状	1通	（商登18）

前提の知識

① **監査役設置会社**

株式会社は，定款の定めによって，取締役会，会計参与，監査役，監査役会，会計監査人,監査等委員会又は指名委員会等を置くことができる（会社326Ⅱ）。監査役を置く株式会社（その監査役の監査の範囲を会計に関するものに限定する旨の定款の定めがあるものを除く。）又は会社法の規定により監査役を置かなければならない株式会社を「監査役設置会社」という（会社２⑨）。

② **監査役の設置義務**

取締役会設置会社（監査等委員会設置会社及び指名委員会等設置会社を除く。）は，監査役を置かなければならない。ただし，公開会社でない会計参与設置会社については，この限りでない（会社327Ⅱ）。監査等委員会設置会社及び指名委員会等設置会社は，監査役を置いてはならない（会社327Ⅳ）。

会計監査人設置会社（監査等委員会設置会社及び指名委員会等設置会社を除く。）は，監査役を置かなければならない（会社327Ⅲ）。

6−1　決議権限

別紙３より，株主総会において決議されているため，決議機関は適法である（会社466）。

6−2　決議形式

⑴　招集手続

別紙９より，議決権を行使することができる株主全員（Ａのみ）が出席しているため，招集手続の瑕疵の有無については，検討することを要しない。

⑵　決議要件

別紙３及び９より，株主の全員（Ａのみ）が出席したことから，株主総会の議案を審議することができる法令及び定款上の定足数を充足しており，可決承認されているため，決議要件を満たしている。

6−3　決議内容

別紙３より，監査役設置会社の定めを設定する旨の決議をしている。

また，後述のとおり，平成27年５月20日開催の定時株主総会で新たに監査役を１名選任している。

したがって，決議内容は適法である。

6−4　効力発生日

別紙３より，決議の効力発生に期限，条件が付されていないため，決議された平成27年５月20日付けで監査役設置会社の定めの設定の効力が生ずる。

6−5　添付書面

監査役設置会社の定めの設定決議をしたことを証する書面として，平成27年５月20日付けの「(定時）株主総会議事録」を添付する（商登46Ⅱ）。

株式交換

結論

本問の場合，**平成27年６月22日**付けで，**株式交換**により，**発行済株式の総数**を**7,700株**，**資本金の額**を**金4,000万円**と**変更**する旨の登記を申請することができる。

＜申請書記載例；本問の場合＞

１．事	株式交換	
１．登	○年○月○日次のとおり変更 　発行済株式の総数　○株 　資本金の額　金○円	
１．税	増加した資本金の額×７／1000（登録税別表1.24.⑴ニ） (計算額が３万円未満のときは金３万円)	
１．添	株主総会議事録	１通（商登46Ⅱ）
	株式交換契約書	１通（商登89①）
	資本金の額が会社法第445条第５項の規定に 従って計上されたことを証する書面	１通（商登89④）
	株式交換完全子会社の登記事項証明書	１通（商登89⑤）

株式交換完全子会社の株主総会議事録	1通（商登46Ⅱ・89⑥）
株式交換完全子会社の株式の全部について株券を発行していないことを証する書面	1通（商登89⑧）
委任状	1通（商登18）

7−1 株式交換契約の締結に関する検討

前提の知識

① **株式交換**

株式交換とは，株式会社がその発行済株式の全部を他の株式会社又は合同会社に取得させることをいう（会社2㉛）。

株式交換完全子会社は，株式会社でなければならないが，株式交換完全親会社は，株式会社のほか，合同会社でもよい（会社767括弧書参照）。

② **株式交換契約**

株式会社が，株式交換をする場合には，株式交換完全親会社となる会社との間で株式交換契約を締結しなければならない（会社767）。

③ **株式交換の対価**

株式交換に際して，株式交換完全子会社の株主に対して交付される財産は，株式交換完全親株式会社の株式だけでなく，その会社の社債，新株予約権，新株予約権付社債及びその他の財産をもって，株式交換の対価とすることが認められる（会社768Ⅰ②）。

別紙５より，株式交換契約書に基づいて，株式会社甲山商事を株式交換完全親株式会社とし，乙川商会株式会社を株式交換完全子会社とする株式交換契約が締結されている。

株式交換完全親会社が株式会社であるときは，株式交換契約において，次に掲げる事項を定めなければならない（会社768）。

以下，別紙５の株式交換契約書の記載内容等について具体的に検討する。

法定記載事項（会社768条）	株式交換契約書（別紙５）
①　株式交換完全子会社及び株式交換完全親株式会社の商号及び住所（会社768Ⅰ①）	冒頭 第１条 （以下省略）箇所

②　株式交換完全親株式会社が株式交換に際して株式交換完全子会社の株主に対してその株式に代わる金銭等を交付するときは，当該金銭等についての次に掲げる事項（会社768Ⅰ②）	第３条
⑴　当該金銭等が株式交換完全親株式会社の株式であるときは，当該株式の数（種類株式発行会社にあっては，株式の種類及び種類ごとの数）又はその数の算定方法並びに当該株式交換完全親株式会社の資本金及び準備金の額に関する事項（会社768Ⅰ②イ）	第３条 第４条
⑵　当該金銭等が株式交換完全親株式会社の社債（新株予約権付社債についてのものを除く。）であるときは，当該社債の種類及び種類ごとの各社債の金額の合計額又はその算定方法（会社768Ⅰ②ロ）	－
⑶　当該金銭等が株式交換完全親株式会社の新株予約権（新株予約権付社債に付されたものを除く。）であるときは，当該新株予約権の内容及び数又はその算定方法（会社768Ⅰ②ハ）	－
⑷　当該金銭等が株式交換完全親株式会社の新株予約権付社債であるときは，当該新株予約権付社債についての⑵の事項及び当該新株予約権付社債に付された新株予約権についての⑶の事項（会社768Ⅰ②ニ）	－
⑸　当該金銭等が株式交換完全親株式会社の株式等以外の財産であるときは，当該財産の内容及び数若しくは額又はこれらの算定方法（会社768Ⅰ②ホ）	－
③　②の場合には，株式交換完全子会社の株主（株式交換完全親株式会社を除く。）に対する②の金銭等の割当てに関する事項（会社768Ⅰ③）	第３条
④　株式交換完全親株式会社が株式交換に際して株式交換完全子会社の新株予約権の新株予約権者に対して当該新株予約権に代わる当該株式交換完全親株式会社の新株予約権を交付するときは，当該新株予約権についての次に掲げる事項（会社768Ⅰ④）	－
⑴　株式交換契約新株予約権の内容（会社768Ⅰ④イ）	－
⑵　株式交換契約新株予約権の新株予約権者に対して交付する株式交換完全親株式会社の新株予約権の内容及び数又はその算定方法（会社768Ⅰ④ロ）	－

⑶　株式交換契約新株予約権が新株予約権付社債に付された新株予約権であるときは，株式交換完全親株式会社が当該新株予約権付社債についての社債に係る債務を承継する旨並びにその承継に係る社債の種類及び種類ごとの各社債の金額の合計額又はその算定方法（会社768Ⅰ④ハ）	－
⑤　④の場合には，株式交換契約新株予約権の新株予約権者に対する④の株式交換完全親株式会社の新株予約権の割当てに関する事項（会社768Ⅰ⑤）	－
⑥　株式交換の効力発生日（会社768Ⅰ⑥）	第２条

第１条について

株式会社甲山商事を株式交換完全親株式会社，乙川商会株式会社を株式交換完全子会社とする株式交換を行うと記載されているが，適法である。

なお，別紙５には，株式会社甲山商事及び乙川商会株式会社の住所の記載がないが，株式交換契約書の抜粋であることから，適法に記載されているものと解される。

第２条について

平成27年６月22日を株式交換の効力発生日と定めているが，適法である。

第３条について

株式交換完全親株式会社となる株式会社甲山商事は，効力発生日において，効力発生日の前日の最終の乙川商会株式会社の株主名簿に記載又は記録された株主が所有する乙川商会株式会社の株式数の合計に0.1を乗じた数の株式会社甲山商事の株式を発行し，効力発生日の前日の最終の乙川商会株式会社の株主名簿に記載又は記録された株主に対し，その所有する乙川商会株式会社の株式１株につき株式会社甲山商事の株式0.1株の割合をもって割り当て，交付すると記載されているが，このように定めることも可能であり，適法である。

第４条について

株式交換により増加する株式会社甲山商事の資本金の額は金3,000万円，資本準備金の額は株主資本等変動額金15億円（別紙10）から増加する資本金の額金3,000万円を減じた額と定めているが，適法である。

7−2 株式交換完全親株式会社の資本金及び準備金の額に関する事項

前提の知識

株式交換完全親株式会社の資本金の額の定め

株式交換完全親株式会社が株式交換に際して株式交換完全子会社の株主に対してその株式に代わり株式交換完全親株式会社の株式を交付するときは，当該株式の数（種類株式発行会社にあっては，株式の種類及び種類ごとの数）又はその数の算定方法並びに当該株式交換完全親株式会社の資本金及び準備金の額に関する事項を株式交換契約において定めなければならない（会社768Ⅰ②イ）。

上述のとおり，株式交換契約書には，株式交換により増加する株式会社甲山商事の資本金の額は金3,000万円，資本準備金の額は，株主資本等変動額金15億円から増加する資本金の額金3,000万円を減じた額とする旨が記載されている。

問題文より，株式交換により増加すべき資本金の額及び資本準備金の額について，会社法第445条第５項の規定に従って計上されている旨の記載はないが，適法に計上されているものと解される。

7−3 承認決議（株式交換完全親株式会社となる株式会社甲山商事）

前提の知識

株式交換完全親株式会社における株式交換契約の承認決議

株式交換完全親株式会社は，効力発生日の前日までに，原則として，株主総会の特別決議によって，株式交換契約の承認を受けなければならない（会社795Ⅰ・309Ⅱ⑫）。

株式交換完全親株式会社が種類株式発行会社であり，募集株式の発行等に際して譲渡制限株式を引き受ける者の募集についてその種類の株式の種類株主を構成員とする種類株主総会の決議を要しない旨の定款規定がない場合に，株式交換に際して株式交換完全親株式会社の種類株式のうち，譲渡制限株式であるものを株式交換完全子会社の株主に対して交付するときは，その譲渡制限株式の種類株主を構成員とする種類株主総会の決議を経なければならない。ただし，当該種類株主総会において議決権を行使することができる株主が存しない場合は，種類株主総会を経ることを要しない（会社795Ⅳ③）。

また，種類株式発行会社が株式交換による他の株式会社の発行済株式全部の取得をする場合において，ある種類の株式の種類株主に損害を及ぼすおそれがあるときは，当該行為は，当該種類の株式の種類株主を構成員とする種類株主総会の特別決議がなければ，その効力を生じない（会社322Ⅰ⑫・324Ⅱ④）。ただし，当該種類株主総会において議決権を行使することができる種類株主が存しない場合，又は，当該種類株式の内容として，種類株主総会の決議を要しない旨が定款に定められている場合には，種類株主総会決議は不要である（会社322Ⅰ但書・Ⅱ・Ⅲ）。

別紙３及び９より，株式会社甲山商事は，平成27年５月20日開催の株主総会において,株式交換契約の承認決議を行っている。当該株主総会には,株主の全員（Aのみ）が出席し，可決承認されているため，適法に決議されたと判断することができる。

7−4　承認決議（株式交換完全子会社となる乙川商会株式会社）

前提の知識

株式交換完全親会社が株式会社である場合の株式交換完全子会社における株式交換契約の承認決議

株式交換完全子会社は，効力発生日の前日までに，原則として，株主総会の特別決議によって，株式交換契約の承認を受けなければならない（会社783Ⅰ・309Ⅱ⑫）。

株式交換完全子会社が種類株式発行会社でない公開会社であり，かつ，当該株式会社の株主に対して交付する金銭等の全部又は一部が譲渡制限株式等である場合には，株主総会の特殊決議によって，株式交換契約の承認を受けなければならない（会社783Ⅰ・309Ⅲ②）。なお，「譲渡制限株式等」とは，譲渡制限株式のほか，株式交換完全親株式会社の取得条項付株式であって，取得対価である他の株式が譲渡制限株式であるもの，又は株式交換完全親株式会社の取得条項付新株予約権であって，取得対価である当該会社の株式が譲渡制限株式であるもののことをいう（会社施規186）。

株式交換完全子会社が種類株式発行会社である場合において，当該株式会社の株主に対して交付する金銭等の全部又は一部が譲渡制限株式等であるときは，その譲渡制限株式等の割当てを受ける種類の株式（譲渡制限株式を除く。）の種類株主を構成員とする種類株主総会（当該種類株主に係る株式の種類が２以上ある場合にあっては，当該２以上の株式の種類別に区分された種類株主を構成員とする各種類株主総会）の特殊決議（会社324Ⅲ②）がなければ，株式交換はその効力を生じない（会社783Ⅲ，会社施規186)。ただし，当該種類株主総会において議決権を行使することができる株主が存在しない場合は，種類株主総会の決議を経ることを要しない（会社783Ⅲ但書)。

また，種類株式発行会社が株式交換によりある種類の株式の種類株主に損害を及ぼすおそれがある場合には，原則として，種類株主総会の特別決議がなければ，その効力を生じない（会社322Ⅰ⑪・324Ⅱ④)。

別紙10より，乙川商会株式会社は，平成27年６月５日に株主総会を適法に開催し，別紙５の株式交換契約を承認する議案を可決した旨の記載があるため，株主総会の特別決議の要件を満たし，株式交換契約書が適法に承認されたものと判断することができる。

7−5 株券提供公告の要否

前提の知識

株券提供公告

株式交換完全子会社となる会社が株券発行会社である場合には，株式の全部について株券を発行していない場合を除き，株式交換の効力発生日までに当該株券発行会社に対し全部の株式に係る株券を提出しなければならない旨を株券提出日の１か月前までに，会社が定める公告方法にしたがって公告し，かつ，当該株式の株主及び登録株式質権者には，各別にこれを通知しなければならない（会社219Ⅰ⑦)。

別紙６，７及び10より，株式交換完全子会社となる乙川商会株式会社は，株券発行会社であるが，乙川商会株式会社以外の株主は株券不所持の申出をしており，株券を発行しているのは乙川商会株式会社の株式のみであるところ，乙川商会株式会社は，平成27年６月５日開催の取締役会において，自己株式5,000株全てを消却し，当該株式に係る株券を全て廃棄している。

したがって，株式交換の効力発生日である平成27年６月22日において，乙川商会株式会社は，株式の全部について株券を発行していないこととなるため，株券提供公告をすることを要しない。

7−6 債権者保護手続の要否

前提の知識

> **債権者保護手続の要否**
>
> 株式交換完全子会社となる会社は，原則として債権者保護手続を要しないが，株式交換契約新株予約権が新株予約権付社債に付された新株予約権である場合には，当該新株予約権付社債の社債権者について債権者保護手続を行わなければならない（会社789Ⅱ・Ⅰ③）。
>
> 他方，株式交換完全親株式会社となる株式会社は，株式交換をする場合において，原則として債権者保護手続を要しないが，株式交換完全子会社の株主に対して株式交換完全親株式会社の株式等以外の財産を交付する場合又は株式交換完全子会社となる会社の新株予約権付社債についての社債に係る債務を承継する場合には，株式交換完全親株式会社の全ての債権者について債権者保護手続を行わなければならない（会社799Ⅱ・Ⅰ③・768Ⅰ④ハ）。

別紙10より，株式交換完全子会社となる乙川商会株式会社は，会社成立の日から平成27年６月21日までの間，新株予約権を一切発行していないため，債権者保護手続は不要である。

別紙５より，株式交換完全親株式会社となる株式会社甲山商事は，株式交換完全子会社となる乙川商会株式会社の株主に対し，株式会社甲山商事の株式を交付するとしており，株式交換完全子会社の株主に対して株式交換完全親株式会社の株式以外の財産を交付する場合には該当せず，また，株式交換完全子会社となる会社の新株予約権付社債についての社債に係る債務を承継する場合にも該当しないため，株式会社甲山商事においても，債権者保護手続は不要である。

7−7 効力発生日

前提の知識

株式交換の効力の発生

株式交換完全親株式会社は，効力発生日に，株式交換完全子会社の発行済株式（株式交換完全親株式会社の有する株式交換完全子会社の株式を除く。）の全部を取得する（会社769Ⅰ）。この場合には，株式交換完全親株式会社が株式交換完全子会社の株式（譲渡制限株式に限り，当該株式交換完全親株式会社が効力発生日前から有するものを除く。）を取得したことについて，当該株式交換完全子会社が承認したものとみなされる（会社769Ⅱ）。

別紙５より，株式交換の効力発生日は平成27年６月22日と定められている。

問題文より，株式交換完全子会社と株式交換完全親株式会社との合意により，株式交換の効力発生日を変更した旨の事実は記載されていないため，株式交換に必要な手続は，全て当初の予定どおり，効力発生日までに行われているものと解される。

したがって，効力発生日は，平成27年６月22日となる。

《株式交換完全親株式会社の変更登記申請書》

7−8 登記すべき事項

前提の知識

株式交換完全親株式会社の登記事項

株式交換完全親株式会社の本店所在地の管轄登記所に，資本金の額等，変更が生じた事項につき，変更の登記を申請する（会社915Ⅰ）。また，株式交換に際して株式交換完全子会社の新株予約権付社債の新株予約権者に対し，新株予約権付社債に代わる株式交換完全親株式会社の新株予約権を発行したときは，その新株予約権に関する事項を登記事項として登記する必要がある。なお，株式交換をした旨並びに株式交換完全子会社の商号及び本店は，登記すべき事項ではない。

前述のとおり，株式交換の効力発生日は平成27年６月22日であるため，同日を原因日付とし，登記すべき事項として次のとおり記載する。

別紙５より，株式交換契約書には，株式交換により増加すべき株式会社甲山商事の資本金の額を金3,000万円とする旨が記載されており，別紙１より，従前の資本金の額は金1,000万円であるため「金4,000万円」を，変更後の資本金の額として記載する。

別紙５より，株式交換完全親株式会社となる株式会社甲山商事は，効力発生日において，効力発生日の前日の最終の乙川商会株式会社の株主名簿に記載又は記録された株主が所有する乙川商会株式会社の株式数の合計に0.1を乗じた数の株式会社甲山商事の株式を発行し，効力発生日の前日の最終の乙川商会株式会社の株主名簿に記載又は記録された株主に対し，その所有する乙川商会株式会社の株式１株につき株式会社甲山商事の株式0.1株の割合をもって割り当て，交付すると記載されている。

また，前述のとおり，株式交換完全子会社となる乙川商会株式会社は，平成27年６月５日開催の取締役会において，自己株式5,000株全てを消却しているため，株式交換の効力発生日である平成27年６月22日には，乙川商会株式会社の発行済株式の総数は，７万5,000株となっている。

以上より，株式交換に際して，乙川商会株式会社の株主に対し発行する株式の数は以下のとおりとなる。

乙川商会株式会社の株主	保有する株式の数	交付する株式会社甲山商事の株式の数
A	40,000株	4,000株
E	20,000株	2,000株
F	10,000株	1,000株
G	5,000株	500株
合計	75,000株	7,500株

したがって，株式交換前の株式会社甲山商事の発行済株式の総数は200株であるが，これに新株式数を加えた「発行済株式の総数　7,700株」を変更後の発行済株式の総数として記載する。

7−9 添付書面

前提の知識

株式交換完全親株式会社がする変更の登記の添付書面

本店の所在地における株式交換完全親株式会社の株式交換による変更の登記の申請書には，次の書面を添付しなければならない（平18.3.31民商782号第5部第4.2(1)参照）。

(1) 株式交換契約書

効力発生日の変更があった場合には，株式交換完全親株式会社において取締役の過半数の一致があったことを証する書面又は取締役会の議事録（商登46）及び効力発生日の変更に係る当事会社の契約書（商登24⑧参照）も添付しなければならない。

(2) 株式交換完全親株式会社の手続に関する次に掲げる書面

(イ) 株式交換契約の承認に関する書面（商登46）

株式交換契約承認機関に応じ，株主総会，種類株主総会若しくは取締役会の議事録又は取締役の過半数の一致があったことを証する書面を添付しなければならない。

(ロ) 略式株式交換又は簡易株式交換の場合には，その要件を満たすことを証する書面（簡易株式交換に反対する旨を通知した株主がある場合にあっては，その有する株式の数が会社法施行規則197条の規定により定まる数に達しないことを証する書面を含む。）

略式株式交換の要件を満たすことを証する書面としては，具体的には，株式交換完全親株式会社の株主名簿等がこれに該当する。

(ハ) 債権者保護手続関係書面

(ニ) 資本金の額が会社法445条５項の規定に従って計上されたことを証する書面

(3) 株式交換完全子会社の手続に関する次に掲げる書面

(イ) 株式交換完全子会社の登記事項証明書（当該登記所の管轄区域内に株式交換完全子会社の本店がある場合を除く（商登89⑤）。なお，作成後３か月以内のものに限る（商登規36の２）。）

(ロ) 株式交換契約の承認機関に応じ，株主総会若しくは種類株主総会の議事録又は総株主若しくは種類株主の全員の同意があったことを証する書面（略式株式交換の場合にあっては，その要件を満たすことを証する書面及び取締役の過半数の一致があったことを証する書面又は取締役会の

議事録)
(ハ) 債権者保護手続関係書面
(ニ) 当該会社が株券を発行しているときは，株券提供公告等関係書面
(ホ) 株式交換完全子会社が新株予約権を発行している場合において，その新株予約権者に対して当該新株予約権に代わる株式交換完全親株式会社の新株予約権を交付するときは，新株予約権証券提供公告等関係書面

(1) 株式交換契約書

別紙5の「株式交換契約書」を添付する（商登89①)。なお，効力発生日の変更があった旨の事実はないため，効力発生日の変更を証する書面の添付は要しない。

(2) 株式交換完全親株式会社の手続に関する書面

別紙3より，株式会社甲山商事において株式交換契約書の承認決議が適法にされたこと及びその内容を証するため，平成27年5月20日付けの「株主総会議事録」を添付する（商登46Ⅱ)。

問題文より，会社法第445条第5項の規定に従って計上されている旨の記載はないが，株式交換効力発生後の株式会社甲山商事の資本金の額については，適法に計上されているものと解されるため「資本金の額が会社法第445条第5項の規定に従って計上されたことを証する書面」を添付する（商登89④)。

(3) 株式交換完全子会社の手続に関する書面

問題文（答案作成に当たっての注意事項)，別紙1及び6より，株式交換完全親株式会社となる株式会社甲山商事の本店所在地の管轄登記所の管轄区域内に株式交換完全子会社となる乙川商会株式会社の本店が存在しないため，作成後3か月以内の「株式交換完全子会社の登記事項証明書」を添付する（商登89⑤，商登規36の2)。なお，申請書に乙川商会株式会社の会社法人等番号を記載した場合には，当該法人の登記事項証明書の添付は要しない（商登19の3)。

別紙10より，乙川商会株式会社において株式交換契約書の承認決議が適法にされたこと及びその内容を証するため，平成27年6月5日付けの「株式交換完全子会社の株主総会議事録」を添付する（商登46Ⅱ・89⑥)。

前述のとおり，株式交換の効力発生日である平成27年6月22日において，乙川商会株式会社は，株式の全部について株券を発行していないため，「株式交換完全子会社の株式の全部について株券を発行していないことを証する書面」を添付する（商登89⑧・59Ⅰ②)。

《株式交換完全子会社の変更登記申請書》

7−10　登記の要否

前提の知識

株式交換完全子会社の株式交換による変更登記の要否

株式交換の場合，通常，株式交換完全子会社については，株主構成が変わるだけであって，登記事項に変更を生じない。ただし，株式交換完全親株式会社が，株式交換完全子会社の新株予約権者に対して当該新株予約権に代わる当該株式交換完全親株式会社の新株予約権を交付した結果，株式交換完全子会社の新株予約権が消滅した場合（会社769Ⅳ），新株予約権が消滅した旨を登記しなければならない（記録例依命通知第4節第16.5⑴）。

本問において，株式交換完全子会社についての解答は要求されていないが，別紙10より，株式交換完全子会社となる乙川商会株式会社は，新株予約権を発行していないため，登記すべき事項はない。

したがって，株式交換完全子会社の変更登記を申請することを要しない。

8　発行可能種類株式総数及び発行する各種類の株式の内容の設定

結論

本問の場合，**平成27年６月30日**付けで，**発行可能種類株式総数及び発行する各種類の株式の内容**を，以下のとおりとする**設定**登記を申請することができる。

「**普通株式　１万8,000株**
優先株式　　2,000株
１．当会社は，剰余金の配当を行うときは，優先株式を有する株主に対し，普通株式を有する株主に先立ち，優先株式１株につき金2500円の優先配当金を支払う。
１．優先株式を有する株主は，株主総会において議決権を行使することができない。」

<申請書記載例>

1．事	発行可能種類株式総数及び発行する各種類の株式の内容の設定
1．登	○年○月○日発行可能種類株式総数及び発行する各種類の株式の内容の設定 　○種類株式　　○株 　○種類株式　　○株 　　1．○○○○…… 　　1．○○○○……
1．税	金３万円（登録税別表1.24.(1)ツ）
1．添	株主総会議事録　　1通（商登46Ⅱ） 委任状　　1通（商登18）

前提の知識

① **発行可能種類株式総数及び発行する各種類の株式の内容の設定**

発行可能種類株式総数及び発行する各種類の株式の内容は定款で定めることを要する（会社108Ⅰ・Ⅱ）ため，発行可能種類株式総数及び発行する各種類の株式の内容の設定をするためには，定款を変更することを要し，株主総会の特別決議を要する（会社466・309Ⅱ⑪）。

② **単一株式発行会社が種類株式発行会社となった場合**

単一株式発行会社が種類株式発行会社となった場合には，発行可能種類株式総数及び発行する各種類の株式の内容の設定の登記を申請しなければならないが，発行する株式の内容の欄に取得請求権付株式又は取得条項付株式の定めの登記がされているときは，登記官の職権により，当該登記を抹消する旨の記号が記録される（商登規69Ⅰ）。なお，株式の譲渡制限に関する規定の定めは，発行する各種類の株式の内容の１つであるが，登記記録上は，公開会社であるか，非公開会社であるかを分かりやすく公示する観点から，「発行可能種類株式総数及び発行する各種類の株式の内容」の欄ではなく，「株式の譲渡制限に関する規定」の欄に登記される。

8−1 決議権限

別紙８より，株主総会において決議されているため，決議機関は適法である（会社466）。

8−2 決議形式

問題文より，招集手続及び決議要件については明らかとなっていないが，特に招集手続及び決議要件に瑕疵がある旨の記載もないため，招集手続は適法にされ，また，株主総会の特別決議の要件を満たし，適法に可決承認されたと判断することができる。

8−3 決議内容

別紙８より，新たに優先株式についての定めを設け，発行可能種類株式総数及び発行する各種類の株式の内容として，発行可能種類株式総数を「普通株式１万8000株，優先株式2000株」とし，発行する各種類の株式の内容を

「当会社は，剰余金の配当を行うときは，優先株式を有する株主に対し，普通株式を有する株主に先立ち，優先株式１株につき金2500円の優先配当金を支払う。

優先株式を有する株主は，株主総会において議決権を行使することができない。」

と定めているが，決議内容は適法である。

なお，申請会社は，発行可能種類株式総数及び発行する各種類の株式の内容を設定したことにより，種類株式発行会社となるが，当該決議においては，優先株式を発行することができる旨を定めたにすぎず，優先株式を発行している状態ではないため，発行済株式の総数並びに種類及び数は普通株式7,700株である。

8−4 効力発生日

別紙８より，決議の効力発生に期限，条件が付されていないため，決議された平成27年６月30日付けで発行可能種類株式総数及び発行する各種類の株式の内容の設定の効力が生ずる。

8−5 登記すべき事項

設定後の発行可能種類株式総数及び発行する各種類の株式の内容を全て記載する。

なお，登記記録上，「発行可能種類株式総数及び発行する各種類の株式の内容」の設定登記がされ，発行済株式の総数の変更登記がなされていないことから，従前の発行済の株式を普通株式とし，優先株式の発行が可能となったことが読み取れるため，別途，「発行済株式の総数並びに種類及び数」についての登記申請は要しない。

8−6 添付書面

発行可能種類株式総数及び発行する各種類の株式の内容の設定決議をしたことを証する書面として，平成27年６月30日付けの「(臨時）株主総会議事録」を添付する（商登46Ⅱ）。

9 募集株式の発行

結論

本問の場合，募集株式の発行による変更登記を申請することはできない。なぜなら，**発行する株式が譲渡制限株式であるにもかかわらず種類株主総会の特別決議を経ておらず，また，申請会社の定款には，種類株主総会の決議を要しない旨の定めもないため，募集株式の発行は効力を生じない**からである。

前提の知識

① **募集株式の募集事項の決定機関**

募集株式発行の際の募集事項の決定は，原則として，株主総会の特別決議によるものとされる（会社309Ⅱ⑤・199Ⅱ）。ただし，公開会社については，有利発行の場合を除き，取締役会の決議によるものとされる（会社201Ⅰ・199Ⅱ・Ⅲ）。

② **募集事項**

株式会社は，その発行する株式を引き受ける者の募集をしようとするときは，その都度，募集株式について次に掲げる事項を定めなければならない（会社199Ⅰ）。

⑴ 募集株式の数（種類株式発行会社にあっては，募集株式の種類及び数）
⑵ 募集株式の払込金額又はその算定方法
⑶ 金銭以外の財産を出資の目的とするときは，その旨並びに当該財産の内容及び価額
⑷ 募集株式と引換えにする金銭の払込み又は金銭以外の財産の給付の期日又はその期間
⑸ 増加する資本金及び資本準備金に関する事項

③ **募集株式の種類が譲渡制限株式である場合の種類株主総会決議の要否**

種類株式発行会社が第三者割当てにより募集株式の発行をする場合において，募集株式の種類が譲渡制限株式であるときは，当該種類の株式に関する募集事項の決定は，当該種類の株式を引き受ける者の募集について当該種類の株式の種類株主を構成員とする種類株主総会の決議を要しない旨の定款の定めがある場合を除き，当該種類株主総会の特別決議がなければ，その効力を生じない。ただし，当該種類株主総会において議決権を行使することができる種類株主が存しない場合は，この限りでない（会社324Ⅱ②・199Ⅳ）。

9−1　決議権限

別紙1及び2より，申請会社は非公開会社であるため，募集株式の募集事項の決定は，株主総会の特別決議で行う（会社199Ⅱ・309Ⅱ⑤）。

別紙8より，株主総会において決議されているため，決議機関は適法である。

9−2 決議形式

問題文より，招集手続及び決議要件については明らかとなっていないが，特に招集手続及び決議要件に瑕疵がある旨の記載もないため，招集手続は適法にされ，また，株主総会の特別決議の要件を満たし，適法に可決承認されたと判断することができる。

9−3 決議内容

(1) 割当方法

別紙８より，第三者割当ての方法による募集株式の発行であることが分かる。

(2) 募集株式の数（枠内発行の要請）

種類株式発行会社における募集株式の発行は，発行可能株式総数及び当該種類の株式の発行可能種類株式総数の範囲内で行わなければならない。

本問の場合，別紙８より，普通株式を新たに200株発行する旨の決議をしている。前述のとおり，平成27年５月20日に発行可能株式総数の変更の効力が生じ，平成27年６月30日に発行可能種類株式総数及び発行する各種類の株式の内容の設定の効力が生じたことにより，平成27年６月30日開催の株主総会において決議された募集株式の発行の効力発生日である平成27年７月２日時点における申請会社の発行可能株式総数は２万株，発行可能種類株式総数は普通株式１万8,000株，優先株式2,000株であり，募集株式の発行の効力発生前の発行済株式の総数は7,700株，発行済各種の株式の数は普通株式7,700株，優先株式０株である。

以上より，申請会社が枠内発行の要請を満たしているかを検討すると，次のとおりとなる。

(イ) 発行可能株式総数における枠内発行の要請

普通株式を200株発行した場合，発行済株式の総数は7,900株（7,700株＋200株）となる。また，別紙１より，当該募集株式の発行の効力発生時点において，申請会社は新株予約権を発行していないことが分かるため，新株予約権の目的となる株式の数を留保しておく必要はない。

したがって，今回の募集株式の発行後の発行済株式の総数は，発行可能株式総数（２万株）を超える発行とはならず，枠内発行の要請を満たしている。

(ロ) 発行可能種類株式総数における枠内発行の要請

普通株式を200株発行した場合，普通株式の発行済株式の総数は7,900株（7,700株＋200株）となる。また，別紙１及び８より，当該募集株式の発行の効力発生時点において，申請会社は普通株式を取得対価とする取得請求権付株式及び取得条項付株式，普通株式を目的とする新株予約権を発行していないことが分かるため，当該取得対価として交付する普通株式の数及び当該新株予約権の目的となる普通株式の数を留保しておく必要はない。

したがって，今回の募集株式の発行後の普通株式の発行済株式の総数は，普通株式の発行可能種類株式総数（１万8,000株）を超える発行とはならず，枠内発行の要請を満たしている。

以上の検討から，募集株式の発行決議で定められた普通株式の数は，申請会社が新たに発行することができる普通株式の数の範囲内であるため，適法である。

⑶ 募集株式の払込金額

別紙８より，払込金額は募集株式１株につき金20万円と定められているが，問題文より，募集株式を引き受ける者に特に有利な金額である旨の記載はないため，募集株式を引き受ける者に特に有利な金額ではないと解される。

⑷ 増加する資本金及び資本準備金に関する事項

別紙８より，払込金額の２分の１を資本金とし，その他を資本準備金とすると定められている。

⑸ 募集株式の払込期日

別紙８より，払込期日は平成27年７月２日と定められているが，適法である。なお，前述のとおり，申請会社は非公開会社であるため，募集事項を株主に対して通知する必要はない。

9−4 種類株主総会決議の要否

別紙１，２，８及び前述のとおり，申請会社は，平成27年６月30日開催の株主総会の第１号議案を可決承認したことにより，種類株式発行会社となっており，発行する普通株式は譲渡制限株式であるため，種類株主総会の決議を要しない旨の定款の定めがある場合を除き，普通株式の株主による種類株主総会の決議が必要となる。

しかし，問題文より，申請会社の定款には，種類株主総会の決議を要しない旨の定めがある旨の記載がなく，また，種類株主総会が開催された旨の事実も示されていないため，発行する普通株式が譲渡制限株式であるにもかかわらず，種類株主総会の特別決議を経ていないと判断することができる。

したがって，募集株式の発行は効力を生じない。

10 発行済株式の種類及び種類ごとの数の変更

結論

本問の場合，**平成27年７月３日付けで，発行済株式の総数を7,700株，発行済各種の株式の数を普通株式6,200株，優先株式1,500株とする変更**の登記を申請することができる。

<申請書記載例>

1．事	発行済株式の種類及び種類ごとの数の変更	
1．登	○年○月○日変更 　発行済株式の総数　○株 　発行済各種の株式の数　○○株式　○株 　　　　　　　　　　　　○○株式　○株	
1．税	金３万円（登録税別表1.24.(1)ツ）	
1．添	株式の内容が変更される株式を有する株主と株式会社との合意書	1通（商登46Ⅰ）
	株式の内容が変更される株式を有する株主以外の株主全員の同意書	1通（商登46Ⅰ）
	委任状	1通（商登18）

前提の知識

発行済株式の一部の株式の内容の変更

発行済株式の一部を他の種類の株式とするには，株式の内容の変更に応ずる個々の株主と会社との合意及び株式の内容の変更に応ずる株主と同じ種類に属する他の株主（変更前の内容の株式の株主にとどまる者）全員の同意が必要である（昭50.4.30民四2249号）。

10−1　株式の内容の変更に応ずる個々の株主と会社との合意

別紙10より，平成27年７月３日，株式会社甲山商事と株主Ｆ及び株主Ｇは，同人らが有する株式会社甲山商事の株式の全部を，優先株式に変更する旨の合意をし，その旨の合意書を取り交わしている。

10−2　株式の内容の変更に応ずる株主と同じ種類に属する他の株主全員の同意

別紙10より，株式会社甲山商事の株主Ｆ及び株主Ｇ以外の株主全員は，株主Ｆ及び株主Ｇが有する株式会社甲山商事の株式の全部を，優先株式に変更する旨の合意について同意する旨の文書を株式会社甲山商事に対して平成27年７月３日に交付している。

10−3　効力発生日

上述のとおり，平成27年７月３日に株式会社甲山商事と株主Ｆ及び株主Ｇの合意がなされ，同日，株主Ｆ及び株主Ｇ以外の株主全員が同意をしているため，平成27年７月３日に発行済株式の種類及び種類ごとの数の変更の効力が生ずる。

10−4　添付書面

別紙10より，発行済株式の内容の変更に関する「株式の内容が変更される株式を有する株主と株式会社との合意書」及び「株式の内容が変更される株式を有する株主以外の株主全員の同意書」各１通を添付する（昭50.4.30民四2249号，商登46Ⅰ）。

11　役員の変更

結論

取締役Ａ

平成26年５月21日付けで，**退任**登記を申請することができる。

平成27年５月20日付けで，**就任**登記を申請することができる。

取締役Ｂ

平成26年５月21日付けで，**退任**登記を申請することができる。

なお，取締役Ｂは，平成27年５月11日付けで辞任の意思表示をし，当該意思表示は，同日，株式会社甲山商事に到達しているが，辞任の時点において取締役の権利義務を有しているため，辞任することはできない。

取締役D

平成27年５月20日付けで，**重任**登記を申請することができる。

取締役E

平成27年５月20日付けで，**就任**登記を申請することができる。

代表取締役A

平成26年５月21日付けで，**退任**登記を申請することができる。

代表取締役E

平成27年５月20日付けで，**就任**登記を申請することができる。

監査役F

平成27年５月20日付けで，**就任**登記を申請することができる。

11－1　取締役A・B（任期満了）

＜申請書記載例；後任役員の就任登記も同時に申請する場合・本問の場合＞

1．事	取締役の変更	
1．登	○年○月○日次の者退任 　取締役○○ 　取締役○○	
1．税	金３万円（登録税別表1.24.(1)カ） （但し，資本金の額が１億円以下の会社については，金１万円）	
1．添	定款	１通（商登規61Ⅰ）
	退任を証する書面	１通（商登54Ⅳ）
	委任状	１通（商登18）

前提の知識

① **権利義務を有する者の退任登記**

役員（監査等委員会設置会社においては，監査等委員である取締役若しくはそれ以外の取締役又は会計参与）が欠けた場合又は会社法若しくは定款で定めた役員の員数が欠けた場合には，任期の満了又は辞任により退任した役員は，新たに選任された役員（一時役員の職務を行うべき者を含む。）が就任するまで，なお役員としての権利義務を有する（会社346Ⅰ）。

また，権利義務を有する者の退任登記は，原則として，員数を満たした後任者が就任するまで申請することができない。

欠員の補充が一部にすぎない場合は，依然として，退任した役員全員が役員としての権利義務を有する者にとどまり，就任登記は受理されるが，退任登記は受理されない（昭30.5.23民甲1008号）。なお，重任登記については受理されると解される。

② **退任を証する書面としての定款の添付の要否**

役員の改選に当たり，定時株主総会の議事録に「本定時株主総会の終結をもって取締役及び監査役の任期が満了するので改選…」との記載があるときは，退任を証する書面として，別に定款を添付する必要はない（昭53.9.18民四5003号）。

別紙１,２及び９より，取締役Ａ及びＢは，会社成立と同時に就任しており，会社成立後５年以内に終了する事業年度のうち最終のものに関する定時株主総会（平成26年５月21日開催）の終結の時に任期が満了し退任するはずであったが，申請会社の定款には「当会社の取締役は３名以上とする」旨の規定が定められており，取締役は３名以上要するため，その時点においては，Ａ及びＢは取締役の権利義務を有することとなり，任期満了による退任登記を申請することはできない。

その後，後述のとおり，平成27年５月20日に取締役の最低員数を満たす後任者が就任するため，権利義務関係が解消する。

したがって，平成26年５月21日付けで，任期満了による退任登記を申請することができる。

＜添付書面＞

退任を証する書面として，退任時点を証するため，平成26年５月21日付けの「（定時）株主総会議事録」を添付する（商登54Ⅳ・46Ⅱ）。

また，別紙９より，取締役が定時株主総会の終結をもって任期が満了する旨が議事録に明示されていないため，役員の任期に関する規定を証する書面として「定款」を添付する（商登規61Ⅰ）。なお，権利義務関係が解消されたことは，同時に申請する後任者の就任登記から明らかとなるため，権利義務関係が解消されたことを証する書面を，別途添付することは要しない。

11−2 代表取締役A（退任）

<申請書記載例；取締役としての退任登記も同時に申請する場合>

1．事	代表取締役の変更	
1．登	○年○月○日代表取締役○○退任	
1．税	金３万円（登録税別表1.24.(1)カ） （但し，資本金の額が１億円以下の会社については，金１万円）	
1．添	委任状	１通（商登18）

前提の知識

① 代表取締役の資格喪失

取締役は，株式会社を代表する。取締役が２人以上ある場合には，取締役は，各自，株式会社を代表する。株式会社（取締役会設置会社を除く。）は，定款，定款の定めに基づく取締役の互選又は株主総会の決議によって，取締役の中から代表取締役を定めることができる（会社349）。

これに対して，取締役会設置会社においては，取締役会は，取締役の中から代表取締役を選定しなければならない（会社362Ⅲ）。選定機関に違いはあるが，代表取締役になる者は前提資格として，取締役の資格（取締役としての権利義務を有する者等も含む。）を有する者でなければならない（会社346Ⅰ・352等）。

したがって，代表取締役は，その前提資格である取締役の地位を失うことにより資格を喪失し退任する。

② 代表取締役の資格喪失による退任登記の添付書面

代表取締役の資格喪失による退任登記の添付書面は，退任を証する書面であり（商登54Ⅳ），具体的には，前提資格である取締役の退任を証する書面である。通常は前提資格である取締役の退任登記も一括して申請されるため，別途添付する必要はない。しかし，取締役としては員数を欠くこととなり取締役としての権利義務を有する者になるが，代表取締役としては員数を欠くこととならず，代表取締役の資格喪失による退任登記のみ申請する場合には添付を要することとなる。

別紙１より，代表取締役Aは，会社成立と同時に就任しているが，平成26年５月21日をもって，代表取締役の前提資格である取締役を任期満了により退任するため，同日をもって代表取締役としても退任する。しかし，代表取締役Aの退任により代表取締役が存在しなくなり，また，後述のとおり，Aは，前提資格となる取締役の地位を有しているため，代表取締役の権利義務を有することとなる。

その後，後述のとおり，平成27年５月20日に後任者が就任することにより，代表取締役の権利義務関係が解消する。

したがって，平成26年５月21日付けで，退任登記を申請することができる。

<添付書面>

前提資格である取締役としての退任登記と一括申請する場合であるので，別途代表取締役としての退任を証する書面（商登54Ⅳ）を添付することを要しない。

11－3　取締役Ｂ（辞任・申請不可）

<申請書記載例>

1．事	取締役の変更		
1．登	○年○月○日取締役○○辞任		
1．税	金３万円（登録税別表1.24.(1)カ） （但し，資本金の額が１億円以下の会社については，金１万円）		
1．添	退任を証する書面	1通	（商登54Ⅳ）
	委任状	1通	（商登18）

前提の知識

辞任の可否

株式会社と役員及び会計監査人との関係は，委任に関する規定に従うため（会社330），役員及び会計監査人は，その任期中いつでも会社に対する一方的な意思表示によりその地位を辞任することができる。しかし，その役員が権利義務を有する（会社346Ⅰ）場合には，会社と役員は法で強制された関係にあるため，その地位を辞任することはできない。なお，会計監査人は役員ではないため，権利義務を有することはない。

別紙９より，取締役Ｂは平成27年５月11日付けで辞任の意思表示をし，当該意思表示は，同日，株式会社甲山商事に到達しているが，前述のとおり，平成27年５月11日の時点において取締役Ｂは権利義務を有しており，辞任することはできない。

11−4 取締役Ａ・Ｅ（就任），監査役Ｆ（就任）

<申請書記載例>

1．事	取締役及び監査役の変更		
1．登	○年○月○日次の者就任 　取締役　○○ 　監査役　○○		
1．税	金３万円（登録税別表1.24.(1)カ） （但し，資本金の額が１億円以下の会社については，金１万円）		
1．添	株主総会議事録	１通	（商登46Ⅱ）
	就任を承諾したことを証する書面	○通	（商登54Ⅰ）
	本人確認証明書	○通	（商登規61Ⅶ）
	委任状	１通	（商登18）

前提の知識

取締役及び監査役の就任登記の添付書面

取締役及び監査役の就任登記の添付書面は，原則として，（種類）株主総会議事録（商登46Ⅱ）と就任を承諾したことを証する書面（商登54Ⅰ）である。また，取締役及び監査役の就任（再任を除く。）による変更の登記の申請書には，取締役又は監査役が就任を承諾したことを証する書面に記載した取締役又は監査役の氏名及び住所と同一の氏名及び住所が記載されている市町村長その他の公務員が職務上作成した証明書（当該取締役又は監査役が原本と相違がない旨を記載した謄本を含む。以下「本人確認証明書」という。）を添付しなければならない。ただし，登記の申請書に商業登記規則61条４項，５項又は６項の規定により，当該取締役及び監査役の印鑑につき市町村長の作成した証明書を添付する場合は，当該書面の添付は不要である（商登規61Ⅶ但書）。

なお，就任を承諾したことを証する書面については，必ずしも独立の書面でなくともよく，被選任者が総会当日出席していて，その本人が総会場において就任を承諾したことが明らかである議事録でも十分であるとされる。これは，（種類）株主総会議事録は，議事の経過の要領及びその結果を記載すべきものとされた法定の書面であること（会社318Ⅰ，会社施規72Ⅲ②），並びに議事録の不実記載については過料の対象にされていることから（会社976⑦），記載の信用性は担保されているためである。ただし，就任を承諾したことを証する書面に記載した取締役又は監査役の氏名及び住所についての本人確認証明書の添付を要する場合には，席上承諾の旨の記載があり，かつ被選任者の住所の記載がされていなければ，議事録の記載を援用することはできない（平27.2.20民商18号通達）。

11－4－1　決議権限

別紙3より，株主総会において決議されているため，決議機関は適法である（会社329Ⅰ）。

11－4－2　決議形式

(1)　招集手続

別紙9より，議決権を行使することができる株主全員（Aのみ）が出席しているため，招集手続の瑕疵の有無については，検討することを要しない。

(2)　決議要件

別紙3及び9より，株主の全員（Aのみ）が出席したことから，株主総会の議案を審議することができる法令及び定款上の定足数を充足しており，可決承認されているため，決議要件を満たしている（会社341）。

11－4－3　決議内容

別紙3より，取締役としてA及びE，監査役としてFを選任している。

(1)　資格制限

資格制限に抵触する事実は示されていないため，適法である。

(2)　員数制限

員数制限に抵触する事実は示されていないため，適法である。

11－4－4　就任承諾

別紙3より，A，E及びFは，選任決議に係る定時株主総会において，席上就任を承諾しているため，平成27年5月20日に就任の効力が生ずる。

11－4－5　添付書面

選任を証する書面として，平成27年5月20日付けの「(定時）株主総会議事録」を添付する（商登46Ⅱ）。

A及びEの「取締役の就任を承諾したことを証する書面」2通を添付する（商登54Ⅰ）。

Fの「監査役の就任を承諾したことを証する書面」（商登54Ⅰ）及び「本人確認証明書」（商登規61Ⅶ）を添付する。

なお，Aについては，再任であるため（役員の概要参照），本人確認証明書の添付を要しない。

また，Eについては，後述のとおり，商業登記規則61条５項・４項の規定による印鑑証明書を添付する場合に該当するため，本人確認証明書の添付を要しない。

11－5　代表取締役E（就任）

<申請書記載例>

1．事	代表取締役の変更		
1．登	○年○月○日次の者就任 ○県○市○町○丁目○番○号 　代表取締役　○○		
1．税	金３万円（登録税別表1.24.(1)カ） （但し，資本金の額が１億円以下の会社については，金１万円）		
1．添	取締役会議事録	1通	（商登46Ⅱ）
	就任を承諾したことを証する書面	1通	（商登54Ⅰ）
	印鑑証明書	1通	（商登規61Ⅴ・Ⅳ）
	委任状	1通	（商登18）

前提の知識

印鑑証明書添付の例外（取締役会設置会社の場合）

取締役会設置会社における代表取締役の就任登記の添付書面である印鑑証明書の添付については次の例外がある。

取締役会議事録についての印鑑証明書は，適法な代表者の交替を担保するものであり，代表者の「変更」の場合にのみ添付を要するが，変更前の代表取締役が権限をもって取締役会に出席し，届出印を押印している場合には添付不要である（商登規61Ⅵ但書）。

就任を承諾したことを証する書面についての印鑑証明書は，虚無人代表者の発生を防止するためのものであり，合併又は組織変更による設立の場合及び再任の場合には添付を要しない（商登規61Ⅴ・Ⅳ括弧書）。これらの例外に該当する場合には，当該議事録への届出印以外の押印，就任を承諾したことを証する書面への押印は，認印で足りることとなる。なお，「再任」には，代表取締役の権利義務を有する者が代表取締役に就任した場合も含まれる。

11－5－1　決議権限

前述のとおり，株式会社甲山商事は，平成27年５月20日に取締役会設置会社となっており，別紙４より，取締役会において決議されているため，決議機関は適法である（会社362Ⅱ③）。

11－5－2　決議形式

⑴　招集手続

別紙９より，出席義務を有する役員全員が出席しているため，招集手続の瑕疵の有無については，検討することを要しない。

⑵　決議要件

別紙４及び９より，議決に加わることができる取締役の過半数が出席しているが（全員），その過半数の賛成を得ているかについては明らかとなっていない。しかし，特に決議要件に瑕疵がある旨の記載もないため，決議要件を満たしていると判断することができる。

11－5－3　決議内容

別紙４より，代表取締役としてＥを選定している。

⑴　前提資格

平成27年５月20日開催の取締役会の時点において，Ｅは，取締役として任期中であり（役員の概要参照），代表取締役としての前提資格を有しているため，適法である。

⑵　員数制限

員数制限に抵触する事実は示されていないため，適法である。

11－5－4　就任承諾

別紙４より，被選定者は，選定決議に係る取締役会において席上就任を承諾しているため，平成27年５月20日に就任の効力が生ずる。

11－5－5　添付書面

⑴　選定を証する書面及びこれに関する印鑑証明書

㈠　取締役会議事録（商登46条２項）

Ｅを代表取締役に選定している旨が記載されている平成27年５月20日付けの「取締役会議事録」を添付する。

㈡　印鑑証明書の添付の要否（商登規61条６項３号）

別紙９より，取締役会議事録には，従前の代表取締役の届出印が押印されているため，取締役会議事録の印鑑についての証明書を添付することを要しない（商登規61Ⅵ但書）。

(2) 就任を承諾したことを証する書面及びこれに関する印鑑証明書

(イ) 就任を承諾したことを証する書面（商登54条１項）

Ｅの「代表取締役の就任を承諾したことを証する書面」を添付する。

(ロ) 印鑑証明書添付の要否（商登規61条５項・４項）

Ｅは再任でないため（役員の概要参照），就任を承諾したことを証する書面に押印した印鑑についての証明書を添付することを要する。

(ハ) 印鑑証明書の添付の可否

Ｅの印鑑証明書は，問題文（答案作成に当たっての注意事項）より，添付が可能である。

11－6 取締役Ｄ（重任）

＜申請書記載例＞

1．事	取締役の変更	
1．登	○年○月○日取締役○○重任	
1．税	金３万円（登録税別表1.24.(1)カ） （但し，資本金の額が１億円以下の会社については，金１万円）	
1．添	株主総会議事録	1通（商登46Ⅱ）
	就任を承諾したことを証する書面	1通（商登54Ⅰ）
	委任状	1通（商登18）

前提の知識

① 重任

任期満了と同時に再選され就任した場合を，登記の実務上「重任」という。したがって，このような場合には，退任の旨及び就任した旨を重ねて記載するのではなく，重任した旨を記載することとなる。

株式譲渡制限の定めを廃止する定款変更により取締役が退任した場合において，当該株主総会で同一人が取締役に再任されたときの登記の原因は，「重任」としてよい（平18.6.14日司連発279号「会社法等の施行に伴う商業登記実務についてのQ＆A」Q11）。

② 任期の変更

定款に定められた役員の任期は，株主総会の特別決議により変更することができる。変更決議時に存在した役員及び変更後に就任した役員は，反対の意思表示をするなど特段の事情がない限り，変更後の任期が適用される。変更後の定款が唯一の定款規定となるため，それに従わなければならない役員の忠実義務を考慮し，既存役員の任期も変更されると解すべきだからである(昭30.9.12民甲1886号)。

よって，定款を変更して役員の任期を短縮した場合には，現任の役員の任期も短縮され，定款変更時において既に変更後の任期が満了していることとなるときは，当該役員は退任することとなる（平18.3.31民商782号第2部第3.3⑴ウ㈹)。なお，この場合，現任の役員を解任したのと同様の結果となるが，任期満了による退任と解して差し支えないとされている。

また，定款を変更して役員の任期を伸長した場合には，現任の役員の任期も伸長され，伸長後の任期満了時まで，退任しないこととなる。

11−6−1 決議権限

別紙３より，株主総会において決議されているため，決議機関は適法である（会社329Ⅰ)。

11−6−2 決議形式

⑴ 招集手続

別紙９より，議決権を行使することができる株主全員（Ａのみ）が出席しているため，招集手続の瑕疵の有無については，検討することを要しない。

⑵ 決議要件

別紙３及び９より，株主の全員（Ａのみ）が出席したことから，株主総会の議案を審議することができる法令及び定款上の定足数を充足しており，可決承認されているため，決議要件を満たしている。

11−6−3 決議内容

別紙３より，取締役としてＤを選任している。

⑴ 資格制限

資格制限に抵触する事実は示されていないため，適法である。

⑵ 員数制限

員数制限に抵触する事実は示されていないため，適法である。

(3) 重任の可否

別紙1及び2より，取締役Dは，平成24年5月22日に選任され，同日就任しており，選任後5年以内に終了する事業年度のうち最終のものに関する定時株主総会の終結の時に任期が満了し退任するはずであったが，別紙3より，任期中の平成27年5月20日開催の定時株主総会において，「取締役の任期は，選任後2年以内に終了する事業年度のうち最終のものに関する定時株主総会の終結の時までとする。」旨の取締役の任期を短縮する定款変更が行われたことにより，取締役Dの任期は既に満了していることとなるため，定款変更の効力発生日である平成27年5月20日をもって退任することとなる。しかし，別紙3より，取締役Dは同日開催の定時株主総会において，再び取締役に選任され，席上就任を承諾しているため，同日付けで，重任登記を申請することができる。

11−6−4 就任承諾

別紙3より，Dは，選任決議に係る定時株主総会において，席上就任を承諾しているため，平成27年5月20日に就任の効力が生ずる。

11−6−5 添付書面

選任を証する書面として，平成27年5月20日付けの「(定時) 株主総会議事録」を添付する（商登46Ⅱ）。

Dの「取締役の就任を承諾したことを証する書面」を添付する（商登54Ⅰ）。

なお，Dは再任であるため（役員の概要参照），本人確認証明書の添付を要しない。

12 監査役の兼任禁止（問3の検討）

結論

本問の場合，**Fが乙川商会株式会社の取締役を辞任せずに平成27年6月22日付けで株式交換の効力が生ずると，親会社の監査役と子会社の取締役を兼ねることとなり，兼任禁止規定に反する**ため，平成27年6月5日付けで，乙川商会株式会社の取締役を辞任したものと考えられる。

前提の知識

監査役の兼任禁止

監査役は，株式会社若しくはその子会社の取締役若しくは支配人その他の使用人又は当該子会社の会計参与（会計参与が法人であるときは，その職務を行うべき社員）若しくは執行役を兼ねることができない（会社335Ⅱ）。

別紙３より，Ｆは，平成27年５月20日開催の定時株主総会において，株式会社甲山商事の監査役に選任され，同日就任している。

問題文（答案作成に当たっての注意事項）及び別紙６より，Ｆは，平成26年11月26日に乙川商会株式会社の取締役に選任され，同日就任しているが，乙川商会株式会社の定款には，会社法の規定と異なる定めは存しないものとされているため，取締役の任期は２年であり，取締役としての任期は継続している。

仮に，Ｆが乙川商会株式会社の取締役を辞任せずに，株式交換の効力が平成27年６月22日に生ずると，Ｆは，株式交換完全親株式会社である株式会社甲山商事の監査役と株式交換完全子会社である乙川商会株式会社の取締役を兼ねることとなり，兼任禁止規定に反することとなる（会社335Ⅱ）。

したがって，兼任禁止規定に反することを避けるため，Ｆは，司法書士法務太郎との相談（別紙９の第６項）を踏まえ，平成27年６月５日付けで，乙川商会株式会社の取締役を辞任したものと考えられる。

13 親会社株式の取得の禁止（問４の検討）

結論

本問の場合，**乙川商会株式会社が自己株式の消却をせずに株式交換の効力が生ずると，親会社の株式を取得することとなり，乙川商会株式会社は相当の時期にその有する親会社株式を処分しなければならない**ため，平成27年６月５日付けで，その保有する自己株式の全部を消却したものと考えられる。

前提の知識

親会社株式の取得の禁止

子会社は，以下の場合を除いて，その親会社である株式会社の株式を取得してはならず，子会社が親会社の株式を取得することとなるときは，子会社は，相当の時期にその有する親会社株式を処分しなければならない（会社135）。

(1) 他の会社（外国会社を含む。）の事業の全部を譲り受ける場合において当該他の会社の有する親会社株式を譲り受ける場合
(2) 合併後消滅する会社から親会社株式を承継する場合
(3) 吸収分割により他の会社から親会社株式を承継する場合
(4) 新設分割により他の会社から親会社株式を承継する場合
(5) 上記(1)から(4)に掲げるもののほか，法務省令で定める場合

別紙７より，乙川商会株式会社は，平成27年５月22日現在において，5,000株の自己株式を保有している。

仮に，乙川商会株式会社が自己株式の消却をせずに，株式交換の効力が平成27年６月22日に生ずると，乙川商会株式会社は，株式交換完全親株式会社の株式を取得することとなり（会社135Ⅱ⑤，会社施規23②），相当の時期にその有する親会社株式を処分しなければならないため，平成27年６月５日付けで，その保有する自己株式の全部を消却したものと考えられる。

なお，乙川商会株式会社がその保有する自己株式の全部を消却することにより，乙川商会株式会社は，株式の全部について株券を発行していないこととなるため，株券提供公告を行うことなく，株式交換の効力を発生させることができることも理由として考えられる。

しかし，別紙９より，司法書士法務太郎は株式会社甲山商事の代表者から必要な登記申請の依頼を受けるに当たって，株式会社甲山商事と乙川商会株式会社との間で株式交換の効力が発生することによって生じる会社法上の問題点について相談に応じているため，株式交換により子会社が親会社株式を取得した場合に考えられる問題点について解答することが妥当であると解される。

MEMO

第１欄

【登記の事由】
発行可能株式総数の変更 取締役，代表取締役及び監査役の変更 取締役会設置会社の定めの設定 監査役設置会社の定めの設定
【登記すべき事項】
平成27年５月20日変更 　発行可能株式総数　２万株 平成26年５月21日次の者退任 　取締役　A 　取締役　B 　代表取締役　A 平成27年５月20日取締役Ｄ重任 同日次の者就任 　取締役　A 　取締役　E 　東京都渋谷区丁町１番地 　　代表取締役　E 　監査役　F 同日設定 　取締役会設置会社 同日設定 　監査役設置会社

【登録免許税額】	
金７万円	
【添付書面の名称及び通数】	
定款	１通
株主総会議事録	２通
取締役会議事録	１通
取締役の就任を承諾したことを証する書面	３通
代表取締役の就任を承諾したことを証する書面	１通
監査役の就任を承諾したことを証する書面	１通
印鑑証明書	１通
本人確認証明書	１通
委任状	１通

第２欄

【登記の事由】
株式交換 発行可能種類株式総数及び発行する各種類の株式の内容の設定 発行済株式の種類及び種類ごとの数の変更

【登記すべき事項】
平成27年６月22日次のとおり変更 　発行済株式の総数　7,700株 　資本金の額　金4,000万円 平成27年６月30日発行可能種類株式総数及び発行する各種類の株式の内容の設定 　普通株式　１万8,000株 　優先株式　　　2,000株 　１．当会社は，剰余金の配当を行うときは，優先株式を有する株主に対し，普通株式を有する株主に先立ち，優先株式１株につき金2500円の優先配当金を支払う。 　１．優先株式を有する株主は，株主総会において議決権を行使することができない。 平成27年７月３日変更 　発行済株式の総数　7,700株 　発行済各種の株式の数　普通株式　6,200株 　　　　　　　　　　　　優先株式　1,500株

【登録免許税額】
金24万円

【添付書面の名称及び通数】

株主総会議事録	2通
株式交換契約書	1通
資本金の額が会社法第445条第５項の規定に従って計上されたことを証する書面	1通
株式交換完全子会社の登記事項証明書	1通
株式交換完全子会社の株主総会議事録	1通
株式交換完全子会社の株式の全部について株券を発行していないことを証する書面	1通
株式の内容が変更される株式を有する株主と株式会社との合意書	1通
株式の内容が変更される株式を有する株主以外の株主全員の同意書	1通
委任状	1通

第３欄

監査役は，子会社の取締役を兼ねることができない。

本問の場合，仮にＦが乙川商会株式会社の取締役を辞任せずに株式交換の効力が生ずると，親会社の監査役と子会社の取締役を兼ねることとなり，兼任禁止規定に反するため，株式交換の効力が生ずる前に乙川商会株式会社の取締役を辞任したものと考えられる。

第４欄

株式交換に際してその有する自己株式と引換えに株式交換完全親株式会社の株式の割当てを受ける場合，株式交換完全子会社は，相当の時期にその有する親会社株式を処分しなければならない。

本問の場合，仮に自己株式の消却をせずに株式交換の効力が生ずると，親会社の株式を取得することとなり，乙川商会株式会社は相当の時期にその有する親会社株式を処分しなければならないため，自己株式の全部を消却したものと考えられる。

過去問題資料集

※　次頁以降の問題は本試験当時の内容をそのまま掲載しており，一部現行法に対応していない部分があります。現行法に対応していない部分については，網掛けで表示をしています。予めご了承ください。

※　解答例の参照にあたって，下記の注意事項をご確認ください。

1．申請書に会社法人等番号を記載することによる登記事項証明書の添付の省略は，考慮していません。
2．平成18年度から平成21年度までの問題について，取締役及び監査役の選任決議をした株主総会の議事録中には，選任される取締役及び監査役の住所が記載されているものとします。

問題　平成26年

司法書士法務司は，平成26年４月25日に事務所を訪れたエッフェル販売株式会社の代表者Aから，別紙１から別紙４までの書類のほか，登記申請に必要な書類の提示を受けて確認を行い，別紙８のとおり事情を聴取し，登記すべき事項や登記のための要件などを説明した。そして，司法書士法務司は，エッフェル販売株式会社の代表者Aから，必要となる登記の申請書の作成及び登記申請の代理の依頼を受けた。

また，司法書士法務司は，同年７月７日に事務所を訪れたエッフェル・ジャパン合同会社の代表者Hから，別紙５から別紙７までの書類のほか，登記申請に必要な書類の提示を受けて確認を行い，別紙９のとおり事情を聴取し，登記すべき事項や登記のための要件などを説明した。そして，司法書士法務司は，エッフェル・ジャパン合同会社の代表者Hから，必要となる登記の申請書の作成及び登記申請の代理の依頼を受けた。

司法書士法務司は，これらの依頼に基づき，登記申請に必要な書類の交付を受け，管轄登記所に対し，同年４月25日及び同年７月７日に，それぞれの登記の申請をすることとした。

以上に基づき，次の問１及び問２に答えなさい。

問１　平成26年４月25日に申請をした登記に関し，大阪法務局における登記の申請書に記載すべき登記の事由，登記すべき事項，添付書面の名称及び通数並びに登録免許税額を答案用紙の第１欄に記載しなさい。ただし，一の申請書で申請することができるものは，一の申請書で申請するものとし，かつ，登録免許税額が最も低額となるように申請するものとする。

問２　平成26年７月７日に申請をすべき登記に関し，当該登記の申請書に記載すべき登記の事由，登記すべき事項並びに添付書面の名称及び通数を答案用紙の第２欄に記載しなさい。ただし，エッフェル販売株式会社に関する登記については，記載することを要しない。

（答案作成に当たっての注意事項）

1　登記申請書の添付書面については，全て適式に調えられており，所要の記名・押印がされているものとする。

2　登記申請書の添付書面については，他の書面を援用することができる場合でも，援用しないものとする。

3　解答欄の各欄に記載すべき事項がない場合には，該当の欄に「なし」と記載すること。

4　エッフェル販売株式会社及びエッフェル・ジャパン合同会社に関して，別紙1から別紙9までに現れている以外には，会社法の規定と異なる定款の定めは，存しないものとする。

5　東京都千代田区は東京法務局，大阪市中央区は大阪法務局の管轄である。

6　登記の申請に伴って必要となる印鑑の提出の手続は，適法にされるものとする。

7　エッフェル販売株式会社は，金融商品取引法（昭和23年法律第25号）第24条第1項の規定により有価証券報告書を内閣総理大臣に提出しなければならない株式会社ではないものとする。

8　数字を記載する場合には，算用数字を使用すること。

9　訂正，加入又は削除をしたときは，訂正は訂正すべき字句に線を引き，近接箇所に訂正後の字句を記載し，加入は加入する部分を明示して行い，削除は削除すべき字句に線を引いて，訂正，加入又は削除をしたことが明確に分かるように記載すること。

別紙1
【平成26年4月15日現在のエッフェル販売株式会社に係る登記記録の抜粋】

商号　エッフェル販売株式会社
本店　大阪市中央区甲町1番地
公告をする方法　官報に掲載してする。
会社成立の年月日　平成13年5月1日
目的　1　被服，鞄，靴の輸入，販売
　　　2　前号に付帯する一切の業務
発行可能株式総数　4000株
発行済株式の総数　1000株
資本金の額　金5000万円
役員に関する事項　取締役A　平成24年4月23日重任
　　　　　　　　　取締役B　平成24年4月23日重任
　　　　　　　　　取締役C　平成25年4月22日就任
　　　　　　　　　東京都港区乙町1番地
　　　　　　　　　代表取締役A　平成24年4月23日重任
　　　　　　　　　監査役D　平成24年4月23日就任
取締役会設置会社に関する事項　取締役会設置会社
監査役設置会社に関する事項　監査役設置会社

別紙２
【平成26年４月15日開催のエッフェル販売株式会社の臨時株主総会における議事の概要】

議案　定款一部変更の件
　次のとおり，定款の一部変更を求めたところ，可決承認された。
　なお，定款変更の効力は，本臨時株主総会終結の時に生ずるものとされた。

現行	変更案
（本店の所在地） 第３条　当会社は，本店を大阪市中央区に置く。	（本店の所在地） 第３条　当会社は，本店を東京都千代田区に置く。
（機関） 第５条　当会社は，株主総会及び取締役のほか，取締役会及び監査役を設置する。	（機関） 第５条　当会社は，株主総会及び取締役を設置する。
【新設】	（株式の譲渡制限） 第７条の２　当会社の株式を譲渡により取得するには，当会社の承認を受けなければならない。
（取締役の員数） 第22条　当会社の取締役は，３名以上７名以内とする。	（取締役の員数） 第22条　当会社の取締役は，２名以上５名以内とする。
（代表取締役） 第25条　取締役会は，その決議により取締役の中から代表取締役１名を定める。	【削る】
（監査役の員数） 第36条　当会社は，監査役１名以上を置く。	【削る】
（監査役の選任） 第37条　監査役の選任決議は，株主総会において，議決権を行使することができる株主の議決権の３分の１以上を有する株主が出席し，出席した当該株主の議決権の過半数をもって行う。	【削る】

平成26年

（監査役の任期） 第38条　監査役の任期は，選任後４年以内に終了する事業年度のうち最終のものに関する定時株主総会の終結の時までとする。 ２　補欠により選任された監査役の任期は，その選任時に在任する監査役の任期の満了すべき時までとする。	【削る】

別紙３
【平成26年４月15日開催のエッフェル販売株式会社の取締役による決定の概要】

第１号議案　本店移転の件
平成26年４月15日に当会社の本店を下記へ移転することが取締役全員の一致により決定された。

記

新本店所在地　東京都千代田区丙町１番地

別紙４

【平成26年４月25日開催のエッフェル販売株式会社の定時株主総会における議事の概要】

第１号議案　決算承認の件
　別紙計算書類（省略）の承認を求めたところ，承認された。

第２号議案　取締役重任の件
　本定時株主総会終結の時に任期満了により退任する下記の取締役全員を再度選任することが諮られ，原案のとおり可決承認された。

記

取締役Ａ　　取締役Ｂ　　取締役Ｃ

　なお，被選任者であるＡ及びＢは，その就任を承諾した。

第３号議案　取締役選任の件
　下記のとおり，可決承認された。

記

取締役Ｅ

　なお，被選任者は，その就任を承諾した。

別紙５
【組織変更計画書の抜粋】

組織変更計画書

１　組織変更後の会社の種類　合同会社
１　目的　１　被服，鞄，靴，アクセサリーの輸入，販売
　　　　　２　前号に付帯する一切の業務
１　商号　エッフェル・ジャパン合同会社
１　本店　東京都千代田区
１　社員　住所　フランス共和国パリ市シャンゼリゼ大通１番地
　　　　　氏名　エッフェル
　　　　　　　　有限責任社員　金2,500万円
　　　　　住所　横浜市中区丁町１番地
　　　　　氏名　Ｆ株式会社
　　　　　　　　有限責任社員　金1,000万円
　　　　　住所　神戸市中央区戊町１番地
　　　　　氏名　株式会社Ｇ
　　　　　　　　有限責任社員　金500万円
　　　　　住所　東京都渋谷区己町１番地
　　　　　氏名　Ｈ
　　　　　　　　有限責任社員　金500万円
　　　　　住所　東京都新宿区庚町１番地
　　　　　氏名　Ｉ
　　　　　　　　有限責任社員　金500万円
１　株主に対しては，株式に代わる金銭等の交付はしない。
１　上記事項以外に定款で定める事項　別紙定款案のとおり
（中略）
１　効力発生日　平成26年７月１日

平成26年

別紙６
【組織変更計画書の別紙とされた定款案の抜粋】
（商号）
第１条　当会社は，エッフェル・ジャパン合同会社と称する。
（目的）
第２条　当会社は，次の事業を営むことを目的とする。
1　被服，鞄，靴，アクセサリーの輸入，販売
2　前号に付帯する一切の業務
（本店の所在地）
第３条　当会社は，本店を東京都千代田区に置く。
（公告方法）
第４条　当会社の公告方法は，官報に掲載する方法とする。
（定款の変更）
第５条　当会社の定款は，総社員の同意によって変更することができる。
（社員の責任の範囲）
第６条　当会社の社員は，全て有限責任社員とする。
（社員）
第７条　当会社の社員の氏名又は名称及び住所，出資の目的及びその価額は，次のとおりとする。
フランス共和国パリ市シャンゼリゼ大通１番地
金2,500万円　エッフェル
横浜市中区丁町１番地
金1,000万円　Ｆ株式会社
神戸市中央区戊町１番地
金500万円　株式会社Ｇ
東京都渋谷区己町１番地
金500万円　Ｈ
東京都新宿区庚町１番地
金500万円　Ｉ
（持分の譲渡制限）
第８条　社員は，他の社員全員の書面による承諾がなければ，その持分の全部又は一部を譲渡することができない。
（中略）

（業務執行社員）

第15条　当会社の業務執行社員は，次のとおりとする。

業務執行社員　Ｆ株式会社

業務執行社員　株式会社Ｇ

業務執行社員　Ｈ

業務執行社員　Ｉ

（代表社員）

第16条　当会社の代表社員は，Ｆ株式会社及びＨとする。

（中略）

（その他）

第21条　この定款に規定のない事項は，全て会社法その他の法令の定めるところによる。

別紙７
【平成26年７月１日開催のエッフェル・ジャパン合同会社の業務執行社員による決定の概要】

第１号議案　本店所在場所決定の件
当会社の本店を下記に置くことが業務執行社員全員の一致により決定された。
記
本店　東京都千代田区内町１番地

別紙8

【司法書士法務司の聴取記録】

1　エッフェル販売株式会社の平成26年４月15日開催の臨時株主総会及び平成26年４月25日開催の定時株主総会は，東京都千代田区内において，株主５名全員（エッフェル，F株式会社，株式会社G，H及びI）が出席して開催された。

2　エッフェル販売株式会社の平成26年４月15日現在における登記記録の概要は，別紙１の登記記録の抜粋のとおりであり，定款は，平成26年４月15日開催の臨時株主総会の議案に記載のあるもののほか，下記のとおりの定めがある。

（株券の不発行）

第７条　当会社の株式については，株券を発行しない。

（取締役の任期）

第24条　取締役の任期は，選任後２年以内に終了する事業年度のうち最終のものに関する定時株主総会の終結の時までとする。

２　補欠又は増員により選任された取締役の任期は，その選任時に在任する取締役の任期の満了すべき時までとする。

（事業年度）

第45条　当会社の事業年度は，毎年３月１日から翌年２月末日までの年１期とする。

（その他）

第48条　本定款に定めのない事項については，全て会社法その他の法令の定めるところによる。

3　平成25年４月22日に就任した取締役Cは，補欠として選任された取締役である。

4　取締役Bの住所は，東京都中央区壬町１番地であり，取締役Cの住所は，東京都目黒区癸町１番地である。

5　本店移転は，決定された日に現実の移転がされた。

6　平成26年４月25日開催の定時株主総会の第２号議案において選任された役員のうち，Cからは就任の承諾が得られていない。

7　東京地方裁判所は，Eについて平成26年４月21日午後５時に破産手続開始の決定をした。Eは，平成26年４月25日時点において免責許可の決定を受けていない。なお，Eの住所は，東京都中野区竜町１番地である。

別紙９

【司法書士法務司の聴取記録】

1　エッフェル販売株式会社は，平成26年５月１日付け官報において平成26年７月１日付けでエッフェル・ジャパン合同会社に組織変更する旨の公告を行い，かつ，知れている債権者５名全員に対し，各別の催告を行った。この組織変更について異議を述べた債権者はいなかった。

2　エッフェル販売株式会社は，平成26年６月４日に臨時株主総会を開催し，組織変更計画についての総株主の同意を得ている。

3　法令上必要とされる公告及び通知は，全て適法に行われたことを確認した。

4　エッフェルは，フランス共和国における会社であり，本店は，パリ市シャンゼリゼ大通１番地である。また．Ｈ及びＩは，自然人である。

5　Ｆ株式会社は，取締役会設置会社であるが，監査等委員会設置会社及び指名委員会等設置会社ではない。また，Ｆ株式会社により選任された職務執行者は，Ｊであり，その住所は，東京都文京区辛町１番地である。

なお，Ｊの就任の承諾は，選任された日に適法に得られている。

MEMO

平成26年●答案用紙

第１欄

【登記の事由】
【登記すべき事項】

【添付書面の名称及び通数】
【登録免許税額】

第２欄

【登記の事由】
【登記すべき事項】

【添付書面の名称及び通数】

第１欄

【登記の事由】
本店移転 株式の譲渡制限に関する規定の設定 取締役，代表取締役及び監査役の変更 取締役会設置会社の定めの廃止 監査役設置会社の定めの廃止
【登記すべき事項】
平成26年４月15日本店移転 　本店　東京都千代田区丙町１番地 同日設定 　株式の譲渡制限に関する規定 　　当会社の株式を譲渡により取得するには，当会社の承認を受けなければならない。 同日監査役Ｄ退任 同日次の者代表権付与 　東京都中央区壬町１番地 　　代表取締役　Ｂ 　東京都目黒区癸町１番地 　　代表取締役　Ｃ 平成26年４月25日次の者退任 　取締役　Ｃ 　代表取締役　Ｃ 同日次の者重任 　取締役　Ａ 　取締役　Ｂ 　東京都港区乙町１番地 　　代表取締役　Ａ 　東京都中央区壬町１番地 　　代表取締役　Ｂ 同日次の者就任 　取締役　Ｅ 　東京都中野区竜町１番地 　　代表取締役　Ｅ 平成26年４月15日取締役会設置会社の定め廃止 同日監査役設置会社の定め廃止

【添付書面の名称及び通数】	
株主総会議事録	2通
取締役の決定書	1通
取締役の就任を承諾したことを証する書面	3通
印鑑証明書	1通
委任状	1通

【登録免許税額】
金10万円

第２欄

【登記の事由】
組織変更による設立
【登記すべき事項】
商号　エッフェル・ジャパン合同会社 本店　東京都千代田区丙町１番地 公告をする方法　　官報に掲載してする。 会社成立の年月日　平成13年５月１日 目的　１　被服，鞄，靴，アクセサリーの輸入，販売 　　　２　前号に付帯する一切の業務 資本金の額　金5,000万円 社員に関する事項 　業務執行社員　Ｆ株式会社 　業務執行社員　株式会社Ｇ 　業務執行社員　Ｈ 　業務執行社員　Ｉ 　横浜市中区丁町１番地 　　代表社員　Ｆ株式会社 　東京都文京区辛町１番地 　　職務執行者　Ｊ 　東京都渋谷区己町１番地 　　代表社員　Ｈ 登記記録に関する事項 　　平成26年７月１日エッフェル販売株式会社を組織変更し設立

【添付書面の名称及び通数】	
組織変更計画書	1通
定款	1通
総株主の同意書	1通
業務執行社員の決定書	1通
公告及び催告をしたことを証する書面	2通又は6通
異議を述べた債権者はいない	
F株式会社の登記事項証明書	1通
F株式会社の取締役会議事録	1通
職務を行うべき者が就任を承諾したことを証する書面	1通
株式会社Gの登記事項証明書	1通
登録免許税法施行規則第12条第4項の規定に関する証明書	1通
委任状	1通

問題　平成25年

司法書士法務花子は，平成25年７月５日，事務所を訪れた株式会社甲野商事の代表取締役から，別紙１から５までの書類のほか，登記申請に必要な書類の提示を受け，別紙６の聴取記録のとおりに事情を聴取し，確認をした。司法書士法務花子は，株式会社甲野商事の代表取締役に対し，登記すべき事項や登記のための要件などを説明し，同代表取締役から，必要となる登記の申請書の作成及び登記申請の代理の依頼を受けた。司法書士法務花子は，この依頼に基づき管轄登記所に対し，平成25年７月８日に登記の申請をすることとした。

以上に基づき，次の問１から問３までに答えなさい。

問１　平成25年７月８日に東京法務局渋谷出張所宛てに申請をすべき登記に関し，当該登記の申請書に記載すべき登記の事由，登記すべき事項並びに添付書面の名称及び通数を答案用紙の第１欄に記載しなさい。

問２　平成25年７月８日に東京法務局渋谷出張所宛てに申請をすべき登記に関し，当該登記の申請書に記載すべき登録免許税の額を，その内訳を示して，答案用紙の第２欄に記載しなさい。

問３　株式会社甲野商事の代表取締役から受領した書面及び聴取した内容のうち，登記することができない事項がある場合には，当該事項及びその理由を答案用紙の第３欄に記載しなさい。

（答案作成上のその他の注意事項）

1　登記申請書の添付書面については，全て適式に調えられており，所要の記名・押印がされているものとする。

2　登記申請書の添付書面については，他の書面を援用することができる場合でも，援用しないものとする。

3　解答欄の各欄に記載すべき事項がない場合には，該当の欄に「なし」と記載すること。

4　被選任者及び被選定者の就任承諾は，選任され，又は選定された日に適法に得られているものとする。

5　支店移転については，その決定がされた日に現実の移転がされているものとする。

6　東京都渋谷区は，東京法務局渋谷出張所の管轄である。

7　登記申請に伴って必要となる印鑑の提出の手続は，適法にされるものとする。

8　数字を記載する場合には，算用数字を使用すること。

9　訂正，加入又は削除をしたときは，訂正は訂正すべき字句に線を引き，近接箇所に訂正後の字句を記載し，加入は加入する部分を明示して行い，削除は削除すべき字句に線を引いて，訂正，加入又は削除をしたことが明確に分かるように記載すること。

別紙１
【平成25年７月５日現在の株式会社甲野商事に係る登記記録の抜粋】

商号	株式会社甲野商事	
本店	東京都渋谷区甲町１番地	
公告をする方法	官報に掲載してする	
発行可能株式総数	800株	
発行済株式の総数並びに種類及び数	200株	
資本金の額	金1000万円	
株式の譲渡制限に関する規定	当会社の株式を譲渡により取得するには，株主総会の承認を受けなければならない。	
役員に関する事項	取締役　　　　A	平成20年９月29日重任
	取締役　　　　B	平成20年９月29日重任
	取締役　　　　C	平成20年９月29日重任
	東京都渋谷区甲町２番地 代表取締役　　A	平成20年９月29日重任
支配人に関する事項	東京都豊島区乙町１番地 B 営業所　東京都新宿区丙町１番地	
支店	1 東京都新宿区丙町１番地	

別紙２
【株式会社甲野商事の変更前の定款】

第１章　総　則

（商号）
第１条　当会社は，株式会社甲野商事と称する。

（目的）
第２条　当会社は，次の事業を営むことを目的とする。
　１　書籍，出版物の販売
　２　衣料品，日用雑貨品の販売
　３　前各号に附帯する一切の事業

（本店の所在地）
第３条　当会社は，本店を東京都渋谷区に置く。

（公告方法）
第４条　当会社の公告は，官報に掲載してする。

第２章　株　式

（発行可能株式総数）
第５条　当会社の発行可能株式総数は，800株とする。

（株券の不発行）
第６条　当会社の株式については，株券を発行しない。

（株式の譲渡制限）
第７条　当会社の株式を譲渡により取得するには，株主総会の承認を受けなければならない。

（基準日）
第８条　当会社は，毎事業年度末日の最終の株主名簿に記載又は記録がされた議決権を有する株主をもって，その事業年度に関する定時株主総会において権利を行使することができる株主とする。

第３章　株主総会

（招集）
第９条　定時株主総会は，毎事業年度の末日の翌日から３か月以内にこれを招集し，臨時株主総会は，必要あるときに随時これを招集する。

（決議の方法）
第10条　株主総会の決議は，法令又はこの定款に別段の定めがある場合を除き，出席した議決権を行使することができる株主の議決権の過半数をもって行う。

第４章　取締役

（取締役の員数）
第11条　当会社は，取締役３名以内を置く。

（取締役の選任）
第12条　取締役の選任決議は，株主総会において，議決権を行使することができる株主の議決権の３分の１以上を有する株主が出席し，出席した当該株主の議決権の過半数をもって行う。
２　取締役の選任決議は，累積投票によらないものとする。

（代表取締役）
第13条　当会社の取締役が２名以上ある場合は，そのうち１名を代表取締役とし，取締役の互選によってこれを定める。

（取締役の任期）
第14条　取締役の任期は，選任後10年以内に終了する事業年度のうち最終のものに関する定時株主総会の終結の時までとする。
２　補欠又は増員により選任された取締役の任期は，その選任時に在任する取締役の任期の満了すべき時までとする。

第５章　計算

（事業年度）
第15条　当会社の事業年度は，毎年７月１日から翌年６月30日までとする。

別紙３
【平成25年５月25日開催の株式会社甲野商事の臨時株主総会の議事の概要】

第１号議案　資本金の額の減少の件
　下記のとおり，可決承認された。

記

１．減少する資本金の額　金1000万円
　　なお，資本金の額については，その全額を減少し，０円とするものとする。
２．資本金の額の減少の効力発生日　平成25年６月28日

第２号議案　募集株式の発行に関する件
　下記のとおり，可決承認された。

記

１．募集株式の数　200株
２．募集株式の払込金額　１株につき金５万円
３．払込期日　平成25年６月28日
４．増加する資本金の額　金1000万円
５．割当方法　全株式を株式会社乙野商事から申込みがあることを条件に株式会社乙野商事に割り当てる。
６．払込取扱場所　東京都渋谷区乙町１番地
　　株式会社丙銀行　渋谷支店
　　口座名義：株式会社甲野商事
　　口座番号：普通預金　0112233
７．発行条件　発行済株式の全部を第１号議案の資本金の額の減少の効力発生日に，会社が株主から無償で取得し，平成25年６月28日付けで消却することを条件として，募集株式の発行の効力を発生させるものとする。

別紙4
【平成25年6月28日開催の株式会社甲野商事の臨時株主総会の議事の概要】

第1号議案　定款一部変更の件
別紙「新旧対照表」のとおり定款の一部変更を求めたところ，可決承認された。

第2号議案　取締役及び監査役選任の件
次のとおり，可決承認された。
　取締役D　取締役E　取締役F
　監査役G
なお，被選任者はその就任を承諾した。

別紙「新旧対照表」

（変更前）	（変更後）
（株式の譲渡制限） 第7条　当会社の株式を譲渡により取得するには，株主総会の承認を受けなければならない。	（株式の譲渡制限） 第7条　当会社の株式を譲渡により取得するには，取締役会の承認を受けなければならない。
第8条～第10条　（略）	第8条～第10条　（同左）
第4章　取締役	第4章　株主総会以外の機関・役員
（新設）	（取締役会の設置） 第11条　当会社は，取締役会を置く。
（取締役の員数） 第11条　当会社は，取締役3名以内を置く。	（取締役の員数） 第12条　当会社は，取締役5名以内を置く。
（取締役の選任）	（削る。）

第12条　取締役の選任決議は，株主総会において，議決権を行使することができる株主の議決権の３分の１以上を有する株主が出席し，出席した当該株主の議決権の過半数をもって行う。 ２　取締役の選任決議は，累積投票によらないものとする。	
（代表取締役） 第13条　当会社の取締役が２名以上ある場合は，そのうち１名を代表取締役とし，取締役の互選によってこれを定める。	（代表取締役） 第13条　当会社は，代表取締役１名を置き，取締役会の決議により取締役の中からこれを選定する。
（新設）	（監査役の設置及び監査役の員数） 第14条　当会社は，監査役２名以内を置く。
（新設）	（取締役及び監査役の選任） 第15条　取締役及び監査役の選任決議は，株主総会において，議決権を行使することができる株主の議決権の３分の１以上を有する株主が出席し，出席した当該株主の議決権の過半数をもって行う。 ２　取締役の選任決議は，累積投票によらないものとする。
（取締役の任期） 第14条　取締役の任期は，選任後10年以内に終了する事業年度のうち最終のものに関する定時株主総会の終結の時までとする。	（取締役及び監査役の任期） 第16条　取締役の任期は，選任後２年以内に終了する事業年度のうち最終のものに関する定時株主総会の終結の時までとし，監査役の任期は，選任後４年以内に終了する事業年度のうち最終のものに関する定時株主総会の終結の時までとする。

平成25年

2　補欠又は増員により選任された取締役の任期は，その選任時に在任する取締役の任期の満了すべき時までとする。	2　（同左）
（新設）	3　補欠として選任された監査役の任期は，前任者の任期と同一とする。
（新設）	（取締役会の招集及び議長） 第17条　取締役会は，法令に別段の定めがある場合を除き，代表取締役がこれを招集し，議長となる。 2　取締役会の招集通知は，会日の５日前までに各取締役及び各監査役に対して発する。ただし，緊急の場合には，これを短縮することができる。 3　取締役及び監査役の全員の同意があるときは，招集の手続を経ないで，取締役会を開くことができる。
（新設）	（取締役会の決議の方法） 第18条　取締役会の決議は，議決に加わることができる取締役の過半数が出席し，その過半数をもってこれを決する。
第５章　計　算	第５章　計　算
（事業年度） 第15条　当会社の事業年度は，毎年７月１日から翌年６月30日までとする。	（事業年度） 第19条　（同左）

別紙５
【平成25年６月28日開催の株式会社甲野商事の取締役会の議事の概要】

第１号議案　代表取締役選定の件
　議長は，当会社の代表取締役を選定したい旨を述べ，慎重に協議した結果，全員一致をもって，次のとおり選定した。
　なお，被選定者は，その就任を承諾した。
　　　　住所　東京都新宿区戊町２番地
　　　　　　　代表取締役　　D

第２号議案　支配人解任の件
　議長は，Eから，Bが当会社の支配人として不適任であるので，Bを支配人から解任したい旨の提案があったことを述べ，慎重に協議した結果，全員一致をもって，Bの支配人からの解任を承認可決した。

別紙6

【司法書士法務花子の聴取記録】

1　株式会社甲野商事の平成25年7月5日現在における登記記録の概要は，別紙1記載の登記記録の抜粋のとおりであり，後記7による変更前の定款は，別紙2記載のとおりである。

2　株式会社甲野商事は，現に債務超過の状態であり，その状態を解消するため，平成25年5月24日付け官報において資本金の額の減少の効力発生日を同年6月28日とする旨の公告を行い，かつ，知れている債権者全員に対し，各別の催告を行った。この資本金の額の減少について異議を述べた債権者が1名いたが，株式会社甲野商事は，当該債権者に対し，その債務の全額を弁済し，同日までに，資本金の額の減少に関する全ての手続を完了した。

3　株式会社甲野商事は，平成25年5月25日午前10時から午前11時までの間，臨時株主総会を開催した。当該臨時株主総会には，発行済株式総数200株を有する株主の全員が出席し，その議事の概要は，別紙3記載のとおりである。

なお，第2号議案については，株主の全員が賛成した。

4　株式会社甲野商事の取締役であるA及びCは，平成25年5月25日，同年6月28日付けで発行済株式の全部を会社が無償で取得すること及び取得した自己株式200株の全てについて消却することを決定し，株主全員との間で，同年6月28日付けで合計200株をそれぞれから取得する旨を合意した。

5　取締役A及び取締役Cは，平成25年6月18日，東京都新宿区丙町1番地の支店を同月25日に東京都中央区丁町1番地に移転することを決定した。

6　東京家庭裁判所は，Bについて後見開始の審判をし，当該審判は，平成25年6月26日に確定した。

7　株式会社乙野商事は，200株の募集株式の引受けの申込みをし，平成25年6月28日正午にその払込金額の全額を払い込み，株主となった。これを受けて，株式会社甲野商事は，同日午後1時から午後2時までの間，臨時株主総会を開催した。当該臨時株主総会には，株式会社甲野商事の唯一の株主である株式会社乙野商事が出席した。議事の概要は，別紙4記載のとおりであり，これにより，別紙4の「別紙新旧対照表」のとおり，定款が変更された。

8　株式会社甲野商事は，平成25年6月28日午後2時30分から午後3時までの間において，取締役及び監査役の全員が出席して，取締役会を開催した。その議事の概要は，別紙5記載のとおりである。

MEMO

平成25年●答案用紙

第１欄

【登記の事由】
【登記すべき事項】

【登記すべき事項】（続き）

【添付書面の名称及び通数】

第２欄

【登録免許税の額】
【内訳】

第３欄

【登記することができない事項】
【理由】

MEMO

第１欄

【登記の事由】
資本金の額の減少 株式の消却 募集株式の発行 株式の譲渡制限に関する規定の変更 取締役，代表取締役及び監査役の変更 支配人を置いた営業所の移転 支配人の代理権消滅 支店移転 取締役会設置会社の定めの設定 監査役設置会社の定めの設定

【登記すべき事項】
平成25年６月28日変更 　資本金の額　金０円 同日変更 　発行済株式の総数　０株 同日次のとおり変更 　発行済株式の総数　200株 　資本金の額　金1,000万円 同日変更 　株式の譲渡制限に関する規定 　　当会社の株式を譲渡により取得するには，取締役会の承認を受けなければならない。 平成25年６月26日取締役Ｂ退任 平成25年６月28日次の者退任 　取締役　Ａ 　取締役　Ｃ 　代表取締役　Ａ

解答例

【登記すべき事項】（続き）
同日次の者就任 　取締役　D 　取締役　E 　取締役　F 　東京都新宿区戊町２番地 　　代表取締役　D 　監査役　G 平成25年６月25日東京都新宿区丙町１番地の支配人Ｂを置いた営業所の移転 　支配人Ｂを置いた営業所　東京都中央区丁町１番地 平成25年６月26日支配人Ｂ後見開始の審判 平成25年６月25日東京都新宿区丙町１番地の支店移転 　支店　１ 　　　　東京都中央区丁町１番地 平成25年６月28日設定 　取締役会設置会社 同日設定 　監査役設置会社

【添付書面の名称及び通数】	
株主総会議事録	２通
取締役会議事録	１通
取締役の過半数の一致があったことを証する書面	２通
公告及び催告をしたことを証する書面	２通
異議を述べた債権者に対し弁済したことを証する書面	１通又は２通
募集株式の引受けの申込みを証する書面	１通
払込みがあったことを証する書面	１通
資本金の額が会社法及び会社計算規則の規定に従って計上されたことを証する書面	１通
取締役の就任を承諾したことを証する書面	３通
代表取締役の就任を承諾したことを証する書面	１通
監査役の就任を承諾したことを証する書面	１通
印鑑証明書	４通
後見開始の審判書謄本	１通
委任状	１通

第２欄

【登録免許税の額】
金20万円

【内訳】	
資本金の額増加分	金７万円
支店移転分	金３万円
取締役会設置会社の定めの設定分	金３万円
役員変更分	金１万円
支配人の代理権消滅分	金３万円
他の変更分	金３万円

第３欄

【登記することができない事項】
支配人Ｂの解任の件

【理由】

支配人の代理権は，後見開始の審判を受けることによって消滅する。

本問において，Ｂは，平成25年６月26日に後見開始の審判が確定し，同日支配人の代理権は消滅しており，平成25年６月28日の取締役会開催時点においてＢは支配人ではないため，支配人でない者を解任することはできない。

したがって，支配人Ｂの解任は，登記することができない事項となる。

MEMO

問題　平成24年

司法書士法務太郎は，平成24年６月１日に事務所を訪れた有限会社甲山商事の代表者から，別紙１から４まで及び７の書類のほか，登記申請に必要な書類の提示を受け，別紙10のとおり事情を聴取し，確認をした。また，司法書士法務太郎は，同年７月１日に事務所を訪れた株式会社甲山商事の代表者から，別紙１から９までの書類のほか，登記申請に必要な書類の提示を受け，別紙11のとおり事情を聴取し，確認をした。司法書士法務太郎は，登記すべき事項や登記のための要件などを説明したところ，必要な登記の申請書の作成及び登記申請の代理をそれぞれの日に依頼された。司法書士法務太郎は，これらの依頼に基づき，登記申請に必要な書類の交付を受け，管轄登記所に対し，同年６月１日と同年７月２日にそれぞれの登記の申請をすることとした。

以上に基づき，次の問１から問３までに答えなさい。

問１　平成24年６月１日に申請をした登記に関し，当該登記の申請書に記載すべき登記の事由，登記すべき事項，添付書面の名称及び通数並びに登録免許税の額を答案用紙の第１欄に記載しなさい。ただし，登記の申請をすることができる場合に，登記すべき事項中，「商号」，「本店」，「公告をする方法」及び「目的」については，記載することを要しない。また，同時に申請すべき解散の登記については，記載することを要しない。

問２　平成24年７月２日に申請をすべき登記に関し，当該登記の申請書に記載すべき登記の事由，登記すべき事項，添付書面の名称及び通数並びに登録免許税の額を答案用紙の第２欄に記載しなさい。ただし，吸収合併による変更の登記の申請をすることができる場合に，同時に申請すべき有限会社乙山商事に関する登記については，記載することを要しない。

問３　有限会社甲山商事の代表者から平成24年６月１日に聴取した内容又は株式会社甲山商事の代表者から同年７月１日に聴取した内容のうち，登記することができない事項がある場合には，当該事項及びその理由を答案用紙の第３欄に記載しなさい。

（答案作成に当たっての注意事項）

1　登記申請書の添付書面は，全て適式に調えられており，所要の記名押印がされているものとする。

2　登記申請書の添付書面については，他の書面を援用することができる場合であっても，援用しない。

3　解答欄の各欄に記載すべき事項がない場合には，該当の欄に「なし」と記載する。

4　有限会社甲山商事及び有限会社乙山商事に関しては，別紙1から11までに現れている以外には，会社法（平成17年法律第86号）及び会社法の施行に伴う関係法律の整備等に関する法律（平成17年法律第87号）の規定と異なる定款の定めは，存しないものとする。

5　被選任者の就任承諾は，選任された日に適法に得られているものとする。

6　東京都千代田区は，東京法務局の管轄である。

7　登記申請に伴って必要となる印鑑の提出の手続は，適法にされるものとする。

8　株式会社甲山商事は，設立以来，最終事業年度に係る貸借対照表の負債の部に計上した額の合計額が200億円以上となったことはないものとする。

9　平成24年6月1日に申請した登記及び同年7月2日に申請すべき登記に関し，官庁の許可を要する事項はないものとする。

10　数字を記載する場合には，算用数字を使用する。

11　訂正，加入又は削除をしたときは，押印や字数を記載することを要しない。ただし，訂正は，訂正すべき字句に線を引き，近接箇所に訂正後の字句を記載し，加入は，加入する部分を明示して行い，削除は，削除すべき字句に線を引いて，訂正，加入又は削除をしたことが明確に分かるように記載する。

別紙１

【平成24年６月１日聴取時点の有限会社甲山商事に係る現在事項全部証明書の抜粋】

現在事項全部証明書

東京都千代田区甲山町1番地
有限会社甲山商事
会社法人等番号　○○○○-02-○○○○○○

商号	有限会社甲山商事	
本店	東京都千代田区甲山町１番地	
公告をする方法	官報に掲載してする。	平成17年法律第87号第136条の規定により平成18年５月１日登記
会社成立の年月日	平成10年10月１日	
目的	（１）　飲食店の経営 （２）　前号に附帯関連する一切の事業	
発行可能株式総数	60株	平成17年法律第87号第136条の規定により平成18年５月１日登記
発行済株式の総数並びに種類及び数	発行済株式の総数 60株	平成17年法律第87号第136条の規定により平成18年５月１日登記
資本金の額	金300万円	
株式の譲渡制限に関する規定	当会社の株式を譲渡により取得することについて当会社の承認を要する。当会社の株主が当会社の株式を譲渡により取得する場合においては当会社が承認したものとみなす。 平成17年法律第87号第136条の規定により平成18年５月１日登記	
役員に関する事項	東京都千代田区さくら町１番地 取締役　A	平成21年６月28日重任 平成21年７月１日登記
	東京都千代田区さくら町２番地 取締役　B	平成22年６月28日就任 平成22年７月１日登記
	東京都千代田区さくら町３番地 取締役　C	平成23年６月28日就任 平成23年７月１日登記
	代表取締役　A	平成21年６月28日重任 平成21年７月１日登記
	東京都千代田区さくら町４番地 監査役　D	平成22年６月28日就任 平成22年７月１日登記

整理番号　ア○○○○○○　※　下線のあるものは抹消事項であることを示す。

別紙2

有限会社甲山商事の平成24年５月26日現在の株主及び持株数

株主名	持株数
A	45株
B	10株
C	5株

別紙３

【平成24年５月26日開催の有限会社甲山商事の臨時株主総会における議事の経過の概要を記載した書面】

第１号議案　定款一部変更の件

商号変更により通常の株式会社に移行するために，移行の登記の時に効力が発生することを停止条件として，次のとおり定款を一部変更することが諮られ，出席株主全員が賛成した。

記

（新旧対照表については，記載を省略）

第２号議案　役員選任の件

第１号議案の承認による通常の株式会社への移行の登記の時に任期満了により退任する下記の役員全員を再度選任することが諮られ，出席株主全員が賛成した。

記

（役員名については，記載を省略）

第３号議案　合併契約承認の件

別紙（※別紙７）のとおりの合併契約の承認が諮られ，出席株主全員が賛成した。

第４号議案　役員選任の件

次の者の選任が諮られ，出席株主全員が賛成した。なお，被選任者は，平成24年７月１日に就任するものとして，席上就任承諾をした。

記

取締役Ｄ，監査役Ｅ，監査役Ｆ

第５号議案　定款一部変更の件

通常の株式会社に移行した後の定款第５条につき，次のとおり定款を一部変更することが諮られ，出席株主全員が賛成した。ただし，当該定款変更の効力発生は，第３号議案で承認された合併契約に係る吸収合併が効力を生じた時とする。

商号変更後の定款	変更案
（発行可能株式総数） 第５条　当会社の発行可能株式総数は，240株とする。	（発行可能株式総数） 第５条　当会社の発行可能株式総数は，500株とする。

別紙４

【商号変更後の定款】

株式会社甲山商事定款

第１章　総則

（商号）
第１条　当会社は，　株式会社甲山商事　と称する。

（目的）
第２条　当会社は，次の事業を営むことを目的とする。
（１）　飲食店の経営
（２）　上号に附帯関連する一切の事業

（本店の所在地）
第３条　当会社は，本店を　東京都千代田区　に置く。

（公告をする方法）
第４条　当会社の公告は，官報に掲載してする。

第２章　株式

（発行可能株式総数）
第５条　当会社の発行可能株式総数は，240株とする。

（株券の不発行）
第６条　当会社の株式については，株券を発行しない。

（株主名簿記載事項の記載又は記録の請求）
第７条　当会社の株式取得者が株主名簿記載事項を株主名簿に記載し，又は記録することを請求するには，株式取得者とその取得した株式の株主として株主名簿に記載され，若しくは記録された者又はその相続人その他の一般承継人が当会社所定の書式による請求書に署名又は記名押印し，共同して請求しなければならない。
２　前項の規定にかかわらず，利害関係人の利益を害するおそれがないものとして法務省令に定める場合には，株式取得者が単独で株主名簿記載事項を株主名簿に記載し，又は記録することを請求することができる。

（質権の登録及び信託財産の表示）

第８条　当会社の株式につき質権の登録又は信託財産の表示を請求するには，当会社所定の書式による請求書に当事者が署名又は記名押印し，提出しなければならない。その登録又は表示の抹消についても同様とする。

（手数料）

第９条　前２条に定める請求をする場合には，当会社所定の手数料を支払わなければならない。

（株主の住所等の届出）

第10条　当会社の株主及び登録株式質権者又はその法定代理人若しくは代表者は，当会社所定の書式によりその氏名，住所及び印鑑を当会社に届け出なければならない。届出事項に変更を生じたときも，その事項につき，同様とする。

（基準日）

第11条　当会社は，毎年４月30日の最終の株主名簿に記載又は記録された議決権を有する株主をもってその事業年度に関する定時株主総会において権利を行使することができる株主とする。

２　前項のほか必要があるときは，取締役会の決議によりあらかじめ公告して臨時に基準日を定めることができる。

第３章　株主総会

（招集）

第12条　当会社の定時株主総会は，毎事業年度の終了後３か月以内に招集し，臨時株主総会は，必要に応じて招集することができる。

（招集権者及び議長）

第13条　株主総会は，法令に別段の定めがある場合を除くほか，取締役会の決議に基づき，代表取締役が招集する。

２　株主総会の議長は，代表取締役とする。

（決議の方法）

第14条　株主総会の決議は，法令又は定款に別段の定めがある場合を除き，議決権を行使することができる株主の議決権の過半数を有する株主が出席し，出席した当該株主の議決権の過半数をもって行う。

2　会社法第309条第２項に定める決議は，議決権を行使することができる株主の議決権の過半数を有する株主が出席し，出席した当該株主の議決権の３分の２以上に当たる多数をもって行う。

（議決権の代理行使）
第15条　株主が代理人をもって議決権を行使しようとするときは，その代理人は１名とし，当会社の議決権を有する株主であることを要する。
2　前項の場合には，株主又は代理人は代理権を証する書面を株主総会ごとに提出しなければならない。

（議事録）
第16条　株主総会議事録については，法務省令で定めるところによりその経過の要領及びその結果等を記載し，又は記録し，議長及び出席した取締役がこれに記名押印又は電子署名を行う。

第４章　取締役及び取締役会

（取締役会の設置及び取締役の員数）
第17条　当会社は，取締役会を置く。
2　当会社の取締役は，３名以上７名以内とする。

（選任）
第18条　取締役の選任は，株主総会において，議決権を行使することができる株主の議決権の３分の１以上を有する株主が出席し，その議決権の過半数をもって行う。
2　取締役の選任については，累積投票によらないものとする。

（任期）
第19条　取締役の任期は，選任後２年以内に終了する事業年度のうち最終のものに関する定時株主総会終結の時までとする。
2　補欠として選任された取締役の任期は，退任した取締役の任期の満了する時までとする。

（代表取締役及び役付取締役の選定）
第20条　代表取締役は，取締役会の決議で定める。
2　取締役会の決議により，取締役の中から代表取締役社長１名を選定し，取締役の中から取締役副社長，専務取締役及び常務取締役を選定することができる。

3　代表取締役は，当会社の業務を執行する。

4　取締役会の決議により，代表取締役以外の者の中から業務執行取締役を選定することができる。

(取締役会の招集及び議長)

第21条　取締役会は，法令に別段の定めがある場合を除き，代表取締役が招集し，議長となる。代表取締役に事故があるときは，あらかじめ定めた順序により，他の取締役がこれに代わって招集し，議長となる。

2　取締役会の招集通知は，各取締役及び各監査役に対して会日の３日前までに発する。ただし，緊急を要する場合はこれを短縮することができる。

3　取締役会は，取締役及び監査役の全員の同意があるときは，招集の手続を経ることなく開催することができる。

(決議の方法)

第22条　取締役会の決議は，議決に加わることができる取締役の過半数が出席し，その過半数をもって行う。

(取締役会の決議の省略)

第23条　取締役が取締役会の決議の目的である事項について提案をした場合において，当該提案につき取締役（当該事項について議決に加わることができるものに限る。）の全員が書面又は電磁的記録により同意の意思表示をしたときは，当該提案を可決する旨の取締役会の決議があったものとみなす。ただし，監査役が異議を述べたときは，この限りでない。

(取締役会議事録)

第24条　取締役会の議事については，法務省令に定めるところにより議事録を作成し，出席した取締役及び監査役がこれに署名若しくは記名押印又は電子署名を行う。

2　取締役会の議事録は，取締役会の日から10年間本店に備え置く。

(取締役会規程)

第25条　取締役会に関する事項は，法令又は本定款のほか，取締役会において定める取締役会規程によるものとする。

(取締役の報酬等)

第26条　取締役の報酬，賞与その他の職務執行の対価として当会社から受ける財産上の利益（以下「報酬等」という。）については，株主総会の決議によって定める。

第５章　監査役

（監査役の設置及び監査役の員数）
第27条　当会社は，監査役を置く。
２　当会社の監査役は，３名以内とする。

（監査役の選任）
第28条　監査役を選任する株主総会の決議は，議決権を行使することができる株主の議決権の３分の１以上を有する株主が出席し，出席した当該株主の議決権の過半数をもって行う。

（監査役の任期）
第29条　監査役の任期は，選任後４年以内に終了する事業年度のうち最終のものに関する定時株主総会の終結の時までとする。
２　補欠として選任された監査役の任期は，退任した監査役の任期の満了する時までとする。

（監査役の報酬等）
第30条　監査役の報酬等については，株主総会の決議によって定める。

第６章　計算

（事業年度）
第31条　当会社の事業年度は，毎年５月１日から翌年４月30日までの年１期とする。

（剰余金の配当及び除斥期間）
第32条　当会社は，株主総会の決議によって，毎年４月30日の最終の株主名簿に記載又は記録がある株主又は登録株式質権者（以下，「株主等」という。）に対して剰余金の配当を行う。
２　前項に定める場合のほか，当会社は，基準日を定め，その最終の株主名簿に記載又は記録がある株主等に対して，剰余金の配当を行うことができる。
３　金銭による剰余金の配当がその支払提供の日から満３年を経過してもなお受領されないときは，当会社は，その支払義務を免れる。

第７章　附則

（移行後の最初の代表取締役）
第33条　商号変更による通常の株式会社への移行後の最初の代表取締役は，次の者とする。
東京都千代田区さくら町１番地
代表取締役　A

別紙5

【平成24年6月29日現在の有限会社乙山商事に係る現在事項全部証明書の抜粋】

現在事項全部証明書

東京都千代田区乙山町1番地
有限会社乙山商事
会社法人等番号　○○○○-02-○○○○○○○

商号	有限会社乙山商事	
本店	東京都千代田区乙山町1番地	
公告をする方法	官報に掲載してする。	平成17年法律第87号第136条の規定により平成18年5月1日登記
会社成立の年月日	平成17年11月1日	
目的	(1)　飲食店の経営 (2)　前号に附帯関連する一切の事業	
発行可能株式総数	60株	平成17年法律第87号第136条の規定により平成18年5月1日登記
発行済株式の総数並びに種類及び数	発行済株式の総数 60株	平成17年法律第87号第136条の規定により平成18年5月1日登記
資本金の額	金300万円	
株式の譲渡制限に関する規定	当会社の株式を譲渡により取得することについて当会社の承認を要する。当会社の株主が当会社の株式を譲渡により取得する場合においては当会社が承認したものとみなす。 平成17年法律第87号第136条の規定により平成18年5月1日登記	
役員に関する事項	東京都千代田区さくら町4番地 取締役　D	
	東京都港区梅ノ木町2番地 取締役　E	
	東京都港区梅ノ木町3番地 取締役　F	
	代表取締役　D	

整理番号　ア○○○○○○　※　下線のあるものは抹消事項であることを示す。

別紙６

有限会社乙山商事の平成24年６月18日現在の株主及び持株数

株主名	持株数
D	60株

別紙７

【合併契約書】

吸収合併契約書

【吸収合併存続会社】東京都千代田区甲山町１番地
有限会社甲山商事
【吸収合併消滅会社】東京都千代田区乙山町１番地
有限会社乙山商事

有限会社甲山商事（以下,「甲」という。）と，有限会社乙山商事（以下,「乙」という。）とは，次のとおり吸収合併契約（以下,「本契約」という。）を締結する。

（吸収合併）
第１条　甲は，甲の商号を株式会社とする商号変更（変更後の商号　株式会社甲山商事）を条件に乙を合併して存続し，乙は，解散する。

（吸収合併消滅会社の株主に対して交付する対価及びその割当てに関する事項）
第２条　甲は，合併に際して新株を発行し，合併期日現在における乙の株主名簿に記載された株主に対して，その所有する乙の株式１株につき，甲の株式1.22株の割合をもって割当交付する。

（増加すべき資本金及び準備金）
第３条　甲が吸収合併により増加すべき資本金，資本準備金及び利益準備金の額は，次のとおりとする。
⑴　資本金　300万円とする。
⑵　資本準備金　増加しない。
⑶　利益準備金　増加しない。

（吸収合併契約の承認手続）
第４条　甲及び乙は，平成24年６月30日までに，それぞれ本契約の承認及び吸収合併実行に必要な事項に関する手続を行う。

（吸収合併がその効力を生ずる日）
第５条　吸収合併の効力発生日は，平成24年７月１日とする。ただし，吸収合併手続進行上の必要性その他の事由により，甲乙協議のうえ，これを変更することができる。

（会社財産の管理等）
第６条　甲及び乙は，本契約締結後吸収合併の効力発生日の前日に至るまで，善良なる管理者の注意をもってその業務の執行及び財産の管理，運営を行い，その財産及び権利義務に重大な影響を及ぼす行為については，あらかじめ甲乙協議し合意のうえ，これを行う。

（吸収合併条件の変更及び本契約の解除）
第７条　本契約締結の日から吸収合併の効力発生日の前日までの間において，天災地変その他の事由により，甲又は乙の資産状態，経営状態に重大な変動が生じたときは，甲乙協議のうえ吸収合併条件を変更し，又は本契約を解除することができる。

（本契約の効力）
第８条　本契約は，第４条に定める甲及び乙の吸収合併契約承認総会の承認が得られないときは，その効力を失う。

（本契約に定めのない事項）
第９条　本契約に定める事項のほか，吸収合併に関し必要な事項は，本契約の趣旨に従い，甲乙協議のうえ定める。

本契約締結の証として本書１通を作成し，甲乙記名押印のうえ，甲がこれを保有する。

平成24年５月18日

(甲)
【吸収合併存続会社】東京都千代田区甲山町１番地
有限会社甲山商事
代表取締役　A
(乙)
【吸収合併消滅会社】東京都千代田区乙山町１番地
有限会社乙山商事
代表取締役　D

別紙８

【平成24年６月18日開催の有限会社乙山商事の臨時株主総会における議事の経過の概要】

議案　合併契約承認の件 　別紙（※別紙７）のとおりの合併契約の承認が諮られ，出席株主全員が賛成した。

別紙９

【平成24年６月28日開催の株式会社甲山商事の定時株主総会における議事の経過の概要】

議案　決算承認の件 　別紙計算書類（省略）の承認を求めたところ，出席株主全員が賛成した。

別紙10

司法書士の聴取記録（平成24年６月１日）

1　有限会社甲山商事は，平成24年５月26日午前10時から午前11時までの間において，臨時株主総会を開催した。株主全員が出席したが，第４号議案の直前に株主Ｂ及びＣが退席し，株主Ｂ及びＣは，第４号議案及び第５号議案に関して議決権を行使しなかった。議事の経過の概要は，別紙３記載のとおりである。

2　有限会社甲山商事の定款には，取締役及び監査役の任期に関して，次の規定がある。ただし，この条項以外に，任期に関する定款の定めは，ない。

（任期）
第20条　取締役及び監査役の任期は，選任後３年以内に終了する事業年度のうち最終のものに関する定時株主総会終結の時までとする。

3　取締役Ｂ及びＣは，補欠として選任された者ではない。

4　監査役Ｄは，監査役Ｇが平成22年６月28日開催の定時株主総会の終結の時をもって辞任したことから，その補欠として選任された者である。

　なお，監査役Ｇは，平成21年６月28日開催の定時株主総会において選任され，同株主総会の終結の時に重任した者である。

5　通常の株式会社への移行の登記については，本日申請をしてほしい。

別紙11

司法書士の聴取記録（平成24年７月１日）

1　有限会社甲山商事は，平成24年５月26日午前10時から午前11時までの間において，臨時株主総会を開催した。議事の経過の概要については，別紙３及び別紙10記載のとおりである。

2　有限会社甲山商事及び有限会社乙山商事は，平成24年５月31日，別紙７の吸収合併契約に係る吸収合併に関して，それぞれ官報公告を行い，かつ，それぞれの知れている債権者全員に対し，各別の催告を行った。

なお，異議を述べた債権者は，いずれもいなかった。

また，資本金の額は，会社法及び会社計算規則の規定に従って計上している。

3　株式会社甲山商事は，同社の取締役Ａから，平成24年６月13日に，同月30日終了時に辞任する旨の辞任届の提出を受けた。

4　有限会社乙山商事は，平成24年６月18日午後１時から午後２時までの間において，株主Ｄが出席し，臨時株主総会を開催した。議事の経過の概要は，別紙８記載のとおりである。

5　株式会社甲山商事は，平成24年６月28日午前10時から午前11時までの間において，定時株主総会を開催した。同株主総会には株主全員が出席した。議事の概要は，別紙９記載のとおりである。

6　株式会社甲山商事は，平成24年７月１日午前10時から午前11時までの間において，取締役会を開催し，役員全員出席の上，取締役Ｄを代表取締役に選定する決議を行った。

7　今日お話しした内容について必要となる登記は，明日申請をしてほしい。

平成24年●答案用紙

第1欄

登記の事由
登記すべき事項
添付書面の名称及び通数
登録免許税の額

第２欄

登記の事由
登記すべき事項
添付書面の名称及び通数
登録免許税の額

答案用紙・・・

第３欄

【登記することができない事項】

【理由】

MEMO

第１欄

<table>
<tr><td colspan="2">登記の事由</td></tr>
<tr><td colspan="2">平成24年５月26日商号変更による設立</td></tr>
<tr><td colspan="2">登記すべき事項</td></tr>
<tr><td>会社成立の年月日</td><td>平成10年10月１日</td></tr>
<tr><td>発行可能株式総数</td><td>240株</td></tr>
<tr><td>発行済株式の総数</td><td>60株</td></tr>
<tr><td>資本金の額</td><td>金300万円</td></tr>
<tr><td>役員に関する事項</td><td>取締役　A
取締役　B
取締役　C
東京都千代田区さくら町１番地
　代表取締役　A
監査役　D</td></tr>
<tr><td>取締役会設置会社に関する事項</td><td>取締役会設置会社</td></tr>
<tr><td>監査役設置会社に関する事項</td><td>監査役設置会社</td></tr>
<tr><td>登記記録に関する事項</td><td>平成24年６月１日有限会社甲山商事を商号変更し，移行したことにより設立</td></tr>
<tr><td colspan="2">添付書面の名称及び通数</td></tr>
<tr><td>定款</td><td>１通</td></tr>
<tr><td>株主総会議事録</td><td>１通</td></tr>
<tr><td>取締役の就任承諾を証する書面</td><td>３通</td></tr>
<tr><td>代表取締役の就任承諾を証する書面</td><td>１通</td></tr>
<tr><td>監査役の就任承諾を証する書面</td><td>１通</td></tr>
<tr><td>印鑑証明書</td><td>３通</td></tr>
<tr><td>委任状</td><td>１通</td></tr>
<tr><td colspan="2">登録免許税の額</td></tr>
<tr><td colspan="2">金３万円</td></tr>
</table>

第２欄

登記の事由	
取締役，代表取締役及び監査役の変更 吸収合併による変更	
登記すべき事項	
平成24年７月１日次のとおり変更 　発行済株式の総数　133株 　資本金の額　金600万円 平成24年６月30日取締役Ａ辞任 同日代表取締役Ａ退任 平成24年７月１日監査役Ｄ辞任 同日次の者就任 　取締役　Ｄ 　東京都千代田区さくら町４番地 　　代表取締役　Ｄ 　監査役　Ｅ 　監査役　Ｆ 平成24年７月１日東京都千代田区乙山町１番地有限会社乙山商事を合併	
添付書面の名称及び通数	
株主総会議事録	１通
取締役会議事録	１通
吸収合併契約書	１通
公告及び催告をしたことを証する書面	２通
異議を述べた債権者はいない	
資本金の額が会社法第445条第５項の規定に従って 計上されたことを証する書面	１通
登録免許税法施行規則第12条第５項の規定に関する証明書	１通
吸収合併消滅会社の株主総会議事録	１通
吸収合併消滅会社が公告及び催告をしたことを証する書面	２通
異議を述べた債権者はいない	
取締役の就任承諾を証する書面	１通

平成24年

代表取締役の就任承諾を証する書面	1通
監査役の就任承諾を証する書面	2通
印鑑証明書	5通※
辞任届	2通
委任状	1通
登録免許税の額	
金4万円	

※　現在は,「印鑑証明書　6通」となる。

第3欄

【登記することができない事項】
発行可能株式総数の変更の件

【理由】
発行可能株式総数を変更するためには，株主総会の特別決議が必要であり，特例有限会社における特別決議は，総株主の半数以上であって，当該株主の議決権の4分の3以上に当たる多数をもって行わなければならない。本問における申請会社は，発行可能株式総数を変更する決議をしているが，総株主の半数以上という頭数要件を満たしていない。したがって，発行可能株式総数の変更は，登記することができない事項となる。

問題　平成23年

司法書士法務太郎は，平成23年６月13日及び同年７月１日，事務所を訪れた株式会社甲山商事の代表者から，別紙１から別紙６までの書類のほか，登記申請に必要な書類の交付を受け，別紙７及び別紙８のとおり事情を聴取し，確認をした。司法書士法務太郎は，登記すべき事項や登記をするための要件等を説明し，各々の日に，必要となる登記の申請書の作成及び登記申請の代理の依頼を受けた。司法書士法務太郎は，この依頼に基づき，各々の嘱託を受けた日に，管轄登記所に登記を申請した。

以上に基づき，次の問１から問５までに答えなさい。

問１　答案用紙の第１欄には，平成23年６月13日に申請をした登記に関し，当該登記の申請書に記載すべき登記の事由，登記すべき事項，添付書面の名称及び通数並びに登録免許税の額をそれぞれ記載しなさい。

問２　答案用紙の第２欄には，平成23年７月１日にした申請のうち，東京法務局宛ての申請の登記に関し，当該登記の申請書に記載すべき登記の事由，登記すべき事項並びに添付書面の名称及び通数をそれぞれ記載しなさい。

問３　答案用紙の第３欄には，平成23年７月１日にした申請のうち，さいたま地方法務局宛ての経由申請による登記に関し，当該登記の申請書に記載すべき登記の事由，登記すべき事項並びに添付書面の名称及び通数を記載しなさい。ただし，登記すべき事項については，解答欄に指示された事項についてのみ解答するものとし，「会社の成立年月日」及び「吸収合併」については，登記すべき事項として記載する必要のあるものには「要」を，記載する必要のないものには「否」をそれぞれ○印で囲み，「役員に関する事項」及び「登記記録に関する事項」については，登記すべき事項の内容を記載しなさい。

問４　答案用紙の第４欄には，株式会社甲山商事の代表者から平成23年６月13日又は同年７月１日に聴取した内容のうち，登記することができない事項がある場合には，当該事項及びその理由を記載しなさい。

問５　答案用紙の第５欄には，平成23年２月21日に株式会社甲山商事が行った官報公告の内容として，法令上要求される事項を記載しなさい。

（答案作成に当たっての注意事項）

1　登記申請書の添付書面は，全て適法に調えられており，所要の記名押印がされているものとする。

2　登記申請書の添付書面については，他の書面を援用することができる場合であっても，援用はしないものとする。

3　解答欄の各欄に記載すべき事項がない場合には，該当の欄に「なし」と記載する。

4　株式会社甲山商事に関しては，別紙1から別紙8までに現れている以外には，会社法の規定と異なる定款の定めは，存しないものとする。

5　被選任者の就任承諾は，選任された日に適法に得られているものとする。

6　東京都千代田区は東京法務局，さいたま市はさいたま地方法務局の管轄である。

7　登記の申請に伴って必要となる印鑑の提出の手続は，適法にされるものとする。

8　株式会社甲山商事は，金融商品取引法（昭和23年法律第25号）第24条第1項の規定により有価証券報告書を内閣総理大臣に提出しなければならない株式会社ではないものとする。

9　数字を記載する場合には，算用数字を使用する。

10　訂正，加入又は削除をしたときは，押印や字数を記載することを要しないが，訂正は，訂正すべき字句に線を引き，近接箇所に訂正後の字句を記載し，加入は，加入する部分を明示して行い，削除は，削除すべき字句に線を引いて，訂正，加入又は削除をしたことが明確に分かるように記載する。

（別紙1）

【平成23年6月13日現在の株式会社甲山商事に係る登記記録の抜粋】

商号	株式会社甲山商事	
本店	東京都千代田区かすみ一丁目1番1号	
会社成立の年月日	平成10年10月1日	
資本金の額	金5億円	平成21年10月1日変更
役員に関する事項	取締役　　　　A	平成22年2月20日重任
	取締役　　　　B	平成22年2月20日重任
	取締役　　　　C	平成22年2月20日重任
	取締役　　　　D	平成22年5月 1日就任
	取締役　　　　E	平成23年1月 1日就任
	東京都港区みなと一丁目3番3号 代表取締役　A	平成22年2月20日重任
	監査役　　　　F	平成20年2月20日重任
	監査役（社外監査役）　G	平成20年2月20日重任
	<u>監査役（社外監査役）　H</u>	平成20年2月20日重任 平成22年2月20日辞任
	監査役（社外監査役）　I	平成22年2月20日就任
	会計監査人　　J監査法人	平成23年2月18日重任
吸収合併	平成22年5月1日東京都港区ひので一丁目1番1号株式会社乙山商事を合併	
	平成23年1月1日東京都港区ひので一丁目1番1号株式会社丙山商事を合併	

（別紙 2）

【平成 23 年 2 月 18 日開催の株式会社甲山商事の定時株主総会における議事の概要】

第 1 号議案　決算承認の件

別紙計算書類（省略）の承認を求めたところ，承認された。

第 2 号議案　定款一部変更の件

次のとおり，定款の一部変更を求めたところ，可決承認された。

現行	変更案
（株券の発行） 第 7 条　当会社の株式については，株券を発行する。	（株券の不発行） 第 7 条　当会社の株式については，株券を発行しない。
（株式取扱規則） 第 9 条　株主名簿への記載又は記録，株券の種類，株式，新株予約権及び株券喪失登録に関する取扱い並びに手数料は，法令又は本定款に定めるもののほか，取締役会において定める株式取扱規則による。	（株式取扱規則） 第 9 条　株主名簿への記載又は記録，株式及び新株予約権に関する取扱い並びに手数料は，法令又は本定款に定めるもののほか，取締役会において定める株式取扱規則による。
（事業年度） 第 31 条　当会社の事業年度は，毎年 1 月 1 日から同年 12 月 31 日までの年 1 期とする。	（事業年度） 第 31 条　当会社の事業年度は，毎年 5 月 1 日から翌年 4 月 30 日までとする。
【新設】	附則 第 31 条（事業年度）の規定にかかわらず，平成 23 年 1 月 1 日から始まる事業年度は，平成 23 年 4 月 30 日までの 4 か月間とする。

第 3 号議案　資本金の額の減少の件

次のとおり，資本金の額の減少を求めたところ，可決承認された。

減少する資本金の額　金 4 億円

効力発生日　平成 23 年 4 月 30 日

（別紙3）

【平成23年6月12日開催の株式会社甲山商事の定時株主総会における議事の概要】

第1号議案　決算承認の件

別紙計算書類（省略）の承認を求めたところ，承認された。

第2号議案　定款一部変更の件

次のとおり，定款の一部変更を求めたところ，可決承認された。

なお，定款第5条に係る変更の効力は，本定時株主総会終結の時に生ずるものである。

現行	変更案
（機関の設置） 第5条　当会社は，株主総会及び取締役のほか，次の機関を置く。 (1)　取締役会 (2)　監査役 (3)　監査役会 (4)　会計監査人	（機関の設置） 第5条　当会社は，株主総会及び取締役のほか，次の機関を置く。 (1)　取締役会 (2)　監査役 (3)【削除】 (4)　会計監査人
【新設】	（株式の譲渡制限） 第6条の2　当会社の株式を譲渡により取得するには，取締役会の承認を受けなければならない。

第3号議案　役員選任の件

本定時株主総会の終結の時に任期満了により退任する下記の役員全員を再度選任することが諮られたが，否決された。

記

（役員名については，記載を省略）

（別紙4）

【平成23年6月12日開催の株式会社甲山商事の取締役会における議事の概要】

第1号議案　代表取締役選定の件
代表取締役に下記の者が選定された。
東京都港区みなと一丁目3番3号　A
さいたま市北区いずみ一丁目5番5号　E

（別紙5）

【平成23年6月22日開催の株式会社甲山商事の取締役会における議事の概要】

第1号議案　臨時株主総会招集の件
平成23年6月30日に臨時株主総会を開催することが決議された。

第2号議案　本店移転の件
平成23年7月3日までに当会社の本店を下記へ移転することが決議された。

記

新本店所在地　さいたま市中央区ひかり一丁目1番1号

（別紙6）

【平成23年6月30日開催の株式会社甲山商事の臨時株主総会における議事の概要】

第1号議案　役員選任の件

取締役にW及びXを選任すること並びに監査役にY及びZを選任することを求めたところ，可決承認された。

第2号議案　定款一部変更の件

次のとおり，定款の一部変更を求めたところ，可決承認された。

現行	変更案
（本店の所在地） 第3条　当会社は，本店を東京都千代田区に置く。	（本店の所在地） 第3条　当会社は，本店をさいたま市に置く。
（機関の設置） 第5条　当会社は，株主総会及び取締役のほか，次の機関を置く。 (1)　取締役会 (2)　監査役 (3)【削除】 (4)　会計監査人	（機関の設置） 第5条　当会社は，株主総会及び取締役のほか，次の機関を置く。 (1)　取締役会 (2)　監査役 (3)【削除】 (4)【削除】

（別紙７）

司法書士の聴取記録（平成23年６月13日）

1　株式会社甲山商事は，平成23年２月18日の午後６時から午後７時までの間において，定時株主総会を開催した。株主の全員が出席したことから，株主総会の全ての議案を審議することができる法令及び定款上の定足数を充足しており，当該株主総会は，適法に成立した。議事の概要は，別紙２に記載のとおりである。

株主総会の決議には，いずれも条件は付されておらず，また，定款変更の効力を株主総会決議の時に生じさせることを企図して，法令上必要とされる公告及び通知は，株主総会前に適法にされている。

当該株主総会終了の時点で必要となる登記は，平成23年２月22日に登記されている。

2　株式会社甲山商事は，資本金の額の減少の手続に関し，平成23年２月21日付けの官報において公告を行い，同日，知れている債権者に催告書を交付し，各別の催告をした。当該資本金の額の減少の手続に関し，同日付けの官報公告以外の公告は，一切行っていない。

３名の債権者から異議が述べられたため，資本金の額の減少の効力発生日までに債権者異議手続が終了しないことが確定的となったので，株式会社甲山商事は，平成23年３月16日開催の取締役会において，当該効力発生日を同年５月31日に変更する旨の決議を行った。

株式会社甲山商事は，異議を述べた債権者全員に対し，その債務全額を弁済し，平成23年５月29日までに，全ての手続が終了した。

株式会社甲山商事は，設立以来，最終事業年度に係る貸借対照表の負債の部に計上した額の合計額が200億円以上となったことはない。

3　株式会社甲山商事は，平成23年６月12日の午後６時から午後７時までの間において，定時株主総会を開催した。株主の全員が出席したことから，株主総会の全ての議案を審議することができる法令及び定款上の定足数を充足しており，当該株主総会は，適法に成立した。議事の概要は，別紙３に記載のとおりである。

定款変更の効力を株主総会決議の時に生じさせることを企図して，法令上必要とされる公告及び通知は，株主総会前に適法にされている。

Ｄは，株式会社甲山商事が平成22年５月１日に東京都港区ひので一丁目１番１号所在の株式会社乙山商事を合併した際に就任した者であって，同年２月20日に開催された定時株主総会において選任されたものであり，Ｅは，株式会社甲山商事が平成23年１月１日に東京都港区ひので一丁目1番1号所在の株式会社丙山商事を合併した際に就任した者であって，平成22年10月31日開催の臨時株主総会において選任されたものである。

Ｉは，Ｈの辞任を受け，平成22年２月20日に開催された定時株主総会において選任された者である。また，Ｈは，平成20年２月20日に開催された定時株主総会において選任され，平成22年２月20日に開催された定時株主総会の終結の時に辞任している。

平成23年６月12日に開催された定時株主総会の終結後に開催された取締役会における議事の概要は，別紙４に記載のとおりである。当該取締役会の議事録には，Ａの登記所提出印鑑が押印されている。

4　Ｊ監査法人の主たる事務所の所在地は，さいたま市である。

（別紙8）

司法書士の聴取記録（平成23年７月１日）

1　Ｊ監査法人から平成23年６月19日に株式会社甲山商事に辞任届が提出された。

2　Ｉが平成23年６月20日に死亡し，翌日，その妻から株式会社甲山商事に死亡届が提出された。

3　Ｃ及びＤの両名から平成23年６月21日に株式会社甲山商事に辞任届が提出された。

4　株式会社甲山商事の取締役会は，平成23年６月22日，別紙５のとおり，臨時株主総会の招集を決定し，会社法上の手続を履行した上で，同月30日の午前10時から午前11時までの間において，臨時株主総会が開催された。株主の一部が欠席した（当該株主は，議決権の代理行使もしておらず，取締役会は，書面又は電磁的記録による議決権の行使を許容しなかったので，そのような形での議決権の行使もなかった。）ものの，株主総会の全ての議案を審議することができる法令及び定款上の定足数を充足しており，当該株主総会は適法に成立した。当該株主総会における議事の概要は，別紙６に記載のとおりである。

5　Ｙは社外監査役の要件を満たしているが，Ｚは当該要件を満たしていない。

6　株式会社甲山商事は，本日，現に本店を移転した。

MEMO

第１欄

登記の事由
資本金の額の減少 株式の譲渡制限に関する規定の設定 代表取締役，監査役及び会計監査人の変更 監査役会設置会社の定めの廃止
登記すべき事項
平成23年５月31日変更 　資本金の額　金１億円 平成23年６月12日設定 　株式の譲渡制限に関する規定 　　当会社の株式を譲渡により取得するには，取締役会の承認を受けなければならない。 同日次の者退任 　監査役　F 　監査役（社外監査役）　G 同日次の者重任 　東京都港区みなと一丁目３番３号 　　代表取締役　A 　会計監査人　J監査法人 同日次の者就任 　さいたま市北区いずみ一丁目５番５号 　　代表取締役　E 同日監査役（社外監査役）Iにつき監査役会設置会社の定め廃止により変更 　監査役　I 同日監査役会設置会社の定め廃止

添付書面の名称及び通数	
株主総会議事録	2通
取締役会議事録	2通
公告及び催告をしたことを証する書面	2通
異議を述べた債権者に対し弁済したことを証する書面	1通又は3通
代表取締役の就任承諾を証する書面	2通
印鑑証明書	1通
Ｊ監査法人の登記事項証明書	1通
委任状	1通

登録免許税の額
金７万円

第２欄

登記の事由
本店移転 取締役，代表取締役，監査役及び会計監査人の変更
登記すべき事項
平成23年７月１日本店移転 　本店　さいたま市中央区ひかり一丁目１番１号 平成23年６月12日次の者退任 　取締役　A 　取締役　B 　取締役　C 　取締役　D 平成23年６月19日会計監査人Ｊ監査法人辞任 平成23年６月20日監査役Ｉ死亡 平成23年６月30日代表取締役Ａ退任 同日次の者就任 　取締役　W 　取締役　X 　監査役　Y 　監査役　Z
添付書面の名称及び通数　※１
株主総会議事録　２通 取締役会議事録　１通 辞任届　１通 死亡届　１通 取締役の就任承諾を証する書面　２通 監査役の就任承諾を証する書面　２通 委任状　１通 ※「現実の移転年月日を証する書面　１通」を記載しても良いと解される。

※１　現在は，「本人確認証明書　４通」も添付する。

第３欄

登記の事由
本店移転
登記すべき事項　※２
「会社成立の年月日」（要・否）（要に○） 「役員に関する事項」 取締役　E　　　平成23年１月１日就任 取締役　W　　　平成23年６月30日就任 取締役　X　　　平成23年６月30日就任 さいたま市北区いずみ一丁目５番５号 　代表取締役　E　　　平成23年６月12日就任 監査役　Y　　　平成23年６月30日就任 監査役　Z　　　平成23年６月30日就任 「吸収合併」（要・否）（否に○） 「登記記録に関する事項」 平成23年７月１日東京都千代田区かすみ一丁目１番１号から本店移転
添付書面の名称及び通数
委任状　　１通

※２　申請人の会社法人等番号を提供することにより，新所在地における登記の申請書には，登記すべき事項として，本店を移転した旨及びその年月日（商登53）の記載があれば足り，その他の事項の記載を省略することができる（平成29.7.6民商111号）。

第４欄

【登記することができない事項】
① 取締役Ｃ及びＤの辞任の件
② 会計監査人設置会社の定めの廃止の件

【理由】
① 取締役としての権利義務を有する者は，辞任又は任期満了により会社との間の委任関係が終了しており，その地位が法律の規定によって与えられたものであるため，辞任することはできない。
本問の場合，取締役Ｃ及びＤは平成23年６月21日に辞任届を提出しているが，Ｃ及びＤは平成23年６月12日開催の定時株主総会の終結時にその任期が満了しており，平成23年６月21日の時点において取締役としての権利義務を有する者であるため，辞任することはできない。
したがって，取締役Ｃ及びＤの辞任は，登記することができない。
② 大会社は，会計監査人を置かなければならない。
本問における申請会社は，平成23年６月30日開催の臨時株主総会において会計監査人設置会社の定めを廃止する旨の決議をしているが，申請会社は申請日現在において大会社であり，会計監査人設置会社の定めを廃止することはできないため，当該決議は法令に違反し無効である。
したがって，会計監査人設置会社の定めの廃止は，登記することができない。

第５欄

① 資本金の額の減少の内容

② 最終事業年度に係る貸借対照表の開示状況

③ 債権者が１か月を下らない一定の期間内に異議を述べることができる旨

MEMO

問題　平成22年

司法書士法務明男は，平成22年６月21日，事務所を訪れた株式会社ダイイチの代表取締役Ａから，別紙１から別紙４までの書類を含む必要書類の提示を受け，別紙５のとおり，事情の聴取及び事実の確認をした。司法書士法務明男は，登記すべき事項などを説明したところ，Ａから，必要な登記申請書の作成及び登記申請の代理を依頼され，この依頼に基づき，同年７月１日，管轄する登記所に必要となる登記の申請をした。

以上に基づき，次の問１から問４までに答えなさい。

問１　答案用紙第１欄には，新設分割設立株式会社について申請すべき登記に関し，同欄のアからオまでの各項目ごとに当該登記の申請書に記載すべき事項を記載しなさい。新設分割による設立の登記をすることができないと考える場合には，イの項目にその旨及び理由を記載しなさい。

なお，本件の会社分割がいわゆる簡易分割の要件に該当すると考える場合には，株主総会の承認決議を経ずに手続を行ったものとして答えるものとし，その場合の添付書面の記載に当たっては，「簡易分割の要件に該当することを証する書面（○○○○・・・）」のように，括弧書きで具体的書面を付記しなさい。

また，債権者の異議手続を行うことを要すると考える場合には，添付書面の記載に当たっては，「債権者の異議手続をしたことを証する書面（○○○○･･･）」のように，括弧書きで具体的書面を付記しなさい（法律上債権者の異議手続を行うことを要しないと考える場合には，任意の債権者の異議手続は行わなかったものとして答えなさい。）。

問２　答案用紙第２欄には，新設分割株式会社について東京法務局新宿出張所を経由して申請すべき登記があると考える場合に，同欄のアからオまでの各項目ごとに当該登記の申請書に記載すべき事項を記載しなさい。

問３　答案用紙第３欄には，Ａから平成22年６月21日にされた次の質問に対する司法書士法務明男としての回答を理由を付して簡潔に記載しなさい。

（質問）

「当社の株主から，平成22年６月30日までに臨時株主総会を開催して，新設分割設立株式会社の成立の日である同年７月１日に，当社の株主に対し，剰余金の配当（配当財産は新設分割設立会社の株式のみ）を行って欲しい旨の要請が寄せられたのですが，この要請にこたえるための所要の手続を行った上で，予定どおり同日に登記の申請をすることは，可能でしょうか。」

問４　答案用紙第４欄には，本件の新設分割設立株式会社が新設分割株式会社の商号を引き続き使用することから必要となり得ると考えられる登記事項及びそのように考えた理由を記載しなさい。

（答案作成上の注意事項）

1　別紙１から別紙４までにおいて，「（略）」，「（中略）」又は「（以下略）」と記載されている部分は，いずれも，有効な記載があるものとする。

2　登記の申請書に添付すべきものは，いずれも，書面により作成されており，議事録には所要の記名押印がされているものとする。

3　東京都港区は東京法務局港出張所が，東京都新宿区は同法務局新宿出張所が，それぞれ管轄登記所となる。

4　答案用紙の各欄に記載すべき事項がない場合には，当該欄に斜線を引くものとする。

5　本件に関し，官庁の許可を要する事項はないものとする。

別紙１

株式会社ダイイチの登記事項証明書(平成 22 年 6 月 18 日現在)の内容の抜粋

商号　株式会社ダイイチ

本店　東京都港区みなと一丁目１番１号

公告をする方法　東京毎朝新聞に掲載してする。

会社成立の年月日　平成 16 年４月１日

目的　１．　ソフトウエアの開発及び販売

　　　２．　前号に付帯する一切の業務

発行可能株式総数　8000 株

発行済株式の総数　2000 株

株券を発行する旨の定め　当会社の株式については，株券を発行する。

資本金の額　金１億円

株式の譲渡制限に関する規定　当会社の株式を譲渡により取得するには，当会社の承認を受けなければならない。

役員に関する事項　取締役Ａ　平成 20 年６月 25 日重任

取締役Ｂ　平成 20 年６月 25 日重任

取締役Ｃ　平成 20 年６月 25 日重任

東京都品川区品川七丁目７番７号

代表取締役Ａ　平成 20 年６月 25 日重任

監査役Ｄ　平成 18 年６月 20 日重任

<u>監査役Ｅ　平成 18 年６月 20 日重任</u>

<u>平成 20 年６月 25 日辞任</u>

監査役Ｆ　平成 20 年６月 25 日就任

取締役会設置会社に関する事項　取締役会設置会社

監査役設置会社に関する事項　監査役設置会社

別紙２

新設分割計画書

株式会社ダイイチ(商号変更後は，株式会社ダイニ。以下「甲」という。)は，新設分割により株式会社ダイイチ(以下「乙」という。)を設立するため，次のとおり計画する。

(新設分割)

第１条　乙は，甲からソフトウエアの開発及び販売に関する事業の一部に関する権利義務を承継して，新設分割により設立する。

２　甲は，第７条に定める分割期日に，その商号を「株式会社ダイニ」に変更する。

(定款で定める事項等)

第２条　乙の商号，目的，本店所在地，発行可能株式総数その他乙の定款で定める事項は，(別紙)の定款のとおりとする。

(設立時役員の氏名)

第３条　乙の設立時取締役及び設立時監査役は，次のとおりとする。

設立時取締役Ａ　　設立時取締役Ｃ　　設立時取締役Ｇ　　設立時監査役Ｂ

(承継する権利義務等)

第４条　本件分割により，乙が甲から承継する権利義務は，後記「承継する権利義務等の明細」に定めるところによる。

２　本件分割に関し，乙は，甲から債務を一切承継しない。

(分割対価の交付)

第５条　乙は，本件分割に際して普通株式 200 株を発行し，そのすべてを甲に対して交付する。

（設立時資本金及び準備金の額等）

第6条　乙の設立時資本金及び準備金の額等に関する事項は，次のとおりとする。

⑴　資本金の額　　　　金 1,000 万円

⑵　資本準備金の額　　金 2,000 万円

⑶　その他資本剰余金の額　　　会社計算規則の規定に従い，甲が定める。

（分割期日）

第7条　分割をなすべき時期(以下「分割期日」という。)は，平成 22 年7月1日とする。ただし，手続の進行上必要がある場合は，甲の取締役会の決議により分割期日を変更することができる。

「承継する権利義務等の明細」

資　産：　現　金　2,000 万円　　　　特許権　1,000 万円

負　債：　0円

以上

上記計画を証するため，本書を作成する。

平成 22 年6月4日　（甲の代表者Aの記名押印がある。）

（別紙）

「乙　定　款」

（商　号）

第１条　当会社は，株式会社ダイイチ　と称する。

（目　的）

第２条　当会社は，次の事業を営むことを目的とする。

⑴　飲食店の経営

⑵　ソフトウエアの開発

⑶　前二号に附帯関連する一切の事業

（本店の所在地）

第３条　当会社は，本店を東京都新宿区に置く。

（公告の方法）

第４条　当会社の公告は，官報に掲載してする。

（発行可能株式総数）

第５条　当会社の発行可能株式総数は，1200株とする。

（株式の譲渡制限）

第６条　当会社の株式を譲渡により取得するには，当会社の承認を受けなければならない。

（中略）

（取締役及び監査役の任期）

第22条　取締役及び監査役の任期は，選任後５年以内に終了する事業年度のうち最終のものに関する定時株主総会の終結の時までとする。

（代表取締役の選定）

第23条　当会社の取締役が２名以上あるときは，取締役の互選により代表取締役１名を選定する。

（中略）

（事業年度）

第25条　当会社の事業年度は，毎年４月１日から翌年３月31日までの年１期とする。

（中略）

（その他）

第30条　本定款に定めのない事項については，すべて会社法その他の法令の定めるところによる。

（附　則）

第31条　当会社の設立時代表取締役は，次の者とする。

設立時代表取締役Ａ

以上

別紙3

定時株主総会議事録

平成22年6月18日午前10時00分より当会社本店において，定時株主総会を開催した。

株主の総数　5名
発行済株式の総数　2000株
議決権を行使できる株主の総数　5名
議決権を行使できる株主の議決権総数　2000個
出席株主の数　4名
出席株主の有する議決権の総数　1900個

出席した取締役及び監査役　取締役A，B及びC，監査役D及びF
議長　A
議事録作成に関する職務を行った取締役　C

上記のとおり出席があったので，本株主総会は適法に成立した。
定刻代表取締役Aは，定款の規定により議長となり，開会を宣し，直ちに議事に入った。
第1号議案　第6期(平成21年4月1日から平成22年3月31日まで)決算承認の件
＜中略＞　満場異議なくこれを承認した。

第2号議案　定款一部変更の件
議長は，平成22年7月1日付をもって，次のとおり，定款の一部変更を行いたい旨を述べ，議場に諮ったところ，満場一致をもってこれを承認可決した。

現行	変更案
（商号） 第1条　当会社は，株式会社<u>ダイイチ</u>と称する。	（商号） 第1条　当会社は，株式会社<u>ダイニ</u>と称する。

第3号議案　役員改選の件

議長は，本定時株主総会終結の時をもって任期満了となる者について，全員の再選を行いたい旨を述べ，議場に諮ったところ，満場一致をもってこれを承認可決した。

なお，被選任者は，その就任を承諾した。

（略）

以上をもって本総会の議案全部を終了したので，議長は閉会の挨拶を述べ，午前 11 時 00 分散会した。

以上の決議を明確にするため，この議事録を作成し，議長及び出席取締役が次に記名押印する。

（以下略）

別紙4

取締役会議事録

平成22年6月18日午前11時15分，当会社本店会議室において，取締役会を開催した。

定刻に，取締役Bは議長席につき，開会を宣し，次のとおり定足数に足る取締役の出席があったので，本取締役会は適法に成立した旨を告げた。

取締役総数　3名　　監査役総数　2名

本日の出席取締役数　3名　　本日の出席監査役数　2名

第1号議案　代表取締役選定の件

議長は，代表取締役を選定する必要がある旨を述べ，下記の者の選定について議場に諮ったところ，全員一致をもってこれを承認可決した。

記

東京都品川区品川七丁目7番7号

代表取締役A

第2号議案　新設分割計画承認の件

議長は，新設分割計画書(略)に記載のとおり新設分割を行いたい旨を述べ，その内容について説明を行った後，新設分割計画の承認について議場に諮ったところ，全員一致をもってこれを承認可決した。

第3号議案　新設分割設立会社の本店所在場所決定の件

議長は，新設分割により設立する会社の本店所在場所につき下記のとおり諮り，その承認を求めたところ，全員一致をもってこれを承認可決した。

記

本店　東京都新宿区中央二丁目2番2号

議長は，以上をもって本日の議事を終了した旨を述べ，午前11時45分閉会した。

以上の決議を明確にするため，本議事録を作成し，出席取締役及び出席監査役全員が次に記名押印する。

(以下略)

※本議事録には別紙2の新設分割計画書が別紙として合綴されている。

別紙５

(法務明男が聴取及び確認した事項)

1　新設分割株式会社の登記記録の内容は，別紙１のとおりである。

2　新設分割株式会社の定款には，法令の内容と異なる別段の定めはない。

3　新設分割計画の内容は，別紙２のとおりである。

4　当該分割に際しての知れている債権者は，10 名であることを確認し，うち１名は不法行為によって生じた債務の債権者であることを確認した。

5　法令上必要とされる公告及び通知は，すべて適法に行われたことを確認した。

6　新設分割株式会社の平成 22 年６月４日現在の総資産額として法務省令で定める方法により算定された額は，金２億円であったことを確認した。

7　新設分割株式会社は，平成 22 年６月４日現在，欠損１億円の簿価債務超過状態にあることを確認した。

8　新設分割株式会社について，貸借対照表の内容に大きな変更が生じる事由は一切発生していないこと及び分割期日までに貸借対照表の内容に大きな変更が生じる行為を一切行わないことを確認した。

9　会社の分割に伴う労働契約の承継等に関する法律に基づく所要の手続は，適法に完了していることを確認した。

10　新設分割株式会社の取締役Ａ，Ｂ及びＣ並びに監査役Ｆは，平成 20 年６月 25 日開催の定時株主総会において，また監査役Ｄは，平成 18 年６月 20 日開催の定時株主総会において，選任されている。

11　Ａが司法書士法務明男の事務所に訪れた日の前日までに，本件依頼に関するすべての手続が完了したことを確認した。

第１欄

ア　登記の事由
平成22年７月１日新設分割の手続終了
イ　登記すべき事項
商号　株式会社ダイイチ 本店　東京都新宿区中央二丁目２番２号 公告をする方法　官報に掲載してする 目的　１　飲食店の経営 　　　２　ソフトウエアの開発 　　　３　前二号に附帯関連する一切の事業 発行可能株式総数　1,200株 発行済株式の総数　　200株 資本金の額　金1,000万円 株式の譲渡制限に関する規定 　当会社の株式を譲渡により取得するには，当会社の承認を受けなければならない。 役員に関する事項 取締役　A 取締役　C 取締役　G 東京都品川区品川七丁目７番７号 　代表取締役　A 登記記録に関する事項 東京都港区みなと一丁目１番１号株式会社ダイイチから分割により設立
ウ　課税標準金額
金1,000万円
エ　登録免許税の額
金７万円

オ　添付書面の名称及び通数	
定款	1通
新設分割計画書	1通
取締役会議事録	1通
新設分割株式会社の登記事項証明書	1通
簡易分割の要件に該当することを証する書面（新設分割設立株式会社に承継させる資産の帳簿価額の合計額が新設分割株式会社の総資産額の5分の1を超えないことを代表者が証明し記名押印した書面）	1通
資本金の額が会社法第445条第5項の規定に従って計上されたことを証する書面	1通
設立時取締役の就任承諾を証する書面	3通
印鑑証明書	3通
委任状	1通

第２欄

ア　登記の事由	
新設分割による変更　※ ※　「新設分割」と記載してもよい。	
イ　登記すべき事項	
東京都新宿区中央二丁目２番２号株式会社ダイイチに分割	
ウ　課税標準金額	
エ　登録免許税の額	
金３万円	
オ　添付書面の名称及び通数　※	
代表取締役の印鑑証明書	１通
委任状	１通

※　現在は，「代表取締役の印鑑証明書」の添付は不要である。

第３欄

できない

【理由】

新設分割株式会社が，新設分割の効力発生日に配当財産が新設分割設立株式会社の株式のみである剰余金の配当をする場合，新設分割株式会社において債権者保護手続が必要となり，当該債権者保護手続は最低でも１か月の期間を要する。

本問の場合，司法書士法務明男が相談を受けた日は平成22年６月21日であり，新設分割の予定日は平成22年７月１日であるため，平成22年７月１日までに債権者保護手続を終えることはできないからである。

第４欄

新設分割設立株式会社が新設分割株式会社の債務を弁済する責任を負わない旨が登記事項となり得る。

【理由】

事業を譲り受けた会社が譲渡会社の商号を引き続き使用する場合には，その譲受会社も，譲渡会社の事業によって生じた債務を弁済する責任を負うが，事業の譲渡後遅滞なく譲受会社がその本店の所在地において譲渡会社の債務を弁済する責任を負わない旨を登記した場合には，責任を負わなくてよい旨の規定は新設分割においても類推適用される。

本問の場合，新設分割設立株式会社が新設分割株式会社の商号を続用しており，新設分割設立株式会社は原則として新設分割株式会社の債務を弁済する責任を負うが，この免責の登記をすることによって当該責任を免れることができるからである。

問題　平成21年

司法書士法務太郎は，事務所を訪れた株式会社さくら商事の代表取締役Ａから，平成21年６月１日，別紙１から別紙４までの書類のほか必要書類の交付を受け，別紙５のとおり事情を聴取した。司法書士法務太郎は，登記すべき事項や登記のための要件などを説明したところ，必要な登記の申請書の作成及び登記の申請の代理を依頼された。司法書士法務太郎は，この依頼に基づき，同日，同社の本店の所在地を管轄する登記所に登記の申請をした。

また，司法書士法務太郎は，Ａから，同年７月１日，別紙６及び７の書類のほか必要書類の交付を受け，別紙８のとおり事情を聴取した。司法書士法務太郎は，登記すべき事項や登記のための要件などを説明したところ，必要な登記の申請書の作成及び登記の申請の代理を依頼された。司法書士法務太郎は，この依頼に基づき，同日，同社の本店の所在地を管轄する登記所に登記の申請をした。

以上に基づき，答案用紙の第１欄には，同年６月１日に委任された登記の申請に関し，第２欄には，同年７月１日に委任された登記の申請に関し，それぞれアからオまでの項目ごとに各登記の申請書に記載すべき事項を記載しなさい。

（答案作成上の注意事項）

1　株式会社さくら商事においては，明記されている場合を除き，定款に法令の規定と異なる別段の定めはないものとする。

2　別紙中，（中略），（省略）又は（以下省略）と記載されている部分は，有効な記載があるものとする。

3　登記の申請書に添付すべき書面は，すべて整えられており，議事録には，所要の記名押印がされているものとする。

4　登記の申請書に添付すべき書面について他の書面を援用することができることが明らかなときは，これを援用しなければならない。

5　登記の申請書に添付を要しない書面については，解答欄に記載してはならない。

6　解答欄に記載すべき事項がない場合には，該当の解答欄に斜線を引く。

MEMO

別紙1

登記事項証明書の内容の抜粋（平成21年5月1日現在）

商号　株式会社さくら商事

本店　東京都中央区大島一丁目1番1号

公告をする方法

官報に掲載してする

会社成立の年月日　（略）

目的　（略）

発行可能株式総数

220万株

発行済株式の総数並びに種類及び数

発行済株式の総数　73万200株

各種類の株式の数

普通株式　43万200株

甲種類株式　20万株

乙種類株式　10万株

資本金の額

金3000万円

発行可能種類株式総数及び発行する各種類の株式の内容

普通株式　170万株

甲種類株式　20万株

乙種類株式　30万株

甲種類株式の内容は，以下のとおりとする。

1　優先配当

甲種類株式は，毎決算期において，普通株式に先立ち，1株につき年30円の剰余金の配当を受けるものとする。

2　取得請求権

当会社は，甲種類株式の株主の選択に従い，当該種類株主に対して，下記の要領で金銭又は当会社の普通株式を交付する。

（1）　普通株式を対価とする取得請求権

ア　甲種類株主は，平成21年5月1日以降，当会社に対して，イに定める条件で，当会社の普通株式と引換えに甲種類株式の全部又は一部を取得するよう請求することができる。

イ　当会社が甲種類株式の取得と引換えに発行すべき普通株式数は，取得の対象である甲種類株式の払込総額を取得価額である200円で除した株式数とする。

（2） 金銭を対価とする取得請求権

ア 甲種類株主は，平成 21 年５月１日以降，当会社に対して，当該甲種類株式１株につき普通株式の時価又は当該甲種類株式１株に係る払込金額のいずれか大きい金額により，その保有する甲種類株式を取得することを請求することができる。

イ 甲種類株式の金銭を対価とする取得請求権に基づく当会社による甲種類株式の取得総額は，その上限を取得請求権の行使の対象となる甲種類株式に係る払込金額の総額とする。

３ 取得条項

（―中略―）

乙種類株式の内容は，以下のとおりとする。

１ 乙種類株主総会の決議を要する事項

取締役の選任又は解任については，株主総会の決議のほかに乙種類株式の株主を構成員とする種類株主総会の決議を要する。

２ 取得請求権

当会社は，乙種類株式の株主の選択に従い，当該種類株主に対して，下記の要領で金銭又は当会社の普通株式を交付する。

（1） 普通株式を対価とする取得請求権

ア 乙種類株主は，乙種類株式の発行日以降，当会社に対して，イに定める条件で，当会社の普通株式と引換えに乙種類株式の全部又は一部を取得するよう請求することができる。

イ 当会社が乙種類株式の取得と引換えに発行すべき普通株式数は，取得の対象である乙種類株式の払込総額を取得価額である 300 円で除した株式数とする。

（2） 金銭を対価とする取得請求権

ア 乙種類株主は，当会社に対して，当該乙種類株式の発行日以降，当該乙種類株式１株につき普通株式の時価又は当該乙種類株式１株に係る払込金額により，その保有する乙種類株式を取得することを請求することができる。

イ 乙種類株式の金銭を対価とする取得請求権に基づく当会社による乙種類株式の取得総額は，取得請求権の行使の対象となる乙種類株式に係る払込金額の総額とする。

３ 取得条項

（―中略―）

株式の譲渡制限に関する規定

当会社の株式を譲渡により取得するには，当会社の取締役会の承認を要する。

役員に関する事項

取締役Ａ	平成 19 年６月 28 日重任
取締役Ｂ	平成 19 年６月 28 日重任
取締役Ｃ	平成 19 年６月 28 日重任

平成21年

平成21年3月7日死亡

取締役Ｄ　　　平成20年6月28日就任

取締役Ｆ　　　平成21年4月1日就任

東京都中央区大島四丁目4番4号

代表取締役Ａ　平成19年6月28日重任

監査役Ｅ　　　平成20年6月28日重任

第1回新株予約権

新株予約権の数　50個

新株予約権の目的たる株式の種類及び数又はその算定方法

本新株予約権の目的となる株式は乙種類株式とし，本新株予約権1個の目的となる乙種類株式の数は，金120万円を，下記の行使価額で除した数とする。

行使価額は，300円とする。

新株予約権の払込金額若しくはその算定方法又は払込みを要しないとする旨

1個当たり金10万円

新株予約権の行使に際して出資される財産の価額又はその算定方法

1個当たり金120万円

新株予約権を行使することができる期間

平成18年6月1日から平成21年6月1日まで

平成18年5月25日発行

取締役会設置会社に関する事項

取締役会設置会社

監査役設置会社に関する事項

監査役設置会社

登記記録に関する事項

平成21年2月3日さいたま市浦和区高浜一丁目1番地1から本店移転

平成21年2月17日登記

＊下線のあるものは抹消事項であることを示す。

別紙2

株式会社さくら商事の株主名簿の概要（平成 21 年５月 16 日現在）

Ｎｏ．１

氏名又は名称　株式会社ホールド		本店　東京都中央区大島二丁目２番２号	
取得年月日	取得事由	種類及び数	株券番号
平成 15 年５月 30 日	売買	普通株式　43 万 200 株	

Ｎｏ．２

氏名又は名称　株式会社経営サポート		本店　埼玉県さいたま市北区小島一丁目１番地１	
取得年月日	取得事由	種類及び数	株券番号
平成 18 年４月１日	新株発行	甲種類株式　20 万株	

Ｎｏ．３

氏名又は名称　株式会社ナカモト		本店　東京都港区中島三丁目３番３号	
取得年月日	取得事由	種類及び数	株券番号
平成 18 年４月１日	新株発行	乙種類株式　10 万株	

別紙３

平成 21 年５月 20 日開催の株式会社さくら商事の臨時株主総会の議事概要

(―中略―)

第１号議案　取締役２名選任の件

議長は，取締役２名を選任する必要がある旨を述べ，その選任方法を諮ったところ，出席株主中から議長の指名に一任したいとの発言があり，一同これを承認したので，議長は，次の者をそれぞれ指名し，これらの者につきその可否を諮ったところ，満場一致をもってこれを承認可決した。

取締役　G

取締役　H

(―以下，省略―)

別紙4

平成21年5月20日開催の株式会社さくら商事の乙種類株主総会の議事概要

（—中略—）

第1号議案　取締役2名選任の件

議長は，取締役2名を選任する必要がある旨を述べ，その選定方法を諮ったところ，出席株主から議長の指名に一任したいとの発言があり，一同これを承認したので，議長は，次の者をそれぞれ指名し，これらの者につきその可否を諮ったところ，これを承認可決した。

取締役　G

取締役　H

（—以下，省略—）

別紙5

司法書士の聴取記録（平成21年6月1日現在）

1　第1回新株予約権の行使に関する聴取内容

（1）　平成21年5月21日，第1回新株予約権50個のすべてを有する株式会社経営サポートは，新株予約権をすべて行使した。なお，当該行使時における第1回新株予約権の帳簿価額は，新株予約権1個当たり10万円であった。

（2）　株式会社経営サポートは，同日，所定の場所において，第1回新株予約権の行使に際して払い込むべき額の全額を払い込んだ。

（3）　第1回新株予約権の行使により増加する資本金の額は，資本金等増加限度額の2分の1の金額とすることが第1回新株予約権の募集事項に係る決議において決定されていた。なお，当該決議において，取締役会に対し特段の委任はされなかった。

（4）　その他，第1回新株予約権の発行及び行使に関する所要の手続は，適法に行われた。

2　甲種類株式の株主による取得請求に関する聴取内容

（1）　平成21年5月21日，甲種類株式の株主から，甲種類株式10万株を普通株式と，同種類株式10万株を現金と，それぞれ引換えにしてする旨の取得請求があり，株式会社さくら商事は，同日，同株主に対し，普通株式の発行をするとともに，現金を交付した。なお，交付された現金については，株式会社さくら商事の分配可能額の範囲内であった。

（2）　甲種類株式の払込金額の総額は，4000万円であった。

（3）　同月16日から(1)の取得請求までの間，株式会社さくら商事の株主の構成に変動はなかった。

（4）　その他，当該取得請求に関する所要の手続は，適法に行われた。

3　G及びHの取締役選任に関する聴取内容

（1）　G及びHの就任承諾書は，平成21年5月20日，株式会社さくら商事に提出された。

（2）　G及びHは，いずれも社外取締役の要件を満たしている。

別紙6

平成21年6月28日開催の株式会社さくら商事の定時株主総会の議事概要

（―中略―）

第1号　計算書類（平成20年4月1日から平成21年3月31日まで）承認の件
（承認―記載は省略）
第2号　定款変更の件
議長は，定款を下記の新旧対照表のとおりに改め，その効力発生について本定時株主総会の終結時としたい旨を述べ，その理由を説明した上で，その賛否を議場に諮ったところ，満場一致をもってこれを承認可決した。

記

変更後	変更前
（機関の設置） 第○条　当会社には，取締役会，監査役及び監査役会を置く。	（機関の設置） 第○条　当会社には，取締役会及び監査役を置く。
（取締役の任期） 第○条　取締役の任期はその選任後1年以内に終了する事業年度のうち最終のものに関する定時株主総会の終結の時までとする。	（取締役の任期） 第○条　取締役の任期はその選任後2年以内に終了する事業年度のうち最終のものに関する定時株主総会の終結の時までとする。
第○条　削除	（監査役の権限の範囲） 第○条　監査役の監査の範囲は，会計に関するものに限定する。
（その他記載は省略）	（その他記載は省略）

第3号　取締役6名選任の件
議長は，取締役のうち本定時株主総会の終結と同時に任期満了し，退任することとなる者について，その改選の必要があるとともに，取締役を1名以上選任する必要がある旨を述べ，その選任方法を諮ったところ，出席株主中から議長の指名に一任したいとの発言があり，一同これを承認したので，議長は，次の者をそれぞれ指名し，これらの者につきその可否を諮ったところ，満場一致をもってこれを承認可決した。なお，被選任者は，席上就任を承諾した。
取締役　A，B，D，I，J，K
第4号　監査役3名選任の件
議長は，監査役3名を選任する必要がある旨を述べ，その選任方法を諮ったところ，出席株主中から議長の指名に一任したい旨の発言があり，一同これを承認したので，議長は，次の者をそれぞれ指名し，これらの者につきその可否を諮ったところ，満場一致をもってこれを承認可決した。なお，被選任者は，席上就任を承諾した。

監査役　L，M，N

（―以下，省略―）

別紙７

平成21年６月28日開催の株式会社さくら商事の取締役会の議事概要

（―中略―）

第１号議案　代表取締役選定

議長は，代表取締役１名の選定を求めたところ，満場一致をもって下記の者が選定された。なお，被選定者は就任を承諾した。

東京都中央区大島四丁目５番６号

代表取締役　Ｂ

第２号議案　特別取締役による議決の定めを設定する件

議長は，特別取締役による議決の定めの設定を求めたところ，満場一致をもって承認可決された。

第３号議案　特別取締役選定の件

議長は，特別取締役としてＡ，Ｂ及びＤの３名の選定を求めたところ，満場一致をもって承認可決された。なお，被選定者は，席上就任を承諾した。

別紙８

司法書士の聴取記録（平成21年７月１日現在）

1　平成21年６月28日開催の株式会社さくら商事の株主総会の決議事項に関する聴取内容

（1）　定款変更の決議に係る新旧対照表の記載を省略した事項について，登記すべき事項は生じていない。

（2）　Ａ，Ｂ，Ｄ，Ｉ，Ｊ及びＫは，いずれも社外取締役の要件を満たしていない。

（3）　選任された監査役は，すべて社外監査役の要件を満たしている。

（4）　Ｆは，社外取締役の要件を満たしており，平成21年３月29日開催の臨時株主総会において，社外取締役として選任された。

（5）　取締役６名の選任その他の当該決議事項に関する所要の手続は，適法に行われた。

2　平成21年６月28日開催の株式会社さくら商事の取締役会の決議事項に関する聴取内容

（1）　出席すべき役員は，すべて出席していた。

（2）　取締役会議事録には，すべて個人の実印が押印されていた。

MEMO

解答例

第１欄

<table>
<tr><td>ア　登記の事由</td></tr>
<tr><td>第１回新株予約権の全部行使
取得請求権付株式の取得と引換えにする株式の発行
取締役の変更</td></tr>
<tr><td>イ　登記すべき事項</td></tr>
<tr><td>平成21年５月21日次のとおり変更　※
　発行済株式の総数　93万200株
　発行済各種の株式の数　普通株式　43万200株
　　　　　　　　　　　　甲種類株式　20万株
　　　　　　　　　　　　乙種類株式　30万株
　資本金の額　金6,250万円
同日第１回新株予約権全部行使　※
同日変更　※
　発行済株式の総数　103万200株
　発行済各種の株式の数　普通株式　53万200株
　　　　　　　　　　　　甲種類株式　20万株
　　　　　　　　　　　　乙種類株式　30万株
平成21年５月20日次の者就任
　取締役　G
　取締役　H
※　いずれも，日付は「平成21年５月31日」と記載してもよいと解される。</td></tr>
<tr><td>ウ　課税標準金額</td></tr>
<tr><td>金3,250万円</td></tr>
<tr><td>エ　登録免許税の額及びその内訳</td></tr>
<tr><td>金26万7,500円
　内訳　資本金の額増加分　金22万7,500円
　　　　役員変更分　　　　金１万円
　　　　他の変更分　　　　金３万円</td></tr>
</table>

解答例

オ　添付書類の名称及び通数　※１	
株主総会議事録	２通
種類株主総会議事録	１通
取締役の就任承諾書	２通
新株予約権の行使があったことを証する書面	１通
払込みがあったことを証する書面	１通
取得の請求があったことを証する書面	１通
資本金の額が会社法及び会社計算規則の規定に従って計上されたことを証する書面	１通
委任状	１通

※１　現在は，「本人確認証明書　２通」も添付する。

第２欄

ア　登記の事由　※２
取締役，特別取締役，代表取締役及び監査役の変更 監査役会設置会社の定めの設定 特別取締役による議決の定めの設定
イ　登記すべき事項　※３
平成21年６月28日次の者退任 　取締役　F 　監査役　E 　代表取締役　A 同日次の者重任 　取締役　A 　取締役　B 　取締役　D 同日次の者就任 　取締役　I 　取締役　J 　取締役　K

解答例

特別取締役　A 特別取締役　B 特別取締役　D 東京都中央区大島四丁目５番６号 　代表取締役　B 監査役（社外監査役）　L 監査役（社外監査役）　M 監査役（社外監査役）　N 取締役Gは社外取締役である 取締役Hは社外取締役である 同日設定 　監査役会設置会社 同日設定 　特別取締役による議決の定めがある
ウ　課税標準金額
エ　登録免許税の額及びその内訳
金７万円 内訳　監査役会設置会社の定めの設定分　金３万円 　　　役員変更分　金１万円 　　　他の変更分　金３万円
オ　添付書類の名称及び通数
株主総会議事録　２通 取締役会議事録　１通 種類株主総会議事録　１通 取締役及び監査役の就任承諾を証する書面 　株主総会議事録の記載を援用する 代表取締役及び特別取締役の就任承諾を証する書面 　取締役会議事録の記載を援用する 印鑑証明書　11通 委任状　１通

※２　現在は,「監査役の監査の範囲を会計に関するものに限定する旨の定款の定めの廃止」も登記の事由になる。

※３　現在は,「同日監査役の監査の範囲を会計に関するものに限定する旨の定款の定めの廃止」も登記すべき事項となる。

問題　平成20年

　司法書士法務一郎は，平成20年５月26日に事務所を訪れた株式会社山田フードの代表取締役から，別紙１から別紙３までの書類のほか必要書類の交付を受け，別紙４のとおり事情を聴取した。司法書士法務一郎は，登記すべき事項や登記のための要件などを説明したところ，必要な登記の申請書の作成及び登記申請の代理を依頼された。司法書士法務一郎は，この依頼に基づき，会社法の定める登記申請期間の末日（登記事項ごとに会社法の定める登記申請期間の末日が異なる場合には，そのうちの最も早く到来するものとする。）に，株式会社山田フードの本店所在地を管轄する登記所に登記申請をした。

　また，司法書士法務一郎は，平成20年６月30日に再度事務所を訪れた株式会社山田フードの代表取締役から，別紙５から別紙７までの書類のほか必要書類の交付を受け，別紙８のとおり事情を聴取した。司法書士法務一郎は，登記すべき事項や登記のための要件などを説明したところ，必要な登記の申請書の作成及び登記申請の代理を依頼された。司法書士法務一郎は，この依頼に基づき，平成20年７月１日，株式会社山田フードの本店所在地を管轄する登記所に登記の申請をした。

　以上に基づき，答案用紙の第１欄には平成20年５月26日に委任された登記の申請に関して，アからオまでの項目ごとに各登記の申請書に記載すべき事項を記載するとともに，カにその登記の申請日を記載し，第２欄には平成20年６月30日に委任された登記の申請に関して，アからオまでの項目ごとに各登記の申請書に記載すべき事項を記載しなさい。また，第３欄には，司法書士として登記の申請を代理すべきでない事項（会社法上登記すべき事項とされていない事項を除く。）があるときは，その事項及びその理由を簡潔に記載しなさい。

（答案作成上の注意）

1　株式会社山田フードにおいては，明記されている場合を除いて，定款に法令の規定と異なる別段の定めはないものとする。

2　別紙中，（中略）又は（以下省略）と記載されている部分は，有効な記載があるものとする。

3　登記の申請書には添付すべき書面はすべて調えられており，議事録には所要の記名押印がされているものとする。

4　登記の申請書に添付すべき書面について，他の書面を援用することができることが明らかなときは，これを援用しなければならない。

5　登記の申請書に添付する必要のない書面については，解答欄に記載してはならない。

6　解答欄に記載すべき事項がない場合には，該当の解答欄に斜線を引く。

MEMO

別紙1

登記事項証明書の内容の抜粋(平成20年4月1日現在)

商　号	株式会社山田フード
本　店	東京都中央区日本橋一丁目1番1号
公告をする方法	官報に掲載してする。
会社成立の年月日	平成10年1月4日
発行可能株式総数	24,000株
発行済株式の総数並びに種類及び数	発行済株式の総数 　6,000株 各種の株式の数 　普通株式　5,000株 　A種類株式1,000株
株券を発行する旨の定め	当会社の株式については，株券を発行する。
資本金の額	金3億円
発行可能種類株式総数及び発行する各種類の株式の内容	普通株式　　20,000株 A種類株式　4,000株 　剰余金の配当については，A種類株式を有する株主に対して，普通株式を有する株主に先立ち，1株につき5,000円の剰余金を支払うものとする。
株式の譲渡制限に関する規定	当会社の発行する株式を譲渡により取得するについては，取締役会の承認を得なければならない。
役員に関する事項	取締役　　甲野一郎　　平成19年3月21日重任 取締役　　甲野二郎　　平成19年3月21日重任 取締役　　甲野三郎　　平成19年3月21日重任 取締役　　甲野四郎　　平成19年3月21日重任 取締役　　甲野五郎　　平成19年3月30日就任 東京都中央区中央一丁目1番1号 代表取締役　甲野一郎　　平成19年3月21日重任 東京都中央区中央四丁目4番4号 代表取締役　甲野四郎　　平成19年3月21日就任 監査役　　乙野一郎　　平成17年3月21日重任 監査役　　乙野二郎　　平成19年3月21日就任 会計監査人　東京中央監査法人　平成19年12月21日就任
取締役会設置会社に関する事項	取締役会設置会社
監査役設置会社に関する事項	監査役設置会社
会計監査人設置会社に関する事項	会計監査人設置会社

別紙２

平成20年５月20日臨時株主総会の議事概要

平成20年５月20日午前10時から，本店会議室において，臨時株主総会を開催した。

議決権を行使することができる株主の状況　株主の総数　10名
その議決権の個数　6,000個

出席株主の状況　本日議決権を行使する株主数　10名
その有する議決権の個数　6,000個

出席した取締役及び監査役
出席取締役　甲野一郎，甲野三郎，甲野五郎
出席監査役　乙野一郎，乙野二郎，乙野三郎
株主総会の議長　代表取締役　甲野一郎
本議事録の作成に係る職務を行った取締役　代表取締役　甲野一郎

議事の経過の要領及びその結果

定刻，代表取締役甲野一郎は，議長席に着き，開会を宣し，本日の出席株主の状況及びその議決権の個数を報告し，本総会は有効に成立した旨を述べて，直ちに議事に入った。

［決議事項］

第１号議案　定款の一部変更の件

議長は，下記のとおり定款の一部を変更したい旨を述べ，その理由を詳細に説明した上で，その賛否を議場に諮ったところ，満場一致をもってこれを承認可決した。

記

現行定款	変更案
（株券の発行） 第６条　当会社の株式については，株券を発行する。	（株券の発行） 第６条（削除）
（中略）	（中略）
（新設）	（株主名簿管理人） 第７条の２当会社は，株主名簿管理人を置く。

	② 株主名簿管理人及びその事務取扱場所は，取締役会の決議によって選定し，公告する。 ③ 当会社の株主名簿は，株主名簿管理人の事務取扱場所に備え置き，株主名簿への記載又は記録，その他株式に関する事務は株主名簿管理人に取り扱わせ，当会社においては取り扱わない。

第２号議案　監査役１名選任の件

議長は，監査役乙野一郎から本臨時総会終結時をもって辞任したいとの申出があった旨を述べ，その補欠後任監査役の選任方法を諮ったところ，満場一致をもって議長の指名に一任することとなった。そこで，議長は，下記の者を指名し，その可否を諮ったところ，満場一致をもってこれを承認可決した。なお，被選任者は，席上就任を承諾した。

監査役　乙野三郎

（以下省略）

別紙３

平成 20 年５月 20 日取締役会の議事概要

甲野二郎を除く取締役及び監査役全員出席

議事　定刻，取締役甲野一郎は，選ばれて議長となり，開会を宣し，議事に入った。

第１号議案　株主名簿管理人設置の件

議長から，平成 20 年５月 20 日開催の臨時株主総会において，株主名簿管理人に関する定款変更案が承認可決されたので，当社株式につき下記のとおり株主名簿管理人を選定したい旨の提案があり，この賛否を諮ったところ，満場一致をもってこれを承認可決した。

記

１．株主名簿管理人の名称及び住所並びに営業所
東京都中央区港一丁目１番１号
ＡＢＣ信託銀行株式会社　本店

（以下省略）

別紙４

司法書士の聴取記録（平成 20 年５月 26 日時点）

1　取締役甲野四郎について，平成20年５月19日午後５時に東京地方裁判所において破産手続開始決定がされた。

2　株式会社山田フードの株主及び登録質権者に対しては，平成20年５月１日に，株券を発行する旨の定款の定めの廃止に係る法定の事項の通知がされている。

3　株式会社山田フードにおいては，会社法所定の株券廃止公告はされていない。

4　株式会社山田フードのすべての株主は，株式会社山田フードに対し，当該各株主の有するすべての株式に係る株券の所持を希望しない旨を申し出ている。

5　株式会社山田フードとＡＢＣ信託銀行株式会社との間において，平成20年５月21日付けでＡＢＣ信託銀行株式会社を株主名簿管理人とする株式事務代行委託契約が締結された。

6　乙野一郎は，平成20年５月20日，株式会社山田フードに対し，同日開催の臨時株主総会終結時をもって辞任する旨の辞任届を提出した。

7　乙野一郎，乙野二郎及び乙野三郎は，いずれも過去に株式会社山田フードの取締役となったことがある。

8　登記申請日については，司法書士法務一郎に一任する。

別紙５

平成20年６月24日定時株主総会の議事概要

平成20年６月24日午前10時から，本店会議室において，定時株主総会を開催した。

議決権を行使することができる株主の状況　株主の総数　10名
その議決権の個数　6,000個

出席株主の状況　本日議決権を行使する株主数　10名
その有する議決権の個数　6,000個

出席した取締役及び監査役

出席取締役　甲野一郎，甲野三郎，甲野五郎

出席監査役　乙野二郎，乙野三郎，乙野四郎，乙野五郎

株主総会の議長　代表取締役　甲野一郎

本議事録の作成に係る職務を行った取締役　代表取締役　甲野一郎

議事の経過の要領及びその結果

定刻，代表取締役甲野一郎は，議長席に着き，開会を宣し，本日の出席株主の状況及びその議決権の個数を報告し，本総会は有効に成立した旨を述べて，直ちに議事に入った。

［報告事項］

第10期(平成19年１月１日から平成20年３月31日まで)事業報告の内容，計算書類の内容の報告の件

議長は，第10期事業報告，貸借対照表，損益計算書，株主資本等変動計算書及び個別注記表について詳細に報告した。

［決議事項］

第１号議案　取締役の任期満了に伴う改選に関する件

議長は，取締役のうち本定時株主総会の終結と同時に任期満了し退任することになるものについて，その改選の必要がある旨を述べ，その選任方法を諮ったところ，出席株主中から議長の指名に一任したいとの発言があり，一同これを承認したので，議長は次の者をそれぞれ指名し，これらの者につきその可否を諮ったところ，満場一致をもってこれを承認可決した。なお，被選任者は，甲野二郎を除き，席上就任を承諾した。

取締役　甲野一郎　　取締役　甲野二郎　　取締役　甲野三郎　　取締役　甲野四郎

第２号議案　定款の一部変更の件

議長は，下記のとおり定款の一部を変更したい旨を述べ，その理由を詳細に説明した上で，その賛否を議場に諮ったところ，満場一致をもってこれを承認可決した。

記

現行定款	変更案
（機　関） 第９条　当会社は，株主総会及び取締役のほか，次の機関を置く。 一　取締役会 二　監査役 三　会計監査人	（機　関） 第９条（同左） 一～二（同左） 三　監査役会 四　会計監査人

第３号議案　監査役２名選任の件

議長は，監査役２名を選任する必要がある旨を述べ，その選任方法を諮ったところ，出席株主中から議長の指名に一任したいとの発言があり，一同これを承認したので，議長は次の者をそれぞれ指名し，これらの者につきその可否を諮ったところ，満場一致をもってこれを承認可決した。なお，被選任者は，席上就任を承諾した。

監査役　乙野四郎

監査役　乙野五郎

第４号議案　募集株式発行の件

議長は，下記要領にて募集株式を発行したい旨を述べ，その理由を詳細に説明し，その賛否を議場に諮ったところ，満場一致をもってこれを承認可決した。

記

募集株式の発行要領

⑴　募集株式の種類及び数　　Ａ種類株式　3,000 株
⑵　払込金額　　１株につき　金 10 万円
⑶　払込金額の総額　　金３億円
⑷　払込期間　　平成 20 年６月 25 日から平成 20 年６月 27 日まで
⑸　増加する資本金の額　　金２億円
⑹　増加する資本準備金の額　　金１億円
⑺　割当方法　　下記⑻記載の２名に割り当て，総数引受契約によって行う。

⑻ 割当先及び割当株式数	丙野一郎	Ａ種類株式	2,000 株
	株式会社鈴木食品	Ａ種類株式	1,000 株
⑼ 払込取扱場所	銀行名：株式会社ＡＢＣ銀行本店		
	口座名義：株式会社山田フード		
	口座番号：普通預金 112233		

（以下省略）

別紙6

平成20年6月24日取締役会の議事概要

甲野二郎を除く取締役及び監査役全員出席

議事　定刻，取締役甲野一郎は，選ばれて議長となり，開会を宣し，議事に入った。

第1号議案　代表取締役選定の件

議長は，当会社の代表取締役を選定したい旨を述べ，慎重に協議した結果，満場一致をもって次のとおり選定した。なお，被選定者のうち，甲野一郎は，席上その就任を承諾した。

東京都中央区中央一丁目1番1号
代表取締役　甲野一郎
イタリア共和国ミラノ県ミラノ市イタリアーノ通り1番地
代表取締役　甲野二郎

（以下省略）

（注）本取締役会議事録において，甲野一郎は，管轄登記所に届けられた印鑑を押印していない。なお，管轄登記所に届けられている印鑑について改印届は提出されていない。

別紙７

株式引受契約書

株式会社山田フード（以下「甲」という。）と丙野一郎（以下「乙」という。）及び株式会社鈴木食品（以下「丙」という。）とは，平成20年６月24日開催の定時株主総会の決議に基づき，甲が発行する募集株式について，下記条項のとおり，乙及び丙が共同してその総数の引受けを行う契約（以下「本契約」という。）を締結した。

第１条（募集株式の募集事項等）
甲は，以下の要項に基づく募集株式を発行する。
１．商号　　　　　　　株式会社山田フード
２．発行可能株式総数　24,000 株
３．株式の譲渡制限に関する規定
当会社の発行する株式を譲渡により取得するについては，取締役会の承認を得なければならない。
４．募集事項
⑴　募集株式の数　　　　　Ａ種類株式　3,000 株
⑵　払込金額　　　　　　　１株につき　金 10 万円
⑶　払込金額の総額　　　　金３億円
⑷　払込期間　　　　　　　平成 20 年６月 25 日から平成 20 年６月 27 日まで
⑸　増加する資本金の額　　金２億円
⑹　増加する資本準備金の額　金１億円

（中略）

第２条（募集株式の総数の引受け）
第１条の規定により甲が発行する募集株式の数 3,000 株のうち，乙は 2,000 株を，丙は 1,000 株をそれぞれ引き受ける。

第３条（募集株式の出資の履行）
第１条に定める払込期間中に，払込金額３億円のうち，乙は甲に対し払込金額２億円を，丙は甲に対し払込金額１億円を，それぞれ甲の下記の口座に振込送金の方法により支払うものとする。

払込取扱場所　　　　銀行名：　株式会社ＡＢＣ銀行　本店
口座名義：株式会社山田フード
口座番号：普通預金　112233

（中略）
平成 20 年 6 月 25 日
（以下省略）

別紙8

司法書士の聴取記録（平成 20 年 6 月 30 日時点）

1　平成 19 年 12 月 21 日に開催された臨時株主総会において，株式会社山田フードの第 10 期事業年度を平成 20 年 3 月 31 日までとし，第 11 期以降の株式会社山田フードの事業年度を毎年 4 月 1 日から翌年 3 月 31 日までの 1 年とする旨の定款の変更がされた。

2　監査役乙野二郎は，平成 19 年 3 月 21 日開催の定時株主総会において，前任者の補欠としては選任されていない。

3　乙野四郎は，平成 19 年 6 月 21 日まで株式会社山田フードの使用人であった。

4　乙野五郎は，過去に株式会社山田フード又はその子会社の取締役，会計参与（法人である会計参与の職務執行者を含む。）若しくは執行役又は支配人その他の使用人となったことがない。

5　甲野二郎については，日本国内に住所はなく，在イタリア日本領事館が発行した署名証明書がある。また，甲野二郎自身の署名がされている取締役及び代表取締役の就任承諾書は，平成 20 年 6 月 25 日，株式会社山田フードに提出されている。

6　平成 20 年 5 月 20 日開催の臨時株主総会及び平成 20 年 6 月 24 日開催の定時株主総会のいずれにおいても，会計監査人に関する議案は決議されていない。

7　株式会社山田フードの 1 株当たりの時価は 10 万円である。

8　募集株式の引受人は，いずれも払込期間末日に払込金額を払込取扱金融機関に払い込み，同社の当該払込取扱金融機関の預金通帳には，それらの払込みの事実が記載されている。

9　株式会社山田フードの定款には，以下の定めがある。

(1)　取締役の任期は，選任後 2 年以内に終了する事業年度のうち最終のものに関する定時株主総会の終結の時までとする。

(2)　①　監査役の任期は，選任後 4 年以内に終了する事業年度のうち最終のものに関する定時株主総会の終結の時までとする。

②　補欠として選任された監査役の任期は，退任した監査役の任期の満了する時までとする。

10　株式会社山田フードの定款には，社外監査役が負う責任の限度に関する契約の締結についての定款の定めはない。

11　株式会社山田フードの定款には，A 種類株式の株主を構成員とする種類株主総会の決議に関する別段の定めはない。

12　平成 20 年 6 月 24 日開催の定時株主総会の決議による決定のうちその効力発生に種類株主総会の決議を要するものについては，その種類株主総会の決議が適法に行われている。

13　平成 20 年 6 月末時点において，甲野四郎に対する破産手続廃止決定はされていない。

第１欄

ア　登記の事由	
株券を発行する旨の定めの廃止 株主名簿管理人の設置 取締役，代表取締役及び監査役の変更	
イ　登記すべき事項	
平成20年５月20日株券を発行する旨の定め廃止 平成20年５月21日設置 　株主名簿管理人の氏名又は名称及び住所並びに営業所 　　東京都中央区港一丁目１番１号 　　　ＡＢＣ信託銀行株式会社　本店 平成20年５月19日次の者退任 　取締役　甲野四郎 　代表取締役　甲野四郎 平成20年５月20日監査役乙野一郎辞任 同日監査役乙野三郎就任	
ウ　課税標準金額	
エ　登録免許税の額及びその内訳	
金６万円	
オ　添付書面の名称及び通数　※１	
定款	１通
株主総会議事録	１通
取締役会議事録	１通
株式の全部について株券を発行していないことを証する書面	１通
株主名簿管理人との契約を証する書面	１通
破産手続開始決定があったことを証する書面	１通
辞任届	１通
監査役の就任承諾を証する書面 　株主総会議事録の記載を援用する	
委任状	１通

※１　現在は，「本人確認証明書　１通」の添付を要する。

カ　申請日
平成20年６月２日

第２欄

ア　登記の事由
募集株式の発行 取締役，代表取締役，監査役及び会計監査人の変更
イ　登記すべき事項
平成20年６月27日変更 　発行済株式の総数　9,000株 　発行済各種の株式の数　普通株式　　5,000株 　　　　　　　　　　　　A種類株式　4,000株 　資本金の額　金５億円 平成20年６月24日次の者退任 　取締役　甲野二郎 　取締役　甲野五郎 　監査役　乙野三郎 同日次の者重任 　取締役　甲野一郎 　取締役　甲野三郎 　東京都中央区中央一丁目１番１号 　　代表取締役　甲野一郎 　会計監査人　東京中央監査法人 同日次の者就任 　取締役　甲野四郎 　監査役　乙野四郎 　監査役　乙野五郎 平成20年６月25日取締役甲野二郎就任
ウ　課税標準金額
金２億円

エ　登録免許税の額及びその内訳	
金143万円 内訳　資本金の額増加分　金140万円 　　　役員等変更分　　　金３万円	

オ　添付書面の名称及び通数	
定款	１通
株主総会議事録	１通
取締役会議事録	１通※２
取締役甲野二郎の就任承諾書	１通
甲野二郎を除く取締役及び監査役の就任承諾を証する書面 　株主総会議事録の記載を援用する	
代表取締役の就任承諾を証する書面 　取締役会議事録の記載を援用する	
印鑑証明書	６通
東京中央監査法人の登記事項証明書	１通
株式引受契約書	１通
払込みがあったことを証する書面	１通
資本金の額が会社法及び会社計算規則の規定に従って計上されたことを証する書面	１通
種類株主総会議事録	１通
委任状	１通

※２　現在は，「取締役会議事録　２通」となる。

第３欄

ア　登記の申請を代理すべきでない事項
１　監査役会設置会社の定めの設定の登記及びそれに伴う社外監査役である旨の登記 ２　代表取締役甲野二郎の就任登記
イ　理由
１について 　監査役会設置会社においては，監査役は３名以上で，かつそのうち半数以上は社外監査役でなければならない。そして，株式会社が監査役会を置く旨の登記を申請する場合，監査役会設置会社である旨の登記と併せて，

社外監査役につき，社外監査役である旨の登記も申請しなければならない。
※３
　本問における申請会社は，平成20年６月24日開催の株主総会において，監査役会を置く旨の定款変更をし，監査役乙野四郎と乙野五郎を選任しているため，監査役の員数は満たしている。しかし，申請会社の監査役３名のうち社外監査役は乙野五郎のみであるため，半数以上という社外監査役の員数の要件を満たしていない。
　したがって，監査役会設置会社である旨の登記と併せて，社外監査役につき，社外監査役である旨の登記を申請することができないため，登記の申請を代理すべきでない。

２について
　取締役会設置会社において代表取締役を選定する場合，取締役会決議により取締役の中から選定をしなければならない。
　本問における申請会社は，平成20年６月24日開催の取締役会において，代表取締役として甲野二郎を選定しているが，その段階では，甲野二郎は取締役の就任承諾書を提出しておらず，取締役ではない。
　したがって，選定時に取締役であるという要件を満たさないことになるため，登記の申請を代理すべきでない。

※３　現行法では，社外監査役の要件が異なる。

問題　平成19年

司法書士法務一郎は，平成19年６月21日に事務所を訪れたＡ運送株式会社の代表取締役から，別紙１から別紙３までの書類のほか必要書類の交付を受け，別紙４のとおり事情を聴取した。司法書士法務一郎は，登記すべき事項や登記のための要件などを説明したところ，必要な登記申請書の作成及び登記申請の代理を依頼された。司法書士法務一郎は，この依頼に基づき，同月22日，Ａ運送株式会社の本店の所在地を管轄する登記所に登記を申請した。

以上に基づき，答案用紙の第１欄には，アからオまでの項目ごとに登記申請書に記載すべき事項を記載し，第２欄には，司法書士として登記の申請を代理すべきでない事項（会社法上登記すべき事項とされていない事項を除く。）があるときはその事項及びその理由を簡潔に記載しなさい。

（答案作成上の注意事項）

1　Ａ運送株式会社においては，明記されている場合を除き，定款に法令の規定と異なる別段の定めはないものとする。

2　別紙中，（中略）又は（以下省略）と記載されている部分は，有効な記載があるものとする。

3　登記申請書に添付すべき書面は，すべて調えられており，議事録には所要の記名押印がされているものとする。

4　登記申請書に添付すべき書面について，他の書面を援用することができることが明らかなときは，これを援用しなければならない。

5　解答欄に記載すべき事項がない場合には，該当の解答欄に斜線を引く。

MEMO

別紙1

登記事項証明書の内容の抜粋

商　号	A運送株式会社
本　店	東京都千代田区本丸一丁目1番1号
会社成立の年月日	平成14年4月1日
発行可能株式総数	10,000株
発行済株式の総数並びに種類及び数	発行済株式の総数 2,600株 各種の株式の数 普通株式　2,100株 優先株式　500株
資本金の額	金4億円
発行可能種類株式総数及び発行する各種類の株式の内容	普通株式　8,000株 優先株式　2,000株 1　剰余金の配当 優先株式は，毎決算期において，普通株式に先立ち，1株につき年300円の剰余金の配当を受けるものとする。 2　議決権 優先株式の株主は，株主総会において議決権を有しない。
株式の譲渡制限に関する規定	当会社の普通株式及び優先株式は，取締役会の承認がなければ譲渡することができない。
役員に関する事項	取締役　甲野一郎　平成17年6月10日就任 取締役　乙野花子　平成17年6月10日就任 取締役　丙野二郎　平成17年6月10日就任 取締役　丁野雪子　平成18年6月10日就任 取締役　戊野三郎　平成18年6月10日就任 東京都渋谷区渋谷三丁目3番3号 代表取締役　甲野一郎　平成17年6月10日就任 東京都中野区中野一丁目1番1号 代表取締役　乙野花子　平成17年6月10日就任 監査役　佐藤太郎　平成18年6月10日就任
取締役会設置会社に関する事項	取締役会設置会社
監査役設置会社に関する事項	監査役設置会社

別紙２

平成19年６月10日定時株主総会の議事概要

平成19年６月10日午前10時から，本店会議室において，議決権のある総株主10名（この議決権数2,000個）の全員が出席し，定時株主総会が開催された。

第１号議案　平成18年度（平成18年５月１日から平成19年４月30日まで）の決算報告に関する件

（中略）

第２号議案　取締役の選任に関する件

議長は，本定時株主総会の終結と同時に任期満了退任する取締役の後任として，次の者を選任することを議場に諮ったところ，満場異議なくこれを承認可決した。なお，被選任者は，即時就任を承諾した。

取締役　乙野花子　　　取締役　丙野二郎

取締役（社外取締役）　　青田四郎

また，議長は，平成19年５月１日に取締役甲野一郎から平成19年６月９日をもって当会社の取締役を辞任する旨の辞任届が提出されている旨を議場に報告した。

第３号議案　監査役設置会社の定めの廃止，会計参与設置会社の定めの設定及び会計参与の選任に関する件

議長は，定款第○条を次の新旧対照表のとおりに改め，会計参与として次の者を選任することを議場に諮ったところ，満場異議なくこれを承認可決し，被選任者は，即時就任を承諾した。

新	旧
（機関） 第○条　当会社は，株主総会及び取締役のほか，次の機関を置く。 ⑴　取締役会 ⑵　会計参与	（機関） 第○条　当会社は，株主総会及び取締役のほか，次の機関を置く。 ⑴　取締役会 ⑵　監査役

東京都千代田区本丸二丁目２番２号

会計参与　　　千代田税理士法人

第４号議案　取締役の責任免除等の定めの設定に関する件

議長は，次のとおり，定款第□条を新たに設けることを議場に諮ったところ，出席株主のうち８名（この議決権数 1,500 個）の賛成によって，これを承認可決した。

（取締役の責任免除等）

第□条　当会社は，会社法第 426 条の規定により，取締役会の決議をもって同法第 423 条の行為に関する取締役（取締役であった者を含む。）の責任を法令の限度内において免除することができる。

２　当会社は，会社法第 427 条の規定により，社外取締役との間に，同法第 423 条の行為による賠償責任を限定する契約を締結することができる。ただし，当該契約に基づく賠償責任の限度額は，金 500 万円以上であらかじめ定めた金額又は法令が規定する額のいずれか高い額とする。

第５号議案　優先株式の内容の変更に関する件

議長は，定款第△条を次の新旧対照表のとおりに改めることを議場に諮ったところ，出席株主のうち９名（この議決権数 1,700 個）の賛成によって，これを承認可決した。

新	旧
（優先株式） 第△条　当会社は，次の各号を内容とする優先株式を発行することができる。	（優先株式） 第△条　当会社は，次の各号を内容とする優先株式を発行することができる。
⑴　優先株式は，毎決算期において，普通株式に先立ち，１株につき年 300 円の剰余金の配当を受けるものとする。	⑴　同左
⑵　優先株式の株主は，株主総会において議決権を有しない。	⑵　同左
⑶　当会社は，当会社が別に定める日が到来した時に，優先株式を取得することができる。この場合において，当会社は，優先株式１株の取得と引換えに，普通株式２株を交付するものとする。	（新設）

（以下省略）

別紙３

平成 19 年６月 10 日取締役会の議事概要

取締役全員出席

（中略）

第１号議案　代表取締役の選定に関する件

丁野雪子は，代表取締役を選定する必要がある旨を述べ，その選定を諮ったところ，全員の一致により次の者が選定され，被選定者は，即時就任を承諾した。

代表取締役　乙野花子（住所　東京都中野区中野一丁目１番１号）

第２号議案　募集株式の発行に関する件

募集株式の発行に関する件について，全員の一致により，下記のとおり承認可決した。

記

１　募集株式の数
普通株式 400 株（このうち 100 株については，自己株式を交付する。）

２　発行する募集株式の全部につき普通株式の株主に割当てを受ける権利を与えるものとし，普通株式の株主に対し，その所有株式 100 株について募集株式 20 株の割合をもって割り当てること。

３　払込金額
１株につき金 10 万円

４　申込期日
平成 19 年６月 15 日

５　払込期間
平成 19 年６月 18 日から平成 19 年６月 20 日まで

６　増加する資本金の額は，資本金等増加限度額に２分の１を乗じて得た額（１円未満切上げ）とする。

（以下省略）

別紙4

司法書士の聴取記録

1　A運送株式会社の定款には，取締役の任期を選任後２年以内に終了する事業年度のうち最終のものに関する定時株主総会の終結の時までとする旨及び監査役の任期を選任後４年以内に終了する事業年度のうち最終のものに関する定時株主総会の終結の時までとする旨の定めがある。

2　A運送株式会社の定款には，３人以上の取締役を置く旨の定めがある。

3　登記の申請書に押印すべき者として，従前は，甲野一郎のみが登記所に印鑑を提出していた。

4　会計参与報告等備置場所は，会計参与の主たる事務所の所在場所に定められた。

5　A運送株式会社は，定時株主総会の第４号議案で加えられた定款第□条第２項の規定により定めるべき額を金1,000万円と定めた。

6　社外取締役丁野雪子及び青田四郎は，平成19年６月11日に，会社との間で責任限定契約を締結した。

7　定時株主総会の第５号議案である優先株式の内容の変更に関し，優先株式の株主の全員が出席した種類株主総会において，当該株主の議決権の３分の２に当たる多数により当該内容の変更が承認されている。

8　A運送株式会社の定款には，株主に株式の割当てを受ける権利を与えて募集株式を発行する場合には，取締役会が募集事項を決定することができる旨の定めがある。

9　A運送株式会社における同社以外の株主10人の全員が申込期日に募集株式の引受けの申込みを行い，払込期間内に払込金額を払込取扱金融機関に払い込んでおり，同社の預金通帳には，この払込みの事実が記載されている。

10　募集に係る自己株式の１株当たりの帳簿価額は，10万円である。

11　会社が株主に対してすべき募集事項，割当株式数及び申込期日の通知に関し，その通知期間を短縮することについて，A運送株式会社における同社以外の株主全員の同意を得ている。

12　今回の募集株式の発行に関し，優先株式の株主に損害を及ぼすおそれはない。

MEMO

第１欄

ア　登記の事由
募集株式の発行 取締役，代表取締役，監査役及び会計参与の変更 社外取締役等の会社に対する責任の制限に関する規定の設定　※１ 監査役設置会社の定めの廃止 会計参与設置会社の定めの設定
イ　登記すべき事項
平成19年６月20日次のとおり変更 　発行済株式の総数並びに種類及び数 　　発行済株式の総数　2,900株 　　各種の株式の数　普通株式　2,400株 　　　　　　　　　　優先株式　　500株 　資本金の額　金４億1,500万円 平成19年６月９日取締役甲野一郎辞任 同日代表取締役甲野一郎退任 平成19年６月10日監査役佐藤太郎退任 同日次の者重任 　取締役　乙野花子 　取締役　丙野二郎 　東京都中野区中野一丁目１番１号 　　代表取締役　乙野花子 同日次の者就任 　取締役（社外取締役）青田四郎　※２ 　会計参与　千代田税理士法人 　（書類等備置場所）東京都千代田区本丸二丁目２番２号 取締役丁野雪子は社外取締役である　※２ 同日設定 社外取締役等の会社に対する責任の制限に関する規定　※１ 　　当会社は，会社法第427条の規定により，社外取締役との間に，同法第423条の行為による賠償責任を限定する契約を締結することができる。ただし，当該契約に基づく賠償責任の限度額は，金500万円以上であらかじめ定めた金額又は法令が規定する額のいずれか高い額とする。 同日監査役設置会社の定め廃止 同日設定 　会計参与設置会社

ウ　課税標準金額	
金1,500万円	
エ　登録免許税の額及びその内訳	
金16万5,000円 　　　内訳　資本金の額増加分　金10万5,000円 　　　　　　役員変更分　　　　金３万円 　　　　　　他の変更分　　　　金３万円	
オ　添付書面の名称及び通数	
定款	１通
株主総会議事録	１通
取締役会議事録	１通
辞任届	１通
引受けの申込みを証する書面	１通（10通）
払込みがあったことを証する書面	１通
資本金の額が会社法及び会社計算規則の規定に従って計上されたことを証する書面	１通
印鑑証明書	６通
取締役及び会計参与の就任承諾を証する書面 　株主総会議事録の記載を援用する	
代表取締役の就任承諾を証する書面 　取締役会議事録の記載を援用する	
募集株式の割当てを受ける権利を与えられた株主全員の同意書	１通（10通）
委任状	１通

※１　現在は，会社法427条の責任限定契約は，非業務執行取締役等との間で締結することができる。

※２　現在は，不要である。

第２欄

ア　登記の申請を代理すべきでない事項
①　取締役等の会社に対する責任の免除に関する規定の設定の件 ②　優先株式の内容の変更の件
イ　理由
①　取締役が２人以上ある監査役設置会社又は委員会設置会社にあっては，取締役の過半数の同意（取締役会設置会社にあっては，取締役会の決議）により取締役の責任を一部免除することができる旨の定款規定を設けることができる。　※３ 　本問における申請会社は，平成19年６月10日開催の定時株主総会において，取締役等の会社に対する責任の免除に関する定款規定を設ける決議をしているが，決議時点において申請会社は監査役設置会社ではない。 　したがって，当該決議は法令に違反する無効なものであり，登記を申請しても却下を免れないから。 ②　種類株式発行会社が，ある種類の株式を取得条項付株式とする旨の定款の変更をする場合，株主総会特別決議のほか，当該種類の株式を有する株主全員の同意を得なければならない。 　本問における申請会社は，平成19年６月10日開催の定時株主総会において，優先株式を取得条項付株式とする旨の定款変更決議をしているが，優先株式を有する株主全員の同意を得ていない。 　したがって，当該決議は効力を生じないため，登記を申請しても却下を免れないから。

※３　現在は，取締役が２人以上ある監査役設置会社，監査等委員会設置会社又は指名委員会等設置会社が当該定款規定を設けることができる。

MEMO

問題　平成18年

司法書士法務律子は，平成18年６月12日に事務所を訪れたＡ出版株式会社の代表取締役から，別紙１から別紙４までの書類のほか必要書類の交付を受け，別紙５のとおり事情を聴取した。司法書士法務律子は，登記すべき事項や登記のための要件などを説明したところ，必要な登記申請書の作成及び登記申請の代理を依頼された。司法書士法務律子は，この依頼に基づき，同月14日，Ａ出版株式会社の本店の所在地を管轄する登記所に登記を申請した。

以上に基づき，答案用紙の第１欄には，アからオまでの項目ごとに登記申請書に記載すべき事項を記載し，第２欄には，司法書士として登記の申請を代理すべきでない事項（会社法上登記すべき事項とされていない事項を除く。）があるときはその事項及びその理由を簡潔に記載しなさい。

（答案作成上の注意事項）

1　Ａ出版株式会社においては，明記されている場合を除き，定款に法令の規定と異なる別段の定めはないものとする。

2　別紙中，（以下省略）又は（中略）と記載されている部分は，有効な記載があるものとする。

3　登記申請書に添付すべき書面は，すべて調えられており，議事録には所要の署名押印がされているものとする。

4　申請書に添付すべき書面について，他の書面を援用することができることが明らかなときは，これを援用しなければならない。

5　解答欄に記載すべき事項がない場合には，該当の解答欄に斜線を引く。

MEMO

別紙1

登記事項証明書の内容の抜粋

商　号	A出版株式会社
本　店	東京都中央区中央一丁目1番1号
単元株式数	普通株式　10株 優先株式　10株
発行可能株式総数	30,000株
発行済株式の総数 並びに種類及び数	発行済株式の総数 　12,000株 各種の株式の数 　普通株式　10,000株 　優先株式　　2,000株
資本金の額	<u>金8,000万円</u> 金1億2,000万円　　平成17年10月1日変更
発行可能種類株式 総数及び発行する 各種類の株式の内容	普通株式　24,000株 優先株式　　6,000株 　優先株式は，毎決算期において，普通株式に先立ち年6分の利益配当を受ける。
株式の譲渡制限に 関する規定	当会社の普通株式及び優先株式は，取締役会の承認がなければ譲渡することができない。
役員に関する事項	取締役　　　赤井花子　平成16年6月10日就任 取締役　　　青田一郎　平成16年6月10日就任 取締役　　　白田二郎　平成16年6月10日就任 取締役　　　黒田雪子　平成17年6月14日就任 東京都渋谷区渋谷二丁目2番2号 代表取締役　赤井花子　平成16年6月10日就任 監査役　　　紺野月子　平成14年6月12日就任 監査役　　　紫林四郎　平成17年6月14日就任

新株予約権に関する事項	第1回新株予約権 新株予約権の数 100個 新株予約権の目的たる株式の種類及び数又はその算定方法 普通株式　1,000株 新株予約権の払込金額若しくはその算定方法又は払込みを要しないとする旨 無償 新株予約権の行使に際して出資される財産の価額又はその算定方法 金10万円 新株予約権を行使することができる期間 平成18年5月1日から平成22年4月30日まで 平成17年12月1日登記
取締役会設置会社に関する事項	取締役会設置会社
監査役設置会社に関する事項	監査役設置会社

別紙2

平成18年5月1日取締役会の議事概要

取締役及び監査役，全員出席

（中略）

第1号議案　株式の分割に関する件

議長から，株式10株を12株に分割する株式の分割について，次のとおり内容の説明が行なわれ，全員異議なく承認可決した。

1　平成18年5月20日最終の株主名簿に記載された株主の所有株式数を，株式10株につき12株の割合をもって分割する。

2　株式分割の効力は，平成18年6月10日に生ずるものとする。

3　分割する株式は，普通株式及び優先株式とする。

第2号議案　発行可能株式総数の変更に関する件

議長から，第1号議案で承認可決された株式の分割の効力が生ずると同時に，発行可能株式総数を会社が発行する株式の分割の割合に応じて増加するものとする旨の説明が行われ，発行可能株式総数に関する定款の変更について，全員異議なく承認可決した。

第3号議案　単元株式数の変更に関する件

議長から，第1号議案で承認可決された株式の分割の効力が生ずると同時に，普通株式及び優先株式の単元株式数をいずれも100株とする旨の説明が行われ，単元株式数に関する定款の変更について，全員異議なく承認可決した。

（以下省略）

別紙３

平成 18 年 6 月 5 日定時株主総会の議事概要

議決権のある株式の株主，全員出席

（中略）

第 1 号議案　平成 17 年度（平成 17 年 4 月 1 日から平成 18 年 3 月 31 日まで）の決算報告に関する件

（中略）

第 2 号議案　取締役及び監査役の選任に関する件

議長は，本定時株主総会の終結と同時に任期満了退任する取締役及び監査役の後任として次の者を選任することを議場に諮ったところ，満場異議なくこれを承認可決した。なお，被選任者は，即時就任を承諾した。

取締役　甲野太郎　　取締役　乙野風子

監査役　丙野五郎

（以下省略）

別紙4

平成18年6月5日取締役会の議事概要

取締役及び監査役，全員出席

（中略）

議案　代表取締役の選任に関する件

黒田雪子は，代表取締役を選任する必要がある旨を述べ，その選任を諮ったところ，全員一致により次の者が選任され，被選任者は，即時就任を承諾した。

代表取締役　甲野太郎（住所　東京都中野区中野三丁目３番３号）

（以下省略）

別紙５

司法書士の聴取記録

1　Ａ出版株式会社では，貸借対照表の負債の部に計上した金額の合計額が10億円を超えたことはない。また，Ａ出版株式会社では，旧商法特例法上の大会社特例規定の適用を受ける旨の定款の定めを設けたことはない。
2　株式の分割により，普通株式又は優先株式の株主に損害を及ぼすおそれはない。なお，株式の分割に関する公告は，平成18年５月２日付けで官報に掲載されている。
3　平成17年12月１日に登記された第１回新株予約権は，株主総会による募集事項の委任決議に基づく取締役会の決議により適法に発行されたものであり，新株予約権付社債に付されたものではない。この取締役会においては，新株予約権の行使により発行する株式の発行価額中資本金に組み入れない額を１株につき2,000円とする旨決定している。
4　第１回新株予約権については，平成18年５月26日，60個の新株予約権の行使請求書１通がＡ出版株式会社に提出され，同月31日，その行使に際して出資すべき金銭の全額について，払込取扱機関に対し所定の払込みがされた。新株予約権の行使時における当該新株予約権の帳簿価額は０円であり，新株予約権の行使に応じて行う株式の交付に係る費用は，資本金の額の計上に際しては考慮しないものとする。なお，Ａ出版株式会社は，自己株式を保有したことはない。
5　Ａ出版株式会社の定款には，取締役の任期が選任後２年以内に終了する事業年度のうち最終のものに関する定時株主総会の終結の時までとする旨の定めがある。なお，Ａ出版株式会社では，これまで役員を予選したことはなく，役員は，選任と同時に就任を承諾している。
6　会社法の施行時において，Ａ出版株式会社の定款には，同法第389条第１項の規定により監査役の監査の範囲を会計に関するものに限定する旨の定めがある。

第１欄

ア　登記の事由
第１回新株予約権の行使 取締役，代表取締役及び監査役の変更 株式の分割
イ　登記すべき事項
平成18年５月31日次のとおり変更 発行済株式の総数　12,600株 　発行済各種の株式の数 　　普通株式　10,600株 　　優先株式　　2,000株 　資本金の額　金１億2,480万円 　第１回新株予約権の数　40個 　前記新株予約権の目的たる株式の種類及び数又はその算定方法 　　普通株式　400株 平成17年６月14日監査役紺野月子退任　※１ 平成18年６月５日次の者退任 　取締役　赤井花子 　取締役　青田一郎 　取締役　白田二郎 　代表取締役　赤井花子 同日次の者就任 　取締役　甲野太郎 　取締役　乙野風子 　東京都中野区中野三丁目３番３号 　　代表取締役　甲野太郎 　監査役　丙野五郎 平成18年６月10日次のとおり変更 　発行済株式の総数　15,000株 　発行済各種の株式の数 　　普通株式　12,600株 　　優先株式　　2,400株
ウ　課税標準金額
金480万円

※１　会社法の施行に伴う取締役等の任期に関する経過措置のため。

解答例

エ　登録免許税の額及びその内訳	
金９万3,600円 　内訳　資本金の額増加分　金３万3,600円 　　　　役員変更分　　　　金３万円 　　　　他の変更分　　　　金３万円	
オ　添付書面の名称及び通数	
株主総会議事録	２通※１
取締役会議事録	３通
取締役及び監査役の就任承諾を証する書面 　株主総会議事録の記載を援用する	
代表取締役の就任承諾を証する書面 　取締役会議事録の記載を援用する	
印鑑証明書	５通
行使請求書	１通
払込みがあったことを証する書面	１通
資本金の額が会社法及び会社計算規則の規定に従って計上されたことを証する書面	１通
委任状	１通

第２欄

ア　登記の申請を代理すべきでない事項
１．発行可能株式総数の変更 ２．単元株式数の変更
イ　理由
１について 　株式会社は，株式の分割と同時であって，かつ，株式の分割の割合の範囲内であれば，株主総会決議によらないで発行可能株式総数を増加することができる。ただし，現に２以上の種類の株式を発行している場合は除かれる。 　本問における申請会社は，普通株式と優先株式を発行しているため，取締役会決議により発行可能株式総数を増加することはできず，登記を申請しても却下を免れないため。 ２について 　取締役会設置会社である株式会社は，定款変更の前後で各株主が有する議決権数が減少しない場合においては，株式の分割と同時に，取締役会決議によって単元株式数を増加することができる。 　本問の場合，株式の分割と同時に単元株式数を増加する決議をしているが，これにより各株主が有する議決権数が減少することとなるため，取締役会決議により単元株式数を増加することはできず，登記を申請しても却下を免れないため。

《主要参考文献一覧》

＊「ジュリスト」(有斐閣)
＊「判例時報」(判例時報社)
＊「重要判例解説」(有斐閣)
＊「[法律時報別冊] 私法判例リマークス」(日本評論社)
＊「登記先例解説集」(きんざい)
＊鴻常夫＝清水湛＝江頭憲治郎＝寺田逸郎　編「商業登記先例判例百選」(有斐閣)
＊「登記研究」(テイハン)
＊登記制度研究会　編「商業登記総覧〔初版〕(1)〜(6)」(新日本法規出版)
＊登記研究 編集室　編「商業・法人登記先例解説総覧〔増補〕」(テイハン)
＊登記研究 編集室　編「商業・法人登記質疑応答集〔増補第２版〕」(テイハン)
＊登記研究 編集室　編「商業登記書式精義（全訂第６版）」(テイハン)
＊法務省民事局第四課　編「商業登記法入門〔全訂２版〕」(きんざい)
＊法務省民事局第四課＝商業登記実務研究会　編著
「新版　商業登記法逐条解説〔増補版〕」(日本加除出版)
＊「月刊　登記情報」(きんざい)
＊商業登記実務研究会　編「問答式　商業登記の実務」(新日本法規出版)
＊松井信憲　著「商業登記ハンドブック〔第４版〕」(商事法務)
＊中村均　著「体系商業登記法〔初版〕」(きんざい)
＊味村治　著「新訂詳解商業登記　上・下」(きんざい)
＊筧康生＝神崎満治郎＝立花宣男　編「全訂詳解商業登記　上・下」(きんざい)
＊「商業登記記載例」(テイハン)
＊法務省民事局第四課職員　編「商業登記記載例詳解　株式会社有限会社 編」
(きんざい)
＊服部栄三＝加藤勝郎＝田辺康平　著「注釈商業登記法　上・下〔初版〕」(きんざい)
＊神崎満治郎　著「図説新商業登記法〔改訂第２版〕」(週刊住宅新聞社)
＊神崎満治郎　著「新・法人登記入門」(テイハン)
＊立花宣男　著「役員変更の登記：会社法対応」(新日本法規出版)
＊立花宣男　著「最新改正商法と商業登記実務のポイント」(新日本法規出版)
＊立花宣男　著「持分会社の登記の手続」(日本法令)
＊青山修　著「〔補訂新版〕商業登記申請ＭＥＭＯ」(新日本法規出版)
＊佐藤純通＝長谷川清＝土井万二　編「Ｑ＆Ａ商業登記とＩＴ化の実務」
(新日本法規出版)
＊法務省民事局第四課職員　編「法人登記書式精義　上・下〔増補改訂版〕」
(テイハン)
＊稲葉威雄＝筧康生＝宇佐美隆男＝永井紀昭＝柳田幸三＝吉戒修一　編
「実務相談株式会社法１〜５〔新訂版〕」(社団法人商事法務研究会)
＊登記手続研究会　編「商業登記法人登記添付書類全集〔改訂版〕」(新日本法規出版)

＊郡谷大輔　編著「中小会社・有限会社の新・会社法」（商事法務）
＊小川秀樹＝相澤哲　編著「通達準拠　会社法と商業登記」（きんざい）
＊「旬刊商事法務」（社団法人商事法務研究会）
＊新公益法人制度研究会　編著「一問一答　公益法人関連三法」（商事法務）
＊相澤哲＝郡谷大輔＝葉玉匡美　編著「論点解説　新・会社法　千問の道標」（商事法務）
＊神崎満治郎他　著「商業登記全書／１～８〔初版〕」（中央経済社）
＊青山修　著「持分会社の登記実務〔初版〕」（民事法研究会）
＊神崎満治郎＝金子登志雄＝鈴木龍介　編著「商業・法人登記300問〔初版〕」（テイハン）
＊神崎満治郎＝金子登志雄＝鈴木龍介　編著「論点解説　商業登記法コンメンタール〔初版〕」（きんざい）
＊吉岡誠一　著「一般社団法人・財団法人制度と登記の実務〔初版〕」（日本加除出版）

令和７年版 司法書士 合格ゾーン 記述式過去問題集
⑫商業登記法

2012年11月20日　第１版　第１刷発行
2024年12月10日　第13版　第１刷発行
編著者●株式会社　東京リーガルマインド
LEC総合研究所　司法書士試験部

発行所●株式会社　東京リーガルマインド
〒164-0001　東京都中野区中野4-11-10
アーバンネット中野ビル
LECコールセンター　0570-064-464
受付時間　平日9：30～19：30/土・日・祝10：00～18：00
※このナビダイヤルは通話料お客様ご負担となります。
書店様専用受注センター　TEL 048-999-7581 / FAX 048-999-7591
受付時間　平日9：00～17：00/土・日・祝休み
www.lec-jp.com/

印刷・製本●株式会社サンヨー

　ISBN978-4-8449-6336-3

司法書士講座のご案内

新15ヵ月合格コース

短期合格のノウハウが詰まったカリキュラム

LECが初めて司法書士試験の学習を始める方に自信をもってお勧めする講座が新15ヵ月合格コースです。司法書士受験指導40年以上の積み重ねたノウハウと、試験傾向の徹底的な分析により、これだけ受講すれば合格できるカリキュラムとなっております。司法書士試験対策は、毎年一発・短期合格を輩出してきたLECにお任せください。

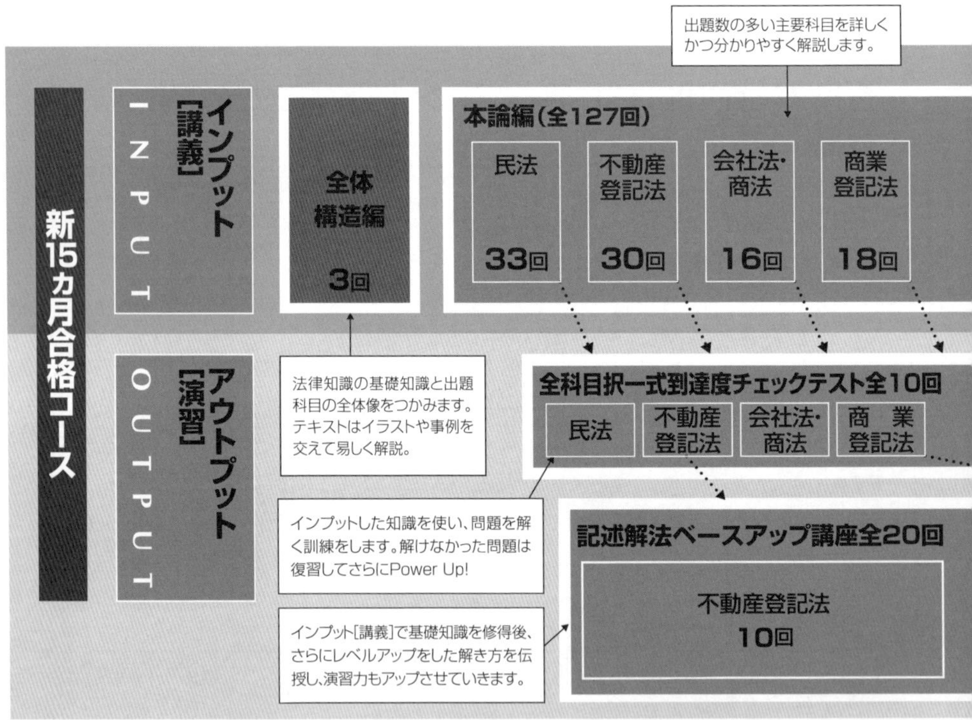

インプットとアウトプットのリンクにより短期合格を可能に！

合格に必要な力は、適切な情報収集（インプット）→知識定着（復習）→実践による知識の確立（アウトプット）という３つの段階を経て身に付くものです。新15ヵ月合格コースではインプット講座に対応したアウトプットを提供し、これにより短期合格が確実なものとなります。

司法書士講座のご案内

スマホで司法書士　S式合格講座

スキマ時間を有効活用！1回15分で続けやすい講座

講義の視聴が**スマホ完結！**
1回15分のユニット制だから**スキマ時間**にいつでもどこでも**手軽に学習可能**です。忙しい方でも続けやすいカリキュラムとなっています。
本講座は、LECが40年以上の司法書士受験指導の中で積み重ねた学習方法、短期合格を果たすためのノウハウを凝縮し、本試験で必ず出題されると言ってもいい重要なポイントに絞って講義をしていきます。

1st. STEP	基礎知識修得期（INPUT）	択一式対策 **S式合格講座** 15分×560ユニット
2nd. STEP	応用力養成期（INPUT）（OUTPUT）	記述式対策 **記述式対策講座** 15分×98ユニット
3rd. STEP	実践力養成期（OUTPUT）	直前対策 **全国公開模擬試験** 全2回

司法書士試験

※過去問対策、問題演習対策を独学で行うのが不安な方には、それらの対策ができる講座・コースもご用意しています。

OUTPUT 合格ゾーンシリーズ

合格ゾーン過去問題集

択一式：全10巻
記述式：全2巻

直近の本試験問題を含む過去の司法書士試験問題を体系別に収録した、LEC定番の過去問題集

合格ゾーン過去問題集

単年度版

本試験の傾向と対策を年度別に徹底解説。受験者動向を分析した各種データも掲載

合格ゾーンポケット判 択一過去問肢集

全8巻

厳選された過去問の肢を体系別に分類。持ち運びに便利なB6判過去問肢集

合格ゾーン 当たる！直前予想模試

問題・答案用紙ともに取り外しができるLECの予想模試をついに書籍化
LEC門外不出の問題ストックから、予想問題を厳選

※本内容は2024年８月１日現在のものであり、変更になる場合があります。予めご了承ください。

書籍訂正情報のご案内

平素は、LECの講座・書籍をご利用いただき、ありがとうございます。

LECでは、司法書士受験生の皆様に正確な情報をご提供するため、書籍の制作に際しては、慎重なチェックを重ね誤りのないものを制作するよう努めております。しかし、法改正や本試験の出題傾向などの最新情報を、一刻も早く受験生に提供することが求められる受験教材の性格上、残念ながら現時点では、一部の書籍について、若干の誤りや誤字などが生じております。

ご利用の皆様には、ご迷惑をお掛けしますことを深くお詫び申し上げます。

書籍発行後に判明いたしました訂正情報については、以下のウェブサイトの「書籍　訂正情報」に順次掲載させていただきます。

書籍に関する訂正情報につきましては、お手数ですが、こちらにてご確認いただければと存じます。

書籍訂正情報 ウェブサイト

https://www.lec-jp.com/shoshi/book/emend.shtml

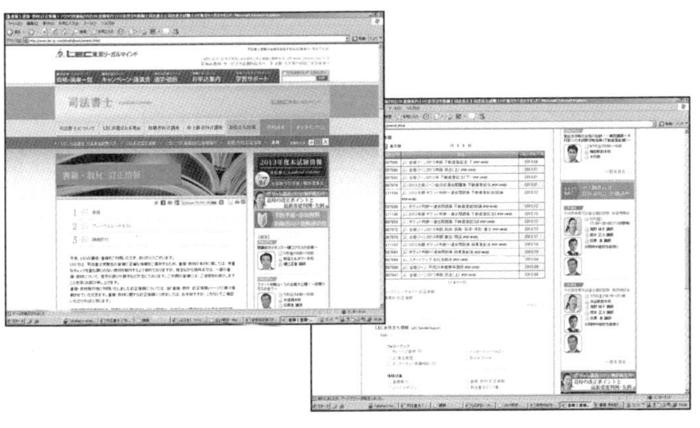

答練・公開模擬試験ラインアップ

40年以上の歴史を誇るLECの「答練・公開模擬試験」。
司法書士受験界において多くの受験生・合格者の支持を受け、メイン答練・公開模試としての役割を担ってきました。レベルや学習目的にあわせた充実のラインアップで、司法書士試験合格を目指します。

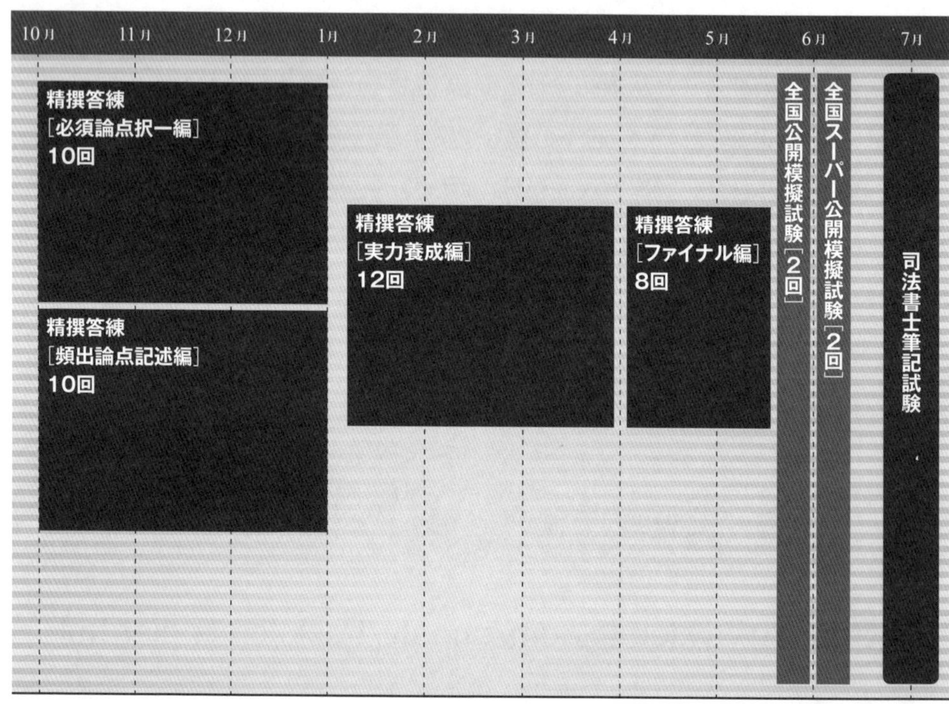

精撰答練［必須論点択一編］（全10回）　〈択一式300問〉

本試験における配点350点のうち210点を占める択一式について、年内に基礎力をつけ、かつ、合格レベルまで引き上げることを目的とした択一答練です。全11科目をひと通り学習していただくことができます。是非、年内に弱点の発見・補強を図ってください。

精撰答練［頻出論点記述編］（全10回）　〈記述式20問〉

本答練では、過去の本試験における記述式問題の傾向を踏まえ、出題頻度の高い論点を中心に構成された問題を提供します。記述対策を改めて見直したい方は、必須論点や問題への適切な「解法手順」（＝アプローチ方法）の習得・構築のために、記述対策の仕上げを目指す方は、ご自身の「解法手順」の検証・確認のために、本答練を是非ご活用ください。

LEC全国学校案内

＊講座のお問合せ，受講相談は最寄りのLEC各校へ

LEC本校

北海道・東北

札　幌本校　☎011(210)5002
〒060-0004 北海道札幌市中央区北4条西5-1　アスティ45ビル

仙　台本校　☎022(380)7001
〒980-0022 宮城県仙台市青葉区五橋1-1-10　第二河北ビル

関東

渋谷駅前本校　☎03(3464)5001
〒150-0043 東京都渋谷区道玄坂2-6-17　渋東シネタワー

池　袋本校　☎03(3984)5001
〒171-0022 東京都豊島区南池袋1-25-11　第15野萩ビル

水道橋本校　☎03(3265)5001
〒101-0061 東京都千代田区神田三崎町2-2-15　Daiwa三崎町ビル

新宿エルタワー本校　☎03(5325)6001
〒163-1518 東京都新宿区西新宿1-6-1　新宿エルタワー

早稲田本校　☎03(5155)5501
〒162-0045 東京都新宿区馬場下町62　三朝庵ビル

中　野本校　☎03(5913)6005
〒164-0001 東京都中野区中野4-11-10　アーバンネット中野ビル

立　川本校　☎042(524)5001
〒190-0012 東京都立川市曙町1-14-13　立川MKビル

町　田本校　☎042(709)0581
〒194-0013 東京都町田市原町田4-5-8　MIキューブ町田イースト

横　浜本校　☎045(311)5001
〒220-0004 神奈川県横浜市西区北幸2-4-3　北幸GM21ビル

千　葉本校　☎043(222)5009
〒260-0015 千葉県千葉市中央区富士見2-3-1　塚本大千葉ビル

大　宮本校　☎048(740)5501
〒330-0802 埼玉県さいたま市大宮区宮町1-24　大宮GSビル

東海

名古屋駅前本校　☎052(586)5001
〒450-0002 愛知県名古屋市中村区名駅4-6-23　第三堀内ビル

静　岡本校　☎054(255)5001
〒420-0857 静岡県静岡市葵区御幸町3-21　ペガサート

北陸

富　山本校　☎076(443)5810
〒930-0002 富山県富山市新富町2-4-25　カーニープレイス富山

関西

梅田駅前本校　☎06(6374)5001
〒530-0013 大阪府大阪市北区茶屋町1-27　ABC-MART梅田ビル

難波駅前本校　☎06(6646)6911
〒556−0017 大阪府大阪市浪速区湊町1-4-1
大阪シティエアターミナルビル

京都駅前本校　☎075(353)9531
〒600-8216 京都府京都市下京区東洞院通七条下ル2丁目
東塩小路町680-2　木村食品ビル

四条烏丸本校　☎075(353)2531
〒600-8413　京都府京都市下京区烏丸通仏光寺下ル
大政所町680-1　第八長谷ビル

神　戸本校　☎078(325)0511
〒650-0021 兵庫県神戸市中央区三宮町1-1-2　三宮セントラルビル

中国・四国

岡　山本校　☎086(227)5001
〒700-0901 岡山県岡山市北区本町10-22　本町ビル

広　島本校　☎082(511)7001
〒730-0011 広島県広島市中区基町11-13　合人社広島紙屋町アネクス

山　口本校　☎083(921)8911
〒753-0814 山口県山口市吉敷下東 3-4-7　リアライズⅢ

高　松本校　☎087(851)3411
〒760-0023 香川県高松市寿町2-4-20　高松センタービル

松　山本校　☎089(961)1333
〒790-0003 愛媛県松山市三番町7-13-13　ミツネビルディング

九州・沖縄

福　岡本校　☎092(715)5001
〒810-0001 福岡県福岡市中央区天神4-4-11
天神ショッパーズ福岡

那　覇本校　☎098(867)5001
〒902-0067 沖縄県那覇市安里2-9-10　丸姫産業第2ビル

EYE関西

EYE 大阪本校　☎06(7222)3655
〒530-0013　大阪府大阪市北区茶屋町1-27　ABC-MART梅田ビル

EYE 京都本校　☎075(353)2531
〒600-8413　京都府京都市下京区烏丸通仏光寺下ル
大政所町680-1　第八長谷ビル

LEC提携校

＊提携校はLECとは別の経営母体が運営をしております。
＊提携校は実施講座およびサービスにおいてLECと異なる部分がございます。

北海道・東北

八戸中央校【提携校】 ☎0178(47)5011
〒031-0035　青森県八戸市寺横町13　第1朋友ビル
新教育センター内

弘前校【提携校】 ☎0172(55)8831
〒036-8093　青森県弘前市城東中央1-5-2
まなびの森　弘前城東予備校内

秋田校【提携校】 ☎018(863)9341
〒010-0964　秋田県秋田市八橋鯲沼町1-60
株式会社アキタシステムマネジメント内

関東

水戸校【提携校】 ☎029(297)6611
〒310-0912　茨城県水戸市見川2-3079-5

所沢校【提携校】 ☎050(6865)6996
〒359-0037　埼玉県所沢市くすのき台3-18-4　所沢K・Sビル
合同会社LPエデュケーション内

日本橋校【提携校】 ☎03(6661)1188
〒103-0025　東京都中央区日本橋茅場町2-5-6　日本橋大江戸ビル
株式会社大江戸コンサルタント内

北陸

新潟校【提携校】 ☎025(240)7781
〒950-0901　新潟県新潟市中央区弁天3-2-20　弁天501ビル
株式会社大江戸コンサルタント内

金沢校【提携校】 ☎076(237)3925
〒920-8217　石川県金沢市近岡町845-1
株式会社アイ・アイ・ピー金沢内

福井南校【提携校】 ☎0776(35)8230
〒918-8114　福井県福井市羽水2-701
株式会社ヒューマン・デザイン内

中国・四国

松江殿町校【提携校】 ☎0852(31)1661
〒690-0887　島根県松江市殿町517　アルファステイツ殿町
山路イングリッシュスクール内

岩国駅前校【提携校】 ☎0827(23)7424
〒740-0018　山口県岩国市麻里布町1-3-3　岡村ビル　英光学院内

新居浜駅前校【提携校】 ☎0897(32)5356
〒792-0812　愛媛県新居浜市坂井町2-3-8
パルティフジ新居浜駅前店内

九州・沖縄

佐世保駅前校【提携校】 ☎0956(22)8623
〒857-0862　長崎県佐世保市白南風町5-15　智翔館内

日野校【提携校】 ☎0956(48)2239
〒858-0925　長崎県佐世保市椎木町336-1　智翔館日野校内

長崎駅前校【提携校】 ☎095(895)5917
〒850-0057 長崎県長崎市大黒町10-10　KoKoRoビル
minatoコワーキングスペース内

高原校【提携校】 ☎098(989)8009
〒904-2163　沖縄県沖縄市大里2-24-1
有限会社スキップヒューマンワーク内

※上記は2024年10月1日現在のものです。

書籍の訂正情報について

このたびは，弊社発行書籍をご購入いただき，誠にありがとうございます。
万が一誤りの箇所がございましたら，以下の方法にてご確認ください。

1 訂正情報の確認方法

書籍発行後に判明した訂正情報を順次掲載しております。
下記Webサイトよりご確認ください。

www.lec-jp.com/system/correct/

2 ご連絡方法

上記Webサイトに訂正情報の掲載がない場合は，下記Webサイトの入力フォームよりご連絡ください。

lec.jp/system/soudan/web.html

フォームのご入力にあたりましては,「Web教材・サービスのご利用について」の最下部の「ご質問内容」に下記事項をご記載ください。

- 対象書籍名（○○年版，第○版の記載がある書籍は併せてご記載ください）
- ご指摘箇所（具体的にページ数と内容の記載をお願いいたします）

ご連絡期限は，次の改訂版の発行日までとさせていただきます。
また，改訂版を発行しない書籍は，販売終了日までとさせていただきます。

※上記「2ご連絡方法」のフォームをご利用になれない場合は，①書籍名，②発行年月日，③ご指摘箇所，を記載の上，郵送にて下記送付先にご送付ください。確認した上で，内容理解の妨げとなる誤りについては，訂正情報として掲載させていただきます。なお，郵送でご連絡いただいた場合は個別に返信しておりません。

送付先：〒164-0001 東京都中野区中野4-11-10 アーバンネット中野ビル
株式会社東京リーガルマインド 出版部 訂正情報係

- 誤りの箇所のご連絡以外の書籍の内容に関する質問は受け付けておりません。
また，書籍の内容に関する解説，受験指導等は一切行っておりませんので，あらかじめご了承ください。
- お電話でのお問合せは受け付けておりません。